漢方294処方 生薬解説

第2版

その基礎から運用まで

監修
根本 幸夫
横浜薬科大学特任教授
同大学漢方和漢薬調査研究センター長

じほう

さまざまな生薬

＊　＊　＊

漢方処方に用いられる生薬は植物性（根，茎，果実，種子，葉など），動物性（骨，脂肪，抜け殻，貝殻など），鉱物性（石膏，ミョウバンなど）といった多岐にわたる天然物が利用されている。ここでは生薬の代表的な品目を紹介した。

ブクリョウ

菌核 → p.195参照

ブクリョウ（断面）

マツホド―菌核

チンピ

果皮 → p.135参照

ウンシュウミカン―果実

ウンシュウミカン―花

オウゴン

根茎 → p.42参照

コガネバナ―花

シャゼンシ

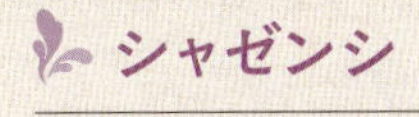

種子 → p.185参照

オオバコ―花

タイソウ

果実 → p.114参照

ナツメ―果実

ナツメ―花

ビャクジュツ

根茎 → p.193参照

オケラ—花

オケラ—根茎

ニンジン（ハクジン）

根 → p.117参照

オタネニンジン—果実

リュウコツ

骨 → p.150参照

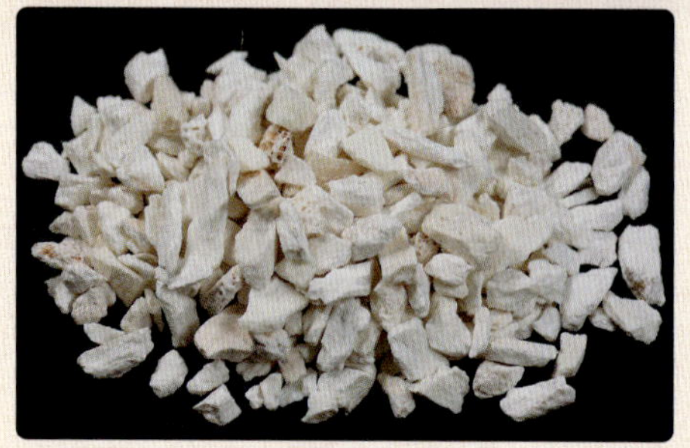

ドベッコウ

背甲 → p.96参照

チョウトウコウ

とげ → p.147参照

（上）カギカズラ—花　（下）カギカズラ—とげ

オウギ

根 → p.101参照

キバナオウギ—花

キバナオウギ—実

バクモンドウ

根の膨大部 ----> p.97参照

ジャノヒゲ—花

ジャノヒゲ—種子

ジャノヒゲ—根

センタイ

抜け殻 ----> p.30参照

センタイ
（アブラゼミ）

アブラゼミ

アキョウ

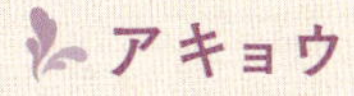

膠 ----> p.154参照

ロバ

シンキク

p.73参照

マオウ
（シナマオウ）

地上茎 ----> p.21参照

シナマオウ—果実

シナマオウ—雄花

ニュウコウ

ゴム樹脂 → p.176参照

ニュウコウジュ―葉

トンシ

脂肪 → p.242参照

ブタ

ゴシツ

根 → p.170参照

トウイノコズチ―花

ハンゲ

塊茎 → p.232参照

カラスビシャク―球茎

カラスビシャク―花

トウニン

種子 → p.174参照

モモ―果実

モモ―花

ボレイ

貝殻 → p.148参照

序

このたび,「第十八改正日本薬局方」および「日本薬局方外生薬規格 2018」改正に合わせて本書の改訂版を出版することとした。本書の経緯について簡単に触れておくと，本書は平成 13 年『漢方 210 処方 生薬解説』として最初に出版したが，その後の平成 24 年 8 月の通知により「一般用漢方製剤承認基準」も大幅に変わり，収載処方数も 294 処方と増えたので，平成 28 年 9 月に『漢方 294 処方 生薬解説』として新たに上梓した。本書はこの延長上にある。

ここで改めて本書の特徴を説明しておくと，漢方処方の基となるのは生薬であり，その生薬の薬効をきちんと知ることが，その処方を正しく運用する基本となることは言うまでもない。しかし現在判明している有効成分だけでは生薬の薬効は説明できないし，当然処方の意図も解析できない。そこで本書は歴代本草書による生薬の薬効を取り上げるとともに，処方解析の基本となる「2 種の生薬を配合した時に起こる薬効」=「配合応用」についても重点を置いて記載した。生薬は，単味よりも連携プレーとでもいうべき組み合わせによって，より効果を発揮するものであるため，処方解析などにぜひ活用していただけるとありがたい。

なお歴代本草書の記載も時代や経験を経て変化することがあるため，その点にも留意した。例えば柴胡は後漢の『傷寒雑病論』の時代は少陽病の清熱薬の代表として扱われたが，時代が下るとともに金元時代には昇提（沈滞した気を上昇させる）薬として用いられ，清代の温病学説においては辛涼解表薬として用いられることが多くなった。つまり処方の解析にあたっては，その処方が創作された時代の生薬の薬効に基づかなければ正確な解析はできないということである。また芍薬のように，時代の変遷に伴い，日本と中国で用法が異なるものも出てきているが，それらの相違についても，その違いをできるだけわかりやすく記述編集した。

しかし今は別の観点から処方や生薬の基準が変わりつつある。例えば白朮と蒼朮の用法において,「五苓散」の原典である『傷寒雑病論』では，蒼朮はいまだ登場せず，白朮が用いられているが,「一般用漢方製剤承認基準」では現在の使用頻度からか「蒼朮（白朮も可)」という表記になっている。

また蜀椒と山椒については，江戸時代より蜀椒が入手しにくく，しかも日本の山椒のほうが薬効も高いので,「大建中湯」などの処方では代々蜀椒の代わりに山椒を用いてきた。「一般用漢方製剤承認基準」の「大建中湯」でも山椒が用いられている。ところが「一般用漢方製剤承認基準」の「解急蜀椒湯」では，蜀椒が採用され，山椒は認められていない。

これらの問題も含めて，生薬の現状について，本書の参訂者である国立医薬品食品衛生研究所生薬部長の袴塚高志氏に何度か話を伺い，そして最後に次のようなコメントをいただいた。

「いつの時代でも，同じようなことが起こっていたと思いますが，それぞれの時代を背景として，伝統的なものも徐々に変遷してゆくものと思います。漢方しかなかった時代と西洋医学が基盤の今とでは違うでしょうし，鎖国状態の時代と今の国際化された時代とでは違うでしょうし，資源の枯渇など心配しなくてよかった時代と今とでは状況がだいぶ違うのかもしれません。すでに失われてしまった記憶・記録が数々あると思いますが，今の時代は記録を半永久的に残すことができる技術が発達しているので，後世のために残しておくことが重要であろうと思います。それは，今現在の状況しか知らない私などではなく，実際はどうであったのか，本来はどうあるべきであったのかをご存じの方々に取り組んでいただくことが理想的なのだと思います」

最後に本書を編集執筆した側から希望として，本書が多くの人に，現在用いられている生薬の過去から現在までの用法の集積，成分，そして本来どうあるべきかを知るうえで役立てていただければ幸いである。

今回の生薬解説編纂にあたっては，上記の言葉をいただいた袴塚高志氏に，「一般用漢方製剤承認基準」の新基準の選定と「第十八改正日本薬局方」および「日本薬局方外生薬規格 2018」の改定のすべてに関わってこられた立場ならではのさまざまなアドバイスをいただいた。選品はじめ産地・流通などの問題では，株式会社栃本天海堂ならびに株式会社ウチダ和漢薬の全面的なご協力を賜った。また，一般社団法人日本漢方連盟，小太郎漢方製薬株式会社ほか漢方関係各社より多くのご協力を賜った。皆様のお力なくしては，本書の上梓はなく，厚く御礼を申し上げる。また，本書の出版にご尽力いただいたじほう出版局の安達さやか氏にこの場を借りて御礼申し上げる。併せて編集執筆を担当した大石雅子氏の本書制作に当たり功多きことを，また全処方の来歴を明らかにしてくれた西島啓晃氏の堅実な努力をここに報告してその功を労う次第である。

最後に『漢方 210 処方 生薬解説』出版の時から，本シリーズの出版にともに参画して来られた前横浜薬科大学漢方和漢薬調査研究センター長の故伊田喜光氏の志に沿うよう，編集者一同，初学者にもできるだけわかりやすいよう本書を完成させることに尽力した。

令和 3 年 12 月

横浜薬科大学漢方和漢薬調査研究センター長
根本 幸夫

執筆者一覧

監　修　根本 幸夫　横浜薬科大学特任教授，同大学漢方和漢薬調査研究センター長

編集主幹　大石 雅子　横浜薬科大学客員教授，昭和大学薬学部臨床薬学講座
西島 啓晃　横浜薬科大学客員教授，慶應義塾大学薬学部非常勤講師

編集執筆　只野　武　東北医科薬科大学名誉教授，横浜薬科大学客員教授
羽田 紀康　東京理科大学薬学部教授
平井 康昭　昭和大学富士吉田教育部教授
川嶋浩一郎　日本小児東洋医学会理事，横浜薬科大学客員教授
小松　一　青森大学薬学部教授
磯田　進　公益社団法人東京生薬協会
降旗 隆二　京都大学環境安全保険機構附属健康科学センター准教授
五十鈴川和人　横浜薬科大学教授

参　訂　袴塚 高志　国立医薬品食品衛生研究所生薬部長
吉田 武美　昭和大学名誉教授，公益社団法人薬剤師認定制度認証機構代表理事
金　成俊　横浜薬科大学教授
榊原　巖　横浜薬科大学教授
喩　静　横浜薬科大学教授
川添 和義　昭和大学薬学部教授

分担執筆　青木 浩義　医療法人社団竹山会理事長，青木医院院長
根本 安人　医療法人山口病院
都築 繁利　神戸医療福祉大学人間社会学部教授
安藤 英広　小太郎漢方製薬株式会社研究所所長
奥平 智之　日本栄養精神医学研究会会長，医療法人山口病院副院長
堀 由美子　城西大学薬学部准教授
高松　智　帝京平成大学薬学部教授，昭和大学客員教授
安藝 竜彦　医療法人山口病院デイケアセンター長
塩原 仁子　昭和大学薬学部社会健康薬学講座，日本東洋医学会代議員
今野 裕之　医療法人社団 TLC 医療会ブレインケアクリニック名誉院長
川本 寿則　横浜薬科大学漢方和漢薬調査研究センター研究員

横浜薬科大学漢方和漢薬調査研究センター学外研究員
鈴木信弘，外郎藤右衛門，木村喜美代，保田智香子，白石尚子，村岡逸朗，

堀口和彦，瀬林章仁，山田智裕，青木　満

協　　力　国立医薬品食品衛生研究所
一般社団法人日本漢方連盟
株式会社栃本天海堂
株式会社ウチダ和漢薬
小太郎漢方製薬株式会社
三和生薬株式会社
横浜薬科大学薬草園
昭和大学薬学部薬用植物園

イラスト　岡村 透子
堀 由美子

写真協力　磯田　進
株式会社栃本天海堂
株式会社ウチダ和漢薬

目　次

第1部　漢方294処方生薬解説

＊印の生薬は，他の項目に掲載されていることを示す。

Ⅰ　発汗解表薬……3
（1）辛温発表薬……3
羌活（きょうかつ）……3
荊芥（けいがい）……5
桂皮（けいひ）……6
藁本（こうほん）……9
細辛（さいしん）……10
生姜（しょうきょう）……12
辛夷（しんい）……15
葱白（そうはく）……16
蘇葉（そよう）……17
白芷（びゃくし）……19
防風（ぼうふう）……20
麻黄（まおう）……21
（2）辛涼発表薬……23
葛根（かっこん）……24
菊花（きくか）……25
香鼓（こうし）……26
牛蒡子（ごぼうし）……27
升麻（しょうま）……28
蝉退（せんたい）……30
薄荷（はっか）……30
白彊蚕（びゃっきょうさん）……32
蔓荊子（まんけいし）……33

Ⅱ　瀉下薬……35
牽牛子（けんごし）……35
大黄（だいおう）……36
芒硝（ぼうしょう）……38
麻子仁（ましにん）……40
＊決明子（けつめいし）……49

Ⅲ　清熱薬……42
黄芩（おうごん）……42
黄柏（おうばく）……44
黄連（おうれん）……45
金銀花（きんぎんか）……47
苦参（くじん）……48
決明子（けつめいし）……49
玄参（げんじん）……50
柴胡（さいこ）……51
山帰来（さんきらい）……54
山梔子（さんしし）……55
地骨皮（じこっぴ）……56
紫根（しこん）……57
十薬（じゅうやく）……58
地竜（じりゅう）……59
石膏（せっこう）……60
竹葉（ちくよう）……62
知母（ちも）……63
忍冬（にんどう）……64
敗醬（はいしょう）……65
白薇（びゃくび）……66
竜胆（りゅうたん）……67
連翹（れんぎょう）……68
＊大黄（だいおう）……36
＊白彊蚕（びゃっきょうさん）……32
＊芒硝（ぼうしょう）……38

Ⅳ　健胃・止瀉薬……71
粟（あわ）……71
烏梅（うばい）……71
山査子（さんざし）……72
神麹（しんきく）……73
麦芽（ばくが）……74
扁豆（へんず）……75
楊梅皮（ようばいひ）……76
＊黄芩（おうごん）……42
＊黄柏（おうばく）……44
＊黄連（おうれん）……45
＊甘草（かんぞう）／［附］炙甘草（しゃかんぞう）……103
＊生姜（しょうきょう）……12
＊大棗（たいそう）……114

＊人参（にんじん）……117
＊伏竜肝（ぶくりゅうかん）……165

Ⅴ　**温補薬**……77
茴香（ういきょう）……77
乾姜（かんきょう）……78
呉茱萸（ごしゅゆ）……80
山椒（さんしょう）〈犬山椒〉……81
蜀椒（しょくしょう）……83
丁子（ちょうじ）……83
附子（ぶし）……84
良姜（りょうきょう）……88

Ⅵ　**温病補陰薬**……90
粳米（こうべい）……90
地黄（じおう）／乾地黄（かんじおう）…91
石斛（せっこく）……94
天門冬（てんもんどう）……95
土別甲（どべっこう）……96
麦門冬（ばくもんどう）……97
百合（びゃくごう）……99
＊阿膠（あきょう）……154
＊竹葉（ちくよう）……62

Ⅶ　**気薬**……101
（1）　**補気強壮薬**……101
黄耆（おうぎ）……101
甘草（かんぞう）／［附］炙甘草（しゃかんぞう）……103
枸杞子（くこし）……108
鶏肝（けいかん）……109
膠飴（こうい）……110
山茱萸（さんしゅゆ）……110
山薬（さんやく）……112
蛇床子（じゃしょうし）……113
大棗（たいそう）……114
杜仲（とちゅう）……115
韮（にら）……117
人参（にんじん）……117
竹節人参（ちくせつにんじん）……120
蜂蜜（はちみつ）……122
卵黄（らんおう）……123
蓮肉（れんにく）……123
（2）　**行気薬**……124
烏薬（うやく）……124
薤白（がいはく）……125
枳殻（きこく）……126
枳実（きじつ）……128
香附子（こうぶし）……130
柿蒂（してい）……131
沈香（じんこう）……132
青皮（せいひ）……133
石菖根（せきしょうこん）……134
大腹皮（だいふくひ）……135
陳皮（ちんぴ）……135
橘皮（きっぴ）……138
白酒（はくしゅ）……141
木香（もっこう）……142
＊鬱金（うこん）……166
＊栝楼実（かろじつ）……214
（3）　**鎮静薬**……143
遠志（おんじ）……143
酸棗仁（さんそうにん）……144
蒺藜子（しつりし）……145
小麦（しょうばく）……146
釣藤鈎（ちょうとうこう）……147
天麻（てんま）……148
牡蛎（ぼれい）……148
李根皮（りこんぴ）……150
竜骨（りゅうこつ）……150
＊山梔子（さんしし）……55
＊百合（びゃくごう）……99

Ⅷ　**血薬**……154
（1）　**補血薬**……154
阿膠（あきょう）……154
艾葉（がいよう）……155
何首烏（かしゅう）……156
胡麻（ごま）……157
芍薬（しゃくやく）……158
熟地黄（じゅくじおう）……161
当帰（とうき）……162
伏竜肝（ぶくりゅうかん）……165
竜眼肉（りゅうがんにく）……165
（2）　**駆瘀血薬**……166
鬱金（うこん）……166
延胡索（えんごさく）……167
紅花（こうか）……169
牛膝（ごしつ）……170
川芎（せんきゅう）……171
川骨（せんこつ）……173
蘇木（そぼく）……173
桃仁（とうにん）……174
乳香（にゅうこう）……176
樸樕（ぼくそく）……176

牡丹皮（ぼたんぴ）……177
益母草（やくもそう）……179
＊冬瓜子（とうがし）……236

Ⅸ　**水薬**……181
（1）　**利水薬**……181
茵蔯蒿（いんちんこう）……181
滑石（かっせき）……182
黒豆（くろまめ）……184
細茶（さいちゃ）／茶葉（ちゃよう）……184
車前子（しゃぜんし）……185
蒼朮（そうじゅつ）……186
沢瀉（たくしゃ）……189
猪苓（ちょれい）……191
燈心草（とうしんそう）……192
白朮（びゃくじゅつ）……193
茯苓（ぶくりょう）……195
防已（ぼうい）……197
木通（もくつう）……199
薏苡仁（よくいにん）……200
（2）　**去湿健胃薬**……201
藿香（かっこう）……202
縮砂（しゅくしゃ）……203
草豆蔲（そうずく）……204
白豆蔲（びゃくずく）〈小豆蔲〉……205
＊橘皮（きっぴ）……138
＊厚朴（こうぼく）……220
＊蒼朮（そうじゅつ）……186
＊陳皮（ちんぴ）……135
＊白朮（びゃくじゅつ）……193
＊扁豆（へんず）……75
（3）　**去湿止痛薬**……206
威霊仙（いれいせん）……206
松脂（しょうし）……207
秦艽（じんぎょう）……207
①独活（どくかつ）／②唐独活（とうどくかつ）……208
木瓜（もっか）……210
（4）　**鎮咳去痰薬**……211
阿仙薬（あせんやく）……211
訶子（かし）……212
栝楼根（かろこん）……212
栝楼実（かろじつ）……214
栝楼仁（かろにん）……215
款冬花（かんとうか）……216
桔梗（ききょう）……217
杏仁（きょうにん）……219
厚朴（こうぼく）……220
五味子（ごみし）……222
紫菀（しおん）……223
紫蘇子（しそし）……224
鐘乳（しょうにゅう）……225
前胡（ぜんこ）……225
桑白皮（そうはくひ）……226
竹茹（ちくじょ）……227
竹瀝（ちくれき）……228
天南星（てんなんしょう）……229
貝母（ばいも）……229
白芥子（はくがいし）……231
半夏（はんげ）……232
枇杷葉（びわよう）……234
＊竹節人参（ちくせつにんじん）……120
＊麦門冬（ばくもんどう）……97
＊百合（びゃくごう）……99

Ⅹ　**排膿薬**……236
桜皮（おうひ）……236
冬瓜子（とうがし）……236
＊黄耆（おうぎ）……101
＊甘草（かんぞう）／［附］炙甘草（しゃかんぞう）……103
＊桔梗（ききょう）……217
＊枳実（きじつ）……128
＊芍薬（しゃくやく）……158
＊十薬（じゅうやく）……58
＊川芎（せんきゅう）……171
＊敗醤（はいしょう）……65
＊連翹（れんぎょう）……68

Ⅺ　**駆虫薬**……238
海人草（まくり）……238
川楝子（せんれんし）……239
檳榔子（びんろうじ）……239

Ⅻ　**外用薬**……241
黄蝋（おうろう）／ミツロウ……241
ゴマ油（ごまゆ）……242
豚脂（とんし）……242
白礬（はくばん）／明礬（みょうばん）……243
＊阿仙薬（あせんやく）……211
＊犬山椒（いぬざんしょう）……82
＊威霊仙（いれいせん）……206
＊鬱金（うこん）……166
＊黄柏（おうばく）……44
＊黄連（おうれん）……45

第2部　漢方概論

〈附〉

凡　例

第1部漢方294処方生薬解説

【本書に収載した生薬について】

本書は，「一般用漢方294処方」（以下294処方と記載）に配合されているすべての生薬について収載した。なお，294処方中に配合されていない生薬であっても，その処方の異方もしくは変方として一部の文献に配合がみられる次の生薬についても収載した。

黒豆，山帰来，鐘乳，石菖根，葱白，竹瀝，白薇／総収載品目は184生薬

＊生薬の基原は，原則として，「第十八改正日本薬局方」，「日本薬局方外生薬規格2018」を優先，それ以外のものについては，日本において現在流通しているものを優先した。

＊同効または同類の生薬で同一項目に掲載した生薬は以下の通り。

独活・唐独活：唐独活は，294処方には含まれていないが，歴史的にも同効・類似の生薬であるため，独活の項に掲載

犬山椒：山椒の項に附記

小豆蔻：白豆蔻の項に附記

炙甘草：甘草の項に掲載

＊294処方では区別されていないが，効能に違いが認められるため，項目を分けて掲載。

地黄※（乾地黄）と熟地黄。※乾地黄は一般的に地黄の名称で流通している。

【294処方生薬分類について】

本書では臨床の便を図るべく，収載生薬を，三陰三陽論，温病論，気血水論に基づき，発汗解表薬，瀉下薬，清熱薬，健胃・止瀉薬，温補薬，温病補陰薬，気薬，血薬，水薬，排膿薬，駆虫薬，外用薬に分類。すべてを完全に分類することはできないが，おおよその配慮をした。

また別項では294処方を生薬分類に合わせて分類した方剤分類表を作成して付記した。

【各生薬の項目について】

1．「第十八改正日本薬局方」および「日本薬局方外生薬規格2018」改正に伴う修正点

1）現在，日本市場に流通している日局および局外生規収載の生薬の現状に合わせ，一部の生薬で基原植物の追加および記載順序の見直しが行われたことを受け，これを変更した。

2）基原植物の学名表記が変更されたものについて，これを変更した。本書において今回の改正で学名の表記が変更されたものについては，表記の変更であり，植物そのものが変更されたものではない。

3）利用部位の修治法等についても，現状に合わせて表記が変更された。

4）含有成分の規格については，定量法および試薬が変更されたものについて，新しい定量法に基づく規格表記に変更した。

2．生薬名

生薬名，ラテン名ともに「第十八改正日本薬局方」，「日本薬局方外生薬規格2018」に準拠。上記に収載以外のものについては，生薬名は，『新一般用漢方処方の手引き』合田幸広・袴塚高志監修 日本漢方生薬製剤協会編（2013），『中药大辞典』江蘇新醫学院編　上海科学技術出版社

(1979),『中葯大辞典第二版』南京中医葯大学編著 上海科学技術出版社 (2012),ほかを参照。

3．基原

1）「第十八改正日本薬局方」,「日本薬局方外生薬規格 2018」に準拠。
上記に収載以外のものについては，現在流通しているものを優先し，『中華人民共和国葯典 2020 年版』中国医薬科技出版社 (2020),『中葯大辞典』,『中葯大辞典第二版』,『新訂　和漢薬』赤松金芳著　医歯薬出版 (1980),ほかを参照。

2）基原植物が複数存在しそれぞれ産地や選品が異なる場合は，必要に応じて番号（①，②，③…）を振り，産地や選品についても同一の番号で分類。

4．産地

1）現在流通しているものを中心に産地を選定。

2）中国および日本については，紛らわしい場合を除き，国名を記載せず，省名，県名にて記載。

3）次に挙げる産地については，以下の通り略記。
新疆ウイグル自治区→新疆
寧夏回族自治区→寧夏
内モンゴル自治区→内蒙古
広西チワン族自治区→広西

4）国内産生薬については，国内生産量が 1,000 kg 以上，もしくは全流通量に対して，1% 以上の生産があるものについては，できる限り国内生産ありとして記載することとした。

5）以前は北朝鮮産の生薬が流通していたが，外国為替及び外国貿易法に基づき北朝鮮との輸出入禁止措置が継続されているため，現在北朝鮮産生薬の流通はない。

5．異名別名

日本で見ることの多いものを中心に記載。本書で採用した生薬名と『中葯大辞典』および『中葯大辞典第二版』の生薬名が異なるものについては，『中葯大辞典』および『中葯大辞典第二版』での生薬名を本欄に記載。また，「第十八改正日本薬局方」および「日本薬局方外生薬規格 2018」に別名として記載のあるものを追記。

6．選品

現状の選品の基準を重視して作成。

7．成分・薬理

*薬理に関して

1）引用文献に対象物質または成分名が明記されているものについては，それらを太字で表記。なお，浸水液，抽出液などは抽出液に統一。水エキス，エタノールエキスなどは，抽出物に統一。

2）薬理作用中実験動物の種類についての記載は削除。

8．性味・帰経・効能・主治

漢方特有の用語に関しては，可能な限り平易な表現を用いた。なお，繁用生薬 70 種類程度については，特に「現代における運用のポイント」を付記。

9．引用文献

「神農本草経」,「重校薬徴」,「古方薬品考」,「古方薬議」,「本草綱目」を中心に，必要に応じて他の文献より引用。

1）「神農本草経」,「名医別録」,「雷公炮炙論」,「新修本草」,「薬性論」,「本草拾遺」,「開宝本草」,「本草図経」,「日華子諸家本草」,「本草綱目」

以上の文献に関しては，『神農本草経』台湾中華書局（中華民国76年），『経史證類大観本草』廣川書店（1970），『本草綱目』商務印書館（1967），『本草品彙精要』人民衛生出版社（1964），『新註校訂國譯本草綱目』春陽堂書店（1977）を典拠とした。

※なお，『神農本草経』，『経史證類大観本草』，『本草綱目』，『國譯本草綱目』の間で矛盾がある場合は，『経史證類大観本草』に従う。

2）「重校薬徴」は『和訓類聚方広義　重校薬徴』吉益東洞原著　尾台榕堂校註　西山英雄訓訳　創元社（1975），「古方薬品考」は『古方薬品考』内藤蕉園著　燎原（1974），「古方薬議」は『和訓古方薬議』浅田宗伯著　木村長久校訓　日本漢方醫學會出版部（1975）より引用。

3）「草木本草」，「国薬提要」，「貴州民間薬物」

以上の文献に関しては，『中薬大辞典第二版』より引用。

10. 配合応用

1）294処方中の配合応用を主に解説。特に重要と思われる配合応用については，294処方以外のものについても言及。

2）配合応用の解説の最後に，その配合が該当する主な処方を付記。なお，その配合の効果をよく示す処方については294処方収載以外の処方でも参考として処方名を付記した。その際294処方以外の処方であるとわかりやすくするため処方名の頭に※を記した。

11. 使用注意

生薬の副作用情報が確認されているもの，類似生薬に副作用事例があり注意すべきもの，『中薬大辞典第二版』効能欄に有毒の記載あるもののうち現代的に意味があると考えられるもの，その他使用上注意すべき点があると考えられるものについては本項目に記載。

12. 配合処方

各生薬ごとに294処方の配合処方をすべて整理，網羅して掲載。なお，294処方に該当生薬の配合についてただし書きがある場合は，以下のカッコ書きを付記している。

1）該当する生薬が，294処方中に配合の記載があるが，類似生薬または別生薬の代用として記載されている場合。（○○の代用として）と付記

2）該当する生薬が，294処方中に配合の記載があるが，類似生薬または別生薬の代用が可と記載されている場合。（○○の代用可）と付記

3）該当する生薬が，294処方中に配合の記載があるが，変方の場合に配合される場合。（変方として）と付記

4）294処方中に含まれない生薬の場合は，該当生薬が含まれる処方の出典を備考欄に明記し，本欄では，処方名自体をカッコ書きにして，該当生薬が294処方には配合されていないことが一目でわかるようにしている。

※なお，蒼朮・白朮，陳皮・橘皮，枳実・枳殻など同効・同類の生薬で，294処方中でも「蒼朮（白朮も可）」，「白朮（蒼朮も可）」，「白朮あるいは蒼朮」など該当2種の生薬の代替が認められている処方が多いものについては，まとめて記載した。

13. 備考

基原，産地，成分などの各項目のうち，特に意見のあるものについては備考欄に項目ごとに記載した。記載にあたっては，できる限り現況に則した情報を盛り込んだ。また，近年の研究により生薬の効能について特筆すべき事項が加わったものについても記載している。

14. コラムについて

生姜・乾姜，山椒・蜀椒，乾地黄・熟地黄，人参・竹節人参，枳実・枳殻，陳皮・橘皮，栝楼根・栝楼実など，下記のような理由で特に解説の必要があると思われたものについては，別項と

してコラムにあげた。

1）基原植物を同じくする生薬で修治や部位の違いにより別生薬として扱われているが，歴史的経緯の中で，同じ生薬として扱われたことがあるもの

2）時代によって生薬名とその本質が変遷しており，注意を要するもの

3）日本と中国で基原が異なるもの

15. 脚注および参考文献等について

本文の漢方用語および参考文献等については，それぞれ注番号をふり，各章末にまとめて記載した。なお，漢方用語について，特に第2部の漢方理論を参照していただきたいものについては，参照ページを記載した。

生薬の貯蔵法

1．密閉容器とは，通常の取り扱い，運搬または保存状態において，外部からの固形の異物が混入することを防ぎ，内容医薬品が損失しないよう保護することができる容器をいう。密閉容器の代用として気密容器を用いることもできる。
2．気密容器とは通常の取り扱い，運搬または保存状態において，液状または固形の異物または水分が侵入せず，内容医薬品の損失，風解，潮解または蒸発を保護することができる容器をいう。気密容器の代用として密封容器を用いることもできる。
3．密封容器とは，通常の取り扱い，運搬または保存状態において，気体または微生物の侵入するおそれのない容器をいう。
4．遮光とは通常の取り扱い，運搬または保存状態において，内容医薬品に規定された性状および品質に対して影響を与える光の透過を防ぎ，内容医薬品を光の影響から保護することができることをいう。
5．精油の揮発や匂いの消失を防ぐ目的または，糖分やでんぷん質を多く含むものは防虫・防カビの目的から真空密封包装や窒素ガス充填包装されている品目がある。これらは開封後は，目的に応じ，密封・気密・密閉保存するのが望ましい。なお，脱酸素剤を使用するとなお良い。
6．一般生薬の保管については，室温20℃，湿度40～50%で，原則として密閉保存するのが望ましい。なお，色素系の品目（紅花など）は遮光密封するのが良い。
7．香辛料以外で匂いが強く糖分を含有する品目は，特に温度や湿度の管理が重要であり，温度20℃以下，湿度30～40%が望ましい。
8．虫やカビの付きやすいもの（大棗，当帰，白芷，防風など）については，低温（15～18℃）で除湿（30～40%）での保存が望ましいが，木質で糖分・でんぷん質の多い品目（黄耆，甘草など）は温度（18～20℃）湿度（40～50%）での保存が望ましい。
9．蘇葉・薄荷など葉物で精油含量を重視する品目は低温で気密保存が望ましい。特に風通しの良いところ，乾燥しすぎる場所は良くない。湿度40～50%の場所が良い。
10．油脂の含有量の多い品目（桃仁・杏仁など）は，温度や湿度が高いと酸化しやすいので低温・除湿での保存が望ましい。
11．生薬は生きており，あまりに低温（10℃以下），低湿度（20%以下）では潤いがなくなるので過度の低温・低湿度は好ましくない。
12．あまり繁用しない品目や，長期に保存する品目は，使用後，脱気して密封保存するのが望ましい。

第1部

漢方294処方
生薬解説

I 発汗解表薬

発汗解表薬とは，発汗させ表部にある邪を排除させる薬物のことを言う。発汗解表薬の多くは辛みがあり，辛みはよく発散させる作用を有する。

発汗解表薬の具体的な応用は以下の通りである。

- 悪寒，発熱，頭痛などの表証*1のあるもの。
- 水腫*2で表証を兼ねるもの，筋肉・関節などに腫れがあり，発汗させる必要のあるもの。
- 皮膚深部にある，斑疹を起こす病邪を表部に押し出し，発散させる。
- 風湿*3による疼痛のあるもの。

発汗解表薬は，多汗のもの，津液(しんえき)*4を消耗しているもの，慢性の化膿性疾患，排尿異常，出血性疾患のものには忌用である。

なお，発汗解表薬は発表薬・解表薬と表記されることもあるが，いずれも同意である。

中国では，発汗解表薬はその性により，温と涼の２種に分類される。

(1)辛温発表薬

性味は辛温で風邪(ふうじゃ)*5・寒邪*6を発散させる作用があり，急性熱性病で無汗の表実証*7に適用する。また発汗力は比較的強力なので一般的禁忌を十分に守り，特に，熱の甚だしいものや，津液不足*8のもの，血熱*9のあるものには慎重に使用せねばならない。

羌活（キョウカツ） *Notopterygii Rhizoma* 〈日局 18〉

基　原　セリ科（*Umbelliferae*）*Notopterygium incisum* Ting ex H. T. Chang または *N. forbesii* Boissieu の根茎および根

産地：四川省

異名別名　羌青(きょうせい)，羗活(きょうかつ)，唐羗活(からきょうかつ)

選　品　根茎部が大きく，隆起した環紋は明瞭で，表面が暗褐色で，断面の質が緊密で朱砂点（油管）が多く，中心部に菊花状の芯があり，香りの高いものを良品とする

貯蔵：虫害・精油の揮散を防ぐため，低温で湿度の低い場所で気密保存するのが望ましい

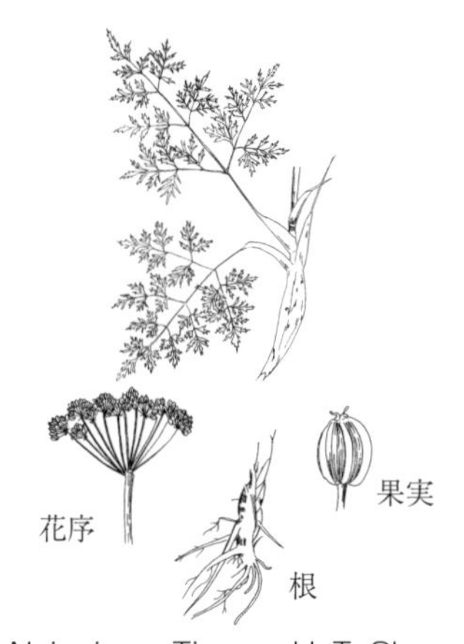

N. incisum Ting ex H. T. Chang

成分　精油〔ポリアセチレン系化合物，フロクマリン類，クマリン類（ノトプテロール），リモネン，ピネン〕など

薬理　抽出物：鎮痛。ノトプテロール：鎮痛，抗炎症

効能主治　性味：辛苦，温

帰経：膀胱，腎

効能：発汗により寒邪[*6]を除く，風湿[*3]を除く，関節痛を治す

主治：強い悪寒を伴う感冒，無汗で頭痛するもの，風寒湿痺[*10]，首肩のこり，関節の痺(しび)れ痛み，風水[*11]による浮腫，化膿性のできもの

引用文献　神農本草経：風寒の撃つ所，金瘡，止痛，奔豚(はんとん)，癇痓(かんし)，女人の疝瘕(せんか)を主(つかさど)る（獨活の項）

※『神農本草経』では羌活は獨活の別名として収載されている

本草綱目：時珍(じちん)曰く，羌活，独活は，いづれも能(よ)く風(ふう)を逐(お)い，湿に勝ち，関(かん)を透(とお)し，節を利す（羌活の発明の項）

配合応用　羌活＋威霊仙：風寒湿による痺証・関節疼痛，特に上半身の麻痺疼痛を治す（疎経活血湯，二朮湯）

羌活＋秦艽：湿熱を除き，炎症を鎮め，止痛する（秦艽羌活湯）

羌活＋川芎：感冒などによって起こる関節痛，風寒湿による麻痺疼痛，および頭痛・片頭痛を治す（疎経活血湯）

羌活＋独活（唐独活）：風寒湿による痺証を治す（独活湯）

羌活＋白芷：1）腰部および四肢の風湿[*3]の邪を除き，腰痛・関節痛・神経痛を治す（疎経活血湯）。2）頭部の風湿[*3]の邪を除き，鼻づまり，嗅覚異常などの鼻症状を改善する（麗沢通気湯）

羌活＋防風：風湿[*3]による関節痛・神経痛・リウマチを治す，ならびに頭痛，感冒，鼻づまりを治す（疎経活血湯，清上蠲痛湯，大防風湯，麗沢通気湯）

配合処方　駆風解毒散（湯），荊防敗毒散，秦艽羌活湯，清湿化痰湯，清上蠲痛湯（駆風触痛湯），洗肝明目湯，川芎茶調散，疎経活血湯，大防風湯，独活湯，二朮湯，麗沢通気湯，麗沢通気湯加辛夷

▷294処方中13処方（4.4%）

備考　基原：1. 和羌活としてウコギ科（Araliaceae）のウド（*Aralia cordata* Thunb.）の根がある。江戸時代に中国産のものが入手困難であったために，羌活の代用とされた時期があるが，その後，羌活と和羌活ははっきりと区別されるようになった。羌活は日局18に，和羌活は局外生規2018に，それぞれ有効な生薬として収載されている。なお，日局18に収載されている独活はウドの根茎で，和羌活とは同一植物を基原とするので，その点に留意されたい。

2. 和羌活の産地は，長野，韓国である。

異名別名：『神農本草経』では羌活を独活（唐独活）の別名として，両者を区別していなかったが，唐代にはそれぞれを区別して用いるようになっていた（独活の項 p.208参照）。

荊芥（ケイガイ） *Schizonepetae Spica*〈日局18〉

基　原　シソ科（*Labiatae*）ケイガイ *Schizonepeta tenuifolia* Briquet の花穂

産地：河北省，四川省，山東省，山西省

異名別名　荊芥穂，假蘇，仮蘇，姜芥，伏荊芥，秋荊芥，鼠実

選　品　全体に緑色味を帯び，芳香の強いもの，青くさくなく，茎葉混入の少ないものが良い。また，古いものほど良いとも言われるが，香りが揮散しやすいので注意して保存する

貯蔵：香気を保つため，気密保存が望ましい

成　分　精油（*d*-メントン，*ℓ*-プレゴン），モノテルペン配糖体，フラボン配糖体など

薬　理　抽出物：鎮痛（*d*-メントンが作用成分），血管透過性抑制（*ℓ*-プレゴンが作用成分）

フラボノイド：ステロイド代謝に関与

効能主治　性味：辛，温

帰経：肺，肝

効能：発汗により風邪*5を除く，血行を促す

主治：感冒による発熱，頭痛，化膿性の腫れ物，咽喉腫痛，顔面神経麻痺，吐血，鼻出血，血便，不正子宮出血，産後のめまい，湿疹，るいれき*12

引用文献　神農本草経：寒熱，鼠瘻，瘰癧，生瘡を主り，結聚の氣を破り，瘀血を下し，湿痺を除く（假蘇の項）

現代における運用のポイント

- 辛温発表作用
  感冒による頭痛・発熱を治す。そのほか鼻炎に用いる。
- 治咽痛作用
  感冒初期などの咽喉腫痛を治す。
- 透疹作用
  できもの・じんましんなどの初期に用いて発斑を促す。

配合応用　荊芥＋牛蒡子：1）咽痛を治す（駆風解毒散（湯）），2）発表により透疹作用を促す（消風散）

荊芥＋独活（唐独活）：風湿*3を除く，透疹作用を持つ（十味敗毒湯，荊防敗毒散）

荊芥＋薄荷：温病*13系の感冒の初期に見られる頭痛・発熱・咽痛・口乾を治す，鼻炎を治す（荊芥連翹湯，※銀翹散）

荊芥＋防風：風湿*3の邪による頭痛・発熱を治す，鼻炎，湿疹，腫れを治す（荊芥連翹湯，十味敗毒湯，治頭瘡一方，洗肝明目湯）

配合処方　駆風解毒散（湯），荊芥連翹湯，荊防敗毒散，五物解毒散，十味敗毒湯，消風散，清上防風湯，洗肝明目湯，川芎茶調散，治頭瘡一方，治頭瘡一方去大黄，当帰飲子，防風通聖散
▷294 処方中 13 処方（4.4%）

備　考　近年の研究報告：皮膚のケラチノサイトに存在する水チャネルであるアクアポリン3（AQP3）の発現を著明に亢進する作用があり，ケイガイエキスに，皮膚を保湿し，炎症時の皮膚乾燥を防ぎ，遊走能を促進して創傷治癒を促す作用があることが報告された[1]。伝統的な荊芥の使用目的に対する科学的エビデンスとなるものと考えられる。

桂皮（ケイヒ）*Cinnamomi Cortex*〈日局 18〉

基　原　クスノキ科（*Lauraceae*）*Cinnamomum cassia* J. Presl の樹皮または周皮の一部を除いた樹皮
産地：広東省，広西，ベトナム

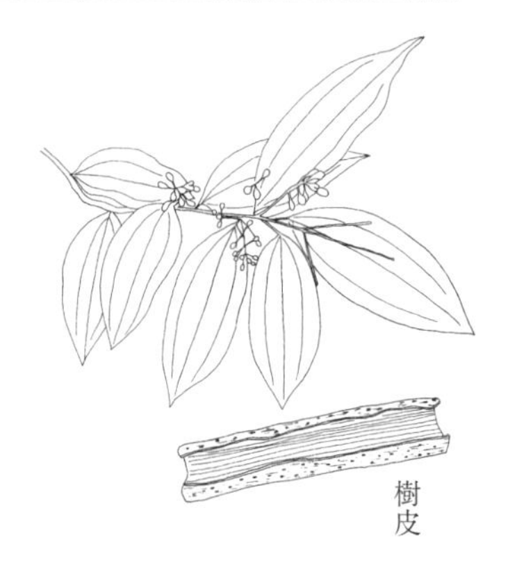

異名別名　桂枝，肉桂，桂心，牡桂，紫桂，玉桂

選　品　皮の大小，厚薄にかかわらず，特異の芳香と辛味があり，後に甘味のあるもの，精油成分に富んでいるものを良品とする。細い枝を桂枝として賞用するむきもある。去皮とあるのは，外側のコルク層を去ることで薬効部分を増量するためと言われている
貯蔵：本品は揮発性の精油を含むので，揮散しないよう，低温の場所に気密保存するのが望ましい

成　分　精油（ケイアルデヒド），ジテルペノイド，カテキン類，タンニンなど

薬　理　抽出物：解熱，抗アレルギー
精油：胃腸管の運動亢進・緊張上昇
ケイアルデヒド：血中カテコールアミンを上昇，血圧降下，心拍数減少，血糖上昇，末梢血管拡張，緩和な中枢刺激作用（少量で覚醒的，大量で抑制的），鎮痙，局所刺激，局所麻酔，抗カビ

効能主治　性味：辛甘，温
帰経：膀胱，心，肺
効能：発汗し解肌[*14]する，上衝[*15]した気を下げる，温補し経脈[*16]の流通を良くする
主治：感冒による頭部・肩背部・四肢・関節の疼痛，胸痺[*17]，月経不順

引用文献　神農本草経：上氣欬逆，結氣，喉痺，吐吸を主り，関節を利し，中を補い氣を益す（牡桂の項）
古方薬品考：桂枝は前鋒発表の宰宗，肉桂は中を温め，百功を宣導す（桂枝の項）
重校薬徴：上衝を主治す。故に奔豚，頭痛，冒悸を治す。発熱，悪風，自汗，身体疼煩，骨節疼痛，経水の変を兼治す（桂枝の項）

古方薬議：関節を利し，筋脈を温め，煩を止め，汗を出し，月経を通じ，奔豚を泄し，諸薬の先聘通使（せんぺいつうし）と為る（桂枝の項）

現代における運用のポイント

- **発汗解表作用**

軽い発汗作用があるので，虚証のかぜに用いる。

- **降気（こうき）作用**

気の上衝*[15]による精神不安・不眠・めまいなどに用い，気を降ろすことによってそれらの症状を緩和する。

- **駆瘀血（くおけつ）作用**

他の駆瘀血剤と配合し，瘀血*[18]を除く。

- **鎮痛作用**

発汗によって，関節・筋肉の痛みを緩解させる。また，冷えによる腹痛に用い，温補することにより腹痛を治す。

【参考】肉桂の効能主治

性味：辛甘，熱　帰経：腎，脾，膀胱　効能：腎の陽気*[19]を補う　脾胃を温める，慢性の冷えを除く，血流を促す　主治：命門火衰（めいもんかすい）*[20]，四肢の冷えと脈の衰弱，亡陽（ぼうよう）*[21]と虚脱*[22]，腹痛，各種下痢，寒疝（かんせん）*[23]，奔豚（ほんとん）*[24]，腰膝の冷えと痛み，無月経，癥瘕（ちょうか）*[25]，熱や痛みを伴わない瘡瘍（そうよう），冷えのぼせ

配合応用

桂皮＋延胡索：瘀血*[18]を除き，血行を促して，腹痛・月経痛などの痛みを止める（安中散，折衝飲，八味疝気方）

桂皮＋黄耆：1）表虚*[26]による自汗*[27]の甚だしい者を治す（黄耆建中湯，帰耆建中湯，桂枝加黄耆湯）。2）体表の気をめぐらせて，風痺（麻痺やしびれを伴う病変）を治す（黄耆桂枝五物湯）

桂皮＋葛根：寒邪*[6]による項背および肩背部の筋肉のこり・痛みをとり，軽い発表作用も兼ねる（葛根湯，桂枝加葛根湯）

桂皮＋甘草：気の上衝*[15]を下げ精神安定をはかる（栝楼薤白湯，定悸飲，奔豚湯（肘後方），苓桂朮甘湯，連珠飲，※桂枝甘草湯（けいしかんぞうとう））

桂皮（肉桂）＋地黄：造血し，気を充実させ，強壮をはかる（十全大補湯）
※この場合は桂皮より肉桂のほうが効果が良い。

桂皮＋芍薬：1）体表の衛気*[28]を調え，発汗を抑制する。また，衛気をめぐらせて麻痺などの機能回復を図る（桂枝湯，黄耆桂枝五物湯，小続命湯）。2）芍薬を倍量にすると，腹痛を治す効果が現れる（桂枝加芍薬湯，小建中湯）

桂皮＋生姜：1）表虚*[26]で自汗*[27]するものに対する軽い発表作用を有す（桂枝湯）。2）表の陽気*[19]をめぐらせて風湿*[3]によるしびれや麻痺を除く（黄耆桂枝五物湯，小続命湯）

桂皮＋白朮（または蒼朮）：体表の湿を除き，神経痛・リウマチを治す（甘草附子湯，桂枝加朮附湯）

桂皮＋当帰：腹部の血行を促し，腹痛および冷えをとる（当帰建中湯）

桂皮＋桃仁（または牡丹皮）：瘀血*[18]により生ずる冷え症・月経不順・月経痛・血

行不順を治す（桂枝茯苓丸）

桂皮＋茯苓：気の上衝*15 に伴って生ずるめまい・頭痛・動悸・不安感・のぼせを治す（桂枝茯苓丸，苓桂朮甘湯，定悸飲，抑肝散，苓桂味甘湯，連珠飲，明朗飲）

桂皮＋附子：1）寒湿*29 の邪による神経痛・リウマチ・関節痛を治す（桂枝加朮附湯，甘草附子湯)。2）体を温め，陽気*18 を補い，強壮し，冷えによる腰膝の痛みを治す（八味地黄丸）

桂皮＋防已：体表部や胸膈に停まる水滞*30 を除き，痛みや浮腫を治す（栝楼薤白湯，防已茯苓湯，木防已湯）

桂皮＋防風：発表して，風寒*31 の邪を除き，関節痛・神経痛を治す（桂枝芍薬知母湯，小続命湯）

桂皮＋牡蛎（または竜骨)：気の上衝*15・不調和により起こる煩躁*32・動悸・不眠を治す（桂枝加竜骨牡蛎湯，定悸飲）

桂皮＋麻黄：1）強い発汗作用によって感冒を治す。『傷寒論』における発汗法の基本配合である（葛根湯，麻黄湯，桂姜棗草黄辛附湯)。2）強い発汗により筋緊張を緩める（続命湯）

配合処方 安中散，安中散加茯苓，胃風湯，胃苓湯，茵陳五苓散，温経湯，黄耆桂枝五物湯，黄耆建中湯，黄連湯，葛根湯，葛根湯加川芎辛夷，栝楼薤白湯，甘草附子湯，帰耆建中湯，芎帰調血飲第一加減，九味檳榔湯，桂姜棗草黄辛附湯，桂枝越婢湯，桂枝加黄耆湯，桂枝加葛根湯，桂枝加厚朴杏仁湯，桂枝加芍薬生姜人参湯，桂枝加芍薬大黄湯，桂枝加芍薬湯，桂枝加朮附湯，桂枝加竜骨牡蛎湯，桂枝加苓朮附湯，桂枝芍薬知母湯，桂枝湯，桂枝二越婢一湯，桂枝二越婢一湯加朮附，桂枝人参湯，桂枝茯苓丸，桂枝茯苓丸料加薏苡仁，桂麻各半湯，堅中湯，甲字湯，牛膝散，五積散，牛車腎気丸，五苓散，柴葛解肌湯，柴葛湯加川芎辛夷，柴胡加竜骨牡蛎湯，柴胡桂枝乾姜湯，柴胡桂枝湯，柴苓湯，炙甘草湯，十全大補湯，小建中湯，小青竜湯，小青竜湯加杏仁石膏（小青竜湯合麻杏甘石湯)，小青竜湯加石膏，小続命湯，椒梅湯，神仙太乙膏，折衝飲，千金内托散，続命湯，蘇子降気湯，治打撲一方，中建中湯，丁香柿蒂湯，定悸飲，桃核承気湯，当帰建中湯，当帰四逆加呉茱萸生姜湯，当帰四逆湯，当帰湯，独活葛根湯，独活湯，女神散（安栄湯)，人参養栄湯，八味地黄丸，八味疝気方，半夏散及湯，白虎加桂枝湯，茯苓沢瀉湯，防已茯苓湯，補肺湯，奔豚湯（肘後方)，麻黄湯，明朗飲，木防已湯，薏苡仁湯，苓桂甘棗湯，苓桂朮甘湯，苓桂味甘草，連珠飲

▷294 処方中 89 処方（30.3%)

備　考 基原：1. 桂皮は地域によりそれぞれ異なる学名がつけられているが，すべて *C. cassia* J. Presl の地域変異と考えられ，局方の基原は 1 種類となっている。ただ，類似した植物が多く，分類的にも 1 種ではないという説もある。現在流通しているものとしては，中国産とベトナム産が中心であるが，それぞれ成分や味に特徴があり両者の区別は容易である。処方に用いる場合には，それぞれの特徴をつかんで利用するとよい。

2. 肉桂は桂皮の肉厚のものを言うが，作用は発表効果よりも強壮効果に力点が置かれ，利用上，桂皮とは区別されている。なお，それ以外に別の植物（ニホンニッケイ *C. sieboldii* Meisn）の根皮を指す場合があるが，こちらは製薬用などに利用され，薬用には用いられない。

3. 一般用漢方製剤294処方の原典・出典の中には，桂枝を配合生薬とするものも多く存在するが，現代では一般に桂皮で代用している。ただし，原典・出典に従って桂枝を用いる医師や中医学に基づく処方を行う医師の要望があることや，桂枝を配合した一般用および医療用漢方エキス製剤を製造するメーカーもあり，市場には桂枝も流通している。公定書では局外生規（2012以降）に「*C. cassia* Blume※の小枝」を基原として桂枝が収載されている。

※日局18では桂枝の植物名が *C. cassia* J. Presl となっているが，局外生規は2018以降，現在まで改訂が行われていないため，旧表記の *C. cassia* Blume のままである（植物としては同一）。

近年の研究報告：1. 桂皮には，従来から鎮痛，発汗解熱，抗アレルギー作用などが報告されているが，その作用は炎症性サイトカイン[2)]の産生抑制によるもので，ウイルス感染の重症化要因となるサイトカインストーム[3)]を制御できる可能性が高いことを示している。桂皮を含む葛根湯にT細胞の分化を促進してウイルス肺炎を軽減する作用が報告されている[4)]。臨床的に，桂皮を含む漢方薬を服用していると感冒に罹りにくく，罹っても軽症で済み，治りが早いという経験を裏づけるものである。

2. 桂皮は，炎症によって局所のアクアポリン[5)]が活性化して炎症性浮腫を来している部分だけに選択的に働いて，炎症性ケモカイン[6)]分泌を抑制して，炎症を鎮静化することが報告されている[7)]。これは，五苓散の脳浮腫，脳炎改善効果を裏づける基礎的エビデンスになるものと考えられる。

藁本（コウホン） *Ligustici Rhizoma* 〈局外生規2018〉

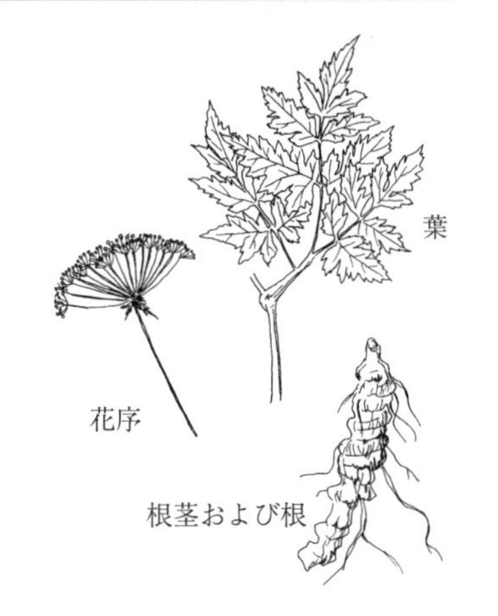

基　原　セリ科（*Umbelliferae*）*Ligusticum sinense* Oliver または *L. jeholense* Nakai et Kitagawa の根茎および根

産地：湖北省，安徽省

異名別名　川藁本（せんこうほん），鬼卿（きけい），地新（ちしん），槀本（こうほん），唐藁本（からこうほん）

選　品　十分乾燥し，形が整い，香味の強いものが良品とされている

貯蔵：虫害を防ぎ，香気を保つため，低温で湿度の低い場所に気密保存するのが望ましい

成　分　精油（ブチリデンフタライド，クニジライド）など

薬　理　抽出液：鎮痙，抗真菌

効能主治　性味：辛，温

帰経：膀胱

効能：風寒湿の三邪を除く

主治：風寒*31による頭痛・頭頂痛，寒湿*28による腹痛・下痢・疥癬（かいせん）・下腹部の炎

症痛およびそれに伴う小便不利

引用文献　神農本草経：婦人の疝瘕，陰中の寒腫痛，腹中の急を主る。風頭痛を除き，肌膚を長じ顔色を悦にす

配合応用　藁本＋細辛：風寒湿の邪による頭痛・頭頂痛・項のこわばり・歯痛が頬部に及ぶものを治す（清上蠲痛湯）

藁本＋蒼朮：寒湿*29の邪を除いて止痛する（清上蠲痛湯）

配合処方　清上蠲痛湯（駆風触痛湯），秦艽羌活湯

▷294 処方中 2 処方（0.7%）

備　考　基原：和藁本としてセリ科のヤブニンジン *Osmorhiza aristata* Makino et Yabe の根茎が局外生規 2018 に収載されている。藁本と和藁本は類似しているが，現在，和藁本の生産はほとんどない。

細辛（サイシン）*Asiasari Radix*〈日局 18〉

基　原　ウマノスズクサ科（*Aristolochiaceae*）①ケイリンサイシン *Asiasarum heterotropoides* F. Maekawa var. *mandshuricum* F. Maekawa または②ウスバサイシン *A. sieboldii* F. Maekawa の根および根茎

産地：①吉林省，遼寧省，黒竜江省，②現在，市場流通がない

ウスバサイシン

異名別名　小辛，少辛，細草，真細辛，独葉草

選　品　根が細く長く（あまりにも細すぎるものは不可），葉茎の混入がなく，香気が強く，味が辛く，後に舌に麻痺感が残るもので，泥土の付着がないものを良品とする。根が太く，辛みの少ないものに土細辛があるが，これは別基原のものであり使用に耐えない。土細辛は現在の市場ではほとんど見られない

貯蔵：乾燥の良い場所に保管すること。また，低温の場所で気密保存するなど精油の揮散を防ぐよう心がける

成　分　精油 2〜3%（メチルオイゲノール），辛味成分，アルカロイド（ハイゲナミン）など

薬　理　抽出物：抗ヒスタミン，抗アレルギー，血中総コレステロール増加，強心。精油：解熱，鎮痛。メチルオイゲノール：鎮痙。ハイゲナミン：β-アドレナリン様作用

効能主治　性味：辛，温

帰経：肺，腎

効能：悪寒を除き感冒を治す，水滞*30をめぐらす，耳・鼻・咽喉などの閉塞を治し人事不省を回復させる

主治：冷えによる頭痛，鼻炎，蓄膿症，歯痛，咳，痰，リウマチによる痛み・麻痺感

引用文献　神農本草経：欬逆，頭痛脳動し，百節の拘攣。風湿の痺痛，死肌を主る。久しく服す

れば目を明らかにし，九竅（きゅうきょう）を利す

古方薬品考：裏を温め，痰を除き，水を利す

重校薬徴：宿飲停水（しゅくいんていすい）を主治す。故に水氣心下にありて発熱，咳して胸満する者を治す

古方薬議：咳逆（がいぎゃく）を主り，中（ちゅう）を温め，氣を下し，痰を破り，水道を利し，胸中を開き，汗出でず，血行（めぐ）らざるを治す

現代における運用のポイント

- **発汗解表・去寒作用**
  陽気をめぐらし*33，身体を温め，冷えを除き，発汗を促し，かぜを除く。悪寒の甚だしい感冒に用いる。
- **鎮咳・去痰作用**
  肺部の陽気をめぐらし*33，冷えをとり鎮咳去痰をはかる。この場合，痰は透明か白色でやや冷感がある。

配合応用　細辛＋五味子：水滞*30 に寒邪*6 が加わって起きる喘咳を治す（小青竜湯，苓甘姜味辛夏仁湯）

細辛＋当帰：悪寒・手足の冷えなどを伴う神経痛・頭痛・腹痛・腰痛・四肢痛・尿路結石・胆石症・慢性虫垂炎・腸疝痛などの諸疼痛性疾患を治す（当帰四逆湯，当帰四逆加呉茱萸生姜湯）

細辛＋独活（唐独活）：風寒湿の三邪を除去する。頭痛，眼痛を治す（清上蠲痛湯）

細辛＋附子：1）冷え症および悪寒を強く訴えるものの感冒，少陰病*34 の発熱（熱感は少ない）・悪寒・脈沈（みゃくちん）・喘咳・全身倦怠感を治す（麻黄附子細辛湯）。2）冷えによる疼痛を鎮める（大黄附子湯）

細辛＋麻黄：体を温めて発汗力を高め，悪寒の強い感冒および咳嗽を治す（桂姜棗草黄辛附湯，小青竜湯，麻黄附子細辛湯）

配合処方　桂姜棗草黄辛附湯，小青竜湯，小青竜湯加杏仁石膏（小青竜湯合麻杏甘石湯），小青竜湯加石膏，秦艽羌活湯，清上蠲痛湯（駆風触痛湯），大黄附子湯，当帰四逆加呉茱萸生姜湯，当帰四逆湯，麻黄附子細辛湯，明朗飲，立効散，苓甘姜味辛夏仁湯

▷294 処方中 13 処方（4.4%）

使用注意　ウマノスズクサ科の植物に腎障害を起こすとされるアリストロキア酸を含むものがみられることから，細辛についても調査が行われたが，アリストロキア酸は，地上部の葉柄に少量認められただけであった。それを受けて日局 14 では，純度試験において地上部を認めないこと，さらに日局 14 第 1 追補で，アリストロキア酸が含有されないことが規定されたため，わが国では副作用の心配はない。なお，中国では，以前全草が使用されていたが，『中国人民共和国薬典 2005 年版』では部位を根および根茎と規定し，地上部は除かれることとなった。ただし地方によっては，アリストロキア酸を含有する葉柄を含むものが流通する可能性もあるので，留意が必要である〔木通（p. 199），防已（p. 197）の使用注意参照〕。

備　考　基原：現在流通している細辛はほとんどがケイリンサイシンである。

選品：土細辛はカンアオイ（*Heterotropa nipponica* F. Maekawa）の根であり本品と区別すべきである。

生姜（ショウキョウ） *Zingiberis Rhizoma* 〈日局 18〉

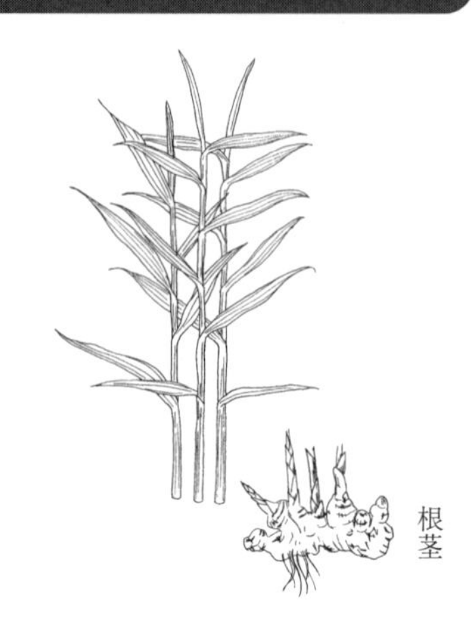

基　原　ショウガ科（*Zingiberaceae*）ショウガ *Zingiber officinale* Roscoe の根茎で，ときに周皮を除いたもの

局方規格：本品は定量するとき，換算した生薬の乾燥物に対し，[6]-ギンゲロール 0.3% 以上を含む

産地：貴州省，雲南省，広西，四川省，インド

異名別名　乾生姜（かんしょうきょう），干姜（かんきょう），生薑（しょうきょう），乾生薑（かんしょうきょう）

選　品　乾燥が良く，肉厚で色が黄白色で粉性に富み，味が辛く，膨らみがあり，特異な香気が強く，カビなどの付いていないものを良品とする。萎びたものや切片のものは不良である

貯蔵：精油の揮散を防ぐため，低温で気密保存するのが望ましい

成　分　精油（α-チンギベレン），辛味成分（[6]-ギンゲロール，[6]-ショウガオール）など。

薬　理　抽出液：嘔吐抑制，胃液・胃酸・ペプシン分泌抑制

抽出物：デンプン消化能増強，胃の緊張と蠕動運動を抑制，鎮痛，ヘキソバルビタール睡眠延長

新鮮根茎の精油：鎮痙

[6]-ショウガオール：中枢抑制，鎮咳

[6]-ギンゲロール：中枢抑制，プロスタグランジン生合成阻害

効能主治　性味：辛，温

帰経：肺，胃，脾

効能：発汗し寒を除く，止嘔する，去痰する

主治：感冒，嘔吐，痰飲[*35]，喘咳，腹部の脹りと膨満感，下痢。半夏・天南星・魚蟹・鳥獣の肉の毒を解す

引用文献　神農本草経：胸満，欬逆上氣（がいぎゃくじょうき）を主（つかさど）り，中（ちゅう）を温め，血を止め，汗を出す。風湿の痺を逐（お）い，腸澼（ちょうへき）下痢を主る。生は尤（もっと）も良し（乾姜の名称で収載）

古方薬品考：生姜は胸を利して，且つ薬功を奏す

重校薬徴：結滞水毒（けったいすいどく）を主治す。故に乾嘔，吐下，厥冷（けつれい），煩躁，腹痛，胸痛，腰痛，小便不利，小便自利，咳唾涎末（がいだえんまつ）を治す（乾姜の名称で収載）

古方薬議：嘔吐を止め，痰を去り，氣を下し，煩悶を散じ，胃氣を開く

現代における運用のポイント

- 発汗解表作用

身体を温め，よく発汗させる効能がある。ゆえに，軽い感冒に頻用される。必ず温服する。

- 止嘔作用

すべての嘔気・嘔吐に効果があるが，寒性のものに，より有効である。半夏と共に用いると半夏の刺激性を抑制し，止嘔効果をいっそう高めることができる。

- 解毒作用

カニ・エビ・魚貝類などの中毒の予防，および解毒をはかる。

（注）生姜と乾姜の効能における区別

嘔吐の強いものは生姜を（この場合は，生のショウガが最も良い），冷えの強いものは乾姜を用いる。

配合応用

生姜＋葛根：項背の緊張を除く（葛根湯，奔豚湯（金匱要略），麗沢通気湯）

生姜＋桂皮：1）表虚[*26]で自汗[*27]するものに対する軽い発表作用を有す（桂枝湯）。2）表の陽気をめぐらせ[*33]て風湿[*3]によるシビレや麻痺を除く（黄耆桂枝五物湯，小続命湯）

生姜＋呉茱萸：胃を温め，胃内停水[*36]を除き，止嘔する（呉茱萸湯，奔豚湯（肘後方））

生姜＋大棗＋甘草：補脾胃の基本的な組み合わせ多くの処方に配合される（桂枝湯，小柴胡湯他多数）

※人参が加わると，なお補脾胃の効果が上がる（生姜瀉心湯，六君子湯）

生姜＋陳（橘）皮：1）胃気[*37]を補い，気逆[*38]あるいは湿の滞りによる嘔吐・食欲不振・腹部膨満感・腹痛・下痢を治す（六君子湯，茯苓飲）。2）気滞[*39]・湿の滞りによる諸症状を治す（烏薬順気散，烏苓通気散，香蘇散）。3）胃気を補い，胃内停水[*36]を除き，気逆を鎮める（釣藤散）

生姜＋人参：胃気[*37]を補い，その機能を賦活し，腹痛・腹はり・嘔吐・嘔気・下痢・食欲不振を治す（生姜瀉心湯，六君子湯）

生姜＋半夏（止嘔を目的とした場合の基本的な組み合わせ）：半夏の毒を抑え，気の上逆を止め，止嘔作用を増強する（小半夏加茯苓湯，小柴胡湯，大柴胡湯，二陳湯，奔豚湯（金匱要略））

配合処方

胃苓湯，烏薬順気散，烏苓通気散，温経湯，温胆湯，越婢加朮湯，越婢加朮附湯，延年半夏湯，黄耆桂枝五物湯，黄耆建中湯，解労散，化食養脾湯，藿香正気散，葛根湯，葛根湯加川芎辛夷，加味温胆湯，加味帰脾湯，加味逍遙散，加味逍遙散加川芎地黄（加味逍遙散合四物湯），加味平胃散，帰耆建中湯，枳縮二陳湯，帰脾湯，芎帰調血飲，芎帰調血飲第一加減，九味檳榔湯，桂姜棗草黄辛附湯，桂枝越婢湯，桂枝加黄耆湯，桂枝加葛根湯，桂枝加厚朴杏仁湯，桂枝加芍薬生姜人参湯，桂枝加芍薬大黄湯，桂枝加芍薬湯，桂枝加朮附湯，桂枝加竜骨牡蛎湯，桂枝加苓朮附湯，桂枝芍薬知母湯，桂枝湯，桂枝二越婢一湯，桂枝二越婢一湯加朮附，啓脾湯，荊防敗毒散，桂麻各半湯，鶏鳴散加茯苓，堅中湯，甲字湯，香砂平胃散，香砂養胃湯，香砂六君子湯，香蘇散，厚朴生姜半夏人参甘草湯，五積散，呉茱萸湯，柴葛解肌湯，柴葛湯加川芎辛夷，柴陥湯，柴梗半夏湯，柴胡加竜骨牡蛎湯，柴胡枳桔湯，柴胡桂枝湯，柴芍六君子湯，柴蘇飲，柴朴湯，柴苓湯，滋陰降火湯，四君子湯，柿蒂湯，炙甘草湯，十味敗毒湯，生姜瀉心湯，小建中湯，小柴胡湯，小柴胡湯加桔梗石膏，小続命湯，小半夏加茯苓湯，升麻葛根湯，逍遙散（八味逍遙散），参蘇飲，真武湯，清肌安蛔湯，清湿化痰湯，清上蠲痛湯（駆風触痛湯），清肺湯，喘四君子湯，疎経活血湯，蘇子降気湯，大柴胡湯，大柴胡湯去大黄，大防風湯，竹茹温胆湯，釣藤散，当帰建中湯，当帰四逆加呉茱萸生姜湯，独活葛根湯，二朮湯，二陳湯，排膿散及湯，排膿湯，八解散，半夏厚朴湯，半夏白朮天麻湯，白朮附子湯，不換金正気散，伏竜肝湯，茯苓飲，茯苓飲加半夏，茯苓飲合半夏厚朴湯，茯苓沢瀉湯，分消湯（実脾飲），平胃散，防已黄耆湯，防風通聖散，補中益気湯，補肺湯，奔豚湯（金匱要略），奔豚湯（肘後方），六君子湯，苓甘姜味辛夏仁湯，麗沢通気湯，麗沢通気湯加辛夷

▷294 処方中 121 処方（41.2%）

使用注意　目の充血や痔疾に生姜を多量服用すると，患部の充血を促進するので，使用量に留意する。

【古典における生姜と乾姜について】

- 中国最古の本草書『神農本草経』にはショウガは「乾姜」の名称で記載されており，文中では生のものについても言及されている。
- 後漢に著された『傷寒論』（張仲景（ちょうちゅうけい））においては，「生姜」，「生姜汁」，「乾姜」の 3 者が登場し，それぞれ使い分けられている。この場合の「生姜」は生のショウガの根茎と考えられる。
- 南北朝時代に著された『名医別録（めいいべつろく）』（陶隠居（とういんきょ））では「生姜」と「乾姜」のそれぞれが記載されている。「乾姜」の製法については「ショウガを水に漬け皮をむき，さらし干しし，更に 3 日間甕（かめ）に入れて熟成させる」としている（『経史証類大観本草（けいししょうるいたいかんほうぞう）』より）。
- 隋，唐代では『薬性論（やくせいろん）』（甄権（けんけん） 撰）に「生姜」，「乾姜」の区別がある（『経史証類大観本草』より）。後代李時珍（りじちん）は，ここで示された乾姜の薬効について「乾生姜」と「乾姜」に分類して『本草綱目』に記載している。
- 隋，唐代では『千金方（せんきんほう）』（孫思邈（そんしばく））に「乾姜（生干しショウガ）なきときは，2 倍の生姜（生のショウガ）をもってこれに代える」と記載されている。これが「乾姜」の代わりに「生姜」を代用する用法が起こったゆえんである。
- 宋代の『経史証類大観本草』（艾晟（がいせい） 校定）には「乾姜」と「生姜」の両項目があるが，ここでは『神農本草経』における生のショウガを「生姜」に当てている。
- 明代の『本草綱目』（李時珍）では，「生姜」，「乾生姜」，「乾姜」に記載が分かれている。乾姜の項では，「乾姜」の製法を蘇頌（そしょう）（『本草図経（ほんぞうずきょう）』の編者）より引用し「根を採って，長流水（ちょうりゅうすい）で洗い，日光に晒す」としている。また，3. の説を「漢州の乾姜法」であるとしている。
- 『本草綱目』の乾姜の項に「乾姜を炮（ほう）じる」という記載が見られる。以下は金元期の医家の引用である。

  「元素（げんそ）曰く…乾姜の本来は辛いものだが，炮（ほう）じればやや苦くなる。ゆえに止まって移らない。よく裏寒を治するのはそのためであって附子の行って止まらぬやうなものではない。理中湯（りちゅうとう）にこれを用いるのは，このものが陽を回（めぐ）らすものだからである」

  「李杲（りこう）曰く。乾姜は生では辛く，炮じれば苦い。…生では寒邪を逐（お）うて表を発し，炮じれば胃冷を除いて中（ちゅう）を守る」
- 『中薬大辞典』では，「生姜」，「乾姜」，「炮姜」，「煨姜」についての記載がある。生姜の修治の項には「生姜：夾雑物を取り去った後，泥を洗い落とし，用事片に切る」とあり，乾姜の項には「乾姜：夾雑物を除いた後，水に 3～6 時間浸して取り出し，ふやかしてから薄片あるいはさいの目に切り，日干しする」「炮姜（ほうきょう）：姜塊を鍋に入れ，気泡が出てきて膨れ，外皮がキツネ色，内部は黄色を呈するまで強火で炒り，清水を少し吹きかけた後取り出し，日干しする」とある。また，生姜の項に「煨姜（わいきょう）：生のショウガの根茎を濡れ紙に包み灰の中で蒸した後，乾燥させたもの」との記載がある。
- 日局 17 には「生姜」は「ショウガの根茎で，ときに周皮を除いたもの」と記載されているが，市場品はほとんど周皮をはぎ，熱を加えて，あるいは天日により乾燥させたものである。軽く湯通しの後，乾燥させたものも「ショウキョウ」として市販されることがある。

  「乾姜」の市場品は煮沸した後，乾燥させたものであるが，それ以外にも，「三河乾姜（生の生姜を日本で湯通しして乾燥したもの）」や「炮姜（生の生姜を濡れ紙に包んで木灰（もくはい）の中で蒸したもの）」な

どが，一部臨床家の間で使われている（いずれも市場品としての流通はない）。

このように見ると，古典で見られる「生姜」は生のショウガの根茎であり，「乾姜」は現在日本で流通している局方品の生姜に当たる。現在日本で言う「乾姜（ショウガの根を煮沸した後乾燥させたもの）」は「炮姜」など熱を加えて修治したものと薬能などが似ている。ただし，隋，唐以降では，熱を加えて修治したものが，「乾姜」という名称で説明されている可能性もあり，「乾姜」という語はかなり混乱して使われているようである。

【参考】生のショウガの根茎（古典に言う「生姜」）の効能

神農本草経：久しく服すれば，臭氣を去り。神明に通ずる。（乾姜の項中「生のもの」について言及した部分）

薬性論：痰，水氣滿（まん）を主り，氣を下す。生と乾は並びに嗽（そう）を治し，時疾を療じ，嘔逆を止め食を下さず。生は半夏を和して心下急痛を主る。若し，熱に中りて食する能（あた）わざれば，つき汁に蜜を和して服す。又，汁に杏仁を和して煎を作れば，一切の結氣實，心胸擁隔（ようかく），冷熱氣を下すに神効す。

重校薬徴：生姜は嘔を主治するなり。乾姜は結滞の水を主治するなり。混同すべからず（乾姜の互考（ごこう）の項より引用）。嘔する者は生姜之を主る。痰飲あって嘔吐する者は半夏之を主（つかさど）る（半夏の互考の項より引用）。

辛夷（シンイ） *Magnoliae Flos*〈日局 18〉

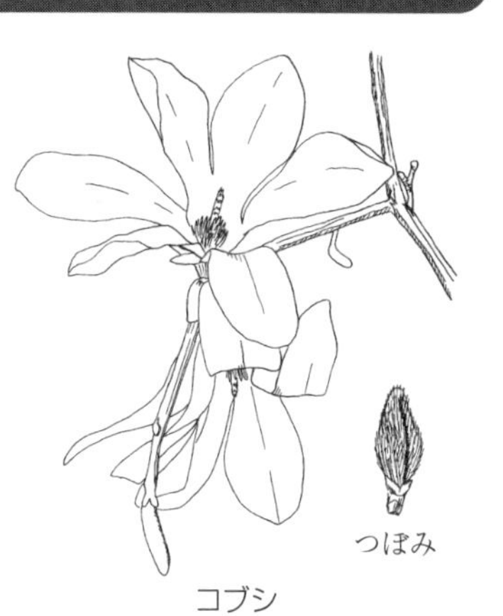

基　原　モクレン科（*Magnoliaceae*）*Magnolia biondii* Pampanini，ハクモクレン *M. heptapeta* Dandy（*M. denudata* Desrousseaux），*M. sprengeri* Pampanini，タムシバ *M. salicifolia* Maximowicz またはコブシ *M. kobus* De Candolle のつぼみ

産地：浙江省，河南省，山東省，湖北省，陝西省，山形県，青森県，新潟県

異名別名　侯桃（こうとう），辛雉（しんち），望春花（ぼうしゅんか），毛辛夷（もうしんい），辛夷桃（しんいとう）

選　品　芳香の強いものを良品とする。開花前の花蕾で内部の充実したなるべく大きいもの，乾燥したものが良い。花柄は取り除くこと。日本産は表面の皮が黒褐色で，やや小粒であるが精油分量は多い。中国産は表皮がなく絨毛に覆われており，粒は大きいが，香りは日本産に劣る

貯蔵：精油の揮散を防ぐため，気密保存するのが望ましい

成　分　精油（シトラール，α-ピネン，1, 8-シネオール），ネオリグナン，リグナン，アルカロイド（*d*-コクラウリン）など

薬　理　抽出液：子宮興奮，降圧，強い抗真菌，消炎

抽出物：筋弛緩，抗アセチルコリン

揮発油：鼻粘膜血管収縮

効能主治　性味：辛，温

帰経：肺，胃

効能：風邪[*5]を除き，鼻閉を治す

主治：頭痛，鼻淵[*40]，鼻づまり，歯痛

引用文献 神農本草経：五臓，身体の寒熱，風頭脳痛，面皯を主る

名医別録：中を温め，肌を解し，九竅を利し，鼻塞涕出を通じ，面腫の歯に引いて痛むものを治す

現代における運用のポイント

- **鼻閉発散作用**
  かぜなどによる鼻水・くしゃみ・鼻づまりおよび蓄膿症に用い，鼻閉を解消する。
- **治頭痛作用**
  発汗作用により風寒[*31]を除き，主に感冒による頭痛・頭重に用いる。

配合応用 辛夷＋葛根：風邪[*5]を除き，頭痛・鼻閉を治す（葛根湯加川芎辛夷）

辛夷＋升麻：発汗解表作用により鼻閉を除く（辛夷清肺湯）

辛夷＋川芎：鼻粘膜のうっ血を除く，頭痛・鼻閉・鼻炎・蓄膿症を治す（葛根湯加川芎辛夷，柴葛湯加川芎辛夷）

配合処方 葛根湯加川芎辛夷，柴葛湯加川芎辛夷，辛夷清肺湯，麗沢通気湯加辛夷

▷294 処方中 4 処方（1.4%）

備　考 基原：日本に輸入されている中国辛夷はほとんどが望春花（*M. biondii* Pamp.）のつぼみである。

葱白（ソウハク）

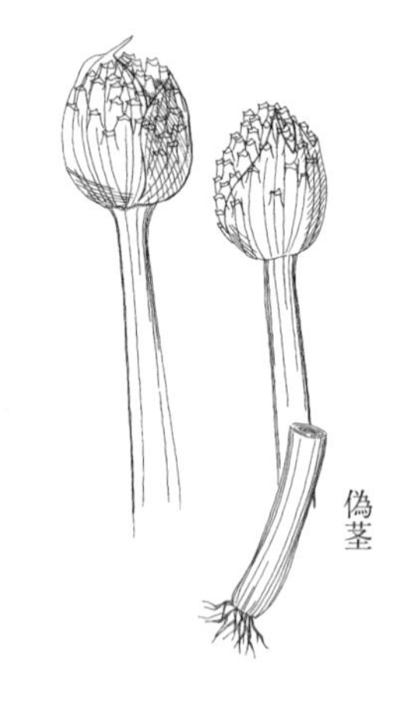

基　原 ユリ科（Liliaceae）ネギ *Allium fistulosum* Linné の偽茎

産地：日本，中国など

異名別名 葱，葱頭，葱白頭，葱茎白

選　品 白根の多い肥えた部分を使用する

成　分 精油（アリシン），ジアリルモノスルフィド，ビタミン類など

薬　理 精油：抗菌

効能主治 性味：辛，温

帰経：肺，胃

効能：発汗作用，陽気をめぐらす[*33]

主治：発熱性の頭痛，冷えによる腹痛，小便不利，便秘，駆虫，細菌性下痢，化膿性の腫れ物

引用文献 神農本草経：湯を作るべし。傷寒寒熱，汗出で，中風，面目腫を主る（葱實の項の茎の部分）

古方薬議：氣を通じ，血を止め，表に達し裏を和し，小便を利し，霍乱転筋及び奔豚氣，

脚氣，心腹痛，目眩（もくげん）を治し，及び心迷悶（しんめいもん）を止む

配合応用 葱白＋葛根：発汗を促し，頭痛，鼻炎を治す（升麻葛根湯：『後世要方解説』収載，麗沢通気湯）

葱白＋乾姜：冷えによる腹痛や下痢を治す（※白通湯（はくつうとう））

葱白＋香豉：頭痛，悪寒を治す（※葱豉湯（そうしとう））

配合処方 麗沢通気湯，麗沢通気湯加辛夷

▷294 処方中 2 処方（0.7%）

備　考 基原：本品は生薬としての流通はない。

配合処方：本品は，上記 2 処方に配合されている以外にも，一般用漢方 294 処方中の一部の処方の変方に配合されている。以下はその処方と出典である。

香蘇散：『奇効良方（きこうりょうほう）』，五虎湯：『万病回春（まんびょうかいしゅん）』，蛇床子湯：『御纂医宗金鑑（ぎょさんいそうきんかん）』，升麻葛根湯：『後世要方解説（ごせいようほうかいせつ）』，川芎茶調散：『症候による漢方治療の実際』，八解散：『和剤局方（わざいきょくほう）』

蘇葉（ソヨウ） *Perillae Herba* 〈日局 18〉

基　原 シソ科（*Labiatae*）シソ *Perilla frutescens* Britton var. *crispa* W. Deane の葉および枝先

局方規格：本品は定量するとき，換算した生薬の乾燥物に対し，ペリルアルデヒド 0.07% 以上を含む

産地：四国，本州，北海道，広東省，安徽省，河北省，吉林省

果実

シソ

異名別名 紫蘇葉（しそよう），蘇（そ），尖紫蘇（せんしそ），皺紫蘇（しゅうしそ），赤蘇（せきそ），紫蘇（しそ），紅紫蘇（こうしそ）

選　品 開花直前の葉身で，葉が大きく肉が厚く紫色で，砕けておらず，芳香が強く，枝や柄のないものが良品とされる。また，年月の経過したものは避け，なるべく新しいものが良い。薬用には葉の両面または下面が紫色のもの（チリメンジソと言われる）が香気が強く良品とされる。香りの薄いものは，精油成分の不足しているものがあるので注意する

貯蔵：精油の揮散を防ぎ，香気を保つため気密保存するのが望ましい

成　分 精油（ペリルアルデヒド，リモネン，α-ピネン），アントシアニン，フラボノイドなど

薬　理 抽出物：解熱，ヘキソバルビタール睡眠延長，自発運動抑制

ペリルアルデヒド：ヘキソバルビタール睡眠延長，上喉頭神経反射抑制，神経節細胞と坐骨神経線維の興奮の抑制（局所麻酔），抗白癬菌

効能主治 性味：辛，温

帰経：肺，脾

効能：発汗し，皮下に停滞する寒邪*6を散らす，営気*41を調える

主治：風寒*31による感冒，悪寒発熱，咳嗽，喘息，神経性の咳および咽喉の違和感，胸腹部の脹りと膨満感，流早産の予防，魚介類の中毒予防および治療

引用文献

名医別録（めいいべつろく）：氣を下し，寒中を除く（蘇の項）

本草綱目：肌を解し，表を発し，風寒を散じ，氣を行（めぐ）らし，中（ちゅう）を寛（ゆる）め，痰を消し，肺を利し，血を和し，中を温め，痛を止め，喘を定め，胎を安んじ，魚蟹の毒を解し，蛇，犬の傷を治す（蘇の項）

古方薬品考：芳（ほう）を発し，氣を下し，鬱を開く

古方薬議：氣を下し，寒を除き，中（ちゅう）を寛（ゆる）め，上氣咳逆を主（つかさど）り，胃を開き，食を下し，魚蟹の毒を解す

現代における運用のポイント

- **発汗解表作用**
  軽い発汗作用があるので，軽度の感冒の初期に用いる。
- **鎮咳・去痰作用**
  肺機能を調え，神経性の咳嗽・煩悶感・咽中の違和感を治す。
- **健胃・止嘔作用**
  胃の機能を調え，嘔気を止める。
- **解毒作用**
  カニ・エビ・魚貝類の中毒を予防し，解毒する。

配合応用

蘇葉＋藿香：感冒・妊娠・脾胃の機能低下によって起こる悪心・嘔吐ならびに咳嗽を治す（藿香正気散）

蘇葉＋乾姜：胃腸虚弱者の感冒を治す（参蘇飲）

蘇葉＋桔梗：感冒時の鼻塞，痰の多い咳嗽，多くは胃腸虚弱者に用いられる（参蘇飲）

蘇葉＋杏仁：感冒による咳嗽を治す（杏蘇散，神秘湯）

蘇葉＋香附子：気滞*39に伴う気うつ・耳閉感・胸悶・頭痛などの症状を治す（柴蘇飲，香蘇散）

蘇葉＋厚朴：気逆*38・気滞*39・湿による咳嗽および胸部不快感を治す（半夏厚朴湯）

蘇葉＋麻黄：発汗・鎮咳・去痰作用により感冒・喘息・咳を治す（杏蘇散）

配合処方

藿香正気散，杏蘇散，九味檳榔湯，鶏鳴散加茯苓，香蘇散，柴蘇飲，柴朴湯，参蘇飲，神秘湯，蘇子降気湯（紫蘇子の代用として），半夏厚朴湯，茯苓飲合半夏厚朴湯

▷294処方中12処方（4.1%）

備　考

基原：シソの果実は紫蘇子といい，生薬として用いられる（紫蘇子の項 p.224参照）

選品：シソは，アントシアン系の赤色色素の有無によって，赤ジソと青ジソに分けられるが，薬用には赤ジソが用いられる。

白芷（ビャクシ）*Angelicae Dahuricae Radix*〈日局 18〉

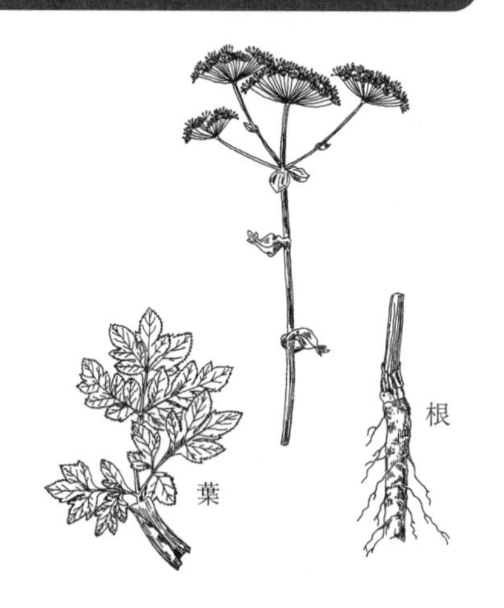

基　原　セリ科（*Umbelliferae*）ヨロイグサ *Angelica dahurica* Bentham et Hooker filius ex Franchet et Savatier の根

産地：韓国

異名別名　芷，香白芷

選　品　香りが強く気味に富み，類白色を呈する新しいものを良品とする。肥大しているものが良いが，むやみに肥大しているもの，虫食いのあるもの，「ス（細かい空洞）」の入ったものは良くない。また分枝がなく，皮が細かく，外表が土黄色，硬くなめらかで光沢のあるものが良い

貯蔵：特に虫がつきやすいので，虫害を防ぎ香気を保つため，低温で湿度の低い場所で気密保存するのが望ましい

成　分　フロクマリン類（ビャク-アンゲリシン，ビャク-アンゲリコール，インペラトリン）など

薬　理　抽出液：抗アレルギー

抽出物から精製した樹脂様物質：（少量で）血管運動中枢・呼吸中枢・心臓抑制中枢・迷走神経および脊髄を興奮，血圧上昇，脈拍緩徐，呼吸運動および反射機能興奮，流涎，嘔吐。（大量で）強直性ないし間代性けいれん・麻痺，赤痢菌・チフス菌・グラム陽性菌・ヒト型結核菌に対して生育抑制

フロクマリン類：脂肪分解促進，脂肪生成阻害，血管拡張，抗けいれん

アンゲリコトキシン：中枢神経興奮

効能主治　性味：辛，温

帰経：肺，脾，胃

効能：感冒を治し，風邪[*5]・湿邪[*42]を除く，できものや関節の腫痛を治す

主治：頭痛，眉稜骨痛，歯痛，鼻炎，寒湿[*29]による腹痛，痔瘻，出血を伴う帯下，化膿性の各種できもの，皮膚掻痒症，疥癬

引用文献　神農本草経：女人の漏下赤白，血閉，陰腫，寒熱風頭の目を侵し涙出するを主り，肌膚を長じ，潤沢にする

本草綱目：鼻淵，鼻衄，歯痛，眉稜骨痛，大腸風秘，小便失血，婦人の血風眩運，翻胃吐食を治す

配合応用　白芷＋藿香：胃腸の湿を除き，頭痛・腹痛を治す。胃腸系の感冒に用いる（藿香正気散）

白芷＋桔梗：化膿性のできものに対して排膿を促す（清上防風湯）

白芷＋羌活：1）腰部および四肢の風湿[*3]の邪を除き，腰痛・関節痛・神経痛を治す（疎経活血湯）。2）頭部の風湿[*3]の邪を除き，鼻づまり，嗅覚異常などの鼻症状を改善する（麗沢通気湯）

白芷＋当帰：1）身体を温め，血流を促し，頭痛および関節痛を治す（疎経活血湯，

五積散)。2）血流を促し，炎症を除く（滋腎通耳湯）

配合処方 烏薬順気散，藿香正気散，荊芥連翹湯，五積散，滋腎通耳湯，滋腎明目湯，神仙太乙膏，清湿化痰湯，清上蠲痛湯（駆風触痛湯），清上防風湯，川芎茶調散，千金内托散，疎経活血湯，麗沢通気湯，麗沢通気湯加辛夷

▷294 処方中 15 処方（5.1%）

備　考 基原：中国産白芷には，杭白芷〔*A. dahurica* var. *formosana*（Boiss）Shan et Yuan〕を基原植物とするものがあり，これは局方規格に適合しない。

防風（ボウフウ）*Saposhnikoviae Radix*〈日局 18〉

基　原 セリ科（*Umbelliferae*）*Saposhnikovia divaricata* Schischkin の根および根茎

産地：吉林省，遼寧省，黒竜江省，内蒙古

異名別名 宇田防風，種防風，筆防風，真防風，唐防風

選　品 横切面の中心部が淡黄色で，質が充実し，潤いがあって香気強く新鮮なものが良品である。軽質で中に「ス（細かな空洞）」が入ったものはエキス含量不足のものが多く不良である

貯蔵：虫害を防ぎ香気を保つため，低温で気密保存するのが望ましい

成　分 クマリン誘導体（デルトイン，ベルガプテン），クロモン誘導体など

薬　理 抽出物：アジュバンド関節炎の抑制，抗炎症，鎮痛

効能主治 性味：辛甘，温

帰経：膀胱，肺，脾

効能：発汗し，風邪*5 を除く，湿を除き止痛する

主治：感冒，頭痛，めまい，首の硬直，風寒湿痺*10，関節の疼痛，四肢の引きつれ・けいれん，破傷風

引用文献 神農本草経：大風，頭眩痛，悪風，風邪，目盲見る所無し，風，身を行周し，骨節疼痺，煩満するを主る

古方薬品考：風を逐い，骨節の瘀を散ず

古方薬議：風周身を行り，骨節疼痺するを主り，頭目中の滞氣を散じ，頭眩痛，四肢攣急を治す

> 現代における運用のポイント
>
> • 発汗・鎮痛作用
>
> 発汗により風寒湿の三邪を除き，頭痛・めまい・関節痛を治す。

配合応用 防風＋羌活：風湿*3 の邪による関節痛・神経痛・リウマチを治す，ならびに頭痛・感冒・鼻づまりを治す（疎経活血湯，清上蠲痛湯，大防風湯，麗沢通気

湯）

防風＋荊芥：風湿[*3]の邪による頭痛・発熱を治す，鼻炎，湿疹，腫れを治す（荊芥連翹湯，十味敗毒湯，治頭瘡一方，洗肝明目湯）

防風＋桂皮：発表して，風寒[*31]の邪を除き，関節痛・神経痛を治す（桂枝芍薬知母湯，小続命湯）

防風＋細辛：風邪（ふうじゃ）[*5]を除き，歯痛を治す（立効散）

防風＋川芎：風邪（ふうじゃ）[*5]を除き，頭痛・顔面痛を治す（清上蠲痛湯）

防風＋独活（唐独活）：表部の風湿[*3]による，痛み・浮腫・関節痛・麻痺を治す（独活湯）

防風＋防已：風湿[*3]の邪を除き，シビレ・痛み・麻痺を治す（小続命湯）

防風＋麻黄：1）発表して，風寒[*31]の邪を除き，関節痛・神経痛を治す（桂枝芍薬知母湯，小続命湯）。2）軽く発表して風邪[*5]を除き，嗅覚異常・鼻づまりなどの鼻症状を緩和する（麗沢通気湯）

配合処方 荊芥連翹湯，桂枝芍薬知母湯，荊防敗毒散，十味敗毒湯，小続命湯，駆風解毒散（湯），消風散，秦艽羌活湯，秦艽防風湯，清上蠲痛湯（駆風触痛湯），清上防風湯，洗肝明目湯，川芎茶調散，千金内托散，疎経活血湯，大防風湯，治頭瘡一方，治頭瘡一方去大黄，釣藤散，当帰飲子，独活湯，防風通聖散，立効散，麗沢通気湯，麗沢通気湯加辛夷

▷294 処方中 25 処方（8.5%）

備　考 その他：セリ科の植物ハマボウフウ *Glehnia littoralis* Fr. Schmidt ex Miquel の根および根茎を基原とする浜防風（はまぼうふう）という生薬がある。これは，江戸時代に防風の代用として使われていたが，中国の北沙参（ほくしゃじん）のことであって，防風とは別物である。鎮咳，去痰には効果があるが，発汗解熱作用はない。なお，浜防風と区別するために防風を唐防風（からぼうふう），真防風（しんぼうふう）などと呼んだ。ハマボウフウは日局 18 にも収載されている。

麻黄（マオウ） *Ephedrae Herba* 〈日局 18〉

基　原 マオウ科（*Ephedraceae*）① *Ephedra sinica* Stapf，② *E. intermedia* Schrenk et C. A. Meyer または *E. equisetina* Bunge の地上茎

局方規格：本品は定量するとき，換算した生薬の乾燥物に対し総アルカロイド（エフェドリンおよびプソイドエフェドリン）0.7% 以上を含む

産地：①吉林省，河北省，遼寧省，内蒙古，新疆，甘粛省，②甘粛省，青海省，山西省，内蒙古，新疆，河北省

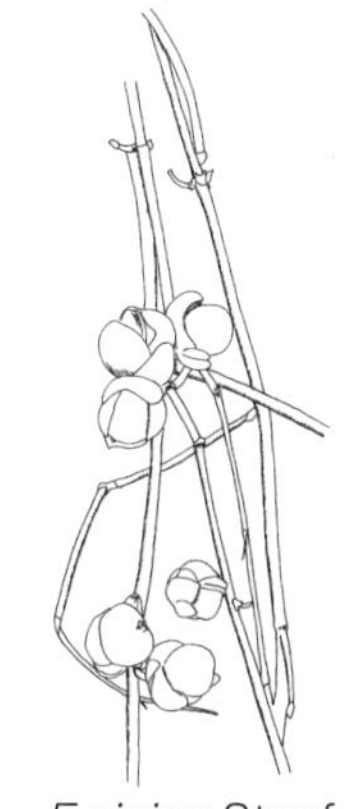

E.sinica Stapf

異名別名 浄麻黄（じょうまおう），蜜炙麻黄（みつしゃまおう），草麻黄（そうまおう），木賊麻黄（もくぞくまおう），中麻黄（ちゅうまおう）

選　品 茎が太く，黄緑色～淡緑色で，内心が充実し，味が渋くて苦いものを良品とする。木部のない草質茎のものが良い。古来より文献に

は去節とあるが，非常に煩雑であるのであまり実行されていない。束麻黄（束ねてあるもの）が良く，散麻黄（束ねていないもの）はエフェドリン含量の不足のものが多い

成　分　アルカロイド（ℓ-エフェドリン，d-プソイドエフェドリン），フラボノイド，タンニンなど

薬　理　抽出物，アルカロイド：交感神経興奮，中枢興奮，鎮咳，気道分泌促進，抗炎症，子宮筋収縮抑制，気管支筋弛緩など

効能主治　性味：辛苦，温

帰経：肺，膀胱

効能：発汗し感冒を治す，止咳・止喘する，湿を除き筋肉・関節痛を治す，利尿し浮腫を除く

主治：発熱・悪寒・関節痛を伴う感冒で無汗のもの，頭痛，鼻炎，リウマチ，神経痛，咳嗽，喘息，浮腫，水腫*[2]，風疹

引用文献　神農本草経：中風，傷寒，頭痛，温瘧を主る。表を発して汗を出し，邪熱の氣を去り，欬逆上氣を止め，寒熱を除き，癥堅積聚を破る

古方薬品考：壅を解き，湿を逐い，疼を除く

重校薬徴：喘咳水氣を主治す。故に一身黄腫，悪風，悪寒，無汗を治し，頭痛，発熱，身疼，骨節痛を兼治す

古方薬議：表を発し汗を出し，邪熱の氣を去り，咳逆上氣を止め，寒熱を除く。傷寒を療し肌を解すること第一なり

現代における運用のポイント

- **発汗解表作用**
  発汗力が強いので，かぜ初期の薬として麻黄湯や小青竜湯に配合され，発汗去風薬として用いられる。虚証*[43]のかぜには用いない。
- **鎮咳・鎮喘作用**
  強い鎮咳去痰作用を有するので，麻杏甘石湯や小青竜湯に配合され，鎮咳鎮喘薬として用いられる。
- **利水*[44]・消腫作用**
  強い利水作用を有するので，麻杏薏甘湯や越婢加朮湯に配合され，実証*[45]の水腫*[2]・浮腫・関節水腫の治療薬として用いられる。

配合応用　麻黄＋葛根：発汗を促し，頭痛，感冒を治す（葛根湯）

麻黄＋甘草：1）痺証*[46]を治す（小続命湯，麻杏薏甘湯）。2）鎮咳効果を高める（麻黄湯，麻杏甘石湯）

麻黄＋杏仁：咳嗽喘息を治す（麻黄湯，麻杏甘石湯，続命湯，小続命湯）

麻黄＋桂皮：1）強い発汗作用によって感冒を治す。『傷寒論』における発汗法の基本配合である（麻黄湯，葛根湯，桂姜棗草黄辛附湯）。2）強い発汗により筋緊張を緩める（続命湯）

麻黄＋細辛：体を温め発汗力を高め，悪寒の強い感冒および咳嗽を治す（麻黄附子細辛湯，小青竜湯，桂姜棗草黄辛附湯）

麻黄＋石膏：1）熱性疾患による高熱・熱感・口渇・煩躁*32，肺の炎症による咳嗽・呼吸促迫・喘咳を治す（麻杏甘石湯，柴葛解肌湯）。2）筋肉関節の消炎鎮痛をはかる（越婢加朮湯，桂枝二越婢一湯）

麻黄＋川芎：気の流れを良くして鎮痛する（烏薬順気散）

麻黄＋白朮（または蒼朮）：体表の湿を除き，浮腫および関節痛を治す（越婢加朮湯，桂枝芍薬知母湯，薏苡仁湯）

麻黄＋附子：1）陽気*19少なく悪寒の甚だしい感冒を治す（麻黄附子細辛湯）。2）身体を温め寒湿*29を除き，リウマチ・神経痛・麻痺を治す（桂枝芍薬母湯，小続命湯）

麻黄＋防風：1）発表して，風寒*31の邪を除き，関節痛・神経痛を治す（桂枝芍薬知母湯，小続命湯）。2）軽く発表して風邪*5を除き，嗅覚異常・鼻づまりなどの鼻症状を緩和する（麗沢通気湯）

麻黄＋薏苡仁：湿によるしびれ・だるさ・筋肉のけいれん・疼痛，水腫*2，イボを治す（麻杏薏甘湯，薏苡仁湯）

配合処方　烏薬順気散，越婢加朮湯，越婢加朮附湯，葛根湯，葛根湯加川芎辛夷，杏蘇散，桂姜棗草黄辛附湯，桂枝越婢湯，桂枝芍薬知母湯，桂枝二越婢一湯，桂枝二越婢一湯加朮附，桂麻各半湯，五虎湯，五積散，柴葛解肌湯，柴葛湯加川芎辛夷，小青竜湯，小青竜湯加杏仁石膏（小青竜湯合麻杏甘石湯），小青竜湯加石膏，小続命湯，秦艽羌活湯，神秘湯，続命湯，独活葛根湯，防風通聖散，麻黄湯，麻黄附子細辛湯，麻杏甘石湯，麻杏薏甘湯，薏苡仁湯，麗沢通気湯，麗沢通気湯加辛夷
▷294処方中32処方（10.9%）

使用注意　麻黄を大量に服用すると，エフェドリンの過剰摂取になり，エフェドリン中毒になる恐れがある。麻黄の多量使用には注意を要する。

備　考　中国では，現在麻黄は輸出割当制度がとられており，輸出に関して中国政府の許可が必要となっているが，わが国においては，許可を受けた中国の取り扱い業者を通して輸入を行っているため流通に問題はない。

使用注意：2000年頃までアメリカでは，麻黄が痩身のダイエタリーサプリメントとしてさかんに用いられていた。しかし知識不足による大量服用の結果，エフェドリンの中毒症状を起こすという重篤な事故が起きたため，2004年より，全米での栄養補助食品としての販売は禁止されている。なお，日本では，従来より麻黄の食品への使用は禁止されている。

(2)辛涼発表薬

辛涼発表薬は辛温発表薬と対になった概念であって，清の時代，温病*13学説が体系づけられたときに確立した。

熱病の初期で，津液不足*8の状態では，発汗力の強い辛温発表薬を用いることができないので，発汗力の比較的弱いものを用いなければならない。それらの薬物の性質を温に対して涼と表現し，辛涼発表薬としてまとめたものである。

葛根（カッコン） *Puerariae Radix*〈日局 18〉

基　原　マメ科（*Leguminosae*）クズ *Pueraria lobata* Ohwi の周皮を除いた根

局方規格：本品は定量するとき換算した生薬の乾燥物に対しプエラリン（$C_{21}H_{20}O_9$：416.38）2.0% 以上を含む

産地：長野県，徳島県，九州，四川省，湖北省，湖南省

異名別名　板葛根（ばんかっこん），角葛根（かくかっこん），甘葛（かんかつ）

選　品　よく肥大し，切面が白く，デンプン質の多いものを良品とする。あまりにも白いものには晒（さら）したものがあり，デンプン含量が少ないので注意を要する。また，中国産の粉葛根（ふんかっこん）と称するものは色が白くて非常に粉性であるが別基原のものであるので，薬用には用いない

貯蔵：低温で乾燥した場所に保管する

成　分　デンプン，イソフラボノイド配糖体（プエラリン），イソフラボノイド（ダイゼイン，フェルモノネチン，ゲニステイン），トリテルペノイドサポニンなど

薬　理　抽出液：解熱，血糖降下。抽出物：血流量増加，鎮痙，血糖降下。ダイゼイン：鎮痙，エストロゲン様作用。ゲニステイン，フェルモノネチン：弱い卵胞ホルモン様作用

効能主治　性味：甘辛，平

帰経：脾，胃

効能：本品は辛涼発表薬類に属し軽度の発汗作用を有す，発疹不十分な状態に用い発疹を促す，下痢を止める，煩を除き口渇を止める

主治：感冒で頭痛し項がこわばったもの，煩熱*47 し口渇を伴うもの，下痢，斑疹（はんしん）不透（ふとう）*48，高血圧症，狭心症，難聴

引用文献　神農本草経：消渇（しょうかち），身大いに熱し，嘔吐，諸痺を主（つかさど）り，陰氣を起こし，諸毒を解す

古方薬品考：潤通（じゅんつう）し，熱を清し，中を調える

重校薬微：項背強急（こうはいきょうきゅう）を主治し，喘して汗出ずるを兼治す

古方薬議：大熱を主り，肌を解し，腠理（そうり）を開き，津液（しんえき）を生じ，筋脈を舒（の）ぶ

現代における運用のポイント

- **発汗解表作用**

  かぜまたは筋肉疲労による頭痛・首肩こりに用い，発汗して治す。

- **止瀉作用**

  炎症性の下痢（急性腸炎・細菌性下利）に用い，炎症および下痢を止める。

配合応用　葛根＋黄連（＋黄芩）：熱性の下痢を治す（葛根黄連黄芩湯）

葛根＋桂皮：寒邪*6 による項背および肩背部の筋肉のこり・痛みをとり，軽い発表作用も兼ねる（葛根湯，桂枝加葛根湯）

葛根＋紅花：顔面および上背部の充血を除く（葛根紅花湯）

葛根＋生姜：項背の緊張を除く（葛根湯，奔豚湯（金匱要略），麗沢通気湯）

葛根＋升麻：麻疹の初期で発疹が不十分なものに用い，発疹を促して治す（升麻葛根湯）

葛根＋辛夷：風邪[*5]を除き，頭痛・鼻閉を治す（葛根湯加川芎辛夷）。

葛根＋葱白：発汗を促し，頭痛，鼻炎を治す（麗沢通気湯）

葛根＋独活（唐独活）：感冒を治し，湿を除き，頭痛・肩痛を治す。また，鼻閉を通ず（独活葛根湯，麗沢通気湯）

葛根＋麻黄：発汗を促し，頭痛・感冒を治す（葛根湯）

配合処方 葛根黄連黄芩湯，葛根紅花湯，葛根湯，葛根湯加川芎辛夷，桂枝加葛根湯，柴葛解肌湯，柴葛湯加川芎辛夷，升麻葛根湯，参蘇飲，銭氏白朮散，独活葛根湯，奔豚湯（金匱要略），麗沢通気湯，麗沢通気湯加辛夷

▷294処方中14処方（4.8%）

備　考 基原：類似品が多く注意を要する。沖縄でタイワンクズ〔*P. montana* (Lour.) Merr.〕と呼ばれているものは，基原が異なり，医薬品としては使用できない。現在は，プエラリンの有無により類似品のチェックが可能である。

効能：1. 本薬は，解表作用があり頭痛・肩こりに用いられることが多い。後世，気虚下陥（げかん）[*49]の治療薬として黄耆などとともに用いられるようにもなった。

2. クズの花は，葛花（かっか）と呼ばれ，二日酔いの予防および治療に用いられる。

菊花（キクカ） *Chrysanthemi Flos* 〈日局18〉

基　原 キク科（*Compositae*）①シマカンギク *Chrysanthemum indicum* Linné または②キク *C. morifolium* Ramatulle の頭花（備考参照）

産地：①四川省，広東省，②浙江省，安徽省

異名別名 ①野菊花（のぎくか），②甘菊（かんぎく），黄甘菊（おうかんぎく），甘菊花（かんきっか），杭菊花（こうきっか）

選　品 花弁が整い，色が鮮やかで芳香があり，茎葉の混在しないものを良品とする。古くなり褐色を帯びているものは次品である。薬用には花色が淡黄色または白色のものを用いる。①小型の野菊花（シマカンギク）は味が苦く，続いて清涼感があるもの，②大型の菊花（キク）は大きく，味が甘いものが良いとされる

キク

貯蔵：虫害を防ぎ，香気を保つため，低温で湿度の低い場所に気密保存するのが望ましい

成　分 精油，クレサンテミン，フラボノイドなど

薬　理 抽出液：抗菌

抽出物：毛細血管抵抗力増強

効能主治 性味：甘苦，涼
帰経：肺，肝
効能：風邪(ふうじゃ)*5を除く，清熱*50する，目を明らかにし充血をとる
主治：頭痛，めまい，目の充血，胸部の煩悶感，疔瘡腫毒(ちょうそうしゅどく)*51

引用文献 神農本草経：風頭，頭眩(ずげん)，腫痛，目脱せんと欲し涙出ずるもの，皮膚の死肌(しき)，悪風(おふう)，湿痺を主(つかさど)る

現代における運用のポイント

- **明目作用**
目の充血・かすみ目などの種々の眼性疾患に用い，目を明らかにする。
- **辛涼発表作用**
温病(うんびょう)*13性の感冒に対して解熱し，頭痛・眼痛を治す。

配合応用 菊花＋枸杞子(くこし)：目の炎症を鎮め，明らかにする（杞菊地黄丸）
菊花＋細辛：感冒などによる頭痛を治す（清上蠲痛湯）
菊花＋山梔子：目の充血，炎症を治す（滋腎明目湯，洗肝明目湯）
菊花＋車前子：目の充血，痛みに用いる
菊花＋川芎：感冒や肝陽亢盛*52による頭痛を治す（清上蠲痛湯）
菊花＋桑葉(そうよう)：熱性疾患による咳嗽，目の充血・腫痛を治す（※桑菊飲(そうぎくいん)）
菊花＋釣藤鈎：上衝*15した気を下げ，血熱*9を鎮め，血圧を下げ，目の充血およびめまいを治す（釣藤散）

配合処方 杞菊地黄丸，滋腎明目湯，清上蠲痛湯（駆風触痛湯），洗肝明目湯，釣藤散
▷294 処方中 5 処方（1.7%）

備　考 基原：1. 菊花は，①野菊花〔シマカンギク *C. indicum* Linné（小型のもの）〕と，②菊花〔キク *C. morifolium* Ramatulle（大型のもの：甘菊とも言う）〕とに分かれる。日本では両者が流通しており，通常，菊花と言うと野菊花を指す。中国では菊花（大型）が利用されており，野菊花は別の生薬として考えられている。中国の菊花（大型）の種類は多く，産地や調整法によりさまざまな名称がある。日本に輸入されている菊花（大型）は杭菊花である。なお，菊花（大型）は菊花茶としても有名である。
2. 広東省の漢菊花(かんきっか)は *C. lavandulacfolium* Makino とされる。

香豉（コウシ） *Sojae Semen Praeparatum*

基　原 マメ科（*Leguminosae*）ダイズ *Glycine max* Merrill の成熟した種子を蒸して発酵加工したもの
産地：中国（広西，広東省）

異名別名 豉(し)，大豆豉(だいずし)，淡豆豉(たんずし)，豆豉(ずし)，淡豉(たんし)，香豆豉(こうとうし)，清豆豉(せいずし)

選　品 色が黒く，質が柔らかく，香気があり，種皮がつき充実しているものを良品とする

貯　蔵 虫害やカビを防ぎ，香気を保つため，低温で湿度の低い場所に気密保存するのが望

ましい

成　分　糖質，脂質，タンパク質，ペプチド，プテリジン誘導体（ビタミンB_2）など

薬　理　抽出物：抗酸化活性，抗変異原活性，抗血脂

効能主治　性味：苦辛，平

帰経：肺，胃

効能：発汗する，除煩しうつ症状を除く

主治：カゼの初期症状，悪寒，発熱，頭痛，心煩*53，胸部の不快感，懊憹（おうのう）*54して眠れないもの

引用文献　名医別録：傷寒，頭痛寒熱，瘴氣（しょうき），悪毒，煩燥，満悶，虚労して喘吸し，両脚疼冷するものを主る。また六畜胎子の諸毒を殺す（豉の項）

古方薬品考：虚煩満悶（きょはんまんもん）を升散す

重校薬徴：心中懊憹を主治し，心中結痛および心中満して煩するを兼治する

古方薬議：煩燥，満悶を主り，氣を下し，中を調へ，毒薬に中るを治し，並に犬咬を治す

現代における運用のポイント

- **治うつ除煩作用**

胸部のうつ熱*55による煩悶感を除き，心中懊憹および不眠を治すが，香豉単味では弱く，必ず山梔子と配合して用いる。

- **催吐補助作用**

催吐作用を持つ薬物と配合することによって，催吐作用の増強をはかる。

配合応用　香豉＋山梔子：熱病のために生じる煩熱*48・煩躁*32・不眠・煩渇*56などの不快症状を治す（梔子豉湯）

香豉＋葱白：頭痛，悪寒を治す（※葱豉湯（そうしとう））

配合処方　梔子豉湯

▷294処方中1処方（0.3%）

備　考　基原：『中華人民共和国葯典 2020年版』には，香豉の製法として「桑葉，青蒿各70～100 gに水を加えて煎じた後，ろ過し，煎液に洗った大豆1,000 gを入れる。煎液が吸収された後，竹串などが突き通るまで蒸して取り出し，冷まして再び容器に入れる。先に煎じた桑葉と青蒿の煎じかすでふたをし，黄色いおおいが生じるまで発酵させる。取り出したら煎じかすを取り除き，洗浄してから再び容器に入れ，15～20日間十分発酵させる。香気があふれ出てきたら取り出し，少し蒸して乾燥するとでき上がる」とある。

牛蒡子（ゴボウシ）*Arctii Fructus*〈日局18〉

基　原　キク科（*Compositae*）ゴボウ *Arctium lappa* Linné の果実

産地：江蘇省，湖北省，遼寧省

異名別名　悪実（あくじつ），鼠粘子（そねんし），大力子（だいりきし）

選　品　新しく，充実して質の重いものが良品である。未熟で軽いものは不良である

成　分　リグナン配糖体（アルクチイン），脂肪油など

薬　理　抽出液：抗真菌
抽出物：子宮収縮，血糖降下
アルクチイン：強直性けいれん，血管拡張

効能主治　性味：辛苦，涼
帰経：肺，胃
効能：風熱*57を辛涼発表する，宣肺（せんぱい）*58し発疹を促す，消炎消腫する
主治：風熱による咳嗽，咽喉腫痛，斑疹不透（はんしんふとう）*48，痒みを伴う風疹，熱を持った化膿性の腫れ物

引用文献　本草綱目：斑疹の毒を消す（悪実子の項）
本草綱目（張元素曰（いわく））：肺を潤し，氣を散じ，咽膈（いんかく）を利し，皮膚の風を去り，十二経を通ず（悪実子の項）

配合応用　牛蒡子＋桔梗：咽痛を止め，去痰作用を有す（駆風解毒湯，※銀翹散（ぎんぎょうさん））
牛蒡子＋荊芥：1）咽痛を治す（駆風解毒散（湯））。2）発表作用により透疹*59を促す（消風散）
牛蒡子＋薄荷：感冒，咽喉炎を治す（柴胡清肝湯）
牛蒡子＋連翹：咽喉の腫痛，口舌に生じるできもの・潰瘍を治す（駆風解毒湯，柴胡清肝湯）

配合処方　駆風解毒湯（散），柴胡清肝湯（散），消風散
▷294 処方中 3 処方（1.0%）

升麻（ショウマ）*Cimicifugae Rhizoma*〈日局 18〉

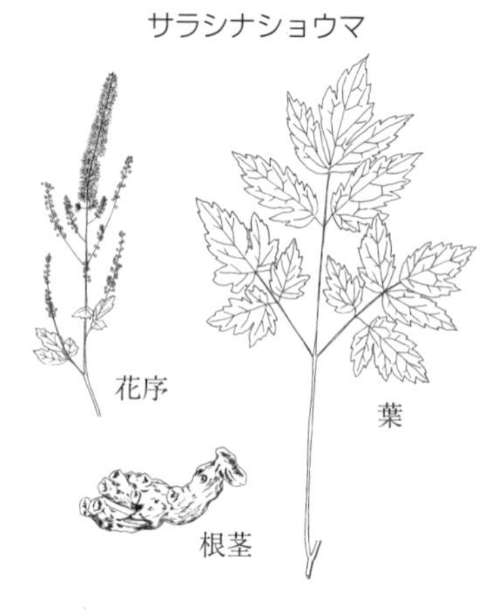

基　原　キンポウゲ科（*Ranunculaceae*）*Cimicifuga dahurica* Maximowicz, *C. heracleifolia* Komarov, *C. foetida* Linné またはサラシナショウマ *C. simplex* Turczaninow の根茎
産地：吉林省，黒竜江省，遼寧省

異名別名　関升麻（かんしょうま），北升麻（ほくしょうま），西升麻（せいしょうま），川升麻（せんしょうま），鶏骨升麻（けいこつしょうま），鬼瞼升麻（きけんしょうま），緑升麻（りょくしょうま），周升麻（しゅうしょうま）

選　品　外面が黒褐色，内面が淡褐色を呈して肥大し，紋理のある，苦味あるものを良品とする。実の充実したものが良く，割ったとき内面が空洞のものは次品である。赤升麻はトリアシショウマの根茎であり，薬用には用いられない（赤升麻は，現在市場では見られない）

成　分　トリテルペノイド（シミゲノール，メチルシミゲノール）およびその配糖体，クロ

モン誘導体など

薬　理　抽出物：ヘキソバルビタール睡眠延長
エーテル可溶性画分，ブタノール可溶性画分：正常体温下降，鎮痛，カラゲニン浮腫抑制
水可溶性画分：カラゲニン浮腫抑制

効能主治　性味：甘辛微苦，涼
帰経：肺，脾，胃
効能：昇提作用，発汗作用，透疹*[59]を促す，解毒する
主治：急性伝染病，頭痛発熱，喉痛，口瘡，斑疹不透*[48]，熱を持った化膿性の腫れ物，腹部の気虚*[60]により下痢の続くもの，脱肛，帯下の長引くもの，子宮脱

引用文献　神農本草経：百毒を解し，温疫，障氣，邪氣，蠱毒を辟くを主る
古方薬品考：功用は胃熱，喉腫
古方薬議：寒熱風腫諸毒，喉痛，口瘡，悪臭を主り，癰腫，豌豆瘡を療す

現代における運用のポイント

- 発汗解表・透疹作用
はしか・じんましんなどの初期に用い，発汗とともに発疹を促し，それにより毒素を体外に排泄する。
- 昇提作用
脱肛・子宮下垂・下痢・倦怠など下焦*[61]の気が虚した病状に用い，陽気をめぐらせ*[33]，これらの病状を治す。

配合応用　升麻＋黄耆：1）中気下陥*[49]のために生じる胃下垂・脱肛・子宮脱を治す（補中益気湯）。2）排膿を促し，腫れを治す（麗沢通気湯）
升麻＋葛根：麻疹の初期で発疹が不十分なものに用い，発疹を促して治す（升麻葛根湯）
升麻＋柴胡：昇提作用により，倦怠無力感，胃下垂，子宮下垂，脱肛，下痢を治す（補中益気湯，乙字湯）
升麻＋細辛：風湿*[3]の邪を除き，歯痛を止める（立効散）
升麻＋辛夷：発汗解表作用により鼻閉を除く（辛夷清肺湯）
升麻＋当帰：血をめぐらせ，昇提作用により脱肛・子宮脱などを治す（乙字湯，補中益気湯）

配合処方　乙字湯，乙字湯去大黄，加味解毒湯，紫根牡蛎湯，升麻葛根湯，辛夷清肺湯，秦艽羌活湯，秦艽防風湯，清熱補気湯，補中益気湯，立効散，麗沢通気湯，麗沢通気湯加辛夷
▷294 処方中 13 処方（4.4%）

備　考　基原：中国の野生品が中心で，*C. dahurica* Maximowicz は北升麻，*C. foetida* Linné は西升麻（川升麻），*C. heracleifolia* Komarov は関升麻と称されている。北升麻の主産地は河北省，山西省，内蒙古，遼寧省，黒竜江省など，関升麻の主産地は遼寧省，吉林省，黒竜江省など，西升麻の主産地は四川省，陝西省，雲南省，青海省，湖南省などが挙げられる。なお，サラシナショウマは日本産升麻の基原植物とされるが，現在ほとんど流通はない。

蝉退（センタイ） *Cicadae Periostracum*〈局外生規 2018〉

基　原　セミ科（*Cicadidae*）スジアカクマゼミ *Cryptotympana atrata* Stal, *Platylomia pieli* Kato，ミンミンゼミ *Oncotympana maculaticollis* Distant, *Tanna chekiangensis* Ouchi, *Graptopsaltria tienta* Karsch, *Lyristes pekinensis* Haupt, *Lyristes atrofasciatus* Chou et Lei，コマゼミ *Meimuna mongolica* Distant，ホソヒグラシ *Leptosemia sakaii* Matsumura，ニイニイゼミ *Platypleura kaempferi* Butler またはそれらの同属動物の幼虫のぬけ殻

産地：浙江省，福建省，雲南省，江西省，安徽省，河北省，湖北省

異名別名　蝉殻，蝉蛻，蟬退，ゼンタイ

選　品　光沢があり，黄色味のある茶褐色で，泥砂が付着しておらず，全身が砕けずに形の整ったものが多く占めるものを良品とする。市場では，土蝉退と金蝉退の 2 種があり，金蝉退の方が上品である

成　分　キチン質

薬　理　抗けいれん，鎮静，神経節遮断

効能主治　性味：甘鹹，涼

帰経：肺，肝

効能：風熱*57 を除く，宣肺*58 する，鎮痙する，透疹*59 を促す

主治：感冒，咳嗽甚だしく声の出ないもの，麻疹の透疹不十分のもの，風疹の掻痒，小児の引きつけ，目の充血，白内障，疔瘡腫毒*51，破傷風

引用文献　本草綱目：頭風眩暈，皮膚の風熱，痘疹の癢きもの，破傷風および丁腫毒瘡，大人の失音，小児の噤風，天弔驚哭，夜啼，陰腫を治す（蟬蛻の項）

配合応用　蝉退＋荊芥：透疹を促す（消風散）

蝉退＋石膏：皮膚の炎症をとり，止痒する（消風散）

配合処方　消風散

▷294 処方中 1 処方（0.3%）

薄荷（ハッカ） *Menthae Herba*〈日局 18〉

基　原　シソ科（*Labiatae*）ハッカ *Mentha arvensis* Linné var. *piperascens* Malinvaud の地上部

産地：河南省，江蘇省

異名別名　薄苛，薄荷葉

選　品　太い茎根をできるだけ除き，葉は多く緑色で香気が強く新鮮で，味は辛涼。良く乾

燥したものを良品とする

貯蔵：精油の揮散を防ぐため，低温の場所で気密保存するのが望ましい

成　分 精油（ℓ-メントール，ℓ-メントン，カンフェン），配糖体（ℓ-メントール-β-D-グルコシド）など

薬　理 抽出物：鎮痛

精油：血管拡張，皮膚刺激，鎮痙

メントール：局所刺激，局所麻酔，鎮痙，利胆，駆虫

効能主治 性味：辛，涼

帰経：肺，肝

効能：感冒による咽喉腫痛を治す，頭部のうっ滞した気を除き，頭痛を治す，口中の不快感を除く

主治：感冒による頭痛，目の充血，咽喉腫痛，消化不全による腹部膨満感，口内炎，歯痛，湿疹

引用文献 本草綱目：咽喉，口歯の諸病を利し，瘰癧（るいれき），瘡疥（そうかい），風瘙（ふうそう），癮瘮（いんしん）を治す

本草綱目（李杲曰（りこういわく））：頭目を清し，風熱を除く

現代における運用のポイント

- 辛涼発表作用

温病（うんびょう）*13 性の感冒の初期に用い，軽い発汗により感冒を治す。

- 透疹（とうしん）作用

はしか・じんましんなど発斑が十分でないものに用い，発斑を促し，病の収束を早める。

- 鎮痛作用

かぜやのぼせなどによって起こる頭痛や咽喉痛などに用い，熱を下げ痛みを止める。

配合応用 薄荷＋桔梗：咽喉部の炎症を鎮め，緊張を緩和し，去痰をはかる（響声破笛丸）

薄荷＋荊芥：温病*13 系の感冒の初期に見られる頭痛・発熱・咽痛・口乾を治す，鼻炎を治す（荊芥連翹湯，※銀翹散（ぎんぎょうさん））

薄荷＋牛蒡子：感冒，咽喉炎を治す（柴胡清肝湯）

薄荷＋柴胡：胸部の炎症を除き，煩悶感をとる（加味逍遙散）

薄荷＋連翹：1）温病*13 の感冒や熱性疾患の初期の発熱・頭痛・咳嗽・咽喉痛などを治す（響声破笛丸，※銀翹散）。2）目の充血，面疔，口内炎など上焦*62 部の炎症を鎮める（清上防風湯，加減涼膈散（浅田））

配合処方 加減涼膈散（浅田），加減涼膈散（龔廷賢），加味逍遙散，加味逍遙散加川芎地黄（加味逍遙散合四物湯），響声破笛丸，荊芥連翹湯，荊防敗毒散，柴胡清肝湯（散），滋陰至宝湯，逍遙散（八味逍遙散），清上防風湯，洗肝明目湯，川芎茶調散，防風通聖散

▷294 処方中 12 処方（4.8%）

備　考 産地：日本でもごくわずか生産されている。

白彊蚕（ビャッキョウサン） *Bombyx Batryticatus* 〈局外生規 2018〉

基原 トウチュウカソウ科（*Cordycepitaceae*）ビャッキョウ菌 *Beauveria bassiana* Vuillemin に感染して硬直したカイコガ科（*Bombycidae*）カイコガ *Bombyx mori* Linné の幼虫

産地：四川省，安徽省，湖南省，浙江省，江蘇省

異名別名 僵蚕（きょうさん），天虫（てんちゅう），僵虫・姜虫・殭虫（きょうちゅう），白殭虫（びゃっきょうちゅう），白疆蚕（びゃっきょうさん），白姜蚕（びゃっきょうさん），白僵蚕（びゃっきょうさん），白殭蚕（びゃっきょうさん）

選品 特徴的なわずかなにおいがあり，まっすぐで，肥えて充実しており，質が堅く，外面は白く粉性があり，断面は黒色で光沢のあるものが良品である

貯蔵 高温多湿で虫とカビが発生しやすいため，低温で乾燥したところに保管する。防虫，防カビに心がけること

成分 体表の白い粉：シュウ酸アンモニウム，菌体：バッシアニン（黄色色素）

薬理 鎮痙，催眠

効能主治 （白僵蚕の項）

性味：辛鹹，平

帰経：肝，肺，胃

効能：風邪（ふうじゃ）[*5]を除き，けいれんを止め，痰を除き，結[*63]を散らす，熱毒を解し，咽のつまりを除く

主治：けいれんし，ひきつけを起こすもの，脳血管障害による顔面神経麻痺，頭痛，咽喉の腫痛，るいれき[*12]，扁桃腺炎，風疹，できもの

引用文献 神農本草経：小児の驚癇（きょうかん），夜啼（やてい）を主り，三蟲（さんちゅう）を去り，黒皯（こくかん）を滅し，人をして面色を好からしめ，男子の陰瘍病を主る（白殭蠶の項）

現代における運用のポイント

- 解表鎮痙作用
  風邪（ふうじゃ）[*5]を除き，けいれんを止める。
- 治咽痛去痰作用
  痰を除き，のどの炎症を鎮める。

配合応用 白彊蚕＋烏薬：去風[*64]し，気をめぐらせて痛みやけいれんを治す（烏薬順気散）

白彊蚕＋麻黄：けいれん，麻痺を治す（烏薬順気散）

配合処方 烏薬順気散

▷294 処方中 1 処方（0.3%）

備考 流通：かつては養蚕地区で自然病死するものがあったため，それが供給されていた。現在は，薬用に人工培養されたものが多く供給されている。

その他：カイコは絹糸生産で養殖されていてシルクの相場価格と連動し，白彊蚕の生産量が変動する。

蔓荊子（マンケイシ） *Viticis Fructus* 〈局外生規 2018〉

基　原　クマツヅラ科（*Verbenaceae*）ハマゴウ *Vitex rotundifolia* Linné filius またはミツバハマゴウ *V. trifolia* Linné の果実

産地：湖北省

ハマゴウ

異名別名　蔓荊子（まんけいし），万荊子（まんけいし），蔓荊實（まんけいじつ），荊子（けいし），京子（けいし）

選　品　大粒で，よく粒が揃い，新鮮で質が充実し，芳香性の強いものを良品とする。また，夾雑物のないものが良い。軽質で未熟なものは良くない

貯蔵：香気を保つため，気密保存するのが望ましい

成　分　精油（カンフェン，ピネン），フラボン誘導体（ビテキシカルピン），脂肪油など

効能主治　性味：苦辛，涼

帰経：肝，胃，膀胱

効能：風熱*57 による感冒を治す。清熱*50 し頭痛・眼病を治す

主治：感冒，片頭痛，高血圧による頭痛，歯痛，目の充血，眼痛，かすみ目，涙目，関節炎による手足のしびれ

引用文献　神農本草経：筋骨間の寒熱，湿痺拘攣（しっぴこうれん）を主（つかさど）る，目を明らかにし，歯を堅くし，九竅（きゅうきょう）を利す，白虫（はくちゅう）を去る（蔓荊實の項）

配合応用　蔓荊子＋菊花：感冒・高血圧などによる頭痛・めまい・眼痛を治す（清上蠲痛湯，洗肝明目湯，滋腎明目湯）

蔓荊子＋川芎：感冒および瘀血（おけつ）*18 の上亢（じょうこう）*65 による頭痛・肩痛を治す（清上蠲痛湯）

配合処方　滋腎明目湯，清上蠲痛湯（駆風触痛湯），洗肝明目湯

▷294 処方中 3 処方（1.0%）

＊1：p. 259 参照　＊2：p. 266 参照　＊3：p. 281 参照　＊4：p. 265 参照　＊5：p. 280 参照　＊6：p. 281 参照　＊7：p. 259 参照　＊8：p. 265 参照　＊9：瘀血で炎症の強いもの，および温病で熱が血分に入った状態（通常血便・吐血などの出血が伴う）　＊10：p. 281 参照　＊11：p. 281 参照　＊12：頸部リンパ節結核　＊13：温性の邪による病。悪寒がなく，咽喉部の津液不足の状態が現れる p. 286 参照　＊14：軽い発汗をして体表の邪を除くこと　＊15：p. 264 参照　＊16：p. 267 参照　＊17：p. 268 参照　＊18：p. 265 参照　＊19：p. 255 参照　＊20：p. 271 参照　＊21：活動エネルギーを失った状態　＊22：長期にわたる発熱・下痢・自汗・出血などの病気または大きなショックにより，精気が減少し生命力が弱っている状態　＊23：冷えによる腹痛　＊24：精神錯乱を起こしている状態。臍上の動悸を伴う　＊25：腹中にできる瘀血性の硬結　＊26：p. 259 参照　＊27：汗が出るべき状態でないのに発汗してしまうこと　＊28：p. 263 参照　＊29：p. 282 参照　＊30：p. 266 参照　＊31：p. 281 参照　＊32：熱証による煩悶感。胸部だけでなく手足を含め全体に及ぶ　＊33：沈滞している活動エネルギー（気）を活性化して，めぐらせること　＊34：p. 262 参照　＊35：p. 266 参照　＊36：p. 276 参照　＊37：→臓器を冠する気 p. 263 参照　＊38：p. 264 参照　＊39：p. 264 参照　＊40：悪臭性鼻粘膜潰瘍，蓄膿症　＊41：p. 263 参照　＊42：p. 284 参照　＊43：p. 259 参照　＊44：利尿し，水分代謝を促す　＊45：p. 259 参照　＊46：風・湿・寒などの病邪に侵され，筋肉・関節に痛み・だるさ・しびれ・麻痺などが起こる病　＊47：胸苦しさを伴う熱感および発熱　＊48：じんましんやはしかなどで発疹が進まず，熱とともに体内に毒素が残っている状態　＊49：p. 273 参照　＊50：涼性・寒性の薬物を用いて熱を除くこと　＊51：根の深いできもので，内に熱を持ったもの　＊52：p. 274 参照　＊53：胸部に落ち着かず，悶（もだ）えるような感覚のあるもの　＊54：胸膈や心下部に灼熱感や落ち着かない感じのあるもの　＊55：熱が体内に蓄積してうつうつとした状態　＊56：煩悶感を伴う強い口渇　＊57：p. 281 参照　＊58：p. 270 参照　＊59：じんましんやはしかなどで十分に発疹が進まず，熱とともに体内に毒素が残っている場合に用いる方法で，発汗とともに発疹を促し，それにより毒素を体外に排泄すること　＊60：p. 264 参照　＊61：p. 279 参照　＊62：p. 279 参照　＊63：ここでは，るいれきなどの腫瘤やできものの硬結などを指す　＊64：感冒・中風などの風邪による病を治す　＊65：瘀血が起因して突き上げるような強いのぼせが起きている状態

1）磯濱洋一郎：『ケイガイによる AQP3 発現亢進作用』ケラチノサイトのアクアポリン-3 発現に対する荊芥エキスの作用とその薬理学的意義．日薬理誌，143（3）：115-119, 2014

2）免疫細胞が産生するタンパク質で，免疫反応の調整を行う働きを持つ
3）サイトカインの過剰な産生状態。ひどい場合には致死的な状態となる

4）日本小児漢方交流会　企画・編：葛根湯の作用機序の解明：証の科学的根拠（白木公康）．小児疾患の身近な漢方治療 第 1 回・第 2 回日本小児漢方懇話会記録集，162-182，メジカルビュー社，2002

5）細胞膜に存在するタンパク質の 1 つ。水分子を選択的に通す細孔を持ち，細胞への水の出入りに重要な役割を果たしている
6）白血球遊走・活性化作用を有するサイトカインの一種

7）磯濱洋一郎：アクアポリンを介した五苓散の水分代謝調節作用と炎症反応抑制作用．漢方医学，37（2）：120-123，2013

II 瀉下薬

瀉下薬とは大腸を潤し，または腸蠕動を活発にして排便を促進する効能を持つ薬物を言う。
本薬は，大便を排泄させることにより腸内の宿食*1・燥屎*2を除き，結果として実熱*3のうっ滞を解す。

牽牛子（ケンゴシ） *Pharbitidis Semen* 〈日局 18〉

基原 ヒルガオ科（*Convolvulaceae*）アサガオ *Pharbitis nil* Choisy の種子
産地：江蘇省など中国全土に分布

異名別名 黒白丑（こくはくちゅう），二丑（にちゅう），草金鈴（そうきんれい），金鈴（きんれい）
白色種皮：白牽牛子（はくけんごし），白丑（はくちゅう），白醜（はくしゅう）
黒色種皮：黒牽牛子（こくけんごし），黒丑（こくちゅう），黒醜（こくしゅう）

選品 質が充実し，堅実で水に沈む大粒な種子が良品である

成分 樹脂配糖体：ファルビチンなど（ファルビチンは混合物で，オキシ脂肪酸の各種カルボン酸エステル配糖体）
アルカロイド：リセルゴール，カノクラビン
ジベレリン各種（未熟種子）

薬理 ファルビチン：強い瀉下作用

効能主治 性味：苦，辛，寒
帰経：肺，腎，大腸
効能：利水する，瀉下する，積*4を消し，寄生虫を殺す
主治：水腫，腹水，脚気，痰が詰まり喘咳するもの，便秘，消化不良・寄生虫病，腰痛，陰嚢腫脹，化膿性の腫れやできもの，痔瘻，便毒（べんどく）*5

引用文献 名医別録：気を下し，脚満水腫を療し，風毒を除き，小便を利するを主る

> 現代における運用のポイント
> - 峻下作用（瀉下・利水作用）
> はなはだしい便秘があり，むくみを伴うものを，大小便の排泄を強く促して治す。

配合応用 牽牛子＋大黄：便通を促し，瘀血や炎症を除く（八味疝気方）

配合処方　八味疝気方
▷294 処方中 1 処方（0.3%）

備　考　基原：黒色と白色の種子があるが，現在の市場では区別されていない。多くは黒色品が流通している。
効能：牽牛子は，峻下剤のヤラッパ脂（メキシコ東部原産の蔓性多年草の根にある樹脂）の代用として日本薬局方第 4 改正より収載されたが，現在この目的ではほとんど用いられず，もっぱら家庭薬（便秘薬）に配合される。

大黄（ダイオウ） *Rhei Rhizoma*〈日局 18〉

基　原　タデ科（*Polygonaceae*）*Rheum palmatum* Linné, *R. tanguticum* Maximowicz, *R. officinale* Baillon, *R. coreanum* Nakai またはそれらの種間雑種の，通例，根茎
局方規格：本品は定量するとき，換算した生薬の乾燥物に対し，センノシド A（$C_{42}H_{38}O_{20}$：862.74）0.25% 以上を含む
産地：北海道，四川省，青海省，甘粛省

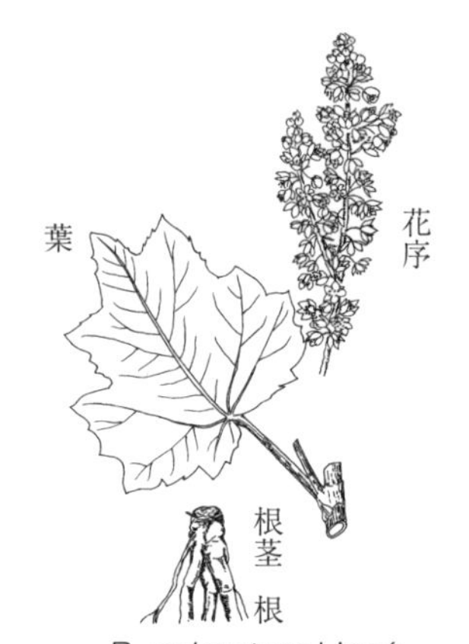

R. palmatum Linné

異名別名　錦紋大黄（きんもんだいおう），将軍（しょうぐん），川軍（せんぐん），雅黄（がおう），唐大黄（からだいおう），馬蹄大黄（ばていだいおう）

選　品　味の渋いものを良品とする。野生品であり，一般に雅黄（唐大黄）と呼ばれる四川省産の大黄および青海省産の錦紋大黄は，十分渋みがあり良品である。なお，同じ錦紋大黄と呼ばれているもののうち，甘粛省産（栽培品）はセンノシド A の成分含量が少ない。また，瀉下作用から見た場合は，自然乾燥させたものの方がアントラキノン含量が高く，良品である。軟質で軽く，細かな空洞が多く入ったものを目安とする。重質で火力乾燥されたものはアントラキノン含量が低い傾向にあるほか，腹痛を起こしやすいと言われている。土大黄（どだいおう）（トルコ大黄，芋大黄（いもだいおう））や和大黄は，一時期，唐大黄の代用とされたことがあるが，薬効が劣るだけでなく，これらはラポンチシチンを含み，腹痛を伴うものがあるので，現在は使用しない
貯蔵：虫がつきやすいので，低温で湿度の低い場所に保管する

成　分　アントラキノン類（クリソファノール，エモジン，レイン），ジアントロン類（センノシド A～F），タンニン，ラタンニン，スチルベン誘導体，リンドレインなど

薬　理　抽出液：総コレステロール量／総リン脂質量の比率の改善，血中尿素窒素（BUN）低下，抗凝血[1)]
抽出物：瀉下（ジアントロン類，アントラキノン類），抗菌，抗ウイルス
ラタンニン：血中尿素窒素（BUN）低下
リンドレイン：抗炎症

効能主治　性味：苦，寒
帰経：胃，大腸，肝

効能：胃腸系の炎症を除き，通便をはかり，瘀血*6を除く

主治：実熱便秘*7，精神錯乱し，うわ言を言うもの，飲食の停滞による腹部膨満感，細菌性下痢および食中毒の初期症状，しぶり腹，腹中の硬結，急性結膜炎，吐血，鼻出血，黄疸，水腫*8，小水混濁，血尿，各種できもの，やけど

引用文献　神農本草経：瘀血，血閉の寒熱を下し，癥瘕，積聚，留飲，宿食を破り，腸胃を蕩滌し，陳きを推し新しきに至らしめ，水穀を通利し，中を調え，食を化し，五臓を安和す

古方薬品考：良将，二腸を蕩滌す

重校薬徴：結毒を通利するを主る。故に能く胸満，腹満，腹痛，大便不通，宿食，瘀血，腫膿を治し，発黄，譫語，潮熱，小便不利を兼治す

古方薬議：腸胃を蕩滌し，陳を推し新しきに至らしめ，大小便を利し，瘀血を下し，癥瘕を破り実熱を瀉す

現代における運用のポイント

- **通便作用**
  瀉下作用によって腸中の食物積滞および便秘を治す。
- **清熱作用**
  通便をはかりながら，胃腸の炎症を鎮める。
- **駆瘀血作用**
  通便をはかりながら，血熱*9を鎮め，瘀血を除く。

配合応用　大黄＋茵蔯蒿：黄疸・胆石・肝炎を治す，便通を促し，湿熱*10を除く（茵蔯蒿湯，加味解毒湯）

大黄＋黄芩：1）少陽病もしくは胸脇部や胃部の清熱をはかる（大柴胡湯，三黄瀉心湯，加減涼膈散（浅田））。2）清熱作用により炎症を鎮め，便通を促す（乙字湯）

大黄＋黄連：実熱*3による脳充血・結膜炎・口内炎・上気道炎など上半身の諸充血性炎症，鼻出血・吐血・痔出血・子宮出血などの諸出血，煩躁*11・不眠などの神経興奮，および虫垂炎などの化膿性炎症，宿便を治す（三黄瀉心湯，三黄散）

大黄＋甘草：大黄の瀉下作用を緩和し，腹痛を和らげる（大黄甘草湯，桂枝加芍薬大黄湯，調胃承気湯）

大黄＋枳実：便秘による腹部の脹りと膨満感を治す（小承気湯，大柴胡湯，通導散，麻子仁丸）

大黄＋芍薬：大黄の瀉下作用に伴う痛みを緩和し，便通を速やかにする（桂枝加芍薬大黄湯，麻子仁丸）

大黄＋石膏：腸内の炎症を鎮め，乾燥性便秘を治す（防風通聖散）

大黄＋桃仁（または牡丹皮）：炎症性の瘀血を除く，瘀血に起因する婦人科の諸疾患，ふきでもの・皮膚炎，腸潰瘍，便秘，打撲捻挫による損傷，内出血による疼痛などを治す（大黄牡丹皮湯，桃核承気湯）

大黄＋附子：冷えの強い便秘を治す（大黄附子湯，※附子瀉心湯）

大黄＋芒硝：陽明病[*12]および胃腸の炎症による乾燥性便秘，胸腹部の煩悶，うわ言を伴う高熱，口渇を治す（調胃承気湯，桃核承気湯）

配合処方 茵蔯蒿湯，応鐘散（芎黄散），乙字湯，加減涼膈散（浅田），葛根紅花湯，加味解毒湯，響声破笛丸，九味檳榔湯，桂枝加芍薬大黄湯，五物解毒散，柴胡加竜骨牡蛎湯，三黄散，三黄瀉心湯，滋血潤腸湯，紫根牡蛎湯，鷓鴣菜湯（三味鷓鴣菜湯），潤腸湯，小承気湯，秦艽防風湯，神仙太乙膏，千金鶏鳴散，大黄甘草湯，大黄附子湯，大黄牡丹皮湯，大柴胡湯，治頭瘡一方，治打撲一方，調胃承気湯，通導散，桃核承気湯，独活湯，女神散（安栄湯），防風通聖散，麻子仁丸

▷294 処方中 35 処方（11.9%）

備　考 基原：1. 大黄は成分含量（センノシド A 0.25% 以上）が規定されているが，中には一部適応しないものもあるとの指摘がある。大黄は下剤として使用されることが多いので，センノシドの含有は必須であるとの考えから，局方ではセンノシド A 含量の規定がなされている。

2. 古来から良質の大黄とされた錦紋大黄は，栽培品と野生品の 2 種類ある。栽培品は甘粛省産の錦紋大黄で，この十数年日本市場にも流通していたが，センノシド A の含量が極端に少なく，瀉下作用は穏やかなものであった。味は渋みが弱く，タンニン量も少ない。日局 13 でセンノシド A 含量が規定されるようになってからは，日本薬局方の規定から外れるものも見られる。野生品は青海省産の錦紋大黄で，こちらは渋みも十分あり，タンニン量も多く，四川省産の大黄と同様にセンノシド A を多く含有する良品とされている。なお，センノシド含量に関する品質が一定のものとして，製薬会社が作った新しい品種（信州大黄）もある。

芒硝（ボウショウ） *Sal Mirabilis* 〈日局 18〉

基　原 主として硫酸ナトリウム（Na_2SO_4）の十水和物

局方規格：本品を乾燥したものは定量するとき，硫酸ナトリウム（Na_2SO_4：142.04）99.0% 以上を含む

異名別名 芒消（ぼうしょう），消石（しょうせき），馬牙消（ばがしょう），瀉利塩（しゃりえん），硫苦（りゅうく），朴硝（ぼくしょう），硫酸ナトリウム，硫酸ナトリウム十水塩（備考参照）

選　品 無色透明，塊状の結晶のものが良い。現在は無水芒硝（乾燥硫酸ナトリウム）が多く用いられている（備考参照）

貯蔵：日本薬局方では密閉容器で保存するとしている

成　分 $Na_2SO_4 \cdot 10H_2O$

薬　理 芒硝液：瀉下

効能主治 性味：辛苦鹹（かん），寒

帰経：胃，大腸

効能：清熱する，腸内の津液を補う，便を軟らかくする

主治：陽明病（ようめいびょう）[*12]の熱および便秘，便秘し腹部膨満感のあるもの，目の充血，丹毒（たんどく）[*13]，化膿性の腫れ物

引用文献 神農本草経：五臓の積熱，胃の脹閉を主り，飲食の蓄結するを滌去し，陳きを推し，新しきに至らしめ，邪氣を除く（消石の項）百病を主る。寒熱邪氣を除き，六府の積聚，結固，留癖を逐う（朴硝の項）

古方薬品考：専ら熱結を消す（芒硝の項）。宿食，煩熱を降泄す（朴硝の項）

重校薬徴：堅を耎かにするを主る。故に結胸，心下石鞕，鞕満，燥屎，大便難，宿食，小腹急結，堅痛，腫痞など諸般の解し難きの毒を治し，潮熱，譫語，瘀血，黄疸，小便不利を兼治す

古方薬議：五藏積聚，久熱胃閉を主り，邪氣を除き，留血を破り，大小便を利す（芒硝の項）。寒熱邪氣を除き，積聚結固を逐ひ，能く諸物を消化す。故に之を消と謂ふ（朴硝の項）

現代における運用のポイント

- **瀉下作用**
  実熱性の便秘*7に用い，便を軟化して排泄を促す。
- **清熱作用**
  できものおよび湿疹などの炎症性の皮膚疾患に内服もしくは外用する。炎症を鎮め，痒みを除く。

配合応用 芒硝＋滑石：清熱*14し，利尿する（防風通聖散）

芒硝＋大黄：陽明病および胃腸の炎症による乾燥性便秘，胸腹部の煩悶，うわ言を伴う高熱，口渇を治す（調胃承気湯，桃核承気湯）

芒硝＋桃仁（または牡丹皮）：瘀血*6による血熱*9を治す（桃核承気湯，大黄牡丹皮湯）

外用：目の充血性の熱痛，口内炎，咽痛，皮膚の炎症・疼痛・痒みに用いる（※元明粉：$Na_2SO_4 \cdot 2H_2O$）

配合処方 大黄牡丹皮湯，調胃承気湯，通導散，桃核承気湯，防風通聖散

▷294 処方中 5 処方（1.7%）

備　考 基原：芒硝の基原は，これまで「日本薬局方」や「局外生規」には規定がなかったが，日局 17 より，Na_2So_4であると規定された。しかしながら，正倉院御物中の薬物の研究[2)]によると，芒硝は，$MgSo_4$であることが確認されている。このことにより少なくとも唐代以前の芒硝は$MgSo_4$であったと考えられる。

芒硝は，瀉下薬として用いられるが，Na_2So_4も$MgSo_4$も同様の瀉下作用を持っている。現在の日本の生薬市場においては工業的に精製された乾燥硫酸ナトリウム（Na_2So_4）と局方品である硫酸マグネシウム水和物（$MgSo_4 \cdot 7H_2O$）の両者が流通している。また量は少ないが，天然芒硝〔馬牙消：硫酸ナトリウム十水和物（$Na_2So_4 \cdot 10H_2O$）〕も一部流通している。

これまで，芒硝を用いる処方は，処方の特性や，あるいは生薬供給の問題などによってNa_2So_4と$MgSo_4$の両者が用いられていた。局方では芒硝の基原が，Na_2So_4と規定されているが，現在$MgSo_4$のみが，薬価収載品となっている点や，生薬供給の安定性という点から考えると，薬局製剤において芒硝を用いる処方については，$MgSo_4$での代用が検討されてよいと思われる。

異名別名：芒硝は歴代本草書に記載された名称と現在使っている名称に混乱が見られる。『神農本草経』には，朴硝，消石の2種が記載がされ，芒硝は消石の別名として挙げられている。ただし宋代以降，消石は硝酸カリウム（KNO_3）を指すようになり，芒硝とは区別されるようになった。現在では，朴硝，芒硝は，天然の芒硝を溶解して，ろ過冷却し，上層にできる純度の高い結晶を芒硝，下層にできる不純物の多い結晶を朴硝としている。しかし，成分的には大きな差はないと考えられている。

麻子仁（マシニン）*Cannabis Fructus*〈日局18〉

基原 クワ科（*Moraceae*）アサ *Cannabis sativa* Linné の果実

産地：内蒙古，甘粛省，中国各地，インド，韓国，東南アジア

異名別名 麻子（まし），麻仁（まにん），火麻仁（かまにん），大麻仁（たいまにん），大麻子（たいまし）

選品 虫害なく，新鮮でやや緑色を帯び，充実して，中の種子が白いものが良品である

成分 脂肪油，糖質，タンパク質，塩基性物質（コリン，レシチン）など

薬理 粘滑性緩下

抽出液：血糖降下

油性成分：便を軟らかくして排便を促進

効能主治 性味：甘，平

帰経：脾，胃，大腸

効能：腸の津液（しんえき）*15を補い乾燥便の排出を容易にする，補血する

主治：乾燥性便秘，月経不順

引用文献 神農本草経：中（ちゅう）を補い氣を益す（麻子の項）

湯液本草（とうえきほんぞう）：足の太陰，手の陽明に入る。汗多く，胃熱し，便難し。三者皆，燥湿して津液を亡ぼすの故なり。故に仲景は，麻子仁を以って足太陰の燥を潤し，通腸する也（麻仁の項）

古方薬品考：脾を益し，便秘を潤通す（麻子の項）

古方薬議：血脈を復し，五藏を潤ほし，大腸の風熱，結渋及び熱淋を治す

現代における運用のポイント

- 瀉下作用

津液不足*16の乾燥性の便秘に用い，麻子仁の油成分によって，腸を潤滑し，通便をはかる。

配合応用 麻子仁＋杏仁：腸を潤滑にして，乾燥性便秘を治す（麻子仁丸，潤腸湯）

麻子仁＋地黄：津液・血虚を補い強壮し，動悸を治す（炙甘草湯）

麻子仁＋当帰：熱病による津液の枯燥および血虚*17による便秘を治す（潤腸湯）
麻子仁＋桃仁：腸内の熱による乾燥性便秘を治す（潤腸湯）

配合処方　炙甘草湯，潤腸湯，麻子仁丸
▷294 処方中 3 処方（1.0%）

使用注意　麻子仁が配合されている麻子仁丸について日本では老人性の便秘に用いると言われているが，中国では大虚*18の者に用いることは，注意すべきとされている。

備　考　基原：本品の葉は大麻と呼ばれ，幻覚誘発物質（テトラヒドロカンナビノール）を含み，大麻取締法によって栽培，所持，輸入，取引は厳重に取り締まられている。種子は輸入時に発芽防止処理が行われている。薬用には食用で輸入された麻の実が用いられる。なお，薬用以外では，七味唐辛子の原料や小鳥の飼料として用いられる。

＊1：胃腸の働きが悪く，消化されずに食物が停滞している状態　＊2：乾燥し硬結した便　＊3：p. 283 参照　＊4：腹内に結塊があり，腫れや痛みを伴う病症，結塊が明瞭で腫れや痛みが固定したものをいう　＊5：鼠径リンパ節の腫脹，性病が原因で起こることが多い　＊6：p. 265 参照　＊7：実証の発熱と便秘が同時に起こっているもの。多くは陽明病の病　＊8：p. 266 参照　＊9：瘀血で炎症の強いもの，および温病で熱が血分に入った状態（通常血便・吐血などの出血が伴う）　＊10：p. 285 参照　＊11：熱証による煩悶感，胸部だけでなく手足を含め全体に及ぶ　＊12：p. 261 参照　＊13：皮膚が広範囲に赤く腫れる病　＊14：涼性・寒性の薬物を用いて熱を除くこと　＊15：p. 265 参照　＊16：p. 265 参照　＊17：p. 265 参照　＊18：体力の衰弱の甚だしい状態

1)　大黄煎液は，ヒト血液を用いた実験において活性化部分トロンボプラスチン時間並びにプロトロンビン時間を延長させ，強い血液凝固抑制作用を持つことが認められた。フィブリン平板法によるウロキナーゼの線溶活性に対しては強い抑制効果を示す。：寺澤捷年，他「薬誌 103」303（1983）
2)　『正倉院薬物を中心とする古代石薬の研究』益富久之助著　日本地学研究会館（1973）

III 清熱薬

病が表*1から裏*2に移り発表薬によって解熱することができない場合，寒性・涼性の薬物をもって解熱する。これらを清熱薬と言う。

清熱薬は，主に陽明病*3の熱証，温病(うんびょう)*4気分(きぶん)*5の病証，少陽病*6の病証など各種の裏熱証に用いられる。

なお，中医学ではその薬性により，清熱瀉火薬，清熱燥湿薬，清熱解毒薬，清熱涼血薬の四種に分類される。

黄芩（オウゴン） *Scutellariae Radix* 〈日局 18〉

基　原　シソ科（*Labiatae*）コガネバナ *Scutellaria baicalensis* Georgi の周皮を除いた根

局方規格：本品は定量するとき換算した生薬の乾燥物に対しバイカリン（$C_{21}H_{18}O_{11}$：446.36）10.0% 以上を含む

産地：河北省，吉林省，山西省，雲南省，山東省，遼寧省，安徽省，内蒙古，陝西省

異名別名　条芩(じょうごん)，枯芩(ここん)，片芩(せんごん)，尖芩(せんごん)

選　品　長く，根の先端の細い部分が少なく，色が黄色で質が堅く，中身が充実し，味の苦いものを良品とし，中身が充実せず空洞（うつろ）があるものは次品である。老根は中のアンコを除いて用いる。乾燥した黄芩を水で濡らし，再び乾燥すると黄色部分が緑色に変わる。野生品は，鮮黄色で太いものほど中がうつろでアンコが枯れ死にしたものがあり除去して用いる。緑色のものは栽培品で3年生くらいまでうつろはできない

貯蔵：本品は，虫がつきにくいが，湿気がつくとカビが発生して変質の原因となるので，乾燥し，風通しの良い場所に保管する

成　分　フラボノイド（オウゴニン，バイカリン，バイカレイン）など

薬　理　抽出液：胆汁分泌促進，降圧，緩下[1)]，動脈硬化防止，抗アレルギー，抗炎症

バイカレイン，バイカリン：解毒，抗アレルギー

効能主治　性味：苦，寒

帰経：心，肺，胆，大腸

効能：清熱する，湿熱[*7]を除く，止血する，安胎[*8]作用を有す

主治：高熱による煩渇[*9]，肺の炎症による咳嗽，湿熱による下痢，黄疸，熱または結石などによる排尿障害，嘔気，鼻出血，子宮出血，遺精，目の充血性の腫痛，流産しかかったもの，できもの，化膿性の腫れ物

引用文献

神農本草経：諸熱黄疸，腸澼洩痢，水を逐い，血閉を下し，悪瘡，疽蝕，火瘍を主る

古方薬品考：宜しく膀胱を利すべし

重校薬徴：心下痞を主治す。胸脇苦満，心煩，煩熱下利を兼治す

古方薬議：諸熱，黄疸，洩痢を主り，小腸を利し，擁気を破る

現代における運用のポイント

- **清熱作用**

  胃腸・肝臓・肺の炎症を治し，少陽病[*6]の発熱に対し解熱作用を発揮する。

- **止瀉作用**

  胃腸における湿熱[*7]性の下痢に有効である。

- **安胎[*8]作用**

  妊婦の流産防止に用いる。特に，炎症や発熱を伴うものに有効である。

- **止血作用**

  発熱を伴う出血性疾患（鼻出血・吐血・血便・子宮出血）に有効である。

配合応用

黄芩＋阿膠：諸熱による鼻出血・痔出血・子宮出血・血便・血尿・吐血・口内出血を治す（黄連阿膠湯）

黄芩＋茵蔯蒿：脾胃の湿熱[*7]を除き，口内炎を治す（甘露飲）

黄芩＋黄連：湿熱[*7]による胃部の脹りと膨満感・口苦・口内炎・嘔吐・下痢・不眠・頭痛・高血圧・黄疸を治す（黄連解毒湯，葛根黄連黄芩湯，三黄瀉心湯，加減涼膈散（浅田・龔廷賢），半夏瀉心湯）

黄芩（＋黄連）＋葛根：胃腸系の炎症および下痢，腹痛，嘔吐を治す（葛根黄連黄芩湯）

黄芩＋苦参：炎症性の皮膚病を治す（三物黄芩湯）

黄芩＋柴胡：少陽病の往来寒熱[*10]・胸脇苦満[*11]・咳嗽・口苦咽乾・食欲不振・嘔気を治す（小柴胡湯，柴葛解肌湯，柴陥湯，柴梗半夏湯，柴胡枳桔湯）

黄芩＋山梔子：（内服）炎症・充血を除く（黄連解毒湯，温清飲，清上防風湯，清肺湯，辛夷清肺湯，竜胆瀉肝湯）。（外用）患部の炎症を除く

黄芩＋（乾）地黄：1）温病[*4]性の疾患の際に見られる口乾・舌質の深紅[*12]・便秘・不眠を治す。血熱[*13]による痒みの強い皮膚病を治す（三物黄芩湯）。2）胃熱による口中の津液不足[*14]及び炎症を治す（加減涼膈散（龔廷賢））

黄芩＋大黄：1）少陽病もしくは胸脇部や胃部の清熱をはかる（大柴胡湯，三黄瀉心湯，加減涼膈散（浅田・龔廷賢））。2）清熱作用により炎症を鎮め，便通を促す（乙字湯）

黄芩＋当帰：子宮機能を調え，安胎[*8]をはかる（当帰散）

黄芩＋竜胆：炎症をとり，充血を除く（竜胆瀉肝湯）

配合処方

温清飲，黄芩湯，黄連阿膠湯，黄連解毒湯，乙字湯，乙字湯去大黄，加減涼膈散（浅田），加減

涼膈散（龔廷賢），葛根黄連黄芩湯，加味解毒湯，甘草瀉心湯，甘露飲，荊芥連翹湯，五淋散，柴葛解肌湯，柴葛湯加川芎辛夷，柴陥湯，柴梗半夏湯，柴胡加竜骨牡蛎湯，柴胡枳桔湯，柴胡桂枝乾姜湯，柴胡桂枝湯，柴胡清肝湯（散），柴蘇飲，柴朴湯，柴苓湯，三黄散，三黄瀉心湯，三物黄芩湯，滋腎通耳湯，潤腸湯，生姜瀉心湯，小柴胡湯，小柴胡湯加桔梗石膏，小続命湯，辛夷清肺湯，清肌安蛔湯，清湿化痰湯，清上蠲痛湯（駆風触痛湯），清上防風湯，清心蓮子飲，清肺湯，洗肝明目湯，大柴胡湯，大柴胡湯去大黄，当帰散，二朮湯，女神散（安栄湯），半夏瀉心湯，防風通聖散，補気健中湯（補気建中湯），奔豚湯（金匱要略），竜胆瀉肝湯

▷294 処方中 53 処方（18.0%）

備　考　その他：小柴胡湯の副作用（間質性肺炎）の原因の１つが，黄芩にあるという意見があるが，このように言われるようになったのは，イギリスで同属植物のスクールキャップ（Skullcap：*S. laterifolia* Linné）に副作用が認められたため，同属の黄芩が疑われたのではないかと思われる。

清熱薬

黄柏（オウバク） *Phellodendri Cortex*〈日局 18〉

基　原　ミカン科（*Rutaceae*）キハダ ① *Phellodendron amurense* Ruprecht または ② *P. chinense* Schneider の周皮を除いた樹皮

局方規格：本品は定量するとき換算した生薬の乾燥物に対しベルベリン〔ベルベリン塩化物（$C_{20}H_{18}ClNO_4$：371.81）として〕1.2% 以上を含む

産地：①日本各地，吉林省，遼寧省，黒竜江省，北朝鮮，②湖南省，湖北省，四川省，貴州省，浙江省

樹皮

キハダ

異名別名　黄蘗（おうばく），黄栢（おうばく），檗皮（ばくひ），蘗皮（ばくひ），檗木（ばくぼく）

選　品　乾燥が良く，皮が厚く折れやすく，折面の黄色が濃く鮮やかで，苦味が強くかつ噛んで粘り気を感じるものを良品とする。コルク層は除去して用いる。コルク層の去り方の不十分なものは劣品である。皮の薄いものには（特に枝皮），ベルベリン含量が不足することがあるので注意を要する

貯蔵：乾燥し，風通しの良い場所に保管し，完全に防湿すれば変質を防ぐことができる

成　分　アルカロイド（ベルベリン，パルマチン），苦味質（オウバクノン，リモニン）など

薬　理　抽出物：抗炎症，抗胃潰瘍

ベルベリン：抗菌，腸内細菌による有害アミン生成阻止，血圧降下，抗炎症，解熱，胆汁分泌促進

効能主治　性味：苦，寒

帰経：腎，膀胱

効能：清熱する，湿を除く，清熱し炎症を鎮める。外用して消炎湿布薬として用いる

主治：暑さによる下痢，単純性下痢，糖尿病，黄疸，下半身麻痺，夢精，遺精，排尿困難，痔，血便，出血を伴う帯下，骨蒸労熱（こつじょうろうねつ）*15，目の充血性の腫痛，口内炎，できもの

引用文献 神農本草経：五臓腸胃中の結熱，黄疸，腸痔を主（つかさど）り，洩痢（せつり），女子の漏下（ろうげ）赤白，陰傷（いんしょう），蝕瘡（しょくそう）を止める（檗木の項）

古方薬品考：専（もっぱ）ら肌熱身黄（きねつしんおう）をとる（蘗皮の項）

古方薬議：結熱黄疸を主り，洩痢を止め，蚘（かい）心痛，鼻洪，腸風，瀉血を治す（蘗皮の項）

現代における運用のポイント

- 健胃・消炎作用

胃腸炎および炎症性の下痢に用いる。

- 外用法

打ち身・捻挫・リウマチ・関節炎などの炎症性の疾患に対して，湿布薬として用いる。また，口内炎および熱性のできものに外用塗布する。

配合応用 黄柏＋黄連：下焦*16を中心に湿熱*7を除く，湿疹，できもの，痔出血，膀胱炎，帯下，陰部腫痛，打撲による腫痛，口内炎，目の充血を治す（黄連解毒湯，加味解毒湯，蒸眼一方：外用）

黄柏＋山梔子：湿熱*7による黄疸を治す（梔子柏皮湯）

黄柏＋知母：津液*17を補い清熱することで，ほてり，熱感，微熱，寝汗，のぼせ，耳・鼻・口内などの炎症を治す（知柏地黄丸，滋腎通耳湯，清熱補血湯）

黄柏＋連翹：皮膚・鼻・目の炎症を治す（荊芥連翹湯）

配合処方 温清飲，黄連解毒湯，加味解毒湯，加味四物湯，荊芥連翹湯，柴胡清肝湯（散），滋陰降火湯，梔子柏皮湯，滋腎通耳湯，七物降下湯，蒸眼一方，秦艽防風湯，清暑益気湯，清熱補血湯，知柏地黄丸，中黄膏，独活湯，半夏白朮天麻湯，楊柏散

▷294処方中19処方（6.5%）

備　考 その他：1. 御百草（おひゃくそう）と陀羅尼助丸（だらにすけがん）は，いずれも黄柏を主薬とした胃腸薬で，日本の民間経験方として今でも多く用いられている。

2. 中国歴代の皇帝の用いた紙は，黄柏で染めたものが多かった。これは皇帝のシンボルであるとともに，虫除けの作用も果たしていた。

黄連（オウレン） *Coptidis Rhizoma* 〈日局18〉

基　原 キンポウゲ科（*Ranunculaceae*）①オウレン *Coptis japonica* Makino，② *C. chinensis* Franchet, *C. deltoidea* C. Y. Cheng et Hsiao または③ *C. teeta* Wallich の根をほとんど除いた根茎

局方規格：本品は定量するとき，換算した生薬の乾燥物に対しベルベリン〔ベルベリン塩化物（$C_{20}H_{18}ClNO_4$：371.81）として〕4.2% 以上を含む

産地：①福井県，②四川省，湖北省，貴州省，③雲南省，ミャンマー

異名別名　川連（せんれん），川黄連（せんおうれん），雲連（うんれん）

選　品　乾燥が良く，太く長く，節が密にあり，毛根が除かれ，味は苦味が強く，水中に投じればまっすぐに黄色の糸を引き，水を染め，かつ沈んだ後浮いてくるものを良品とし，水中に投じた後黄色が拡散し糸を引かないものは次品である。中国産のものは苦味も強く太いが，断面は色が濃く，やや赤みのある黄茶褐色を呈する。日本産のものは断面が鮮黄色で菊花芯があるものが良い

貯蔵：虫がつきにくいのでさらし干しし，乾燥した場所に保管すれば良い

オウレン

成　分　アルカロイド（ベルベリン，パルマチン），フェルラ酸など

薬　理　抽出物：抗菌，抗炎症，抗ストレス潰瘍

ベルベリン：抗菌，腸内細菌による有害アミン生成阻止，血圧降下，抗炎症，解熱，胆汁分泌促進

効能主治　性味：苦，寒

帰経：心，肝，胃，大腸

効能：清熱し炎症を治す，湿を除く，寄生虫を駆除する

主治：腸チフスなどの高熱を伴う流行性熱病，種々の下痢，嘔吐，腹痛，目の充血・吐血・下血・鼻出血などの出血性疾患，湿疹，口内炎，咽痛。外用して関節炎，打ち身

引用文献　神農本草経：熱氣の目痛，眥傷（しきず）つきて泣（なみだ）出ずるもの，明目，腸澼（ちょうへき）の腹痛下痢，婦人の陰中腫痛を主（つかさど）る

古方薬品考：心臓の熱を解す

重校薬徴：心中煩して悸するを治す

古方薬議：熱氣，腸澼，腹痛，下痢，煩躁を主り，血を止め，口瘡を療す

現代における運用のポイント

- **止瀉作用**

炎症性の下痢に用いる。

- **健胃・消炎作用**

胃腸炎・胃潰瘍などの胃腸系の炎症を治し，併せて炎症性の下痢に用いる。また，胃部の炎症に由来する嘔吐・口内炎も治す。

- **治血熱*13 作用**

瘀血（おけつ）*18 性の各種炎症性疾患（痔・結膜炎・面疔・吐血・鼻出血・中耳炎など）を治す。

- **精神安定作用**

血熱*13 および胃部の炎症が原因として起こる精神不安・不眠・煩悶感・意識混濁などを治す。

- **外用法**

打ち身・捻挫・リウマチ・関節炎などの炎症性の疾患に対して，湿布薬として用いる。

配合応用　黄連＋阿膠：諸熱による鼻出血・痔出血・子宮出血・血便・血尿・吐血・口内出血および心煩*19して不眠となる症状を治す（黄連阿膠湯）

黄連＋黄芩：湿熱*7による胃部の脹りと膨満感・口苦・口内炎・嘔吐・下痢・不眠・頭痛・高血圧・黄疸を治す（黄連解毒湯，葛根黄連黄芩湯，三黄瀉心湯，加減涼膈散（浅田・龔廷賢），半夏瀉心湯）

黄連＋黄柏：下焦*16を中心に湿熱*7を除く，湿疹，できもの，痔出血，膀胱炎，帯下，陰部腫痛，打撲による腫痛，口内炎，目の充血を治す（黄連解毒湯，加味解毒湯，蒸眼一方：外用）

黄連＋甘草：胃腸系の炎症性下痢，腹痛を治す（甘草瀉心湯）

黄連＋山梔子：（内服）熱のために生じる充血・出血などの血の変調（目の充血，鼻出血，喀血，吐血，血尿），炎症を治す。併せて煩躁*20・不眠を治す（黄連解毒湯，滋腎明目湯，清上防風湯）。（外用）患部の炎症を除く

黄連＋車前子：目の充血を除き，炎症を鎮め，浮腫を去る（明朗飲）

黄連＋大黄：実熱*21による脳充血・結膜炎・口内炎・上気道炎など上半身の諸充血性炎症，鼻出血・吐血・痔出血・子宮出血などの諸出血，煩躁*20・不眠などの神経興奮，および虫垂炎などの化膿性炎症，宿便を治す（三黄瀉心湯）

配合処方　胃苓湯，温清飲，温胆湯，黄連阿膠湯，黄連解毒湯，黄連湯，加減涼膈散（龔廷賢），葛根黄連黄芩湯，葛根紅花湯，加味温胆湯，加味解毒湯，加味四物湯，甘草瀉心湯，荊芥連翹湯，柴陥湯，柴胡清肝湯（散），三黄散，三黄瀉心湯，滋腎明目湯，蒸眼一方，生姜瀉心湯，清上防風湯，洗肝明目湯，竹茹温胆湯，女神散（安栄湯），半夏瀉心湯，明朗飲，抑肝散加芍薬黄連

▷294処方中28処方（9.5%）

備　考　基原：1. ③ *C. teeta* Wallichは現在ほとんど流通していない。

2. 日局13の追補より，基原植物中に中国産黄連が含まれるようになった。

金銀花（キンギンカ） *Lonicerae Flos* 〈局外生規2018〉

基　原　スイカズラ科（*Caprifoliaceae*）スイカズラ *Lonicera japonica* Thunbergのつぼみ

産地：山東省，河南省

異名別名　忍冬花（にんどうか），銀花（ぎんか），金花（きんか），金藤花（きんとうか），双花（そうか）

選　品　開花したものが少なく，全体には褐色味がなく黄白色のもので，花弁の先端が黄褐色で基部が赤褐色を呈し，肥大しよく乾いたものが良品とされる。香気の良い，新しいもの，葉が混入していないものが良い。河南省産は山東省産に比べ良質とされている

貯蔵：古くなると変色し香りが低下する。また，虫害の恐れがあるため低温で湿度の低い場所に気密保存するのが望ましい

清熱薬

成　分 フラボノイド（ルテオリン），イノシトール，ロウ質（セリルアルコール，フィトステロール），ロニセリン，タンニンなど

薬　理 抽出液：抗潰瘍，抗菌，抗真菌，収れん，コレステロールの腸管吸収を抑制

効能主治 性味：甘，寒
帰経：肺，胃
効能：清熱し炎症を鎮める
主治：温病（うんびょう）*4 による発熱，熱性の血便・下痢，各種熱性のできもの，るいれき *22，痔瘻（じろう）

引用文献 滇南本草（てんなんほんそう）：清熱し，諸瘡（しょそう）を解し，癰疽（ようそ）背に発するもの，無名の腫毒，丹瘤（たんりゅう），瘰癧（るいれき）を治す

現代における運用のポイント
- 清熱作用
  温病性の感冒の初期に用い，解熱する。
- 止瀉作用
  湿熱 *7 性の下痢に用い，腸の炎症を鎮め，併せて下痢を治す。
- 消炎・解毒作用
  熱性の咽痛・乳腺炎・各種できもの・潰瘍などに用い，炎症を鎮める。

配合応用 金銀花＋柴胡：辛涼発表作用を有し，温病初期の発熱を治す（荊防敗毒散）
金銀花＋十薬：炎症性の皮膚病を治す（五物解毒散）
金銀花＋連翹：咽喉炎および化膿性疾患に用い，排膿・消腫する。化膿性・炎症性のできものを治す（荊防敗毒散，※銀翹散（ぎんぎょうさん））

配合処方 荊防敗毒散，五物解毒散，千金内托散
▷294 処方中 3 処方（1.0%）

備　考 基原：スイカズラの葉および茎は忍冬と言い，生薬として用いられる（忍冬の項 p. 64 参照）。

苦参（クジン） *Sophorae Radix*〈日局 18〉

基　原 マメ科（*Leguminosae*）クララ *Sophora flavescens* Aiton の根で，しばしば周皮を除いたもの
産地：貴州省，陝西省，河北省，広西

異名別名 地槐（ちかい），水槐（すいかい），大槐（だいかい），苦骨（くこつ），川参（せんじん）

選　品 質は硬く，長くて曲折が少なく，内部が黄白色で充実し，苦味の強いものが良品である

成　分 アルカロイド（マトリン，オキシマトリン），フラボノイド（クラリノール），トリテルペノイドサポニンなど

薬　理 抽出物：抗ストレス潰瘍
マトリン：抗潰瘍，血圧上昇，心臓興奮（大量で抑制），血管収縮，子宮収縮，腸管収縮（大量で抑制），クラーレ様作用

オキシマトリン：抗潰瘍，胃液分泌抑制，中枢抑制

効能主治 性味：苦，寒

帰経：肝，腎，大腸，小腸

効能：清熱する，湿を除く，殺菌・駆虫する。外用では洗浄薬として陰部掻痒などに用いる

主治：熱性の血便・下痢，胃腸系の感冒による下血，黄疸，出血を伴う帯下，小児肺炎，小児の慢性消化不良，急性扁桃腺炎，痔瘻（じろう），脱肛，皮膚掻痒，化膿し崩れたできもの，陰部掻痒，るいれき*22，やけど

引用文献 神農本草経：心腹の結氣，癥瘕積聚（ちょうかしゃくじゅ），黄疸，溺（いばり）に余瀝（よれき）有るを主（つかさど）り，水を逐（お）い，癰腫（ようしゅ）を除き，中を補し，明目止涙（めいもくしるい）す

古方薬品考：熱を清し，煩を除き，膣（ちつ）を排（ひら）く

> 現代における運用のポイント
>
> ● 清熱去湿作用
>
> 膀胱炎などに用い，清熱し利尿をはかる。また熱性の下痢・下血を治す。
>
> 湿熱*7性の皮膚炎に用い，消炎し痒みを止める。
>
> ● 外用法
>
> 皮膚掻痒症に用い，外用して皮膚の炎症を鎮め痒みを止める。

配合応用 苦参＋黄芩：炎症性の皮膚病を治す（三物黄芩湯）

苦参＋地黄：痒みの強い炎症性の皮膚病を治す（消風散）

苦参＋蛇床子：外用，内用ともに疥癬，婦女子の陰部掻痒・帯下，皮膚掻痒を治す（蛇床子湯：外用）

苦参＋当帰：湿熱*7による小便不利*23を治す（当帰貝母苦参丸料）

配合処方 苦参湯，三物黄芩湯，蛇床子湯，消風散，当帰貝母苦参丸料

▷294 処方中 5 処方（1.7%）

備　考 効能：苦参は単味であっても『金匱要略』で「苦参湯」と呼ばれ，独立した処方として扱われている。「苦参湯」は外用薬で陰部掻痒などに用いられる。

決明子（ケツメイシ） *Cassiae Semen* 〈日局 18〉

基　原 マメ科（*Leguminosae*）エビスグサ *Cassia obtusifolia* Linné または *C. tora* Linné の種子

産地：河南省，河北省，安徽省，山東省，広西，インド，日本（大分県），ベトナム，ミャンマー

異名別名 草決明（そうけつめい），小決明（しょうけつめい），羊明（ようめい），羊角（ようかく），馬蹄決明（ばていけつめい），還瞳子（かんどうし），仮緑豆（かりょくず），馬蹄子（ばていし），千里光（せんりこう），芹決（きんけつ），羊角豆（ようかくとう），野青豆（やせいとう），猪骨明（ちょこつめい），夜拉子（やらつし），羊尾豆（ようびとう）

選　品 粒が均一で，豊満で光沢があり，わずかに苦味があり，黄褐色～緑褐色のものを良品とする

貯　蔵 虫がつきやすいため，乾燥した場所に保管する。防湿に心がけること

成　分 アントラキノン類：エモジン，オブツシホリン，アウランチオオブツシンなど
ナフタレン誘導体：トラクリソン，トララクトンなど

種子

薬　理 抽出物：緩下，抗菌活性（各種フェノール類）
抽出液：降圧

効能主治 性味：苦甘鹹，微寒
帰経：肝，腎，大腸
効能：肝胆の炎症を治し，目を明らかにする，利水し，便通をはかる
主治：目の充血・腫痛，羞明（しゅうめい）*24 涙の多いもの，緑内障，夜盲症，頭痛，めまい，目のかすみ，鼓脹（こちょう）*25，習慣性便秘，炎症性の腫れもの，疥癬などの皮膚病

引用文献 神農本草経：青盲，目淫，膚赤，白膜，眼赤痛，涙出ずるを主る。久しく服さば精光を益し身を軽くす

現代における運用のポイント

- **明目作用**
目の充血を除き，目の機能を改善する。眼疾患全般に用いる。
- **緩下作用**
軽い便秘を治す。茶の代用として服用する。

配合応用 決明子＋黄連：目の充血・炎症を治す（洗肝明目湯）

配合処方 洗肝明目湯
▷294 処方中 1 処方（0.3%）

備　考 産地：日本はエビスグサ *C. obtusifolia* Linné，中国南部の広西，インドなどは *C. tora* Linné が基原とされている。
その他：1. 日本ではハブ茶としてお茶の代わりに用いられるが，ハブ茶は本来ハブソウ *C. occidentalis* Linné の種子または地上部を用いる。
2. 産地により粒度の大きさに差異があり，山東省産は大粒，インド産は中粒，広西は小粒に分類される。健康食品（茶）などでは，インド産の中粒決明子を用いている。

玄参（ゲンジン）*Scrophulariae Radix*〈局外生規 2018〉

基　原 ゴマノハグサ科（*Scrophulariaceae*）*Scrophularia ningpoensis* Hemsley またはゴマノハグサ *S. buergeriana* Miquel の根
産地：四川省，浙江省，貴州省

S.ningpoensis Hemsley

異名別名 元参(げんじん)

選　　品 根は肥大し，皮は薄く，質は堅い。根頭部が除かれ，内部が烏黒色で質の充実したもの，粘り気のあるものが良品とされる。根が細くて皮が粗いものは良くない

成　　分 イリドイド配糖体，およびそのケイヒ酸エステル類など

薬　　理 抽出物：強心・血管拡張・降圧，血糖降下，抗真菌，溶血，局部刺激

p-メトキシケイヒ酸：解熱作用

効能主治 性味：苦鹹(かん)，涼

帰経：肺，腎

効能：津液[*17]を補い解熱する，煩悶感を除く

主治：熱病による煩渇[*9]・皮膚発赤，骨蒸労熱(こうじょうろうねつ)[*15]，不眠症，自汗[*26]，寝汗，乾燥性便秘，吐血，鼻出血，咽喉腫痛，化膿性の腫れ物，るいれき[*22]

引用文献 神農本草経：腹中の寒熱，積聚(しゃくじゅ)，女子の産乳余疾(よしつ)を主(つかさど)り，腎氣を補い，人の目を明らかならしむ（元参の項）

配合応用 玄参＋牛蒡子：風熱[*27]のうっ結によって起きる咽喉の腫痛および斑疹を治す（※銀翹散加味方(ぎんぎょうさんかみほう)）

玄参＋地黄：陰虚発熱[*28]による咽乾・心煩[*19]・手足の煩熱[*29]・紅舌・脈細数(みゃくさいさく)を治す。温病(うんびょう)[*4]による熱が激しいため津液(しんえき)不足[*14]となって起きる煩渇[*9]・煩躁[*20]不安・舌質絳色(こうしょく)[*30]を治す（清熱補血湯，※養陰清肺湯(よういんせいはいとう)）。（外用）滋潤して腫れを治す（神仙太乙膏）

玄参＋竹茹：津液[*17]を補い，清熱して心煩[*19]を除く（加味温胆湯）

玄参＋当帰：血と津液[*17]を補い皮膚や粘膜の炎症を治す（清熱補気湯）

玄参＋麦門冬：津液[*17]を補う（清熱補気湯，清熱補血湯）

配合処方 加味温胆湯，神仙太乙膏，清熱補気湯，清熱補血湯

▷294 処方中 4 処方（1.4%）

柴胡（サイコ） *Bupleuri Radix* 〈日局 18〉

基　　原 セリ科（*Umbelliferae*）ミシマサイコ *Bupleurum falcatum* Linné の根

局方規格：本品は定量するとき換算した生薬の乾燥物に対し，総サポニン（サイコサポニン a およびサイコサポニン d）0.35% 以上を含む

産地：日本各地，湖北省，湖南省，四川省，河北省，甘粛省，陝西省，韓国

異名別名 茈胡(さいこ)，茈葫(さいこ)，三島柴胡(みしまさいこ)，伊豆柴胡(いずさいこ)，鎌倉柴胡(かまくらさいこ)，植柴胡(しょくさいこ)，北柴胡(ほくさいこ)，天津柴胡(てんしんさいこ)

選　　品 香気が強く，質は緻密で柔軟性があり，潤いのある，ひげ根のないものを良品とする。三島柴胡の野生品は品質最高と言われてきたが，現在は流通していない。主成分であるサイコサポニンの含量は芯が木化していないもの・細いもの・枝根の部分

にサイコサポニンの含量が多い。栽培品の１年物は細いが木化の程度は低い。２年ものは太く見栄えは良いが木化しているものが多い。中国産の野生品も太いものは木化している品が多い

貯蔵：本品は，カビがつきやすく，虫が極めてつきやすいので，風通しの良い乾燥した場所に保管する

成　分　トリテルペノイドサポニン（サイコサポニンa～f），ステロール類など

薬　理　抽出液：体温降下

粗サポニン画分：中枢抑制，鎮痛，解熱，ストレス潰瘍予防，胃液分泌抑制，幽門結紮潰瘍抑制，腸内容物輸送促進，抗炎症，抗アレルギー，血清 GOT・GPT 抑制

効能主治　性味：苦，涼

帰経：肝，胆

効能：表裏を和解する，疏肝する*31，陽気*32 を上昇させる

主治：往来寒熱*10，胸脇苦満*11，口苦，耳聾，頭痛，めまい，マラリア，下痢，脱肛，月経不順，子宮下垂

引用文献　神農本草経：心腹を主り，腸胃中の結氣，飲食積聚，寒熱邪氣を去り，陳きを推し新しきに至らしむ（茈葫の項）

本草綱目：陽氣下陥を治し，肝，胆，三焦，包絡の相火を平にし，また頭痛，眩暈，目昏，赤痛，障翳，耳の聾鳴，諸瘧，…を治す（茈胡の項）

古方薬品考：氣を利し，表を禦ぎ，裏を和す（茈胡の項）

重校薬徴：胸脇苦満を主治し，往来寒熱，腹中痛，黄疸を兼治す

古方薬議：心腹を主とし，寒熱邪氣を去り，煩を除き，驚を止め，痰を消し，嗽を止め，婦人産前後の諸熱，及び熱血室に入り，経水不調を治し，血氣を宣暢し，氣を下し，食を消す

現代における運用のポイント

- **かぜ中期の治癒作用**

柴胡の持つ清熱作用は少陽病*6 のかぜで，往来寒熱*10 または微熱がある場合に有効である。高熱にはあまり用いられない。

- **瘧疾治療作用**

マラリア状の寒熱発作の続くものに用いる。

- **肝臓疾患治療作用**

肝臓疾患およびそれに派生する病状の治療薬として用いられる。両脇痛，脇下部の脹りと痛みを治す。

- **昇提作用**

下部に沈滞した陽気*32 を引き上げる作用のことで，胃下垂・子宮下垂・脱肛・脱腸・小便頻数*33 などを治す作用である。日本の漢方では，このような用い方はほとんどし

ないが，中国では金元時代以後，この目的で使用されることが多くなった。代表的な方剤としては，補中益気湯がある。

配合応用

柴胡＋黄芩：少陽病の往来寒熱*[10]・胸脇苦満*[11]・咳嗽・口苦咽乾・食欲不振・嘔気を治す（小柴胡湯，柴葛解肌湯，柴陥湯，柴梗半夏湯，柴胡枳桔湯）

柴胡＋栝楼根：津液*[17]を補いつつ，清熱する（柴胡桂枝乾姜湯）

柴胡＋枳実：胸脇部の満悶（まんもん），腹痛，食欲不振，大便不調を治す（柴胡疎肝湯，大柴胡湯）

柴胡＋香附子：肝鬱による胸脇痛，気の上逆*[34]，頭痛，肩項部の緊張や痛みを治す（竹茹温胆湯，柴胡疎肝湯，滋腎通耳湯）

柴胡＋芍薬：肝の機能異常による胸脇苦満*[11]，腹痛，大便不調，食欲不振，精神不安，黄疸，月経不調を治す（加味逍遙散，柴胡疎肝湯，大柴胡湯）

柴胡＋升麻：昇提作用により倦怠無力感，胃下垂，子宮下垂，脱肛，下痢を治す（補中益気湯，乙字湯）

柴胡＋釣藤鈎：肝火を鎮め，肝気を調え，神経緊張を和らげる（抑肝散）

柴胡＋土別甲：滋陰*[35]清熱し，肝胆の炎症を鎮める（解労散）

柴胡＋薄荷：胸部の炎症を除き，煩悶感をとる（加味逍遙散）

柴胡＋牡蛎：微熱を治し，自汗*[26]を止める（柴胡桂枝乾姜湯）

柴胡＋連翹：温病*[4]の感冒に伴う発熱・炎症を清熱する（柴胡清肝湯）

配合処方

延年半夏湯，乙字湯，乙字湯去大黄，解労散，加味帰脾湯，加味解毒湯，加味逍遙散，加味逍遙散加川芎地黄（加味逍遙散合四物湯），荊芥連翹湯，荊防敗毒散，柴葛解肌湯，柴葛湯加川芎辛夷，柴陥湯，柴梗半夏湯，柴胡加竜骨牡蛎湯，柴胡枳桔湯，柴胡桂枝乾姜湯，柴胡桂枝湯，柴胡清肝湯（散），柴胡疎肝湯，柴芍六君子湯，柴蘇飲，柴朴湯，柴苓湯，滋陰至宝湯，四逆散，滋腎通耳湯，十味敗毒湯，小柴胡湯，小柴胡湯加桔梗石膏，逍遙散（八味逍遙散），秦艽羌活湯，秦艽防風湯，神秘湯，清肌安蛔湯，清熱補血湯，大柴胡湯，大柴胡湯去大黄，竹茹温胆湯，補中益気湯，抑肝散，抑肝散加芍薬黄連，抑肝散加陳皮半夏

▷294 処方中 43 処方（14.6%）

備　考

基原：中国産柴胡の基原植物は，*B. chinense* DC. と *B. scorzonerifolium* Willd. の 2 種が挙げられている（『中華人民共和国薬典 2020 年版』）が，日局では両者を *B. falcatum* Linné の地域変異種とみなしている。

選品：柴胡の選品についてはサイコサポニンの含有量にこだわらないで，芯が木化したある程度の太さを持つ根で，栽培 2 年以上のものが良いとする意見もある。

効能：＜柴胡の薬能論における変遷＞

『傷寒論』における柴胡は，小柴胡湯や大柴胡湯の用例に見られるように，少陽病の清熱薬として特徴的に用いられる。現代の日本漢方における柴胡の用法もこれに準じている。金元時代になって帰経（きけい）学説*[36]や昇降浮沈（しょうこうふちん）*[37]の学説が普及するに従い，柴胡の薬能も変化し，昇提薬として用いられることが多くなった。例えば，補中益気湯のように，黄耆，升麻とともに昇提作用（沈滞した気を上昇させる作用）を目的として使われた。さらに，清代から現代に至って温病（うんびょう）学説*[38]が盛んになると，辛涼解表薬として使われるようになった。現代の中薬学においても辛涼解表薬の分類に属している。

配合処方：柴胡を使用した代表的な製剤に小柴胡湯がある。1996年に，肝障害の患者への投与で間質性肺炎を起こすとして厚生省から緊急安全性情報が出されたが，これが何に起因するかは明確にされていない。また，柴胡については副作用の原因と考えられるものは今のところ認められていない。

山帰来（サンキライ）*Smilacis Rhizoma*〈日局18〉

基　原　ユリ科（*Liliaceae*）*Smilax glabra* Roxburgh の塊茎

産地：湖南省，広東省，福建省

異名別名　土茯苓（どぶくりょう），仙遺糧（せんいりょう），禹余糧（うよりょう）*39，白余糧（はくよりょう），草禹余糧（そううよりょう）

選　品　外皮が淡褐色で，内心部が白色で，粉質に富み，繊維の少ないものが良い。内色の赤いものは硬質で不良である。山帰来は中国名を土茯苓と言い，長形切片を「土茯苓片」と呼び，白片と赤片の2種類がある。白片が良い

貯蔵：虫害に留意する

成　分　デンプン，ステロイドサポニン（微量）など

薬　理　抽出物：エタノール消失促進

効能主治　性味：甘淡，平

帰経：肝，胃

効能：解毒する，湿を除く，関節を利す

主治：梅毒，淋濁（りんだく）*40，筋骨けいれん痛，脚気，疔瘡（ちょうそう）*41，化膿性の腫れ物，るいれき*22を治す

引用文献　本草綱目：脾胃を健やかにし，筋骨を強くし，風湿を去り，関節を利し，泄瀉（せっしゃ）を止め，拘攣（こうれん），骨痛，悪瘡，癰腫（ようしゅ）を治し，汞粉（こうふん），銀，朱の毒を解す（土茯苓の項）

配合応用　山帰来＋薏苡仁：利尿し消炎する（竜胆瀉肝湯：一貫堂（いっかんどう）方収載）

配合処方　（竜胆瀉肝湯）

備　考　基原：従来，サルトリイバラ *Smilax china* Linné の塊茎を山帰来とする説もあったが，これは生薬名を菝葜（ばっかつ）と言い，本品とは別基原である。

異名別名：山帰来は茯苓に形が似ており，中国では土茯苓と呼ばれている。

効能：古来より日・中両国で梅毒の治療薬として著名である。

配合応用：中国には竜胆瀉肝湯の変方が数多く存在するが（7～18味），そのいずれにも山帰来は配合されない。一般用漢方294処方中の竜胆瀉肝湯にも山帰来は配合されていない。山帰来が配合された竜胆瀉肝湯は，日本の一貫堂方のみに見られる。

山梔子（サンシシ） *Gardeniae Fructus* 〈日局 18〉

基　原　アカネ科（*Rubiaceae*）クチナシ *Gardenia jasminoides* Ellis の果実で，ときに湯通しまたは蒸したもの

局方規格：本品は定量するとき換算した生薬の乾燥物に対しゲニポシド 2.7% 以上を含む

産地：江西省，湖北省，浙江省，福建省，四川省，広西，韓国

異名別名　梔子（しし），卮子（しし），小卮子（しょうしし），黄鶏子（おうけいし），黄梔子（おうしし）

選　品　乾燥が良く，粒が揃い，内外の色が紅色で丸形のものを良品とする。色素の酸化により年々色が悪くなるため，新しいものが良い

貯蔵：本品は，虫やカビが付きやすいので乾燥の良い場所に保管する。遮光するのが望ましい

成　分　イリドイド配糖体（ゲニポシド，ゲニピン），カロテノイド系色素（クロシン）など

薬　理　抽出物：胆汁分泌促進，血圧下降，緩下，血中ビリルビン量の上昇を抑制

ゲニポシド：肝細胞障害抑制，大腸内容物輸送促進，胆汁分泌促進，パパベリン様鎮痙作用，胃運動抑制，胃液分泌抑制，抗コリン作用

効能主治　性味：苦，寒

帰経：心，肝，肺，胃

効能：清熱する，充血性の炎症を鎮める，外用として消炎湿布薬として用いる

主治：熱病，胸中の煩悶感，不眠，黄疸，淋病，消渇（しょうかち）*42，結膜炎，吐血，鼻出血，血便下痢，血尿，炎症性の腫れ物，潰瘍状のできもの，外用して捻挫，挫傷，打撲

引用文献　神農本草経：五内の邪氣，胃中の熱氣，面赤，酒皰皶鼻（しゅほうさび），白癩（はくらい），赤癩（せきらい），瘡瘍（そうよう）を主（つかさど）る（卮子の項）

古方薬品考：吐を兼ね，煩熱当（まさ）に除くべし（梔子の項）

重校薬徴：心煩（しんぱん）を主治し，身熱，発黄を兼治す（梔子の項）

古方薬議：胸心，大小腸の大熱，心中煩悶を療し，小便を通じ，五種の黄病（おうびょう）を解し，大病を治し労より復帰す（梔子の項）

現代における運用のポイント

- **精神安定作用**
  胸部の煩熱*29を治し，上衝*43した気を鎮め精神安定をはかり，煩悶感を除く。
- **黄疸治療作用**
  発熱性の黄疸に対して熱を除き，黄疸を治す。
- **充血解消作用**
  熱性の目の充血・酒皶（しゅさ）（赤鼻）・鼻出血などに用い，炎症を鎮め，充血を解消する。

配合応用 山梔子＋茵蔯蒿：肝炎・胆嚢炎・肝硬変などによる黄疸・全身の痒み・口内炎・小便黄赤で出にくいものを治す（茵蔯蒿湯）

山梔子＋黄芩：（内服）炎症・充血を除く（黄連解毒湯，温清飲，清上防風湯，清肺湯，辛夷清肺湯，竜胆瀉肝湯）。（外用）患部の炎症を除く

山梔子＋黄柏：湿熱[*7]による黄疸を治す（梔子柏皮湯）

山梔子＋黄連：（内服）熱のために生じる充血・出血などの血の変調（目の充血，鼻出血，喀血，吐血，血尿），炎症を治す，併せて煩躁[*20]・不眠を治す（黄連解毒湯，滋腎明目湯，清上防風湯）。（外用）患部の炎症を除く

山梔子＋滑石：湿熱[*7]を除き，尿道炎・膀胱炎・残尿感を治す（五淋散）

山梔子＋菊花：目の充血，炎症を治す（滋腎明目湯，洗肝明目湯）

山梔子＋香豉（こうし）：熱病のために生じる煩熱[*29]・煩躁[*20]・不眠・煩渇[*9]などの不快症状を治す（梔子豉湯（しししとう））

山梔子＋酸棗仁：心火亢盛[*44]による煩躁[*20]・不眠を治す（加味帰脾湯）

山梔子＋石膏：目・耳・口などの粘膜の炎症を鎮める（加減涼膈散（浅田），洗肝明目湯）

山梔子＋牡丹皮：血熱[*13]をさまし，精神不安・不眠を治す（加味逍遙散）

配合処方 茵蔯蒿湯，温清飲，黄連解毒湯，加減涼膈散（浅田），加減涼膈散（龔廷賢），葛根紅花湯，加味帰脾湯，加味解毒湯，加味逍遙散，加味逍遙散加川芎地黄（加味逍遙散合四物湯），荊芥連翹湯，五淋散，柴胡清肝湯（散），梔子豉湯，梔子柏皮湯，滋腎明目湯，辛夷清肺湯，清上防風湯，清肺湯，洗肝明目湯，防風通聖散，竜胆瀉肝湯

▷294 処方中 22 処方（7.5%）

地骨皮（ジコッピ） *Lycii Cortex* 〈日局 18〉

基　原 ナス科（*Solanaceae*）クコ *Lycium chinense* Miller または *L. barbarum* Linné の根皮

産地：河北省，湖北省，山西省，安徽省

根皮

異名別名 杞根（こごん），地骨（じこつ），地節（じせつ），枸杞根（くここん），枸起根（くきこん）

選　品 大きめで，肉が厚く，木心などの夾雑物のないものが良品である。土砂のついたものがあるので，刻んだ後に，篩（ふるい）をかけるとよい

成　分 ベタイン，脂肪酸など

薬　理 抽出物：発熱抑制，解熱，血圧降下

ベタイン：抗脂肝

効能主治 性味：甘，寒

帰経：肺，肝，腎

効能：清熱する，血熱[*13]を清す

主治：衰弱疲労による潮熱[*45]と寝汗，肺の炎症による咳喘，吐血，鼻出血，血尿，糖尿病，高血圧，化膿性の腫れ物

引用文献　本草綱目（王好古曰）：腎火を瀉し，肺中の伏火を降ろし，胞中の火を去り，熱を退け，正氣を補う
本草綱目（呉瑞曰）：上膈の吐血を治す
本草綱目：下焦，肝，腎の虚熱を去る

配合応用　地骨皮＋黄芩：清熱し，微熱をとる（清心蓮子飲）
地骨皮＋車前子：腎・膀胱系の炎症を除き，排尿を促す（清心蓮子飲）
地骨皮＋知母：結核などの微熱・咳嗽・寝汗を治す（滋陰至宝湯）

配合処方　滋陰至宝湯，清心蓮子飲
▷294 処方中 2 処方（0.7%）

備　　考　基原：『神農本草経』では枸杞として収載され，根・葉・花・実などの使用部位を特定せずに用いられていた。その後，梁代から唐代にかけて，使用部位によって枸杞子や地骨皮などに分けられ，別々の効能を目的として使用されるようになった。枸杞子は枸杞の果実で，滋養強壮や明目の目的で用いられる（枸杞子の項 p. 108 参照）。

紫根（シコン）*Lithospermi Radix*〈日局 18〉

基　　原　ムラサキ科（*Boraginaceae*）ムラサキ *Lithospermum erythrorhizon* Siebold et Zuccarini の根
産地：吉林省，遼寧省

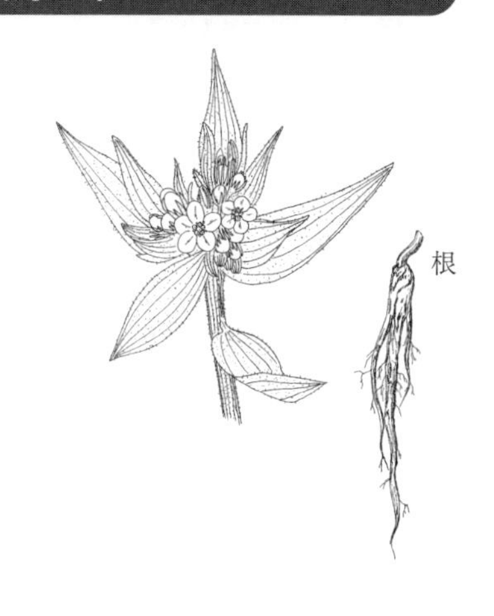

異名別名　紫草，紫丹，紫草茸，紫草根，硬紫根

選　　品　太く長く肥大し，茎を残さず，泥砂が付着せず，紫色を呈し，色が濃く，芯の木部が少ないものを良品とする。野生品と栽培品があるが，栽培品は色素が薄い
貯蔵：湿気・虫害・腐敗の恐れがあるので，乾燥した場所で気密保存する。また変色しやすいので，遮光するのが望ましい

成　　分　ナフトキノン類（シコニン，アセチルシコニンなど）

薬　　理　抽出物：発情抑制，肉芽増殖促進，軽度な血管透過性亢進の抑制，抗浮腫，皮膚温上昇の抑制，創傷治癒促進
アセチルシコニン，シコニン：抗炎症，瘡瘍治癒促進，血管透過性亢進の抑制

効能主治　性味：苦，寒
帰経：心包絡*46，肝
効能：血熱*13 を鎮める，血液を活性化する，清熱する。外用では軟膏剤としてやけど・切傷などに用いる
主治：湿熱*7 による斑疹・黄疸，紫斑，吐血，鼻出血，血尿，淋濁*40，血便，乾燥性便秘，やけど，湿疹，丹毒*47，化膿性のできものおよび潰瘍

引用文献　神農本草経：心腹の邪氣，五疸を主る。中を補い，氣を益し，九竅を利し，水道を

通ず（紫草の項）

本草綱目：斑疹，痘毒（とうどく）を治し，血を活し，血を涼し，大腸を利す（紫草の項の根の部分）

配合応用 紫根＋川芎：血流を改善して，腫瘤の腫れや痛みを治す（紫根牡蛎湯）

紫根＋当帰：内用，外用ともに血行促進し，皮膚機能を回復させる（紫雲膏：外用，紫根牡蛎湯）

紫根＋牡蛎：硬性の腫瘤を軟化し，難治性の腫瘍・皮膚病を治す（紫根牡蛎湯）

配合処方 紫雲膏，紫根牡蛎湯

▷294 処方中 2 処方（0.7%）

備　考 基原：日本では硬紫根が薬用として使用されてきたが，軟紫根（なんしこん）〔同科の新疆紫草（しんきょうしそう） *Arnebia euchroma* Johnst.（*Macrotomia euchroma*（Rovle）Pauls.）〕も類似の効用を持つナフトキノン類（アルカンニン）を十分に含んでいることから，今後は中国産の軟紫根の利用についても検討する必要があると考えられる。

成分：硬紫根や軟紫根に含まれるナフトキノン誘導体は，ともに紫色色素である。ムラサキの根は，奈良時代ごろより紫色染料として用いられ，特に江戸時代には江戸紫として賞用された。

十薬（ジュウヤク） *Houttuynia Herba*〈日局 18〉

基　原 ドクダミ科（*Saururaceae*）ドクダミ *Houttuynia cordata* Thunberg の花期の地上部

産地：新潟県，徳島県など日本各地，四川省，貴州省，湖北省

異名別名 重薬（じゅうやく），どくだみ，魚腥草（ぎょせいそう），岑草（しんそう），蕺菜（しゅうさい），蕺（しゅう）

選　品 乾燥が良く，葉が緑色を帯び，褐変せず，また花穂や葉が茎より脱落せず，茎があまり太くなく軟らかく，独特の香気があり，根およびその他の異物の混入の少ないものを良品とする

貯蔵：本品は虫が比較的つきやすいので，乾燥した風通しの良い場所に保管する。新しいものは味が青臭いので，一冬越したものの方が飲みやすい

成　分 精油（デカノイルアセトアルデヒド），フラボノイド（クエルシトリン，イソクエルシトリン）など

薬　理 抽出物：腸管および子宮運動亢進，抗炎症

クエルシトリン：強心，血管収縮，毛細血管脆弱性の改善，利尿，抗菌

デカノイルアセトアルデヒド：抗菌

効能主治 性味：辛，寒

帰経：肝，肺

効能：清熱し消炎する，利尿し腫れを消す

主治：肺炎，肺膿瘍，熱性の下痢，マラリア，水腫*48，淋病などの泌尿器系諸疾

患，白帯下，化膿性の腫れ物，痔，脱肛，湿疹，禿瘡（とくそう）[*49]，疥癬

引用文献　本草綱目：熱毒癰腫（ようしゅ），瘡痔（そうじ）脱肛を散じ，痁疾（てんしつ）を断ち，硇毒（どうどく）を解す（蕺の項）

配合応用　十薬＋川芎：うっ血，化膿を治す。痔を治す（五物解毒散）

十薬＋大黄：清熱し皮膚の炎症を鎮め，利尿する（五物解毒散）

配合処方　栝楼薤白湯，五物解毒散

▷294 処方中 2 処方（0.7%）

備　考　効能：民間薬として便秘，尿量減少，吹き出物などに広く用いられる。健康茶としても需要がある。

地竜（ジリュウ）*Lumbricus*〈局外生規 2018〉

基　原　フトミミズ科（*Megascolecidae*）の *Pheretima aspergillum* Perrier またはその他近縁動物の内部を除いたもの

産地：広西，広東省，福建省，タイ，東南アジアなど

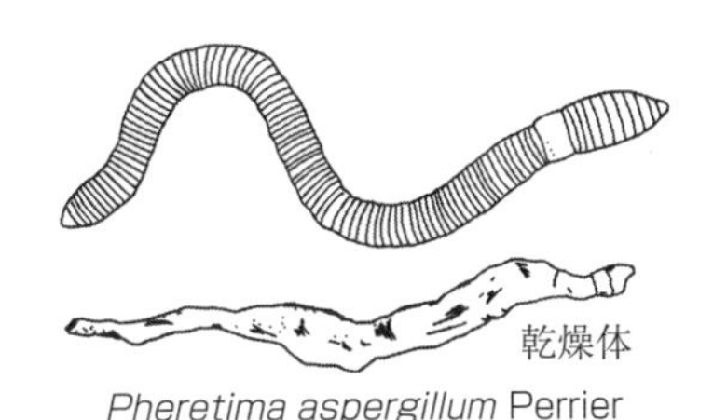

Pheretima aspergillum Perrier

異名別名　蚯蚓（きゅういん），白頸蚯蚓（はっけいきゅういん），広地竜，土地竜，曲蟺（きょくせん），土蟺（どせん），堅蚕（けんさん），寒引（かんいん），歌女（かじょ），蚯蚓引（きゅういんいん），螼蚓（きんいん），丘螾（きゅうこ），蜷端（けんせん），附蚓（ぶいん），寒蠊（かんけん），寒蚓（かんいん），蜿蟺（えんせん），引無（いんぶ），曲蟮（きょくぜん），地竜子（じりゅうし），朐肕（くにん），虫蟮（ちゅうぜん），土竜（どりゅう）※

※土竜は鼴鼠（モグラ）の別名でもある。

選　品　長く，大きくて肉厚で，砕けておらず，泥のない，乾燥の良いものが良品である

貯　蔵　カビや虫を防ぐため，密閉容器に保存し，風通しの良い乾燥した場所に保管する

成　分　チロシン誘導体：ルンブロフェブリン，ルンブリチン，テレストロルンブリシンなど各種アミノ酸，脂肪酸

薬　理　抽出物：解熱

抽出液：持続的降圧，鎮静，抗けいれん

含窒素性有効成分：気管支拡張

効能主治　性味：鹹，寒

帰経：肝，肺，腎

効能：けいれんを止める，めまい・ふるえ・けいれんなどを改善する，絡（経絡）を通す，喘を鎮める

主治：熱病による発熱を伴う狂躁（きょうそう），ひきつけを起こしけいれんするもの，肝経に陽気が亢進[*50]して頭痛するもの，目の充血・腫れ・痛み，中風（脳卒中）による半身不随，風湿[*51]の邪によるしびれ・麻痺・痛み，小児の腹痛，肺の炎症による咳嗽，のどの腫れ，鼻血，小便不通

引用文献　神農本草経：蛇瘕（だか）を主る。三蟲（さんちゅう），伏尸（ふくし），鬼疰（きしゅ），蠱毒（こどく）を去り，長蟲（ちょうちゅう）を殺す（白頸蚯蚓の項）

現代における運用のポイント

- **止痙作用**
  めまい・ふるえ・けいれん等を改善する。
- **解熱作用**
  発汗し，解熱する。
  日本では，上記の効能を目標に用いられるが，中国では，平喘，鎮咳作用を目的として用いられることも多い。

配合応用 地竜＋川芎：湿と血を動かし，麻痺，しびれ，けいれんを改善する（補陽還五湯）

配合処方 補陽還五湯
▷294 処方中 1 処方（0.3%）

備　考 基原：『中華人民共和国薬典 2020 年版』によると，地竜の基原は，「*Pheretima aspergillum*（E. Perrier），*P.* vulgaris Chen，*P.* guillelmi（Michaelsen），*P.* pectinifera Michaelsen の内臓と土砂を除去した乾燥体である。前 1 種は「広地竜」，後の 3 種は「滬地竜（こじりゅう）」と呼ばれる。」とある。広地竜の産地は広東省，広西が主産地で，その他，海南，福建省，湖南省などにも分布する。滬地竜の産地は上海が主産地で，その他，浙江省，江蘇省，福建省，湖北省，河北省などにも分布する。

これらとは別に縞蚯蚓（シマミミズ）*Allolobophora caliginosa*（Savigny）Trapezoides（Ant. Duges）の乾燥体を基原とするものも中国市場ではあり，これは「土地竜」と呼ばれる。土地竜は『中華人民共和国薬典』の 1990 年版に収載され，1995 年版で削除されている。

修治：地竜の捕獲時期や修治については，『中薬大辞典 第二版』に以下のような記載が見られる。

「5～9 月に採集する。捕獲したあと，藁灰，木屑，米糠を混ぜたものをまぶし，粘液を取り除く，腹を開いて内臓や泥砂を洗浄し，日干しするか低温で乾燥する」

石膏（セッコウ）*Gypsum Fibrosum*〈日局 18〉

基　原 天然の含水硫酸カルシウムで，組成はほぼ $CaSO_4 \cdot 2H_2O$
産地：山東省

異名別名 細石（さいせき），細理石（さいりせき），軟石膏（なんせっこう），白虎（びゃっこ）

選　品 光沢のある白色の層をなす塊で，縦に束鍼状（そくしんじょう）の紋理のある，砕けやすいものを良品とする。硬いものは良くない。時に黒褐色の岩石が層をなしていることがあるが，取り除いてから砕いて用いる
貯蔵：密閉容器で保存する

成　分 $CaSO_4 \cdot 2H_2O$

薬　理 抽出液：止渇，解熱，鎮静，鎮痙，利尿

効能主治　性味：辛甘，寒

帰経：肺，胃

効能：肌のほてりや炎症をとる，体内の熱を鎮め，煩を除き止渇する，強火で焼いて塗布すると，肌の回復を促し瘡を治す

主治：熱病で高熱が下がらぬもの，心煩神昏[*52]，うわ言を発し狂のごとくなるもの，口渇し咽乾するもの，肺の炎症による喘咳，暑気あたりで自汗[*26]するもの，胃熱頭痛[*53]，歯痛，熱の内にこもったできもの，発斑発疹，口中のできもの。外用では化膿性の腫れ物，潰瘍の口の塞がらないもの，やけど

引用文献　神農本草経：中風寒熱，心下逆氣（しんかぎゃくき），驚喘（きょうぜん），口乾舌焦（ぜっしょう），息する能（あた）わず，腹中堅痛を主（つかさど）る邪鬼を除き，乳を産じ，金瘡を主る

古方薬品考：熱を逐（お）い，胃を清し，渇を止む

重校薬徴：煩渇を主治し，譫言（せんげん），煩躁，身熱，頭熱，喘を兼治す

古方薬議：中風寒熱，口乾舌焦を主り，大渇引飲（だいかついんいん），中暑，潮熱，牙痛（がつう）を止め，発斑発疹の要品と為す

現代における運用のポイント

- **清熱作用**

本品の清熱作用は諸薬の中で最も強く，陽明病[*3]および温病（うんびょう）[*4]の高熱に用い，解熱をはかり煩渇[*9]を止め，意識昏迷を治す。また，日射病・熱射病による高熱・煩渇・頭痛を治す。

- **鎮咳・治喘作用**

肺部の炎症による喘咳に対し，炎症を鎮め喘咳を治す。

- **治発疹作用**

熱性の斑疹・発疹およびアトピー性皮膚炎に用い，皮膚の炎症を鎮め，皮膚を滋潤する。

配合応用　石膏＋滑石：湿熱[*7]を除き，煩熱[*29]および，黄疸・鼻出血を治す（防風通聖散）

石膏＋山梔子：目・耳・口などの粘膜の炎症を鎮める（加減涼膈散（浅田），洗肝明目湯）

石膏＋大黄：腸内の炎症を鎮め，乾燥性便秘を治す（防風通聖散）

石膏＋竹葉：清熱して気の上衝を治し，鎮咳する（竹葉石膏湯）

石膏＋知母：裏の高熱による胸部煩悶感・煩躁[*20]・口渇，アトピー・じんましんなどの皮膚炎を治す（白虎湯）

石膏＋釣藤鈎：清熱し，血圧を下げる（釣藤散）

石膏＋防已：体内の水滞による心臓性浮腫・心臓性喘息を治す（木防已湯）

石膏＋麻黄：1）熱性疾患による高熱・熱感・口渇・煩躁[*20]，肺の炎症による咳嗽・呼吸促迫・喘咳を治す（麻杏甘石湯，柴葛解肌湯）。2）筋肉関節の消炎鎮痛をはかる（越婢加朮湯，桂枝二越婢一湯）

配合処方　越婢加朮湯，越婢加朮附湯，加減涼膈散（浅田），駆風解毒散（湯），桂枝越婢湯，桂枝二越婢一湯，桂枝二越婢一湯加朮附，五虎湯，柴葛解肌湯，小柴胡湯加桔梗石膏，小青竜湯加杏仁石膏（小青竜湯合麻杏甘石湯），小青竜湯加石膏，消風散，辛夷清肺湯，洗肝明目湯，続命湯，竹葉石

膏湯，釣藤散，白虎加桂枝湯，白虎加人参湯，白虎湯，防風通聖散，麻杏甘石湯，木防已湯
▷294 処方中 24 処方（8.2%）

竹葉（チクヨウ） *Phyllostachydis Folium* 〈局外生規 2018〉

基原 イネ科（*Gramineae*）ハチク *Phyllostachys nigra* Munro var. *henonis* Stapf ex Rendle，マダケ *P. bambusoides* Siebold et Zuccarini，*Bambusa textilis* McClure または *B. emeiensis* L.C. Chia et H.L. Fung の葉

産地 四国

異名別名 淡竹葉（たんちくよう），和淡竹葉（わたんちくよう），苦竹葉（くちくよう），竹葉巻心（ちくようけんしん），竹葉心（ちくようしん）

選品 濃い緑色で形が整っており，枝柄のないものが良品である

貯蔵 乾燥したところに保管するのが望ましい

成分 トリテルペノイド（グルチノール，グルチノン），ペントーザン，リグニン

薬理 抽出液：抗老化，抗酸化，抗炎症，抗疲労

効能主治 （竹葉の項）
性味：甘，淡寒
帰経：心，肺，胃
効能：津液*17 を補い，清熱し，除煩*54 する，利尿作用を持つ
主治：熱病による煩渇*9，小児のひきつけ，咳逆による吐血，鼻出血，尿量不足，血尿，口舌のびらん・できもの

引用文献 神農本草経：欬逆，上氣して溢（いっ）し，筋急，悪瘍を主る，小蟲（しょうちゅう）を殺す（竹葉の項）
名医別録：胸中痰熱，欬逆（がいぎゃく）上気を主る（淡竹葉※ の項）
※ここでいう淡竹葉は，ハチク *Phyllostachys nigra* Munro var. *henonis* Stapf ex Rendle のことである。
古方薬議：咳逆上氣を主り，煩熱を除き，痰を消し，渇を止め，嘔噦（おうえつ）吐血を治す

現代における運用のポイント

- 清熱作用
清熱作用により，上焦*55 部の煩熱*29 を除き，気の上衝*43 を鎮める。
- 鎮咳作用
呼吸器系の津液*17 を補い，炎症を鎮めることにより，咳を止める。

配合応用 竹葉＋石膏：清熱して気の上衝*43 を治し，鎮咳する（竹葉石膏湯）
竹葉＋麦門冬：肺の津液*17 を補い，炎症を鎮め，鎮咳し去痰を促す。肺結核，慢性気管支炎，慢性咽喉炎などに用いる（竹葉石膏湯）

配合処方 竹葉石膏湯

▷294 処方中 1 処方（0.3%）

備　考 基原：ハチク，マダケは稈（かん）の内層（竹茹）や稈を火であぶって切り口から流れ出た液汁（竹瀝）も生薬として用いられる（竹茹の項 p. 227，竹瀝の項 p. 228 参照）。

【竹葉と淡竹葉について】

竹葉の類似生薬に「淡竹葉」がある。これは，イネ科のササクサ *Lophatherum gracile* Brongn の全草を指すもので，竹とは異なる。「淡竹葉」は，『中華人民共和国薬典 2020 年版』にも収載されている。

『本草綱目』によると「竹葉」には，「淡竹」，「甘竹」，「簺竹（きんちく）」，「苦竹」があり，「淡竹」はハチク *P. nigra* Munro var. *henonis* Stapf ex Rendle，「甘竹」は淡竹の属，「苦竹」は，マダケ *P. bambusoides* Siebold et Zuccarini である。すなわち，『名医別録』にある「淡竹葉」は，ハチクのことを示している。また，『本草綱目』中には，「張仲景，孟詵は，このうち淡竹葉を上とした」という記載があり，古くは，薬用にハチクを重用していたことが伺える。なお，「簺竹」は『古方薬議』によるとカシロタケがあてられている。

一方，ササクサ *L. gracile* Brongn を基原とする「淡竹葉」は，『本草綱目』にも別途記載があるが，『神農本草経』や『名医別録』にある「竹葉」・「淡竹葉」とは別のものである。ササクサの「淡竹葉」は明代の『滇南本草（てんなんほんぞう）』に初出し，その頃から用いられていたと考えられるが，外見や効能がよく似ていたことからハチクを基原とする「淡竹葉」と混同されることが多くなった。

両者は同様に用いることもできるが，漢方処方中に「淡竹葉」との記載がある場合は，宋代以前の処方ならハチクが，明代以降の処方ならササクサが正品である。なお，現在の中国では，一般的に「淡竹葉」（ササクサの全草）が用いられている。

効能についてはほぼ同じで，清熱・除煩・利尿作用を持つが，清熱・生津*56 作用は「竹葉」（ハチクなど竹の葉）が，利尿作用は「淡竹葉」（ササクサ）の方が強いとされている。[2]

知母（チモ） *Anemarrhenae Rhizoma* 〈日局 18〉

基　原 ユリ科（*Liliaceae*）ハナスゲ *Anemarrhena asphodeloides* Bunge の根茎

産地：河北省，山西省，吉林省

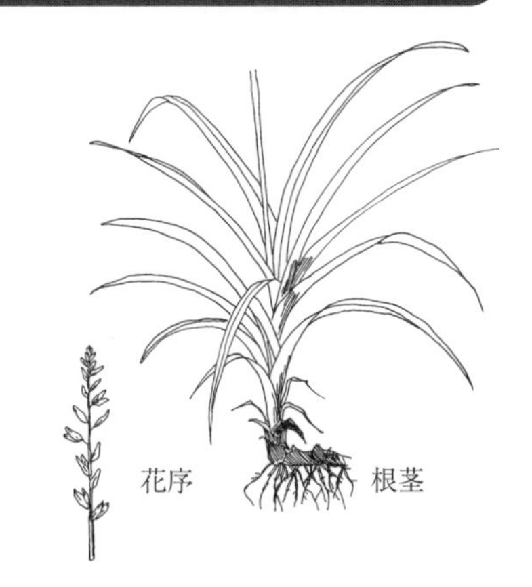

異名別名 蚳母（ちも），蝭母（しぼ），地参（ちじん），毛知母（もうちも），知母肉（ちもにく），連母（れんぼ）

選　品 棒状で丸みがあり肥大し，質が柔らかで潤いがあり，横切面が淡黄色のものを良品とする。根が細毛に覆われており，それを完全に除去したものが良い。古くなるに従って黒褐色に変色するので注意する

貯蔵：本品は，粘液質を含み湿気を含みやすく，カビがついたり変質したりしやすいので，低温で湿度の低い場所に保管するのが望ましい

成　分 ステロイドサポニン（チモサポニン A-Ⅰ～Ⅳ，B-Ⅰ，Ⅱ），キサントン類（マンギフェリン，イソマンギフェリン）など

薬　理 抽出物：解熱，血糖降下，胃潰瘍予防。チモサポニン A-Ⅲ：ADP，アラキドン酸

およびセロトニンによる血小板凝集を抑制

効能主治 性味：苦，寒

帰経：肺，胃，腎

効能：津液*17 を補い清熱する，煩躁*20 を除き，腸の津液を補い通便をはかる

主治：発熱による煩躁不快感，糖尿病など，骨蒸労熱（こうじょうろうねつ）*15，肺の炎症による咳嗽，乾燥性便秘，小便不利*23

引用文献 神農本草経：消渇（しょうかち），熱中を主（つかさど）り，邪氣，肢体の浮腫を除き，水を下し，不足を補い，氣を益す

古方薬品考：渇を潤し，熱結を清瀉す

古方薬議：消渇熱中を主り，邪氣を除き，熱結を療す。亦（ま）た瘧熱煩患（ぎゃくねつはんかん）を主る。人虚（ひときょ）して而（しこう）して口乾くには加へて而して之を用ふ

現代における運用のポイント

- 清熱作用
  胸部・腹部の炎症を鎮め，解熱し，煩悶感を除く。
- 滋陰*35・清熱作用
  津液*17 を補い，肺の炎症を除き，寝汗・心煩*19・口渇を治す。

配合応用 知母＋黄芩：肺の炎症を鎮める。また皮下組織における炎症を鎮め，化膿を治す（辛夷清肺湯）

知母＋黄柏：津液*17 を補い清熱することで，ほてり，熱感，微熱，寝汗，のぼせ，耳・鼻・口内などの炎症を治す（知柏地黄丸，滋腎通耳湯，清熱補血湯）

知母＋酸棗仁：血虚*57 による不眠・寝汗・めまい・目の充血を治す（酸棗仁湯）

知母＋地黄：内熱*58 または津液不足*14 による口腔・鼻腔・耳・皮膚・関節などの炎症を治す（消風散，滋腎通耳湯）

知母＋石膏：裏の高熱による胸部煩悶感・煩躁*20・口渇，アトピー・じんましんなどの皮膚炎を治す（白虎湯）

知母＋人参：内熱または津液不足*14 に伴う口渇・煩渇*9 を治す（白虎加人参湯）

知母＋麦門冬：乾燥性咳嗽，消耗性疾患による咳嗽を治す（滋陰降火湯）

知母＋百合：熱病を患った後，その余熱で生じる精神不安・動悸・煩熱*29 を治す（※百合知母湯（びゃくごうちもとう））

配合処方 加味四物湯，桂枝芍薬知母湯，酸棗仁湯，滋陰降火湯，滋陰至宝湯，滋腎通耳湯，消風散，辛夷清肺湯，清熱補血湯，知柏地黄丸，白虎加桂枝湯，白虎加人参湯，白虎湯

▷294 処方中 13 処方（4.4%）

忍冬（ニンドウ）*Lonicerae Folium Cum Caulis*〈日局 18〉

基　原 スイカズラ科（*Caprifoliaceae*）スイカズラ *Lonicera japonica* Thunberg の葉および茎

産地：四国，宮崎県，山東省，湖北省

異名別名 忍冬藤（にんどうとう），金銀藤（きんぎんとう），金釵股（きんさこ）

選　品 葉の上面は緑色，下面は灰褐色を呈する新しいものが良い。太い茎を混有するものは除いてから使用すること

成　分 タンニン，フラボノイド（ロニセリン）など

薬　理 抽出液：血糖上昇

効能主治 性味：甘，寒

帰経：心，肺

効能：清熱する，解熱する，筋骨の緊張を緩和する

主治：温病（うんびょう）*4による発熱，発熱性の下痢および血便，伝染性肝炎，化膿性のできもの，筋骨の疼痛

引用文献 本草綱目：一切（いっさい）の風湿氣，および諸腫毒，癰疽（ようそ），疥癬（かいせん），楊梅諸悪瘡（ようばいしょおそう）を治し，熱を散じ，毒を解す

配合応用 忍冬＋黄耆：化膿性のできものおよび腫れを治す（紫根牡蛎湯）

忍冬＋連翹：瘀血（おけつ）*18を除き，潰瘍性のできものおよび湿疹を治す（治頭瘡一方）

配合処方 紫根牡蛎湯，治頭瘡一方，治頭瘡一方去大黄

▷294 処方中 3 処方（1.0%）

備　考 基原：スイカズラのつぼみは金銀花と言い，生薬として用いられる（金銀花の項 p. 47 参照）。

敗醤（ハイショウ） *Patriniae Herba*

基　原 オミナエシ科（*Valerianaceae*）オトコエシ *Patrinia villosa* Juss，オミナエシ *P. scabiosaefolia* Fischer の根

※なお，流通では，根を敗醤根，全草を敗醤または敗醤草という（備考参照）。

産地：江蘇省，河南省

異名別名 鹿腸（ろくちょう），鹿首（ろくしゅ），馬草（ばそう），沢敗（たくはい），鹿醤（ろくしょう），酸益（さんえき），苦菜（くさい），苦蘵（くしょく），野苦菜（やくさい），苦猪菜（くちょさい），苦斎公（くさいこう），豆豉草（とうしそう），豆渣草（とうさそう），白苦爹（はくくた），苦苴（くしょ），黄花敗醤（おうかはいしょう），黄花竜牙（おうかりゅうが）

選　品 敗醤根：独特の香りが濃く，太く充実し泥砂のないものを良品とする

貯　蔵 虫とカビが発生しやすいため，低温で乾燥したところに保管する。におい成分の揮散を防ぐため，気密保存するのが望ましい

成　分 モノテルペン（ロガニン，モロニシドなど），サポニン（パトリノシド類，スカビオシド類），その他（シニグリン）など

薬　理 抽出液：抗菌

抽出物：鎮静

効能主治 性味：苦辛，微寒

帰経：肺，大腸，肝

効能：清熱し解毒（熱毒を解する）する，瘀血*18を破り，排膿する

主治：腸癰*59，肺癰*60，痢疾*61，帯下，産後の瘀血による腹痛，熱性の化膿性の腫れもの

引用文献 神農本草経：暴熱，火瘡，赤氣疥瘙（かいそう），馬鞍熱氣による疽痔（そじ）を主る

古方薬議：癰腫，浮腫，結熱，風痺を治し，多年の凝血を破るを主る

現代における運用のポイント

- 排膿消炎作用

清熱解毒して，排膿を促し，化膿性疾患を治す。

配合応用 敗醤＋薏苡仁：排膿を促進する（薏苡附子敗醤散）

配合処方 薏苡附子敗醤散

▷294 処方中 1 処方（0.3%）

備　考 基原：敗醤の基原の本草学的な経緯を見ると，梁代の『本草経集注（しっちゅう）』に敗醤は，「根に古く腐敗した豆醤のような独特の臭気があるのでその名が付いた」とある。この独特の臭気があるのは，オミナエシ科のものに限られることから，少なくとも梁代には，オミナエシ科の植物をあてていたことがわかる。さらに明代の『本草綱目』に記載された形態学的な特質から，牧野富太郎は，敗醤はオミナエシ科のオトコエシであると規定している。

また，薬用部位については，『神農本草経』をはじめ宋代の『本草図経（ほんぞうずきょう）』においても敗醤の薬用部位を「根」に限定している。これら2点から見て，本草学的な敗醤の基原は「オトコエシまたはオミナエシの根」であると考えられる。

日本では，江戸期の『古方薬品考』に見られるように「オトコエシの根」を用いていた。現在も根を用いるのが主流である。

なお，現在の中国では，オミナエシ科以外のアブラナ科（Brassicaceae）グンバイナズナ *Thlaspi arvense* L.，キク科（Compositae）アキノノゲシ *Lactuca indica*，ハチジョウナ Sonchus brachyotus など種々の基原によるものが市場に流通しており，薬用部位も全草を使用しているため，その点留意すべきである。

白薇（ビャクビ） *Cynanchiatrati Radix*

基　原 ガガイモ科（Asclepiadaceae）フナバラソウ *Cynanchum atratum* Bunge〔*Vincetoxicum atratum*（Bunge）C. Morren & Decne.〕または *C. versicolor* Bunge の根

産地：河北省

異名別名 白微（びゃくび）

選　品 根の色は黄褐色，太く頑丈でそれぞれ平均し，断面は白色で充実し，残茎基の少ないものを良品とする

成　分　シナンコール，強心配糖体，精油など

効能主治　性味：苦鹹，寒
帰経：肺，胃，腎
効能：清熱する，血熱*13を除く
主治：陰虚発熱*28，風湿*51の高熱，嗜眠，肺に炎症があり咳嗽・血痰するもの，温病*4で瘧状*62の発熱をするもの，癉瘧*63，産後の血液不足による虚煩*64，膀胱炎などの小便不利*23，血尿，リウマチ痛，るいれき*22

引用文献　神農本草経：暴の中風，身熱肢満，忽忽として人を知らず，狂惑，邪氣寒熱，酸疼，溢瘧洗洗として，発作時に有るを主る

根

フナバラソウ

配合応用　白薇＋当帰：婦人血熱を治す（独活湯：『和漢薬考』収載）

配合処方　（独活湯）

備　考　基原：フナバラソウは，環境省の第4次レッドリストにおいて「絶滅危惧Ⅱ類（VU）：絶滅の危険が増大している種」に指定されている。
配合処方：本品は，『和漢薬考』収載の独活湯のみに配合されており，一般用漢方294処方の独活湯には配合されていない。

竜胆（リュウタン） *Gentianae scabrae Radix* 〈日局18〉

基　原　リンドウ科（*Gentianaceae*）トウリンドウ *Gentiana scabra* Bunge, *G. manshurica* Kitagawa または *G. triflora* Pallas の根および根茎
産地：吉林省，遼寧省

異名別名　龍胆，龍膽，竜胆草，草竜胆，苦竜胆草，胆草

選　品　淡黄褐色を呈し長いヒゲ根がたくさんついてよく揃ったものが良い。また，なるべく肥大し，柔軟なものを良品とする。暗褐色のものや，ヒゲ根の少ないものは良くない。苦味の強いものの方が良品である。古くなると暗褐色に変化する。土砂のついたものも少なくないので注意を要する

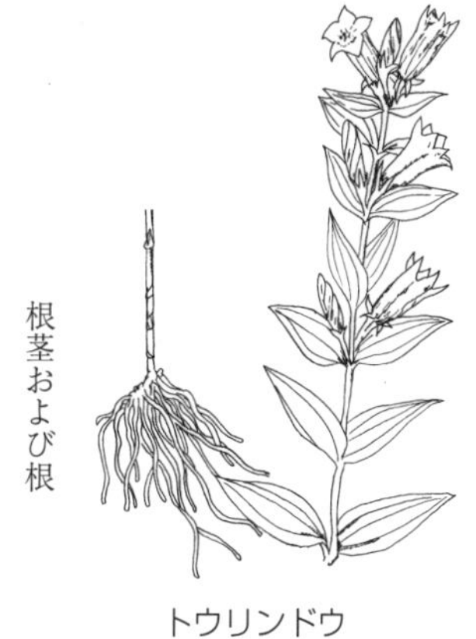

トウリンドウ

成　分　モノテルペン配糖体（ゲンチオピクロシド），キサントン（ゲンチジン）など

薬　理　抽出液：胃運動促進，緊張の上昇
抽出物：胃液分泌亢進，胆汁分泌促進
ゲンチオピクロシド：胃液分泌亢進

効能主治　性味：苦，寒
帰経：肝，胆

効能：肝・胆の炎症を治す，泌尿器および生殖器系の炎症および痒みを除く
主治：肝経熱盛[*65]，精神錯乱およびけいれん発作，脳炎，頭痛，目の充血，咽喉痛，黄疸，熱性下痢，痒みを伴う化膿性のできもの，陰嚢(いんのう)の腫痛，陰部掻痒症

引用文献　神農本草経：骨間の寒熱，驚癇(きょうかん)，邪氣を主(つかさど)り，絶傷(ぜっしょう)を続(つ)ぎ，五臓を定め，蠱毒(こどく)を殺す
本草綱目（李杲曰(りこういわく)）：肝経の邪熱を退け，下焦湿熱(げしょうしつねつ)の邪を除き，膀胱の火(か)を瀉す

配合応用　竜胆＋黄芩：炎症をとり，充血を除く（竜胆瀉肝湯）
竜胆＋地黄：血熱[*13]を鎮める（竜胆瀉肝湯）
竜胆＋升麻：風湿[*51]を除き，頭痛，歯痛を治す（立効散）
竜胆＋川芎：瘀血[*18]による炎症を鎮め，疼痛を治す（疎経活血湯）
竜胆＋蒼朮：湿熱[*7]を除き，鎮痛する（疎経活血湯）

配合処方　加味解毒湯，疎経活血湯，立効散，竜胆瀉肝湯
▷294 処方中 4 処方（1.4%）

備　考　基原：1. 日本産の栽培種であるエゾリンドウ *G. triflora* Pallas var. japonica Hara は，竜胆としての利用が検討されたことがあるが，現在市場性はなく，もっぱら生花としての需要で用いられている。
2. 以前安価な貴州竜胆(きしゅうりゅうたん)（堅竜胆）が市場に流通したことがあるが，貴州竜胆は *G. regescens* Fr. で基原が異なる。

連翹（レンギョウ）*Forsythiae Fructus*〈日局 18〉

基　原　モクセイ科（*Oleaceae*）レンギョウ *Forsythia suspensa* Vahl の果実
産地：山西省，江西省，湖北省，河南省，河北省，陝西省

異名別名　大翹子(だいぎょうし)，大翹(だいぎょう)

選　品　新しい大粒の茶褐色のものを良品とする。小さいもの，暗色のものは良くない

成　分　トリテルペノイド，リグナン〔(+)-ピノレシノール，(−)-マタイレシノール〕，リグナン配糖体（アルクチイン），フラボノイド，フェニルエタノイド配糖体（フォルシチアシド）など

薬　理　抽出物：胆汁分泌促進。フォルシチアシド：抗菌作用，cyclic AMP ホスホジエステラーゼ阻害

効能主治　性味：苦，涼
帰経：心，肝，胆
効能：清熱する，解熱する，瘀血(おけつ)[*18]を除き，腫れを消す
主治：温病(うんびょう)[*4]の咽痛，丹毒(たんどく)[*47]，猩紅熱(しょうこうねつ)などの皮膚発疹，化膿性・炎症性のできもの，るいれき[*22]，小便の出渋るもの

引用文献　神農本草経：寒熱，鼠瘻，瘰癧，癰腫，悪瘡，癭瘤，結熱，蠱毒を主る

現代における運用のポイント

- **清熱作用**
  上焦[*55]部の諸熱に用いる。特に咽喉部の炎症・湿疹・斑疹を伴う熱症状に効果がある。
- **治癰腫[*66]作用**
  炎症のあるできもので，患部の口の開かないものに用い，炎症を鎮め，排膿をはかる。

配合応用

連翹＋黄柏：皮膚・鼻・目の炎症を治す（荊芥連翹湯）

連翹＋桔梗：咽喉の腫痛を治し，排膿する（柴胡清肝湯，駆風解毒湯）

連翹＋金銀花：咽喉炎および化膿性疾患に用い，排膿・消腫する。化膿性・炎症性のできものを治す（荊防敗毒散，※銀翹散）

連翹＋牛蒡子：咽喉の腫痛，口舌に生じるできもの・潰瘍を治す（駆風解毒湯，柴胡清肝湯）

連翹＋柴胡：温病の感冒に伴う発熱・炎症を清熱する（柴胡清肝湯）

連翹＋忍冬：瘀血[*18]を除き，潰瘍性のできものおよび湿疹を治す（治頭瘡一方）

連翹＋薄荷：1）温病の感冒や熱性疾患の初期の発熱・頭痛・咳嗽・咽喉痛などを治す（響声破笛丸，※銀翹散）。2）目の充血，面疔，口内炎など上焦部の炎症を鎮める（清上防風湯，加減涼膈散（浅田））

配合処方

加減涼膈散（浅田），加減涼膈散（龔廷賢），響声破笛丸，駆風解毒散（湯），荊芥連翹湯，荊防敗毒散，柴胡清肝湯（散），十味敗毒湯，清上防風湯，洗肝明目湯，治頭瘡一方，治頭瘡一方去大黄，独活湯，防風通聖散

▷294 処方中 14 処方（4.8%）

備　考

異名別名：小連翹と呼ばれるものがあるが，これは日本で民間薬として知られるオトギリソウの全草のことで，主に湿布薬として用いられる。

その他：＜連軺について＞

連軺という生薬がレンギョウの根であるという説があるが，古典的には明らかではない。連軺は，『傷寒論』の中の麻黄連軺赤小豆湯にのみ配合されているが，流通したことはない。なお，レンギョウの根は『神農本草経』に翹根の名称で収載されている。

＊1：p. 259 参照　＊2：p. 260 参照　＊3：p. 261 参照　＊4：温性の邪による病。悪寒がなく，咽喉部の津液不足の状態が現れる p. 286 参照　＊5：p. 287 参照　＊6：p. 261 参照　＊7：p. 285 参照　＊8：胎児を安定させること　＊9：煩悶感を伴うような口渇　＊10：悪感と熱感が交互にくる状態　＊11：胸から脇にかけての圧迫感。少陽病に特徴的に現れ，柴胡剤の適応となる　＊12：舌体の色が深い赤色を呈するもの p. 287 参照　＊13：瘀血で炎症の強いもの，および温病で熱が血分に入った状態（通常，血便・吐血などの出血が伴う）　＊14：p. 265 参照　＊15：身体の深部からしみ出してくるような熱で，多くは寝汗を伴う。肺結核などに見られる　＊16：p. 279 参照　＊17：p. 265 参照　＊18：p. 265 参照　＊19：胸部がほてり，悶えること　＊20：熱証による煩悶感。胸部だけでなく手足を含め全体に及ぶ　＊21：p. 283 参照　＊22：頸部リンパ節結核　＊23：小便が出にくい状態　＊24：光がまぶしく感じ，目を開けていられないような状態　＊25：肝硬変による腹水・肝炎・寄生虫・栄養失調などにより腹が膨れる病　＊26：汗が出るべき状態でないのに発汗してしまうこと　＊27：p. 281 参照　＊28：血虚や津液不足によって，発熱したり炎症を起こしたり機能亢進したりすること　＊29：煩悶感を伴う熱感および発熱　＊30：舌体の色が暗い赤色を呈するもの p. 287 参照　＊31：疎肝法 p. 275 参照　＊32：p. 255 参照　＊33：小便の回数が多いもの　＊34：p. 264 参照　＊35：血や津液を補うこと　＊36：p. 267 参照　＊37：薬物作用の方向性を表す。“昇”は上昇，“降”は下降，“浮”は発散して上行，“沈”は瀉利して下行を意味する　＊38：p. 286 参照　＊39：禹余糧とは，一般に褐鉄鉱の一種を指すが，山帰来の別名を示す場合もある　＊40：小便が出しぶり濁るもの　＊41：根の深いできもの　＊42：口渇を伴う病。糖尿病などで口渇の甚だしい状態　＊43：p. 264 参照　＊44：p. 268 参照　＊45：陽明病の熱状で，潮が満ちるように一気に高熱となるもの　＊46：→心包 p. 268 参照　＊47：皮膚が広範囲に赤く腫れる病　＊48：p. 266 参照　＊49：フケの多い白癬様のできもの　＊ 50→肝陽上亢 p. 274 参照　＊51：p. 281 参照　＊52：心胸部がほてり悶え，意識昏迷となること　＊53：胃の炎症により気が上衝して頭痛を起こすこと　＊54：煩悶感を除くこと　＊55：p. 279 参照　＊56：津液を補う作用　＊57：p. 265 参照　＊58：皮膚深部および体内より発する熱　＊59：腸の化膿性疾患で膿血を含んだ便を排出する　＊60：肺の化膿性疾患で膿血を含んだ痰や唾を出す　＊61：伝染性腸炎　＊62：マラリアもしくはマラリア状の悪寒発熱が交互に起こる状態　＊63：温病で裏熱が甚だしく，発熱発作を繰り返すもの　＊64：血虚や津液不足により発熱や熱感を生じ，煩悶感のあるもの　＊65：肝の経絡において炎症が盛んな状態。多くは，肝臓および生殖器系の炎症を指す　＊66：化膿性の腫れ物

1） メタノールエキスをヒトおよびイヌに経口投与した場合，緩下作用が認められた〔熊崎平蔵「岐阜医紀 6」372（1958）〕
2）『中葯大辞典第二版』南京中医薬大学編著　上海科学技術出版社（2006），『くすりの事典』米田該典監　鈴木洋著　医師薬出版（1994）

Ⅳ 健胃・止瀉薬

健胃止瀉薬とは，胃腸系の機能を調え，併せて下痢を止める作用を持つ薬物のことを言う。病状により，清熱する場合と温補する場合とがある。

粟（アワ） *Setariae Semen*

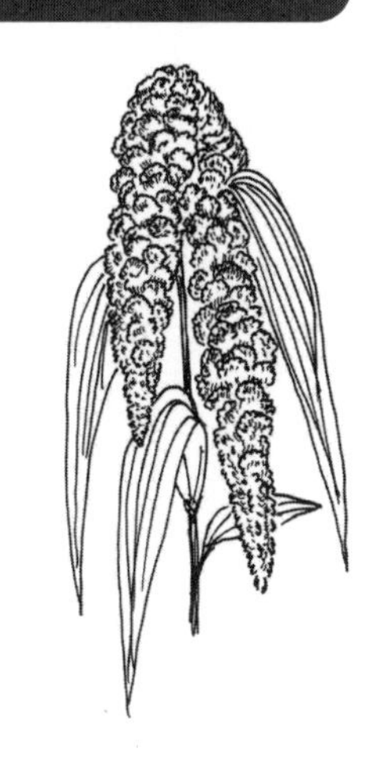

基　原　イネ科（Gramineae）アワ *Setaria italica* Beauv. の種皮を除いた種子

異名別名　粟米（ぞくべい），白粱粟（はくりょうぞく），粢米（しべい），粟穀（ぞくこく）

成　分　脂肪，デンプン，タンパク質など

効能主治　性味：甘鹹（かん），涼

帰経：腎，脾，胃

効能：胃腸系を調える，益腎（えきじん）[*1]する，胃の炎症を鎮める

主治：脾胃の虚熱[*2]，反胃（はんい）[*3]嘔吐，糖尿病など口渇を伴う病，水瀉性下痢

引用文献　神農本草経：腎氣を養ひ，胃脾中の熱を去り，気を益すを主（つかさど）る。陳（ふる）きものは味苦く，胃熱消渇（しょうかち）を主り，小便を利す（粟米の項）

本草綱目：反胃，熱痢を治す。粥に煮て食せば，丹田を益し，虚損を補い，腸胃を開く

配合応用　粟＋白朮（または茯苓）：水分代謝を促し，水瀉性下痢を治す（胃風湯）

配合処方　胃風湯

▷294 処方中 1 処方（0.3%）

備　考　基原：生薬としての流通はない。

効能：長く貯蔵したものは陳粟米（ちんぞくべい）と称す。下痢を止め，煩悶を解く効能がある。

烏梅（ウバイ） *Mume Fructus* 〈局外生規 2018〉

基　原　バラ科（*Rosaceae*）ウメ *Prunus mume* Siebold et Zuccarini の未熟果実をくん製または蒸してさらしたもの

産地：浙江省，四川省

異名別名 梅実，梅實，薫梅，桔梅肉

選　品 烏梅は成熟直前の果実を原料としたものが良いとされ，個体が大きく肥満した，外皮が黒色の，肉の厚い，核が小さく露出していない，酸味の強いものが良品である。果肉の薄いものは，味がほとんどなく下品である

貯蔵：若干，湿度のある状態のものが良いため，気密保存して乾燥を防ぐのが望ましい

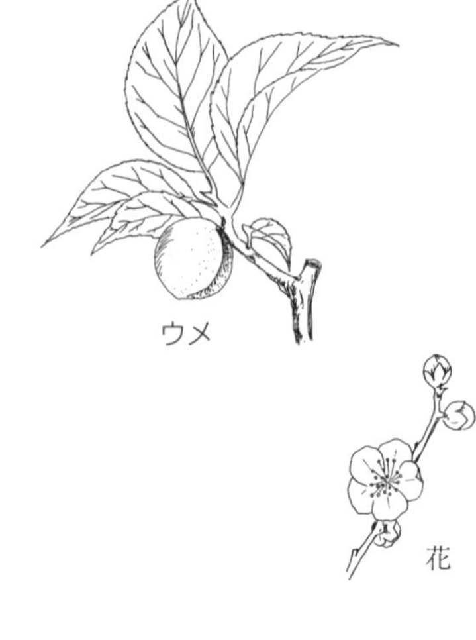

成　分 有機酸（クエン酸，リンゴ酸，コハク酸），オレアノール酸，アミグダリンなど

薬　理 抽出液：抗菌（細菌，真菌），抗アレルギー

効能主治 性味：酸，温

帰経：肝，脾，肺，大腸

効能：津液*4の分泌を促す，収れん作用を有す，回虫を容易に駆除する

主治：慢性の咳，虚熱*5による胸部の熱感やのどの渇き，長期にわたり悪寒と発熱の発作が続くもの，慢性の下痢，細菌性下痢，血便，血尿，不正子宮出血，回虫による急性の腹痛や嘔吐，鉤虫病，乾癬，翼状片

引用文献 神農本草経：氣を下し，熱，煩満を除き，心を安んじ，肢體の痛，偏枯不仁，死肌を主る，青黒志，悪疾を去る（梅實の項）

本草綱目：斂肺し，渋腸し，久嗽，瀉痢，反胃，噎膈，蚘厥，吐利を止め，腫を消し，痰を涌し，蟲を殺し，魚毒，馬肝の毒，硫黄の毒を解す（梅の項の實の部分）

古方薬議：氣を下し，熱を除き，下痢，好唾，口乾を止め，痰を去り，渇，吐逆，蚘厥を止むを主る

配合応用 烏梅＋黄連：陰虚内熱*6による心煩口渇*7，湿熱*8による下痢，回虫によって起こる嘔吐，腹痛，胃部の灼熱感，嘔気を治す（※烏梅丸）

烏梅＋甘草：下痢，腹痛を治す（杏蘇散）

烏梅＋五味子：収れんし，顔面などの浮腫を除く，鎮咳去痰する（杏蘇散）

烏梅＋山椒：胃腸を温め，腹痛を止め，駆虫作用を有す（椒梅湯）

烏梅＋蘇葉：下痢を治し，鎮咳する（杏蘇散）

配合処方 杏蘇散，椒梅湯

▷294処方中2処方（0.7%）

山査子（サンザシ）*Crataegi Fructus*〈日局18〉

基　原 バラ科（*Rosaceae*）①サンザシ *Crataegus cuneata* Siebold et Zuccarini または ②オオミサンザシ *C. pinnatifida* Bunge var. *major* N.E. Brown の偽果をそのまままたは縦切もしくは横切したもの

産地：①広東省，湖南省，②河北省，山東省

異名別名 山楂子，山査，山楂，山樝，赤棗子

選　　品 大粒で充実し，鮮赤褐色（肉質はうす茶色）を呈するものが良い。暗色のものは不良である

成　　分 フラボノイド，タンニン，有機酸（クラテゴール酸）など

薬　　理 山査肉：抗菌
抽出物：血管拡張，持続的な降圧，鎮痛
クラテゴール酸：胃酸分泌促進，消化促進

サンザシ

効能主治 性味：酸甘，微温
帰経：脾，胃，肝
効能：食積*9 を消す，瘀血*10 を除く，条虫を駆除する
主治：肉積*11，癥瘕*12，痰飲*13，みぞおちの膨満感，胃酸過多，下痢，腸風*14，腰痛，疝気*15，産後の瘀血による腹痛，後産の下りきらないもの，小児消化不良

引用文献 本草綱目：飲食を化す，肉積を消す，癥瘕，痰飲，痞満，呑酸，滞血痛脹を治す（山樝の項の実の部分）

現代における運用のポイント

- 消化促進作用
  飲食停滞に用い消化を促す。特に肉類の食滞にはよく効く。
- 駆瘀血作用
  打ち身や産後の瘀血による腹痛に用い，瘀血を除き鎮痛をはかる。

配合応用 山査子＋陳皮：消化を促進し，飲食物の停滞による膨満感や脹痛を治す（烏苓通気散）
山査子＋人参：胃気*16 を補い，食欲増進する（啓脾湯，化食養脾湯）
山査子＋麦芽：消化不良，飲食物の停滞による腹部膨満・げっぷ・食欲不振を治す（化食養脾湯，加味平胃散）

配合処方 烏苓通気散，化食養脾湯，加味平胃散，啓脾湯
▷294 処方中 4 処方（1.4%）

神麹（シンキク） *Massa Medicata Fermentat*

基　　原 通例，白麹（または小麦），赤小豆，杏仁，青蒿汁，蒼耳汁，野蓼汁の 6 種を混合したものを圧縮成型し，数日間発酵させた後，乾燥させたもの
産地：中国，韓国

異名別名 六神麹，神曲，六曲，六神曲

選　　品 なるべく新しいものが良い。虫，カビの害を受けていないものを良品とする。中国ではお茶の一種として用いる

貯蔵：極めて虫がつきやすいので，低温の場所で気密保存するのが望ましい

成　分　精油，配糖体類，脂肪油，アミラーゼ，プロテアーゼなど

効能主治　性味：甘辛，温

帰経：脾，胃

効能：胃腸系の機能を高め，消化を促進する

主治：飲食停滞，胸の痞(つか)え，腹部の脹りと膨満感，嘔吐，下痢，後産が下りきらず腹痛のするもの，小児の甚だしい腹脹り

引用文献　薬性論(やくせいろん)：水穀の宿食，癥結(ちょうけつ)，積滞(せきたい)を化し，脾を健にし，胃を暖にする

本草綱目：食を消し氣を下(くだ)し，痰逆(たんぎゃく)，霍乱(かくらん)，下痢，脹満の諸疾を除く

配合応用　神麹＋山査子：胃腸系の機能を高め，消化を促進する（化食養脾湯，加味平胃散）

神麹＋縮砂：胃腸系を温(あたた)め，腹痛を治す（化食養脾湯）

神麹＋人参：胃腸虚弱のものに用い，体質改善する（化食養脾湯）

神麹＋麦芽：飲食停滞，胃腸の脹りと膨満感を治す，断乳作用を有す（化食養脾湯，加味平胃散）

神麹＋白朮：脾陽虚*17による飲食の停滞，消化不良を治す（半夏白朮天麻湯）

配合処方　化食養脾湯，加味平胃散，半夏白朮天麻湯

▷294 処方中 3 処方（1.0%）

備　考　基原：基原にある 6 種の品目で構成された神麹（六神麹）の元になった製法は，明代ごろのもので『本草綱目』に記載がある。現在の市場品は構成品目も多く，それぞれ内容が異なる神麹が多種存在する。

麦芽（バクガ） *Fructus Hordei Germinatus*〈日局 18〉

基　原　イネ科（*Gramineae*）オオムギ *Hordeum vulgare* Linné の成熟したえい果を発芽させて乾燥したもの

産地：四川省，日本

異名別名　大麦糵(だいばくげつ)，麦糵(ばくげつ)，大麦芽(だいばくが)

選　品　かすかに香気があって，もやしのよくついている新しいものを良品とする。古臭いもの，虫食いのあるものは良くない。また，焦臭のあるものは，高温で乾燥したものであるため不良である

貯蔵：虫がつきやすいので，低温の場所で保存，もしくは気密保存する

成　分　デンプン，タンパク質，酵素（アミラーゼ，インベルターゼ），麦芽糖，ビタミン A，B，D，E，ベタイン，コリン，ヒスチジン，ホルデニン，カンジシン

薬　理　カンジシン：血圧に対し一過性の下降後上昇，呼吸・心拍数を抑制，弱い交感神経刺激

効能主治　性味：甘，微温

帰経：脾，胃

効能：胃腸機能を促進し，消化を促す

主治：消化不良，腹部の膨張感，食欲不振，嘔吐下痢，断乳時に乳が止まらぬもの

引用文献 本草綱目：一切の米麵，諸果の食積を消化する（糵米の項の麥芽の部分）

配合応用 麦芽＋山査子：消化不良，飲食物の停滞による腹部膨満・げっぷ・食欲不振を治す（化食養脾湯，加味平胃散）

麦芽＋生姜：胃腸虚弱による消化不良を治す（化食養脾湯，加味平胃散）

麦芽＋神麹：飲食の停滞，胃腸の脹りと膨満感を治す，断乳作用を有す（化食養脾湯，加味平胃散）

麦芽＋陳皮：停滞した胃気*16をめぐらせ，食欲不振を治す（半夏白朮天麻湯，加味平胃散）

配合処方 加味平胃散，半夏白朮天麻湯，化食養脾湯

▷294 処方中 3 処方（1.0%）

扁豆（ヘンズ） *Dolichi Semen*〈日局 18〉

基　原 マメ科（*Leguminosae*）フジマメ *Dolichos lablab* Linné の種子

産地：浙江省，湖北省，安徽省

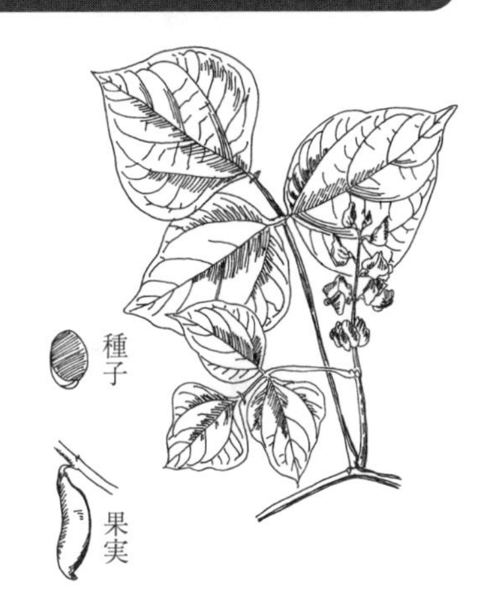

異名別名 白扁豆，藊豆，南扁豆

選　品 粒が揃い，色が白く，成熟した大きく重いものを良品とする

成　分 タンパク質，脂肪，炭水化物，無機物など

薬　理 赤血球凝集素：赤血球凝集

効能主治 性味：甘，平

帰経：脾，胃

効能：胃腸機能を高め，消化を促進し，湿を除き，腹部膨満感およびしぶり腹を治す，利尿を促す

主治：胃腸系の感冒で腹部膨満感・しぶり腹を伴うもの，暑湿による嘔吐と下痢，胃弱による嘔逆，食欲減少と長期の下痢，出血を伴う帯下，小児の慢性消化不良

引用文献 本草綱目：泄痢を止め，暑を消し，脾胃を温め，湿熱を除き，消渇を止む（白扁豆の項）

配合応用 扁豆＋香薷[1)]：夏季の冷飲や，身体を冷やしたことにより起こる吐瀉を治す（※香薷飲）

扁豆＋山薬：脾陽虚*17による下痢を治し，胃腸機能を高める（参苓白朮散）

扁豆＋人参：慢性の胃腸虚弱による食欲不振・下痢・胃部不快感を治す（参苓白朮散）

扁豆＋白朮（または茯苓）：胃内停水を利尿に導き，下痢を治す（参苓白朮散）

配合処方 参苓白朮散

▷294 処方中 1 処方（0.3%）

楊梅皮（ヨウバイヒ） *Myricae Cortex* 〈局外生規 2018〉

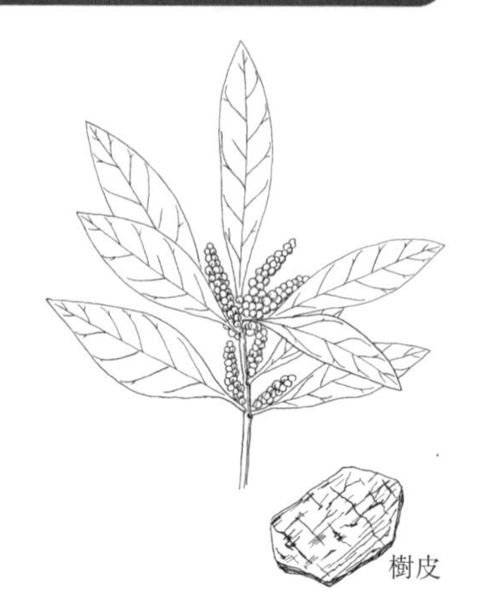

樹皮

基　原　ヤマモモ科（*Myricaceae*）ヤマモモ *Myrica rubra* Siebold et Zuccarini の樹皮

産地：宮崎県，熊本県，四川省

異名別名　楊梅（ようばい），楊梅樹皮（ようばいじゅひ），山百々（やまもも）

選　品　新しく皮の厚いものほど良品である。色は茶褐色で，味は渋みが強く，微粉でも鼻粘膜を刺激するものが良い

成　分　フラボノイド（ミリセチン，ミリシトリン），ジアリルヘプタノイド系化合物（ミリカノール，ミリカノン）など

薬　理　ミリセチン，ミリシトリン：血管収縮，利尿，殺菌，収れん，止血

効能主治　性味：苦辛渋，温

効能：痰を除き，飲食停滞を除き，下痢を止め，酒毒を消す。外用では，打撲傷，やけど，できものに用いる。歯痛には，うがい薬として，眼病には洗浄薬として用いる

引用文献　本草綱目：水で煎じて，牙痛（がつう）を漱（すす）ぐ。これを服せば，砒毒（ひどく）を解す。焼灰を油で調えて，湯火傷（ゆやけど）に塗る（楊梅の項の樹皮の部分）

日華子諸家本草（にっかししょかほんぞう）：湯に煎じて，悪瘡，疥癩（かいらい）を洗う（楊梅の項の皮根の部分）

配合応用　楊梅皮＋黄柏：（外用）打撲・できものの炎症を鎮める（楊柏散）。（内服）胃腸の炎症をとり，下痢を治す

配合処方　楊柏散

▷294 処方中 1 処方（0.3%）

備　考　効能：日本の民間療法では，下痢によく用いられている。

処方：「赤玉（あかだま）」として知られる胃腸薬には本品が配合されている。また，本品を主薬にする処方に楊柏散があり（外用して捻挫・打撲に用いる），現在市販されている湿布薬の内には本方を原方とするものがある。

＊1：p. 272 参照　＊2：消化器の機能低下および津液不足によって炎症を起こしたもの　＊3：p. 277 参照　＊4：p. 265 参照　＊5：津液不足による熱感・ほてり感　＊6：血虚や津液不足によって，発熱したり炎症を起こしたり，機能亢進したりすること　＊7：胸部に悶えるような感覚があり，口が渇くこと　＊8：p. 285 参照　＊9：消化不十分によって起こる諸症状　＊10：p. 265 参照　＊11：肉食過多による腹部膨満・消化不良など　＊12：腹中にできる瘀血性の硬結　＊13：p. 266 参照　＊14：風邪が腸に宿ったもの。多くは鮮血の下血を伴う　＊15：腹部の激しい痛み（鼠径ヘルニアなど）　＊16：→臓器を冠する気 p. 263 参照　＊17：p. 273 参照

1）香薷：シソ科のナギナタコウジュ Elsholtzia ciliata（Thumb.）Hylander の全草。中国では，江香薷 Mosla chinensis Maxim. cv. jiangxiangru，石香薷 Mosla chinensis Maxim. を用いる。発汗解暑，除湿，利水の作用があり暑湿による感冒・下痢などによく用いられる

V　温補薬

温補薬とは，陽気*1 不足により身体が冷え，機能不全に陥っているものに対し，陽気の循環を促し，機能を正常に戻す薬物を言う。多くは温性あるいは熱性の性質を持つ。

具体的には，陽気不足を起こしている部分（胃腸系，腎・膀胱系など）により薬物の使い分けがなされている。

茴香（ウイキョウ）*Foeniculi Fructus*〈日局 18〉

基　原　セリ科（*Umbelliferae*）ウイキョウ *Foeniculum vulgare* Miller の果実
産地：甘粛省，新疆，四川省

異名別名　小茴香（しょうういきょう），蘹香子（かいきょうし），土茴香（どういきょう），野茴香（やういきょう），穀茴香（こくういきょう），フェンネル

選　品　乾燥が良く，色は鮮やかな黄緑色で，新鮮で芳香が強く，味はやや甘味があるものを良品とする。日本産のものが，格段に味，香りともに優れているが高価である（備考参照）
貯蔵：乾燥した場所に保管するだけで良い。ただし，精油を含有する生薬なので，その揮発性を考慮すると長期の保存は好ましくないが，その場合は密封容器で冷温保存するのが良い

成　分　精油 3～8%（アネトール），脂肪油など

薬　理　粉末：遅効性の胃運動亢進
精油：腸管の運動亢進・緊張増加・小腸収縮，気道分泌促進

効能主治　性味：辛，温
帰経：腎，膀胱，胃
効能：腎を温め*2 寒を除く，胃を調和し気をめぐらす
主治：冷えによる疝痛*3，下腹部の冷痛，腎陽虚*4 による腰痛，胃痛，嘔吐，脚気

引用文献　開宝本草（かいほうほんぞう）：膀胱，腎間の冷氣を主（つかさど）り，及び腸氣を育（やしな）ひ，中を調え，痛，嘔吐を止む（蘹香子の項）

配合応用　茴香＋延胡索：疝痛*3，下腹部痛を治す（安中散，枳縮二陳湯）

茴香＋甘草：健胃し，鎮痛する（安中散，枳縮二陳湯）
茴香＋桂皮（肉桂）：冷えにより起こる胃腸のけいれん痛を治す（安中散）
※この場合は肉桂の方が効果が良い。
茴香＋良姜：胃腸を温め，腹部冷痛および冷えによる消化機能低下を治す（安中散，丁香柿蒂湯）

配合処方 安中散，安中散加茯苓，枳縮二陳湯，丁香柿蒂湯
▷294 処方中 4 処方（1.4%）

備　考 産地：日本でも生産されているが，生産量はごくわずかである。
異名別名：茴香を小茴香と呼ぶことがあるが，これはシキミ科のダイウイキョウ（大茴香）*Illicium verum* Hookker filil. と区別するためである。大茴香の果実は星型に 8 つに割れていることから，八角，八角茴香とも呼ぶ。また，アニスに似た風味と苦味があるため，スターアニスとも言われる。この他にも類似生薬として，セリ科のヒメウイキョウ（姫茴香）*Carum carvi* L. 別名キャラウェイがある。

乾姜（カンキョウ）*Zingiberis Rhizoma Processum*〈日局 18〉

基　原 ショウガ科（*Zingiberaceae*）ショウガ *Zingiber officinale* Roscoe の根茎を湯通しまたは蒸したもの
局方規格：本品は定量するとき，換算した生薬の乾燥物に対し，[6]-ショーガオール 0.10% 以上を含む
※【古典における生姜と乾姜について】p. 14 を参照されたい
産地：広東省，雲南省，四川省，広西，貴州省

異名別名 乾薑（かんきょう），干姜（かんきょう），三河乾姜（みかわかんきょう），炮姜（ほうきょう），黒姜（こくきょう）

選　品 肥大して辛味の強いもので，切面がアメ色か別甲のような色のものを良品とする。現在市場には流通していないが，三河乾姜（生の生姜を日本で湯通しして乾燥したもので，やや黒味がかったアメ色，半透明で角質である），炮姜（生の生姜をぬれ紙に包んで木灰の中で蒸したもの）などがあり，各臨床家によって調整される場合もある

成　分 生姜の項（p. 12 参照）

薬　理 生姜の項（p. 12 参照）

効能主治 性味：辛，熱
帰経：脾，胃，肺
効能：胃腸系を温め寒を除く，陽気をめぐらし*5 冷えをとる
主治：心臓部から腹部にかけての冷えと痛み，嘔吐，下痢，四肢が冷え脈の弱いもの，水滞*6 と冷えによる喘咳，風寒湿痺*7，陽虚*8 して吐くもの，鼻出血，下血

引用文献 薬性論（やくせいろん）：腰腎間の疼冷，冷氣を治し，血を破り，風を去り，四肢の関節を通じ，五臟，六腑（ろっぷ）を開き，諸絡脈を宣（とお）し，風毒，冷痺を去り，夜小便多きを治す

古方薬品考：乾姜は宣通（せんつう），寒を逐（お）い，中（ちゅう）を温む

古方薬議：中を温め，血を止め，吐瀉，腹臓冷え（ふくぞうひ），心下寒痞（しんかかんぴ），腰腎中疼冷，夜小便多きを主（つかさど）る。凡（およ）そ病人虚にして而（しこう）して冷なるには宜しく之を加用すべし

現代における運用のポイント

- 温補・回陽作用

冷感・頻尿・夜間排尿を伴う下半身の冷えに用い，脾胃を温め陽気をめぐらし*5，冷えによる腹痛・腰痛・頻尿を治す。

- 鎮咳・去痰作用

冷えによる咳嗽に用い，肺気をめぐらし，鎮咳去痰する。

（注）生姜と乾姜の効能における区別

嘔吐の強いものは生姜を（この場合は，生のショウガが最も良い），冷えの強いものは乾姜を用いる。

配合応用

乾姜＋甘草：1）胃腸を温め，脾胃虚寒*9による胃痛・嘔吐・下痢を治す。また薬物および食物の中毒を解毒する（甘草瀉心湯，解急蜀椒湯，半夏瀉心湯）。
2）陽気をめぐらし*5体を温め，四肢厥冷（けつれい）*10を治す（甘草乾姜湯，柴胡桂枝乾姜湯，四逆湯，続命湯，苓姜朮甘湯）

乾姜＋膠飴：脾胃虚寒*9を治す（大建中湯，中建中湯，解急蜀椒湯）

乾姜＋細辛：肺の水滞*6と冷えによる咳嗽，喘息様症状，白色水泡沫状の痰を治す（小青竜湯）

乾姜＋山椒：胃腸系を温め，機能を促進する（大建中湯，中建中湯，当帰湯）

乾姜＋人参：胃腸を温め，その機能を賦活し，腹痛・腹はり・腹部の冷感・嘔吐・嘔気・冷えによる下痢（未消化便）を治す（解急蜀椒湯，乾姜人参半夏丸，大建中湯，中建中湯，四逆加人参湯，続命湯，人参湯，半夏瀉心湯）

乾姜＋半夏：胃を温め，胃内停水*11を除き，嘔気を止める（乾姜人参半夏丸，半夏瀉心湯，解急蜀椒湯，枳縮二陳湯，苓甘姜味辛夏仁湯）

乾姜＋附子：極度の新陳代謝低下，体温低下，四肢厥冷*10，脈微細（びさい）にして絶えんとするもの*12を治す（四逆湯，四逆加人参湯）

配合処方

烏薬順気散，黄連湯，解急蜀椒湯，乾姜人参半夏丸，甘草乾姜湯，甘草瀉心湯，枳縮二陳湯，芎帰調血飲，芎帰調血飲第一加減，桂枝人参湯，堅中湯，五積散，柴胡桂枝乾姜湯，四逆加人参湯，四逆湯，生姜瀉心湯，小青竜湯，小青竜湯加杏仁石膏（小青竜湯合麻杏甘石湯），小青竜湯加石膏，椒梅湯，参蘇飲，続命湯，蘇子降気湯，大建中湯，大防風湯，中建中湯，当帰湯，人参湯（理中丸），半夏瀉心湯，半夏白朮天麻湯，茯苓四逆湯，附子理中湯，苓甘姜味辛夏仁湯，苓姜朮甘湯

▷294処方中34処方（11.6%）

使用注意

目の充血や痔疾に乾姜を多量服用すると，患部の充血を促進するので，使用量に留意する。

呉茱萸（ゴシュユ）*Euodiae Fructus*〈日局18〉

ゴシュユ

基　原　ミカン科（*Rutaceae*）*Euodia officinalis* Dode（*Evodia. officinalis* Dode），*Euodia bodinieri* Dode（*Evodia bodinieri* Dode）またはゴシュユ *Euodia ruticarpa* Hooker filius et Thomson（*Evodia rutaecarpa* Bentham）の果実

産地：江西省，浙江省，広西

異名別名　呉萸（ごゆ），左力（さりょく），淡呉萸（たんごゆ）

選　品　味の極めて苦く，辛味の強いものを良品とする。六陳八新（ろくちんはっしん）*13 の1つであるが，古すぎて辛みのないものは良くない。帯緑褐色〜暗緑褐色で，ふっくらと果肉の充実したものが良い。未熟なものは良くない。また，果柄や小枝などの異物の少ないものが良い

貯蔵：精油の揮散を防ぐため，気密保存が望ましい

成　分　精油，トリテルペノイド（リモニン），アルカロイド（エボジアミン，ヒドロキシエボジアミン，デヒドロエボジアミン，ルテカルピン，ハイゲナミン），脂肪酸など

薬　理　抽出物：鎮痛，血流促進，セロトニンによる子宮収縮に対し拮抗

エボジアミン：強心

ルテカルピン：子宮収縮

デヒドロエボジアミン：子宮収縮，血圧降下，徐脈

ハイゲナミン：強い交感神経興奮

効能主治　性味：辛苦，温

帰経：肝，胃

効能：胃腸系を温める，止痛する，気を調える，湿邪*14 を除く

主治：突き上げるような嘔吐，呑酸（どんさん）*15，頭痛，冷えによる吐瀉，上腹部の脹りと痛み，脚気，疝気*16，口内炎，歯痛，湿疹，黄水瘡（おうすいそう）*17

引用文献　神農本草経：中を温め，氣を下し，痛を止め，欬逆（がいぎゃく）寒熱，湿血痺を除き，風邪を逐（お）い，腠理（そうり）を開くを主（つかさど）る

古方薬品考：湿を除き，寒を散ず

重校薬徴：嘔して胸満および吐利するものを主治す

古方薬議：中を温め，氣を下し，痛を止め，鬱を開き，滞を化し，嘔逆藏冷（おうぎゃくぞうれい）を除き，呑酸（どんさん），痰涎（たんえん），頭痛を治するを主る

現代における運用のポイント

- 止嘔作用

胃腸を温め，胃気*18 をめぐらし，冷えによる嘔気・胸やけを治す。

- 鎮痛作用

冷えによる胃痛・腹痛・腰痛・関節痛に用い，陽気をめぐらせ*5 身体を温め，止痛する。

- 治頭痛作用

温補利水作用により，胃中の寒邪*19 と水滞*6 を除き，頭痛を治す。

配合応用 呉茱萸＋桂枝：胃を温め，胸腹部の気逆*20 を治す（奔豚湯（肘後方），定悸飲）
呉茱萸＋生姜：胃を温め，胃内停水*11 を除き，止嘔する（呉茱萸湯，奔豚湯（肘後方））
呉茱萸＋当帰：胃腸系の冷えが原因となる四肢の冷え・血行障害を治す（温経湯，当帰四逆加呉茱萸生姜湯）
呉茱萸＋木瓜：寒湿*21 による脚気，下腹部が脹って冷痛するもの，吐瀉，腹部の引きつれを治す（鶏鳴散加茯苓）

配合処方 温経湯，延年半夏湯，九味檳榔湯（去大黄の変方），鶏鳴散加茯苓，呉茱萸湯，定悸飲，当帰四逆加呉茱萸生姜湯，奔豚湯（肘後方）
▷294 処方中 8 処方（2.7%）

山椒（サンショウ） *Zanthoxyli Piperiti Pericarpium* 〈日局 18〉

基　原 ミカン科（*Rutaceae*）サンショウ *Zanthoxylum piperitum* De Candolle の成熟した果皮で，果皮から分離した種子をできるだけ除いたもの
産地：奈良県，和歌山県，群馬県，韓国

異名別名 はじかみ

選　品 よく成熟して果殻（かかく）の両片が破れており，赤褐色で大きく，味が辛く香気の強いものを良品とする。古くなるほど香りが低下するので新しいものが良い。果殻の閉じているもの，種子の多いもの，果柄や葉の混入したものは良くない。大粒で粒の揃った香気の高いものが良く，1 年以上を経たものは香味ともに薄い。特に問題は香味の点で，とりわけカラスザンショウ，イヌザンショウの果皮とは外観と香気で区別する
貯蔵：保存はなるべく低温の場所が良く，長期の場合は密封保存が望ましい

成　分 精油（シトロネラール，リモネン），辛味成分（α-サンショオール，β-サンショオール，サンショアミド）など

薬　理 精油：駆虫，抗真菌
抽出物：腸血流量増加，殺線虫（せんちゅう）作用
サンショオール，サンショアミド：局所麻痺

効能主治 性味：辛，温

帰経：脾，肺，腎

効能：胃腸系を温め止痛する，湿を除き下痢を止める，寄生虫を下す，痒みを止める

主治：胃腸の冷えによる胃腹の冷痛，蛔虫症・蟯虫症による腹痛，嘔吐し水瀉性の下痢を起こすもの，肺の冷えによる喘咳，歯痛，陰部掻痒を伴う帯下，湿疹による皮膚掻痒

※【山椒と蜀椒について】を参照されたい

引用文献　神農本草経：邪氣，欬逆（がいぎゃく）を主（つかさど）る。中（ちゅう）を温め，骨節，皮膚の死肌（しき），寒熱痺痛を逐（お）い，氣を下す（蜀椒の項）

古方薬品考：中を温め，克（よ）く蚘蟲（かいちゅう）を征す（蜀椒の項）

古方薬議：中を温め，氣を下し，癥結（ちょうけつ）を破り，胃を開き，腹中冷而（しこう）して痛を主る（蜀椒の項）

配合応用　山椒＋烏梅：胃腸を温め，腹痛を止める。また駆虫作用を有す（椒梅湯）

山椒（または蜀椒）＋乾姜：胃腸系を温め，機能を促進する（大建中湯，中建中湯，当帰湯，解急蜀椒湯）

山椒（または蜀椒）＋人参：胃腸系を温め，腹痛を治す（大建中湯，解急蜀椒湯）

山椒＋白芷：温めて風寒*22の邪を発散し，鼻炎・鼻づまりなどの症状を治す（麗沢通気湯）

配合処方　＜294 処方中に山椒として配合されている処方＞椒梅湯，大建中湯，中建中湯，当帰湯，麗沢通気湯，麗沢通気湯加辛夷

▷294 処方中 6 処方（2.0%）

＜294 処方中に蜀椒として配合されている処方＞解急蜀椒湯

▷294 処方中 1 処方（0.3%）

＜294 処方中に犬山椒として配合されている処方＞楊柏散

▷294 処方中 1 処方（0.3%）

備　考　＜犬山椒について＞

同属生薬にイヌザンショウ *Z. schinifolium* Sieb. et Zucc. の果皮を基原とする犬山椒がある。中国では青椒（せいしょう）（青花椒（せいかしょう））と言われる。日本では打撲，捻挫などの湿布剤として知られるが，内服で鎮咳の効果もある。一般用漢方 294 処方中では外用薬である楊柏散のみに配合されている。ただし，生薬としての流通はない。なお，犬山椒は山椒で代用することも可能である。

【山椒と蜀椒について】

山椒と同じ効能を持つ同属生薬に，蜀椒（*Z. bungeanum* Maximowicz）がある。山椒は日本および朝鮮半島南部に自生するが，蜀椒は中国原産で，広く中国各地で産する。蜀椒は中国では花椒といわれ，『中華人民共和国药典 2020 年版』にも収載されている。両者は同属植物ではあるが，香りや味は微妙に異なる。

大建中湯（『金匱要略』収載）や当帰湯（『千金方』収載）は，原方ではいずれも蜀椒であって山椒ではない。わが国には蜀椒がなかったため，江戸時代に，山椒が蜀椒の代用として用いられるようになったが，蜀椒よりも，山椒の薬効がすぐれていたため，現在も山椒が代用されており，日局 18 にも山椒が収載されている。

蜀椒は，これまで医薬品として認められていなかったが，局外生規 2015 より医薬品として収載される

ことになった。薬効については，程度の差はあるが，山椒と蜀椒の効能自体はほぼ同じと考えられる（蜀椒の項 p. 83 参照）。

蜀椒（ショクショウ） *Zanthoxyli Pericarpium* 〈局外生規 2018〉

基　原　ミカン科（*Rutaceae*）*Zanthoxylum bungeanum* Maximowicz またはフユザンショウ *Z. armatum* De Candolle var. *subtrifoliatum* Kitamura の成熟した果皮で，果皮から分離した種子をできるだけ除いたもの

産地：四川省，山東省，雲南省，貴州省，甘粛省，陝西省

異名別名　花椒，大椒，秦椒，点椒，川椒，青椒，青花椒，南椒，巴椒，蓎藙，漢椒，点椒，山椒

選　品　粒が大きく赤紫色で，油性が強く，香りが濃厚で，辛みが強く麻痺感のあるもので，きめが細かく，果柄や枝，種子などの夾雑物の含まれないものが良品である。また，四川省産のものが最も香りが強いといわれる

貯蔵：高温で変色しにおいが薄れるため，低温で乾燥したところに保管する。長期保管の場合は気密保存が望ましい

成　分　精油（ゲラニオール，リモネン，クミンアルコール），ステロール，不飽和有機酸など

薬　理　抗菌，殺虫，鎮痛

効能主治　山椒の項（p. 81 参照）※【山椒と蜀椒について】も併せて参照されたい。

引用文献　山椒の項（p. 82 参照）

配合応用　山椒の項（p. 82 参照）

備　考　異名別名：蜀椒は，中国では一般に「花椒」と称され，『中華人民共和国葯典 2020 年版』にも収載されている。古来より蜀川地方（現在の四川省）に多く産したことから，「蜀椒」，「川椒」等の名称がある。なお，「花椒」は中華料理のスパイスとしても著名である。

丁子（チョウジ） *Caryophylli Flos* 〈日局 18〉

基　原　フトモモ科（*Myrtaceae*）チョウジ *Syzygium aromaticum* Merrill et Perry（*Eugenia caryophyllata* Thunberg）のつぼみ

産地：マダガスカル，ザンジバル，ブラジル

異名別名　丁香（ちょうこう），丁子香（ちょうじこう），支解香（しかいこう），雄丁香（ゆうちょうこう）

選　品　肥大し，丈夫で鮮紫褐色を呈し，芳香が強烈な油分の多いものを良品とする
貯蔵：香気を保つため，気密保存が望ましい

成　分　精油（オイゲノール），トリテルペノイド，ステロール類，タンニンなど

薬　理　抽出液：摘出心臓運動抑制，血管拡張
精油：腸管のぜん動運動促進，局所知覚麻痺
オイゲノール，アセチルオイゲノール：利胆，鎮静，鎮痙

効能主治　性味：辛，温
帰経：胃，脾，腎
効能：胃腸系および腎を温める[*23]，気の上逆[*24]を降ろす
主治：吃逆（きつぎゃく）[*25]，嘔吐，反胃[*26]，下痢，腹部冷痛，腹部の硬結，疝痛[*3]，真菌による皮膚疾患

引用文献　本草綱目：虚噦（きょえつ），小児の吐瀉，痘瘡（とうそう）の胃虚で灰白にして発せぬものを治す（丁香の項）

配合応用　丁子＋桂皮（肉桂）：温めて血行を促し，うっ血性の疾患を治す（治打撲一方，女神散）
※桂皮の代わりに肉桂を用いれば，さらに有効である
丁子＋柿蒂：胃を温め，上衝した気を下げ，しゃっくりを止める（柿蒂湯，丁香柿蒂湯）

配合処方　柿蒂湯，治打撲一方，丁香柿蒂湯，女神散（安栄湯）
▷294 処方中 4 処方（1.4%）

備　考　その他：チョウジ油は，口腔内殺菌剤として歯科領域での局所麻酔，鎮痛に用いる。

附子（ブシ）*Aconiti Radix*

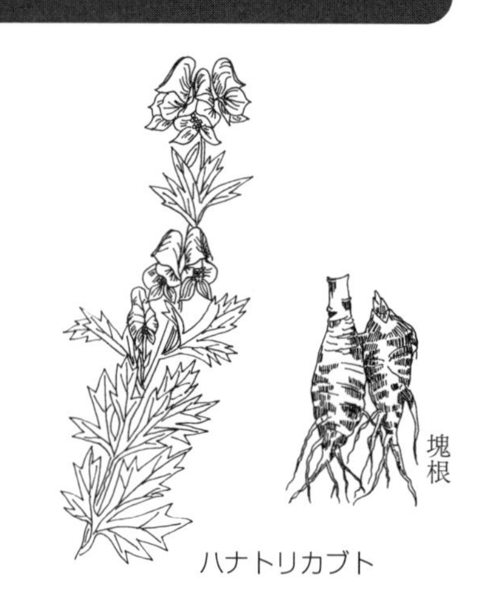

ハナトリカブト

基　原　キンポウゲ科（Ranunculaceae）①ハナトリカブト *Aconitum carmichaeli* Debeaux，またはオクトリカブト *A. japonicum* Thunberg の塊根，②炮附子はその塊根を減毒加工したもの
※日局 18 におけるブシの記載については p. 86 参照。なお，一般用漢方 294 処方においては，すべて局方に準じた加工附子を使用する。
産地：①北海道，新潟県，岩手県，四川省，湖北省，②四川省，湖北省，貴州省，広東省

異名別名　炮附子（ほうぶし），修治附子（しゅうちぶし），加工附子（かこうぶし），白河附子（しらかわぶし），烏頭（うず），川烏頭（せんうず），草烏頭（そううず），天雄（てんゆう），射罔（しゃもう）（備考参照）

選品　炮附子：切片が大きく均整で，黄褐色半透明で，堅硬なものが良品とされる。芯まで熱の通っているものが良い（芯の白いものは毒性が強い）
貯蔵：劇薬として保存する

成分　ジテルペン型アルカロイド：アコニチン系猛毒性（アコニチン），アチシン系低毒性（アチシン）。その他（ハイゲナミン，コリネイン）など

薬理　生附子の抽出液（冷浸液），抽出物：強い毒性（アコニチン類が関与），一過性の昇圧ののち降圧。附子の煎液：強心
アコニチン系アルカロイド：鎮痛（メサコニチン＞アコニチン＞ヒパコニチン）
アコニチン：心拍動の亢進→心蠕動→拡張期心停止，血管拡張，腸管収縮（高濃度で麻痺）
メサコニチン：交感神経終末の興奮（輸精管）。副交感神経節後繊維からアセチルコリンを遊離（腸管）
ハイゲナミン：強心
コリネイン：昇圧

効能主治　性味：辛甘，熱
帰経：心，脾，腎
効能：心・腎の陽気*[1]を補う，陽気をめぐらし*[5]，寒邪*[19]・湿邪*[14]を除く
主治：陽虚*[8]で悪寒の甚だしいもの，発汗過多による陽気の不足，下半身の冷えが甚だしく吐瀉するもの，腹部の冷痛，水腫*[27]，冷えによる下痢，脚気浮腫，小児の慢性引きつけ，風寒湿痺*[7]，下半身のけいれん・麻痺，一切の冷えによる疾病

引用文献　神農本草経：風寒，欬逆邪氣（がいぎゃくじゃき），温中，金瘡（きんそう）を主（つかさど）り，癥堅積聚（ちょうけんしゃくじゅ），血瘕（けっか）を破り，寒湿の踒躄（いへき），拘攣膝痛（こうれんしつつう）し，行歩能（あた）わざるを主る（附子の項）。中風（ちゅうふう），悪風（おふう），洗洗（せんせん）と汗出ずるを主り，寒湿痺（かんしっぴ），欬逆上氣を除き，積聚寒熱を破る（烏頭の項）
古方薬品考：裏を温め，痰を除き，水を利す
重校薬徴：水を逐（お）うことを主る。故に悪寒，腹痛，厥冷（けつれい），失精（しっせい），不仁（ふじん），身体骨節疼痛，四肢沈重痛（ちんじゅうつう）を治し，下痢，小便不利，胸痺，癰膿（ようのう）を兼治す
古方薬議：中を温め，寒を逐（お）ひ，虚を補ひ，壅（よう）を散じ，肌骨（きこつ）を堅くし，厥逆（けつぎゃく）を治し，百薬（ひゃくやく）の長と為す（附子の項）。寒湿痺を除き，積聚を破り，胸上の痰冷（たんれい），食下らず，心腹冷疾（れいしつ），臍間痛（さいかんつう），肩胛痛（けんこう）み俛仰（めんぎょう）すべからざるを消す（烏頭の項）

現代における運用のポイント

- **温補・回陽作用**
  陽気を補いめぐらし，身体を温め，冷えを除き，四肢厥冷（けつれい）*[10]を治す。
- **鎮痛作用**
  寒邪*[19]および湿邪*[14]による関節痛・筋肉痛・腰痛に用い，それらの邪を除き，気のめぐりを良くし，鎮痛する。

【参考】『傷寒論』における生附子[1]の用法
強心作用：少陰病*[28]・厥陰病（けっちんびょう）*[29]の心臓衰弱に用い，心臓機能を高めることにより，呼吸促迫・心臓性浮腫・四肢厥冷（けつれい）*[10]などを治す。

配合応用　附子＋乾姜：極度の新陳代謝低下，体温低下，四肢厥冷（けつれい）[*10]，脈微細にして絶えんとするもの[*12]を治す（四逆湯，四逆加人参湯）

附子＋甘草：冷えを除き，筋肉の緊張を緩和して，痛みを除く（甘草附子湯，芍薬甘草附子湯）

附子＋桂皮：体を温め，陽気を補い，寒湿[*21]の邪による腰膝の痛みや関節痛を治す（甘草附子湯，桂枝加朮附湯，八味地黄丸）

附子＋粳米：胃腸を温め，胃気[*18]を補い，強壮し，冷えによる腸鳴や腹痛を治す（附子粳米湯，解急蜀椒湯）

附子＋細辛：1）冷え症および悪寒を強く訴えるものの感冒，少陰病[*28]の発熱（熱感は少ない）・悪寒・脈沈・喘咳・全身倦怠感を治す（麻黄附子細辛湯）。2）冷えによる疼痛を鎮める（大黄附子湯）

附子＋蜀椒：胃腸系を温め腹痛を治す（解急蜀椒湯）

附子＋大黄：冷えの強い便秘を治す（大黄附子湯，※附子瀉心湯（ぶししゃしんとう））

附子＋人参：寒邪[*19]による胃腸機能の低下・腹痛・下痢を治す（附子理中湯）

附子＋白朮（または蒼朮）：体を温め，湿を除く作用を増強し，腰膝の痛みや関節痛を治す（桂枝加朮附湯，白朮附子湯）

附子＋茯苓：腎気[*30]を補い，水分代謝をはかり，小便不利[*31]，浮腫を治す（八味地黄丸，真武湯）

附子＋麻黄：1）陽気少なく悪寒の甚だしい感冒を治す（麻黄附子細辛湯）。2）身体を温め寒湿[*21]を除き，リウマチ・神経痛・麻痺を治す（桂枝芍薬知母湯，小続命湯）

配合処方　越婢加朮附湯，解急蜀椒湯，甘草附子湯，桂姜棗草黄辛附湯，桂枝越婢湯，桂枝加朮附湯，桂枝加苓朮附湯，桂枝芍薬知母湯，桂枝二越婢一湯加朮附，牛車腎気丸，四逆加人参湯，四逆湯，芍薬甘草附子湯，小続命湯，真武湯，大黄附子湯，大防風湯，当帰芍薬散加附子，八味地黄丸，白朮附子湯，茯苓四逆湯，附子粳米湯，附子理中湯，麻黄附子細辛湯，薏苡附子敗醤散

▷294処方中25処方（8.5%）

使用注意　一度に多量に服用すると，動悸・のぼせが起こり，次いで口唇や手足のしびれ感が起こる。さらに量が多いと，ひきつけ・けいれんなどを起こすことがある。口唇や手足のしびれ感がある時は，分量オーバーと考える。なお，中毒を起こした場合は，すぐに手当てを施せば，一般にすべて回復する。

備　考　効能：『傷寒論』中の附子の用法

附子は原則として，陰病[*32]に用いられるが，安全性を鑑み，生附子を用いるのは少陰病[*28]，厥陰病[*29]の重症危篤の者に限られる。四逆湯類がこれに当たるが，生附子を用いる時は必ず乾姜と甘草を配し，附子毒の解毒を配慮している。同じ陰病であっても，重症危篤でない場合は減毒した炮附子を用いるのを原則とする。

【日本薬局方における附子の規定】

ブシ　*Aconiti Radix Processa*

加工ブシ

本品は，ハナトリカブト *Aconitum carmichaeli* Debeaux またはオクトリカブト *A. japonicum* Thunberg の塊根を，1，2または3の加工法により製したものである。

1 高圧蒸気処理により加工する

2 食塩，岩塩または塩化カルシウムの水溶液に浸せきした後，加熱または高圧蒸気処理により加工する

3 食塩の水溶液に浸せきした後，水酸化カルシウムを塗布することにより加工する

1，2 および 3 の加工法により製したものを，それぞれブシ 1，ブシ 2，およびブシ 3 とする。

ブシ 1，ブシ 2，およびブシ 3 は定量するとき換算した生薬の乾燥物に対し，それぞれ総アルカロイド〔ベンゾイルアコニン（$C_{32}H_{45}NO_{10}$：603.70）として〕0.7～1.5%，0.1～0.6% および 0.5～0.9% を含む。

本品はその加工法を表示する。

（注）附子に関しては，日局 15 より以上の通り定められ，現在に至っている。局方記載の附子は，すべて減毒加工されたものを対象としており，炮附子，加工附子など現在「附子」という名称のつく品目は，概ねこの規定に沿うものとなっている。

【トリカブト類の日本における市場品目】

現在，日本で流通しているトリカブト類の品目には，ブシ（炮附子，加工附子など，トリカブトの塊根を減毒加工処理したものの総称），烏頭がある。

- ブシ：局方で規定されたトリカブトの塊根を減毒加工処理したもの。カタカナ表記とすることにより，生薬学的な意味での附子（トリカブトの子根のこと）と区別している。

市場品

ブシ 1：近年，日本で開発された加工方法で加工附子，修治附子の商品名で流通している。

ブシ 2：中国の黒順片，白附片に準じた加工方法で日本市場では炮附子と総称されている。

ブシ 3：白河附子と呼ばれた日本独自の方法に準じた加工方法で作られている。現在は，一部メーカーより販売されている。

- 烏頭：生薬学的には，トリカブトの母根のことをいうが，現在市場では，トリカブトの母根・子根にかかわらず，加熱・塩水に浸す等の減毒処理を行っていないものをいう。なお，烏頭の場合は，野性種のものも流通するので，ハナトリカブト，オクトリカブト以外の近縁種も流通する。

局方規格のブシの成分規格では有効性を示す総アルカロイド含量の下限値と上限値を設定して品質の安定性を確保し，毒性の強いアコニチン系ジエステルアルカロイド含量については上限値を設け，安全性を確保している。局方品ではない烏頭については，各社自主規格として厚生労働省に届出されている。なお，トリカブト類の生薬はすべて劇薬指定である。

参考までに，それぞれの修治法（減毒加工法）について記す。

- 炮附子：中国で加工されるものと日本で加工されるものがある。修治法は，各メーカーごとに多少異なっているが，減毒処理のため塩水や苦汁に浸す・加熱するなどの工程がある。中国では附子の修治の手法は多く，その名称も多い（白附片（はくぶへん），卦片（かけへん），熟片（じゅくへん），黄片（おうへん），黒順片（こくじゅんへん），鉋片（ほうへん）など）。日本にも若干輸入されているが，日本のブシの規格に合わないものも多く，規格に合うよう修治法などが調整されているケースも多い。
- 白河附子（に準じたもの）：白河附子とは日本独自の修治品である。江戸時代に，福島県白河で加工されていた。採取した生附子の泥や土を洗浄し，日干しを行った後，数日間食塩水に浸す。その後刻み，木灰にまぶして日干し乾燥させたものである。後に，木灰は石灰に代わった。当時は毒性に個体差があり安全性の面で問題があったが，今日では改良され，一部メーカーから販売されている。
- 加工附子（末）：1960 年代，大阪大学の高橋真太郎氏らによって考案された方法である。トリカブトの塊根を洗浄・乾燥し，外皮はむかず，オートクレーブを用いて加圧加熱処理を行う。これにより，毒性の強いジエステル型アルカロイドがモノエステル型に転化し，毒性が 1/150 以下に低減されるが附子の持つ強心性成分はほとんど溶出されない（江戸時代の白河附子等の修治法では，修治の際に強心成分が溶出していた）。さらに，現在では総アルカロイド量や，アコニチン系アルカロイド量が一

定になるようにした栽培品種が育成されている。また品質の安定を図るために，粉末および錠剤として製剤化されている。メーカーの特許品であったが，製法特許期限が切れたことにより，現在では数社より製造・販売されている。なお，日局18には「ブシ末」の収載があり，加工ブシ末の加工法および総アルカロイド量について規定している。これ以外に，塩附子というものも以前は存在していたが日本市場での流通はない。

【参考】

塩附子（えんぶし）：中国においてほとんどの炮附子の材料は塩附子であり，このままでも処方される。日本でもかつてはこのままで処方されたが，現在では，毒性が強いためにこのままで使用されることはなく，流通もない。

塩附子の修治法：新鮮附子100斤を加工するには，食塩25斤と苦汁（原名胆水）40斤を混ぜて液汁とし，新鮮な附子を瓶の中に入れて15日間浸す。最初の数日間は，毎日取り出しては数時間太陽にさらして瓶に戻し，以後6〜7日間は日中は太陽にさらして晩は浸す。浸す期間中は継続して苦汁と食塩を若干加える。最終的に100斤の新鮮な附子は加工後120斤の塩附子となる。

良姜（リョウキョウ）*Alpiniae officinarum Rhizoma*〈日局18〉

基　原　ショウガ科（*Zingiberaceae*）*Alpinia officinarum* Hanceの根茎

産地：広東省

根茎

異名別名　高良姜（こうりょうきょう），高良薑（こうりょうきょう）

選　品　色が赤茶色でよく肥厚し，充実し重質なもの，繊維性の少ないものを良品とする。黒みを帯びたものや，やせて細いもの，軽質なものは良くない。また，芳香性で辛く，微粉でも鼻粘膜を刺激するものが良品である

貯蔵：精油の揮散を防ぐため，気密保存が望ましい

成　分　精油（1,8-シネオール，ケイヒ酸メチルエステル，オイゲノール，ピネン），フラボノイド（ガランギン，ケンフェリド），辛味成分（ガランゴール）など

薬　理　抽出液：抗菌

芳香・辛味成分：消化促進

抽出物：抗潰瘍，抗腫瘍

効能主治　性味：辛，温

帰経：脾，胃

効能：胃腸系を温める，風邪（ふうじゃ）*33を除く，体を温め寒邪*19を除く，気をめぐらす，止痛する

主治：寒邪による胃腸系の感冒，胃腸の冷え，上腹部の冷痛，吐き下し，噎膈（えつかく）*34，反胃*26，飲食の停滞，マラリア，冷え症

引用文献　本草綱目：脾胃を健やかにし，噎膈を寛（ゆるや）かにし，冷癖（れいへき）を破り，瘴瘧（しょうぎゃく）を除く（高良薑の

項）

配合応用 良姜＋茴香：胃腸を温め，腹部冷痛および冷えによる消化機能低下を治す（安中散，丁香柿蒂湯）

良姜＋延胡索：冷えを除き，筋肉・関節の緊張を解き，痛みを治す（安中散）

良姜＋縮砂：胃腸の冷えを除き，鎮痛する（安中散，丁香柿蒂湯）

配合処方 安中散，安中散加茯苓，丁香柿蒂湯

▷294 処方中 3 処方（1.0%）

＊1：p. 255 参照　＊2：→温補腎陽法 p. 272 参照　＊3：腹部の激しい痛み（鼠径ヘルニアなど）　＊4：p. 271 参照　＊5：沈滞している活動エネルギー（気）を活性化してめぐらせること　＊6：p. 266 参照　＊7：p. 281 参照　＊8：p. 255 参照　＊9：脾胃の機能低下に冷えが伴った状態　＊10：手足の末端から冷えが突き上げてくる状態　＊11：p. 276 参照　＊12：脈が細く，弱く，絶えんばかりの状態。陽気の不足による衰弱を示す脈状　＊13：六陳とは，呉茱萸・半夏・陳皮（橘皮を含む）・枳実・麻黄・狼毒の 6 種で，採集してからある一定期間経過して古くなったものが良いとされる。八新とは，紫蘇・薄荷・菊花・赤小豆・槐花・桃花・沢蘭・款冬花の 8 種をいい，これらは新しいものが良いとされる　＊14：p. 284 参照　＊15：胃酸が込み上げてくる状態　＊16：腹部の激しい痛み（鼠径ヘルニアなど）　＊17：黄色の滲出液を伴うできもの　＊18：→臓器を冠する気 p. 263 参照　＊19：p. 281 参照　＊20：p. 264 参照　＊21：p. 282 参照　＊22：p. 281 参照　＊23：→温胃法 p. 277 参照，温補腎陽法 p. 272 参照　＊24：p. 264 参照　＊25：しゃっくり　＊26：p. 277 参照　＊27：p. 266 参照　＊28：p. 262 参照　＊29：p. 262 参照　＊30：→臓器を冠する気 p. 263 参照　＊31：小便が出にくい状態　＊32：三陰三陽論において，熱の証候より寒の証候が勝っているもの。太陰病，少陰病，厥陰病がこれに当たる。p. 262 参照　＊33：p. 280 参照　＊34：のどがつまる病

1）減毒していない生の附子。現在の日本では用いられることはない

VI 温病補陰薬

温病補陰薬の陰とは，中医学または後世方において津液*1および血液などの身体の構成成分を示す。すなわち陰虚とはこれらの構成成分が不足した状態を言い，津液が不足すれば，粘膜は乾燥しやすくなり炎症を起こしやすくなる。また血液においては粘着性を帯びてくるので，やはり発熱しやすい状態となる。

したがって補陰薬とは，これらの身体の構成成分を補うことを目的とした薬物であり，多くの場合その結果として炎症を鎮めることが可能である。

粳米（コウベイ） *Oryzae Fructus* 〈日局 18〉

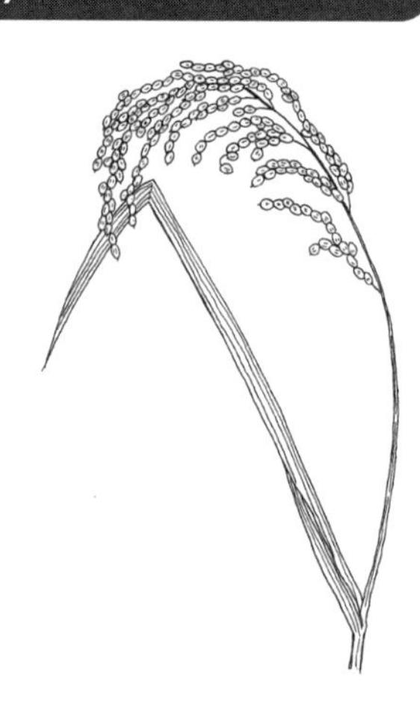

基原 イネ科（*Gramineae*）イネ *Oryza sativa* Linné の果実

産地：日本各地

異名別名 硬米，大米，玄米

選品 玄米を用いる。充実した重いものが良品である

貯蔵：虫害の恐れがあるため低温の場所で保管する

成分 デンプン，タンパク質，脂肪など

薬理 抽出液：抗腫瘍

効能主治 性味：甘，平

帰経：脾，胃

効能：胃腸系を補い気を益す，脾を調え胃を和す*2，煩渇*3を除く，下痢を止める

主治：津液不足*4，煩渇，表虚*5による自汗*6，脾胃虚弱，下痢

引用文献 名医別録：氣を益し，煩を止め，洩を止むを主る

古方薬品考：専ら胃を養い保つの長なり

古方薬議：煩を止め，洩を止め，胃氣を和し，血脈を通じ，中を温む

現代における運用のポイント

- 補津作用

  津液*1を補い，炎症を鎮め，口渇を治す。

- 補気作用

  胃気*7を補い，食欲を増進し，強壮をはかる。

配合応用 粳米＋乾姜：冷えて体力の低下したものを治す（※桃花湯（とうかとう））
粳米＋石膏：高熱時に起こる消渇（しょうかち）*8，煩熱*9 を治す（白虎湯）
粳米＋麦門冬：胃および咽喉・肺の津液*1 を補い，鎮咳去痰する（麦門冬湯，竹葉石膏湯，補肺湯）
粳米＋附子：胃腸を温め，胃気*7 を補い，強壮し，冷えによる腸鳴や腹痛を治す（附子粳米湯，解急蜀椒湯）

配合処方 解急蜀椒湯，竹葉石膏湯，麦門冬湯，白虎加桂枝湯，白虎加人参湯，白虎湯，附子粳米湯，補肺湯
▷294 処方中 8 処方（2.7%）

備　考 基原：食用の日本産玄米を薬用に転用している。

地黄（ジオウ）／乾地黄（カンジオウ） *Rehmanniae Radix* 〈日局 18〉

基　原 ゴマノハグサ科（*Scrophulariaceae*）①アカヤジオウ *Rehmannia glutinosa* Liboschitz var. *purpurea* Makino または② *R. glutinosa* Liboschitz の根
産地：①奈良県，長野県，北海道，韓国，②河南省，山西省

R. glutinosa Liboschitz

異名別名 地髄（ちずい），原生地（げんしょうじ），乾生地（かんしょうじ），苄（こ），芑（き）

選　品 通例，乾地黄を用いる。肥大し柔軟で，丸味があり，皮部が薄く，内面が暗褐色で色むらのないもの，味はやや甘く，のち苦いものが良品である。『傷寒論』には生地黄（しょうじおう）というものがあるが，これは畑より掘り出した生のものを言い，市場性はほとんど少ない（鮮地黄（せんじおう）とも言う）
貯蔵：カビ，虫がつきやすいので，風通しの良い乾燥した場所に保管する

成　分 イリドイド配糖体（カタルポール），ヨノン配糖体，フェネチルアルコール配糖体など　※熟地黄ではカタルポールは検出されない。

薬　理 抽出物：血糖降下，強心，血圧上昇，少量で血管収縮，大量で血管拡張，強心と腎血管拡張作用に基づく利尿
メタノールエキスの配糖体画分（カタルポール画分）：血糖降下
カタルポール：瀉下，利尿

効能主治 性味：甘苦，涼
帰経：心，肝，腎
効能：津液（しんえき）*1 と血を滋養し，清熱*10 する
主治：陰虚発熱*11，糖尿病，吐血，鼻出血，不正子宮出血，月経不順，胎動不安，乾燥性便秘

引用文献 神農本草経：折跌絶筋（せってつぜっきん），傷中を主（つかさど）り，血痺を逐（お）い，骨髄を塡（てん）じ，肌肉を長ず。湯（とう）を作りて寒熱積聚（しゃくじゅ）を除き，痺を除く。生はもっとも良い（乾地黄の項）

古方薬品考：滋補，熱を解し，瘀を消す（生苄の項）。血腑を清涼にす（生地黄汁の項）。血を滋し，虚を補うを主る（乾地黄の項）

重校薬徴：血証および水病を主治す（地黄の項）

古方薬議：寒熱積聚を除き，痺を除き，大小腸を利し，血脈を通じ，驚悸，労劣，吐血，鼻衄，婦人崩中，血運を治す（生地黄の項の乾地黄の部分）

現代における運用のポイント

- **滋陰*12・清熱*10作用**
  よく津液*1・血を補い，清熱し，乾燥性の咳を止める。主に，津液不足*4の体質に用いる。
- **止血作用**
  種々の出血性疾患に用い止血する

配合応用

（乾）地黄＋阿膠：1）陰虚証の者のるい痩・咳嗽・心煩*13・不眠・心悸亢進を治す（炙甘草湯）。2）止血作用を増強する（芎帰膠艾湯）

（乾）地黄＋黄芩：1）温病*14性の疾患の際に見られる口乾・舌質の深紅*15・便秘・不眠を治す。血熱*16による痒みの強い皮膚病を治す（三物黄芩湯）。2）胃熱による口中の津液不足*4および炎症を治す(加減涼膈散(龔廷賢))

（乾）地黄＋艾葉：血熱*16のために生ずる吐血・鼻出血・血尿・痔出血を治す（芎帰膠艾湯）

（乾）地黄＋玄参：陰虚発熱*11による咽乾・心煩*13・手足の煩熱*9・紅舌・脈細数*17を治す。温病*14による熱が激しいため津液不足*4となって起きる煩渇*3・煩躁*18不安・舌質絳色*19を治す（清熱補血湯，※養陰清肺湯）（外用）滋潤*20して腫れを治す（神仙太乙膏）

（乾）地黄＋牛膝：腎を補い，炎症を鎮め，麻痺・シビレ・痛みを除く（牛車腎気丸，加味四物湯）

（乾）地黄＋山茱萸：腎を補い，強壮をはかり，肝腎陰虚*21によって起きるめまい・耳鳴り・腰膝のだるさや無力感・遺精・頻尿・寝汗を治す，また陽痿*22を治す（八味地黄丸，六味丸）

（乾）地黄＋山薬：陰虚による寝汗・熱感・口乾・疲労感を治す（八味地黄丸，六味丸）

（乾）地黄＋芍薬＋当帰：血虚*23によるめまい，月経出血の少ないもの，および各種の血虚証を治す（芎帰膠艾湯，四物湯）

（乾）地黄＋知母：内熱*24また津液不足*4による口腔・鼻腔・耳・皮膚・関節などの炎症を治す（消風散，滋腎通耳湯）

（乾）地黄＋当帰：1）婦人の貧血を伴う動悸，健忘，神経衰弱，不眠症，月経不順，月経痛，不妊症を治す（温清飲，四物湯）。2）血・津液*1を補い，皮膚や粘膜を潤し，陰虚発熱*11による炎症やできものなどの症状を治す（加減涼膈散（龔廷賢），当帰飲子，麻子仁丸，神仙太乙膏：外用）

（乾）地黄＋人参：補血をはかり，滋潤*20し，貧血を治す（十全大補湯）

（乾）地黄＋百合：陰虚発熱*11による煩燥，虚煩*25による不眠を治す(※百合地黄湯)

（乾）地黄＋牡丹皮：1）駆瘀血（くおけつ）[*26]し，血熱[*16]をさまし，炎症を鎮める（清熱補血湯）。2）うっ血による煩悶感を伴う熱感・手足のほてりを治す（八味地黄丸）

配合処方　<294処方において地黄として配合されている処方>温清飲，加減涼膈散（龔廷賢），葛根紅花湯，加味温胆湯，加味四物湯，加味逍遙散加川芎地黄（加味逍遙散合四物湯），芎帰膠艾湯，芎帰調血飲，芎帰調血飲第一加減，荊芥連翹湯，杞菊地黄丸，牛車腎気丸，五淋散，柴胡清肝湯（散），三物黄芩湯，滋陰降火湯，滋血潤腸湯，滋腎通耳湯，七物降下湯，四物湯，炙甘草湯，十全大補湯，消風散，神仙太乙膏，清熱補血湯，洗肝明目湯，疎経活血湯，大防風湯，知柏地黄丸，猪苓湯合四物湯，当帰飲子，独活葛根湯，人参養栄湯，八味地黄丸，味麦地黄丸，竜胆瀉肝湯，連珠飲，六味丸（六味地黄丸）

▷294処方中38処方（12.9%）

※一般用漢方294処方では，甘露飲，滋腎明目湯，潤腸湯以外の地黄を含む38処方には乾地黄と熟地黄の区別が明記されていない。この38処方に関しては，用途によって適宜使い分ける必要がある。

<294処方において乾地黄（地黄）・熟地黄の両方が配合されている処方>甘露飲，滋腎明目湯，潤腸湯

▷294処方中3処方（1.0%）

※一般用漢方294処方では，熟地黄のみの配合とした処方はない

使用注意　消化作用を抑制する欠点があるので，しばしば人参剤と併用する。

備　考　基原：1. 一般用漢方294処方中では，乾地黄，熟地黄の両者が配合される場合を除き，乾地黄，熟地黄の区別はしていない。しかし，両者は効能に違いのあることから，ここでは区別して記載した。なお，方剤書等においてもこの両者の区別は時代とともに変遷している。したがって，同一処方においても時代によって，熟地黄が用いられたり乾地黄が用いられたりする場合がある。

2. 乾地黄と熟地黄はそれぞれの処方において異なった効果をめざして使用される。調整加工の過程で成分上の変化が見られるため，特徴を良く理解して利用することが必要である。

効能：1.『傷寒論』『金匱要略』においては熟地黄は存在せず，乾地黄と生地黄（現在でいう鮮地黄）が用いられている。熟地黄が初出するのは宋代の『本草図経（ほんぞうずきょう）』においてである。このころ，生や生を乾したものは身体を冷やすとして，虚証の甚だしいものには蒸して乾した熟地黄が用いられた。現代の中薬学では，鮮地黄と乾地黄は同様に清熱涼血薬[*27]として用いられるが，その中でも鮮地黄は清熱[*10]効果，乾地黄は滋陰[*12]効果が高いとされている。熟地黄は補血薬として分類され，鮮地黄・乾地黄とは効能が明確に分れている。したがって同一処方においてもその目的によって，乾地黄と熟地黄を使い分けることが望ましい。また現在日本では，鮮地黄は一般に流通がないため，生地黄（鮮地黄）を用いる処方においては乾地黄で代用する。※【古典における生地黄・乾地黄・熟地黄の区別と変遷】p. 94参照

2. 近年，地黄自体に血糖降下作用が認められ，注目されている。その際には天門冬や枸杞子を配合したものをベースに用いるとさらに効果がある。

【古典における生地黄・乾地黄・熟地黄の区別と変遷】

- 『神農本草経』『傷寒・金匱』の時代には，地黄は，生地黄（新鮮根）と乾地黄（生を乾したもの）の2種が存在した。また生の地黄は搗（つ）いて地黄汁として用いられることが多かった。
- 時代が下るにつれ，乾地黄の製法は生を乾したもの（生乾）と蒸して乾かす（蒸乾）製法の2種に分かれ，唐代では2者は効能上区別されるようになった。
- 宋代に至り蒸乾によるものは熟地黄と呼ばれるようになった。また製法も酒で蒸すなど，より工夫された形となった。また，甚だしい虚証の場合は生や生乾のものではなく熟地黄を用いることとされた。この生および生乾のものと熟地黄との使い分けは地黄の効能における大きな違いとなった。
  また，この時代には，誤認を避けるためか生乾地黄，熟乾地黄という呼び方も登場している。
- 金元以降の本草書では，地黄は効能の違いにより，生地黄と乾地黄の2種ではなく，生地黄と熟地黄の2種として区別されるようになった。すなわち生地黄（生および生乾）と，熟地黄（蒸乾）に分けたのである。ただし，この当時は新鮮根が手に入りにくかったと考えられるため，生地黄は，多くは生乾のものを指している可能性が高い。そしてこの後，生地黄と熟地黄という区別は継承された。
  ※なお，注意すべき点として，この頃の本草書では，熟地黄の効能として『神農本草経』『名医別録』の乾地黄の条文が当てられているので誤認しないように留意する。
- 明代，李時珍は『本草綱目』において当時の本草書と『神農本草経』『名医別録』との齟齬を正すために，生地黄（新鮮根）・乾地黄（生乾）・熟地黄（蒸乾）の3者の区別と効能の違いを改めて明確にすることを試みている。
- 現代中医学では，鮮地黄（新鮮根），生地黄（乾地黄：生を乾したもの），熟地黄（酒などを用いて乾地黄を蒸乾したもの，または何度も蒸乾したもの）に分けている。
  生地黄という名称は，乾地黄を指すことが多いが，鮮地黄・乾地黄を包括して指す場合や，鮮地黄だけを指す場合もあるので，その意味する所を確認する必要がある。
- 日本では，現在乾地黄と熟地黄が用いられており，鮮地黄が用いられることはほとんどない。なお，日局16の第一追補より，ジオウの項に「アカヤジオウ *Rehmannia glutinosa* Liboschitz var. *purpurea* Makino 又は *Rehmannia glutinosa* Liboschitz の根（乾ジオウ）又はそれを蒸したもの（熟ジオウ）」と，乾地黄と熟地黄を区別する記載がされるようになった。

石斛（セッコク） *Dendrobii Caulis*

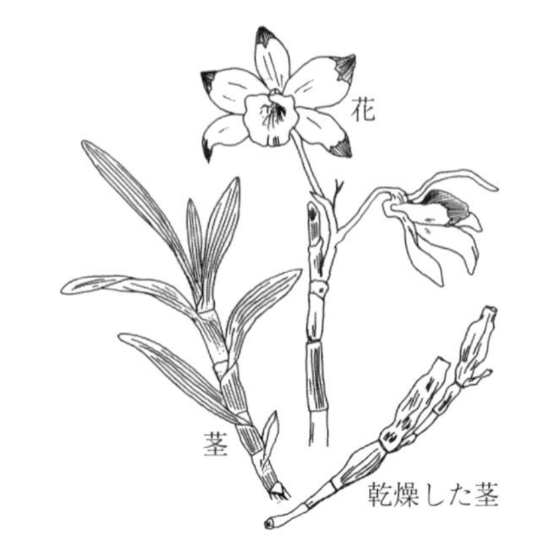

基　原　ラン科（Orchidaceae）*Dendrobium nobile* Lindl., *D. chrysotoxum* Lindl, *D. fimbriatum* Hook およびその他同属植物の茎

産地：雲南省，浙江省，ベトナム

異名別名　鮮石斛（せんせっこく），乾石斛（かんせっこく），金石斛（きんせっこく），金釵石斛（きんさせっこく），川石斛（せんせっこく），耳環石斛（じかんせっこく），楓斗（ふうと），千年潤（せんねんじゅん），黄草（おうそう），乾石斛（かんせっこく），細石斛（さいせっこく），霍山石斛（かくざんせっこく），霍石斛（かくせっこく），楓頭（ふうとう），霍頭（かくとう）

選　品　金黄色で，光沢があり，質が均一，緻密で柔らかく，噛んだ時に粘りがあり残渣の残らないものを良品とする。耳環石斛（茎を加工して，バネ状やらせん状に曲げたもの）は黄緑色で充実したもの

を良品とする

貯蔵：カビを防ぐため，乾燥した場所に保管する

成　分 セスキテルペンアルカロイド：デンドロビン，ノビリン，6-ヒドロキシデンドロビン，ノビロニン，デンドロキシン，デンドリンなど

薬　理 デンドロビン：弱い鎮痛，解熱

抽出液：心臓の拍動抑制，胃液分泌・胃腸蠕動促進

効能主治 性味：甘，微寒

帰経：胃，肺，腎

効能：津液[*1]を生じ，胃を益す[*28]。陰分[*29]を養い，清熱[*10]する

主治：熱病により津液が損耗したもの，煩渇[*3]，胃中の津液不足[*4]による胃痛，病後で体力がなく発熱するもの，陰分不足により目の見えにくいもの

引用文献 神農本草経：中を傷(やぶ)るを主る，痺を除き，氣を下し，五蔵を補い，虚労羸痩(るいそう)を主り，陰を強める

> **現代における運用のポイント**
>
> • 補津清熱作用
>
> 津液[*1]を補い，肺，脾，腎の炎症を治す。

配合応用 石斛＋麦門冬：胃の津液[*1]を補い，口中の炎症を治す（甘露飲）

配合処方 甘露飲

▷294 処方中 1 処方（0.3%）

備　考 基原：1. 石斛はラン科の植物を基原としており，ワシントン条約でその国際取引は厳しく規制されている。現在，主な生産国の中国，ベトナムなどでは輸出に栽培証明などが必要となるため，日本国内への輸入が止まっている。また国内での流通もほとんどない。

2. 石斛の種類は多く，現在中国に流通している品種は主に以下のものがある。

・铁皮(てっぴ)石斛 *Dendrobium officinale* K. Kimura et Migo

・紫皮石斛 *Dendrobium devoninum* Paxt

・黄草石斛 *Dendrobium rotundicaulis*

・金钗(きんさ)石斛 *Dendrobium nobile* Lindl.

・有瓜石斛 *Dendrobium flabellum* Reichb.

・马鞭(ばべん)石斛 *Dendrobium chrysanthum* Wall.

3. 日本ではあまり用いられないが，生の石斛を用いる場合もある。鮮石斛という。種類により鮮石斛，鮮金石斛，鮮金釵，鮮鉄皮石斛などの名称がある。黄緑色，充実して多汁，かむと粘るものを良品とする。

天門冬（テンモンドウ） *Asparagi Radix*〈日局 18〉

基　原 ユリ科（*Liliaceae*）クサスギカズラ *Asparagus cochinchinensis* Merrill の根被[*30]の大部分を除いた根を，湯通しまたは蒸したもの

産地：貴州省，四川省，広東省，雲南省

異名別名　天冬（てんとう）

選　品　肥大充満し，質がち密で，黄色でアメ色の半透明なものが良品である。また，秋よりも冬に掘ったもののほうが質が密であることから好まれる。細長く，やせて黄褐色で不透明なものは劣る

貯蔵：吸湿しやすいので，低温で湿度の低い場所に保存するのが望ましい

成　分　ステロイドサポニン（Asp-Ⅳ′～Ⅶ′），デンプンなど

薬　理　抽出液：抗菌，殺虫

効能主治　性味：甘苦，寒

帰経：肺，腎

効能：津液（しんえき）*1を補い，咽燥を治す，肺の津液を補い炎症を鎮める

主治：陰虚発熱*11，咳嗽時の吐血，肺膿瘍，肺壊疽，咽喉の腫れ痛み，口渇を伴う病（糖尿病など），乾燥性便秘

引用文献　神農本草経：諸（もろもろ）の暴風湿で偏痺（へんぴ）するものを主（つかさど）る。骨髄を強くし，三蟲（さんちゅう）を殺し，伏尸（ふくし）を去る

名医別録（めいいべつろく）：肺の氣を保定し，寒熱を去り，肌膚（きふ）を養ひ，気力を益し，小便を利す。冷にして能（よ）く補う

本草綱目：燥を潤し，陰を滋し，金を清し，火（か）を降ろす

配合応用　天門冬＋地黄：陰分*29を補い，粘膜を潤し，炎症を治す（滋陰降火湯，甘露飲）

※場合により，熟地黄と乾地黄を使い分ける（詳細は乾地黄の備考 p. 93 参照）

天門冬＋麦門冬：肺の津液*1を補い，肺燥を治し，鎮咳去痰をはかる（滋陰降火湯，清肺湯）

配合処方　甘露飲，滋陰降火湯，清肺湯

▷294処方中3処方（1.0%）

土別甲（ドベッコウ）*Amydae Testudo*〈局外生規 2018〉

基　原　スッポン科（*Trionychidae*）スッポン *Amyda japonica* Temmink et Schlegel またはシナスッポン *A. sinensis* Wiegmann の背甲

産地：中国各地；インドネシア

異名別名　別甲（べっこう），鼈甲（べっこう）

選　品　大きく，甲が厚く，残肉がなく，きれいで臭みのないものを良品とする

成　分　ケラチンなど

効能主治　性味：鹹（かん），平

帰経：肝，脾

効能：滋陰*12し，清熱*10する，肝機能を調えて肝風内動*31を治す，胸腹部の硬結を和らげ止痛する，瘀血*32により堅くなった腫瘍などを軟化させる

主治：骨蒸労熱*33，肝風内動によるけいれん発作，慢性マラリアによる脾臓肥大の諸症状，腹部の硬結，月経閉止，不正子宮出血，小児の引きつけ

引用文献　神農本草経：心腹癥瘕，堅積寒熱を主り，痞，息肉，陰蝕，痔，悪肉を去る（鼈甲の項）

古方薬議：心腹癥瘕，堅積寒熱を主り，痞を去り，温瘧を療す（鼈甲の項）

配合応用　土別甲＋枳実：胸腹部の脹痛を除く（延年半夏湯，解労散）

土別甲＋柴胡：滋陰*12清熱*10し，肝胆の炎症を鎮める（解労散）

配合処方　延年半夏湯，解労散

▷294 処方中 2 処方（0.7%）

備　　考　基原：ベッコウ細工に用いられるベッコウは，ウミガメ科のタイマイ（玳瑁）*Eretmochelys imbricata*（Linnaeus）の甲羅のことで，薬用の別甲とは異なる。

麦門冬（バクモンドウ）*Ophiopogonis Radix*〈日局 18〉

基　　原　ユリ科（*Liliaceae*）ジャノヒゲ *Ophiopogon japonicus* Ker-Gawler の根の膨大部

産地：四川省，浙江省

異名別名　小葉麦門冬，川麦冬，杭麦冬，麦冬

選　　品　一般には肥大しているものが好まれるが，小さくても潤いのあるものが良い。新しく，肥えていて柔らかく，心部が細く，色は白く（淡黄色）光沢があり，噛むと粘り気があり，味の甘いものを良品とする

貯蔵：湿度が高いと黒く変色するので，乾燥した場所で保存するのが望ましい

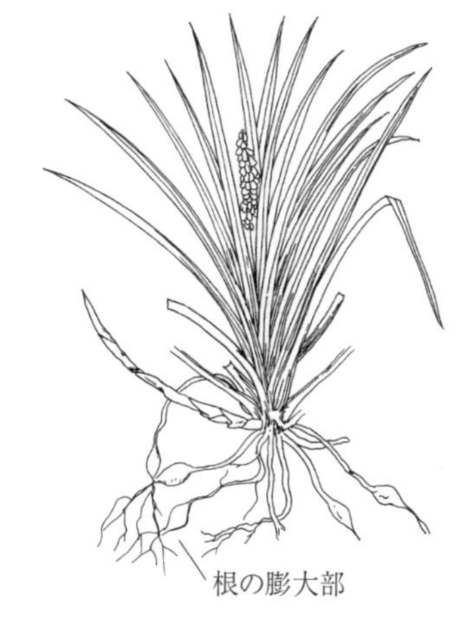

成　　分　ボルネオール，ステロイドサポニン（オフィオポゴニン A～D），ホモイソフラボノイド，多糖類など

薬　　理　抽出物：血糖降下。オフィオポゴニン類：咳反射抑制

効能主治　性味：甘微苦，寒

帰経：肺，胃，心

効能：咽喉および肺の津液*1を補い，胸部の煩悶感を除き，咳を止め，痰を除く

主治：肺の津液不足*4による乾咳，吐血，喀血，気胸，肺癰*34，虚労*35による煩熱*9，熱病による体液損耗，咽乾口燥，乾燥性便秘

引用文献　神農本草経：心腹結氣し，傷中傷飽，胃の絡脈絶し，羸痩し短氣するを主る

古方薬品考：中を補い，上衝を降瀉す

古方薬議：心腹の結氣，胃の絡脈絶ち，羸痩，短氣，客熱，口乾燥渇するを主り，嘔吐

を止め，痰飲を下し，肺痿吐膿（はいいとのう）を治す

💡現代における運用のポイント

- 鎮咳・去痰作用
  乾燥性の咳嗽・粘痰に用い，肺の津液を潤し*36，鎮咳去痰をはかる。
- 滋陰*12・清熱*10作用
  体内の津液を補い，口渇を止め，陰虚発熱*11による寝汗を治す。

配合応用 麦門冬＋阿膠：血虚*23から陰虚発熱*11を起こしたものに対し，陰分*29を補い，皮膚粘膜を滋潤*20し，手足のほてりや口中の乾きを治す（温経湯）

麦門冬＋玄参：津液*1を補う（清熱補気湯，清熱補血湯）

麦門冬＋粳米：胃および咽喉・肺の津液を補い，鎮咳去痰する（麦門冬湯，竹葉石膏湯，補肺湯）

麦門冬＋五味子：肺の津液を補い，肺気虚による喘咳を治す（清肺湯，麦味地黄丸，扶脾生脉散，補肺湯）

麦門冬＋地黄：陰分*29を補い，粘膜を潤し，炎症を治す（滋陰降火湯，甘露飲）
※場合により熟地黄と乾地黄を使い分ける（詳細は乾地黄の備考 p. 93 参照）

麦門冬＋竹葉：肺の津液を補い，炎症を鎮め，鎮咳し去痰を促す。肺結核，慢性気管支炎，慢性咽喉炎などに用いる（竹葉石膏湯）

麦門冬＋天門冬：肺の津液を補い，肺燥を治し，鎮咳去痰をはかる（滋陰降火湯，清肺湯）

麦門冬＋人参：胃および肺の津液を補い，煩躁*18を治す（竹茹温胆湯，麦門冬湯，清暑益気湯，外台四物湯加味，竹葉石膏湯）

麦門冬＋貝母（川貝母）：肺の津液を補い，鎮咳，去痰する（外台四物湯加味，滋陰至宝湯）
※この場合は川貝母の方が効果が増強される（貝母の項 p. 229 参照）

麦門冬＋半夏：胃気*7を調え，津液を補い，鎮咳去痰し，突き上げるような咳を止める（麦門冬湯，竹葉石膏湯）

麦門冬＋枇杷葉：鼻・咽頭部・口中の津液を補い，炎症を鎮める（辛夷清肺湯，甘露飲）

配合処方 温経湯，加味四物湯，甘露飲，外台四物湯加味，滋陰降火湯，滋陰至宝湯，炙甘草湯，辛夷清肺湯，清肌安蛔湯，清上蠲痛湯（駆風触痛湯），清暑益気湯，清心蓮子飲，清熱補気湯，清熱補血湯，清肺湯，竹茹温胆湯，竹葉石膏湯，釣藤散，麦門冬湯，扶脾生脈散，補気健中湯（補気建中湯），補肺湯，味麦地黄丸
▷294 処方中 23 処方（7.8%）

備　考 基原：韓国，中国湖北省の麦門冬はコヤブラン *Liriope spicata* Lour. を基原とし，局方品とは属が異なる。

百合（ビャクゴウ） *Lilii Bulbus*〈日局 18〉

基　原　ユリ科（*Liliaceae*）オニユリ *Lilium lancifolium* Thunberg，ハカタユリ *L. brownii* F.E. Brown var. *colchesteri* Wilson，L. brownii F.E. Brown または *L. pumilum* De Candolle のりん片葉を，通例，蒸したもの

産地：湖北省，湖南省，江西省

異名別名　白百合（はくびゃくごう）

選　品　一様に肉厚で黄白色，半透明で堅く，充実したものを良品とする

貯蔵：虫害に留意する

成　分　デンプン，タンパク質，脂肪，アルカロイド（コルヒチン）など

薬　理　抽出液：鎮咳

効能主治　性味：微苦，平

帰経：心，肺

効能：肺の津液を潤し*36 去痰止咳する，肺の炎症を鎮める，精神安定作用を有す

主治：肺結核の久咳（きゅうがい）*37，咳唾（がいだ）血痰，熱病の余熱の下がらないもの，虚煩（きょはん）*25，驚悸（きょうき）*38，精神恍惚状態，脚気浮腫

引用文献　神農本草経：邪氣腹脹，心痛を主（つかさど）る。大小便を利し，中を補い氣を益す

古方薬品考：百脈一宗を主る

現代における運用のポイント

- 鎮咳・去痰作用

乾燥性または熱を伴う咳嗽に用い，呼吸器系の津液を潤し，咳を止め，痰を除く。

- 精神安定作用

熱病などの後に起こる精神不安症に用い，気を補い，精神安定をはかる。

配合応用　百合＋辛夷：慢性的に咽喉の乾燥がある者の鼻汁や鼻づまりを治す（辛夷清肺湯）

百合＋地黄：陰虚発熱*11 による煩躁*18，虚煩*25 による不眠を治す（※百合地黄湯（びゃくごうじおうとう））

百合＋知母：熱病を患った後，その余熱で生じる精神不安・動悸・煩躁*18 を治す（※百合知母湯（びゃくごうちもとう））

配合処方　辛夷清肺湯

▷294 処方中 1 処方（0.3%）

備　考　効能：『金匱要略』においては，熱病の予後に精神不安になる者を「百合病（びゃくごうびょう）」と名づけ，その治療方剤の主薬を百合としている。

＊1：p. 265 参照　＊2：→和胃法 p. 277 参照　＊3：煩悶感を伴うような口渇　＊4：p. 265 参照　＊5：p. 259 参照　＊6：汗が出るべき状態でないのに発汗してしまうこと　＊7：→臓器を冠する気 p. 263 参照　＊8：口渇を伴う病・糖尿病などで口渇の甚だしい状態　＊9：胸苦しさを伴う熱感および発熱　＊10：涼性・寒性の薬物を用いて熱を除くこと　＊11：血虚や津液不足によって，発熱したり，炎症を起こしたり，機能亢進したりすること　＊12：陰分すなわち血や津液を補うこと　＊13：胸部がほてり，悶えること　＊14：温性の邪による病。悪寒がなく，咽喉部の津液不足の状態が現れる。p. 286 参照　＊15：舌体の色が深い赤色を呈するもの p. 287 参照　＊16：瘀血で炎症の強いもの，および温病で熱が血分に入った状態（通常，血便・吐血などの出血が伴う）　＊17：脈が細くて速いもの。体が弱ってかつ炎症がある状態を示す　＊18：熱証による煩悶感，胸部だけでなく手足を含め全体に及ぶ　＊19：舌体の色が暗い赤色を呈するもの p. 287 参照　＊20：津液を補い，粘膜や皮膚などを潤すこと　＊21：p. 274 参照　＊22：インポテンツ　＊23：p. 265 参照　＊24：皮膚深部および体内から発する熱　＊25：血虚や津液不足により体内に発熱や熱感を生じ煩悶感のあるもの　＊26：瘀血を除くこと p. 265 参照　＊27：寒・涼の性質により血熱を鎮める薬物　＊28：ここでは，胃の津液を補って，その機能を賦活すること　＊29：身体の構成成分をいう。この場合は津液・血液などの液性成分を示す。不足するとその部分で熱症状を引き起こしやすくなる　＊30：クサスギカズラの根の最外層部分，根の表皮が多層化して（多層表皮），水分を貯蔵しやすくなっている組織　＊31：p. 275 参照　＊32：p. 265 参照　＊33：身体の深部からしみ出してくるような熱で，多くは寝汗を伴う。肺結核などに見られる　＊34：肺の化膿性の疾患で，膿血を含んだ痰や唾を出す　＊35：体力が衰弱した状態　＊36：→潤肺法 p. 270 参照　＊37：長期にわたる咳　＊38：強い精神不安による心悸亢進（発作性のものを驚悸，持続性のものを怔忡とすることが多い）

Ⅶ 気薬

気薬とは，気の上衝*1・沈滞・うっ滞など気の運行に障害を生じ，のぼせ・動悸・精神不安・躁うつ病・不眠・異常興奮・多夢などの諸症状を改善するための薬物である。

用いる病状により補気強壮薬，行気薬（ぎょうき），鎮静薬に分類される。

(1)補気強壮薬

補気強壮薬とは，気を産生する本である胃腸系を強め，気を補うと同時に体全体の強壮をはかる薬物のことを言う。

黄耆（オウギ） *Astragali Radix*〈日局 18〉

基　原　マメ科（*Leguminosae*）の①キバナオウギ *Astragalus membranaceus* Bunge または② *A. mongholicus* Bunge の根

産地：①北海道，茨城県，岩手県，青森県，黒竜江省，内蒙古，河北省，韓国，②山西省，陝西省，内蒙古

キバナオウギ

異名別名　黄芪（おうぎ），百本（ひゃくほん），王孫（おうそん），戴椹（たいじん）

選　品　よく乾燥し，太く（小指大程度が良い），皮に皺紋（しゅうもん）が少なく，質は緻密で柔軟，弾力性があり，容易に折れにくく，甘味を感じ，断面に空心（空になった部分）や黒心（黒くなった部分）のないものを良品とする。日本産・韓国産はキバナオウギで，やや甘味があり充実している。中国産はナイモウオウギでやや繊維質で甘味はない

貯蔵：虫やカビがつきやすいので，乾燥し，風通しの良い場所に保管する（温度20℃，湿度40～50％が望ましい）

成　分　フラボノイド，トリテルペノイドサポニン，γ-アミノ酪酸（GABA）

薬　理　抽出液：血圧降下，利尿

GABA：血圧降下

サポニン成分：血圧降下，抗炎症など

効能主治　性味：甘，微温

帰経：肺，脾

効能：体表の衛気*2を調え止汗する。利尿し水腫*3を除く。排膿し傷口の回復を早め，皮膚の再生を促す。気虚下陥*4を治す。炙ったものは，脾胃を補い気を益す

主治：自汗*5，寝汗，血痺*6，乳腫，回復の遅い化膿性のできもの。炙ったものは，精神および肉体疲労，胃腸系の衰弱による下痢，脱肛，気虚*7による貧血，帯下が続くもの，およびすべての気血両虚*8の証

引用文献　神農本草経：癰疽，久しき敗瘡，膿を排し，痛みを止め，大風，癩疾，五痔，鼠漏を主り，虚を補い，小児の百病を主る

古方薬品考：元を益し，衛分を固実す

重校薬徴：肌表の水を主治す。故に皮水，黄汗，盗汗，身体の腫れ，不仁を治し，疼痛，小便不利を兼治す

古方薬議：膿を排し，痛を止め，肉を長じ，血を補ひ，渇，腹痛を止め，虚労自汗を治し，肌熱及び諸経の痛を去る

現代における運用のポイント

- **止汗作用**
  身体虚弱および表虚証*9による自汗*5に用い，利尿を促すことによってその汗を止める。
- **補気・昇提作用**
  貧血・顔青・めまいなどの陽虚*10証に用い，脾胃を補い，陽気をめぐらせ*11上昇させる作用を持つ。
- **排膿作用**
  熱のないできものに用い，排膿を促し回復を早める。また，化膿性体質の改善薬としても用いられる。
- **利水・消腫作用**
  貧血・低血圧などの虚弱体質および消耗性疾患を患い体力が弱っている者の水腫*3に用い，その利水作用によって浮腫および水腫を解消する。

配合応用　黄耆＋桔梗：排膿を促進し，皮膚や粘膜を回復させる（千金内托散）

黄耆＋桂枝：1）表虚による自汗*5の甚だしい者を治す（黄耆建中湯，帰耆建中湯，桂枝加黄耆湯）。2）体表の気をめぐらせて，風痺*12を治す（黄耆桂枝五物湯）

黄耆＋五味子：陽虚による自汗*5を治す（清暑益気湯）

黄耆＋升麻：1）中気下陥*13のために生じる胃下垂・脱肛・子宮脱を治す（補中益気湯）。2）排膿を促し，腫れを治す（麗沢通気湯）

黄耆＋当帰：1）補血をはかり，下部に沈滞した気を上にめぐらす。痔，めまい，立ちくらみ，脱肛，子宮下垂，夜尿症を治す（帰耆建中湯，補中益気湯，十全大補湯）。2）気血をめぐらせ，皮膚の再生を促し，化膿性疾患を治す（千金内托散）

黄耆＋人参：1）脾胃虚弱に伴う疲労感，病中病後の体力低下，糖尿病，中気下陥*13のために生じる胃下垂・脱肛・子宮脱を治す（補中益気湯）。2）脾

胃を補い，補気し体力をつける（加味帰脾湯，千金内托散，大防風湯，扶脾生脈散）

黄耆＋防已：体表の衛気を補い，湿を除き，利尿して水腫*3を除く，併せて寝汗を治す（防已黄耆湯）

黄耆＋牡蛎：堅くなった腫瘍を軟化させ，乳腫を治す（紫根牡蛎湯）

配合処方 黄耆桂枝五物湯，黄耆建中湯，加味帰脾湯，帰耆建中湯，帰脾湯，桂枝加黄耆湯，紫根牡蛎湯，七物降下湯，十全大補湯，秦艽羌活湯，清暑益気湯，清心蓮子飲，千金内托散，大防風湯，当帰飲子，当帰芍薬散加黄耆釣藤，当帰湯，人参養栄湯，半夏白朮天麻湯，扶脾生脈散，防已黄耆湯，防已茯苓湯，補中益気湯，補陽還五湯，麗沢通気湯，麗沢通気湯加辛夷

▷294 処方中 26 処方（8.8%）

備　考 基原：日局 17 より晋耆（多序岩黄耆 *Hedysarum polybotrys* Handel-Mazzetti）が日局収載品となった。効能は，黄耆とほぼ同じで，中国では『中華人民共和国薬典 2020 年版』に紅耆の名称で収載されており，黄耆の同効薬として利用されている。なお，かつて日本では，イワオウギ（*H. iwawogi* Hara）が和黄耆として流通したことがあるが，局方不適であり，現在は流通もない。

近年の研究報告：1. 黄耆は，血圧低下・利尿・肝保護・免疫増強・抗菌・強壮・鎮静作用などを有し，慢性腎不全において，オウギ末投与により炎症マーカーや酸化ストレスマーカーを低下させ，血清クレアチニン値を有意に低下させ，糸球体硬化病変の進展を抑制するという報告がある[1)]。

2. メイラード反応[2)]によって生じる終末糖化産物 AGEs は細胞内酸化ストレスの原因物質であり，老化や臓器障害，発がんの主要原因物質として注目されている。特に高血糖が持続する糖尿病において，さまざまな合併症の直接的原因として重視されているが，一般人でも，高温で調理された食品や焙煎したコーヒーやチョコレート，タバコなどによって，多量の AGEs が体内に取り込まれて蓄積し，細胞内酸化ストレスを増加させて，動脈硬化，糖尿病，がん，認知症，骨粗鬆症，不妊症，脂肪肝炎，歯周病，皮膚の老化などを促進させる。黄耆はこの AGEs を低下させ，AGEs 由来の炎症・酸化ストレスマーカーを低下させて，血管内皮障害や臓器障害を改善する働きを有しており[3)]，今後老化予防の鍵となる可能性が考えられる。

甘草（カンゾウ）*Glycyrrhizae Radix*〈日局 18〉/［附］炙甘草（シャカンゾウ）*Glycyrrhizae Radix Praeparata*〈日局 18〉

基　原 マメ科（*Leguminosae*）① *Glycyrrhiza uralensis* Fischer または② *G. glabra* Linné の根およびストロンで，ときには周皮を除いたもの（皮去りカンゾウ）

局方規格：本品は定量するとき，換算した生薬の乾燥物に対し，グリチルリチン酸（$C_{42}H_{62}O_{16}$：822.93）2.0% 以上を含む

※日局 18 におけるシャカンゾウの基原は〔「カンゾウ」を煎ったもの〕であり，成分含量については甘草と同じ局方規格が定められている。

G. uralensis Fisher

産地：①内蒙古，吉林省，山西省，陝西省，寧夏，甘粛省，黒竜江省，②甘粛省，内蒙古，新疆，ロシア，イラン，オーストラリア

異名別名　蜜甘（みつかん），蜜草（みつそう）

選　品　**(甘草)** 棒状で太く，質が堅く充実し，粉性で甘味が強く，苦味が少なく，外皮がしっかりとついており，赤みがあり，内部が鮮黄色のものを良品とする。また産地により，東北甘草と西北甘草の区別がある。東北甘草の多くは内蒙古産で，爪などで皮がむきやすく脆く，グリチルリチン酸含量も多い。西北甘草は陝西省，河北省，山西省周辺に産する。表皮がむけにくく，色が赤く，硬くしまっており，グリチルリチン酸含量は東北甘草に比較して，やや劣る。刻み向けには西北甘草が多く用いられている。甘草の等級には甲・乙・丙・丁（太さで区別）・等外（折れたもの・切り落とし）があり，刻み向けには甲・乙・丙級が用いられる。外皮を除いた皮去甘草と称するものがあるが，粉末にして用いるので煎薬の原料としては使用されない。

(炙甘草) むらがなく炙られて変色し，香ばしい香りがするものが良い。炙りが少なすぎ色の変わっていないもの，炙りすぎて焦げているものは良くない。

貯蔵：本品は，湿気がつきやすく，カビや虫がつきやすいので低温で乾燥した場所に保管する

成　分　トリテルペノイドサポニン（グリチルリチン酸2.0%以上），フラボノイド（リキリチゲニン，イソリキリチゲニン）など

薬　理　抽出物：抗潰瘍，デオキシコルチコステロン作用，エストロゲン様作用，鎮咳

グリチルリチン酸：抗潰瘍，潰瘍修復，副腎皮質刺激ホルモン様作用，抗炎症，抗アレルギー，鎮咳，インターフェロン誘起

非グリチルリチン酸含有画分（F^{M100}）：抗潰瘍，胃液分泌抑制，潰瘍修復，鎮痙，膵液分泌促進

エキス製剤（デグリチルリチネイテッドリコリス）：胃粘膜血流量増加

イソリキリチゲニン：鎮痙

効能主治　性味：甘，平

帰経：脾，胃，肺

効能：胃腸機能を調え緊張をとる，肺の津液（しんえき）*14 を補い鎮咳去痰する，薬物・食物の中毒を解毒する。外用して皮膚の炎症を止め，またトゲ抜きに用いる

主治：咽喉腫痛，消化性潰瘍，化膿性の各種できもの，薬毒，食中毒。(炙甘草)脾胃の虚弱，食欲不振，腹痛と未消化便，疲労による発熱，肺機能衰弱による咳嗽，動悸，けいれん，引きつけ発作

引用文献　神農本草経：五臓六腑の寒熱邪気を主（つかさど）り，筋骨を堅じ，肌肉（きにく）を長じ，力を倍す。金創腫（きんそうしゅ），毒を解く

古方薬品考：中を緩め，百功を協和す

重校薬徴：急迫を主治す。故に厥冷（けつれい），煩躁，吐逆，驚狂，心煩，衝逆などの諸般の急迫

の証を治し，裏急，攣急，骨節疼痛，腹痛，咽痛，下痢を兼治す
古方薬議：毒を解し，中を温め，氣を下し，渇を止め，経脈を通じ，咽痛を去る

現代における運用のポイント

- 降気*15・鎮静作用
甘草には降気作用とそれに伴う精神安定作用がある。とりわけ，桂皮・大棗・山梔子・小麦などと配合するとこれらの作用が増強される。
- 緊張緩和作用・鎮痛作用
体表・四肢の筋肉・関節・腹部の緊張をほどき，鎮痛する。特に，芍薬や附子と配合すると，これらの作用が増強される。ただし，水腫*3・浮腫のある場合は効かない。
- 去痰作用・咽痛治療作用
咽喉部の炎症・潰瘍を治し，よく去痰する。特に，桔梗や杏仁と配合すると，これらの作用が増強される。
- 温補・回陽作用
陽気*16を補い，気をめぐらす作用がある。特に，乾姜や附子と配合すると，これらの作用が増強される。
- 瀉下剤に対する緩和作用
大黄や芒消などの強い瀉下薬と配合すると，瀉下作用を緩和して，鎮痛をはかる。
- 補津作用
瀉下・発汗・清熱*17剤と配合して，津液損耗を防ぎ，また補う。粳米と配合すると，一層強化される。
- 健胃・強壮・止瀉作用
胃腸の潰瘍を治す作用があるが，人参・大棗・生姜・白朮・茯苓などと配合するとよい。

【炙甘草の効能主治】

甘草に準じるが，熱を加えて炙甘草とすることによって，作用は穏やかとなり，諸薬を調和する効果が高まる。また，補気強壮する作用は炙甘草の方がより強まる。なお，古典の中では炙甘草として用いた例が多い。

配合応用　甘草＋延胡索：筋肉の緊張を緩和し，鎮痛する（安中散）
甘草＋黄連：胃腸系の炎症性下痢，腹痛を治す（甘草瀉心湯）
甘草＋乾姜：1）胃腸を温め，脾胃虚寒*18による胃痛・嘔吐・下痢を治す。また薬物および食物の中毒を解毒する（甘草瀉心湯，解急蜀椒湯，半夏瀉心湯）。2）陽気をめぐらし*11体を温め四肢厥冷を治す（甘草乾姜湯，柴胡桂枝乾姜湯，四逆湯，続命湯，苓姜朮甘湯）
甘草＋桔梗：1）咽痛治療作用，鎮咳去痰作用を有し，咽喉痛・扁桃痛・咳嗽を治す（桔梗湯，外台四物湯加味，柴胡桔枳湯）。2）排膿を促進し，化膿性疾患を治す（加減涼膈散（浅田），加減涼膈散（龔廷賢），千金内托散，排膿散及湯，排膿湯）
甘草＋杏仁：1）鎮咳去痰する（麻杏甘石湯，麻黄湯，苓甘姜味辛夏仁湯）。2）胸部の痰飲*19を除き，胸痺*20，呼吸促迫を治す（茯苓杏仁甘草湯）

甘草＋桂皮：1）気の上衝*[1]を下げ精神安定をはかる（栝楼薤白湯，定悸飲，奔豚湯（肘後方），苓桂朮甘湯，連珠飲，※桂枝甘草湯（けいしかんぞうとう））

甘草＋香附子：肝気*[21]のうっ滞を散じ，精神安定をはかる（柴胡清肝湯，柴蘇飲）

甘草＋芍薬：筋肉の緊張またはけいれんによる脇痛・腹痛・手足痛を治す（解労散，桂枝二越婢一湯，芍薬甘草湯，桂枝芍薬知母湯，柴胡疎肝湯，小続命湯）

甘草＋大棗＋生姜（乾姜）：補脾胃の基本的な組み合わせ（桂枝湯，小柴胡湯他多数）

※人参が加わると，なお補脾胃の効果が上がる（半夏瀉心湯，六君子湯，他）

甘草＋小麦：神経の興奮・ヒステリーなどを緩和し，不眠症を治す（甘麦大棗湯）

甘草＋大黄：大黄の瀉下作用を緩和し，腹痛を和らげる（大黄甘草湯，桂枝加芍薬大黄湯，調胃承気湯）

甘草＋大棗：胃腸系を補い精神を安定させる，また諸薬を調和する（苓桂甘棗湯，甘麦大棗湯）

甘草＋当帰：血行を促し，体を温め，鎮痛する（乙字湯）

甘草＋人参：胃気*[22]を補い，下痢，腹痛を治す（甘草瀉心湯，人参湯）

甘草＋麦門冬：津液*[14]を補い，炎症を鎮める（甘露飲）

甘草＋半夏：半夏の副作用を減じ，のどの腫れを除き，咽痛を治す（半夏散及湯）

甘草＋茯苓：心脾気虚*[23]による心悸亢進・息切れ・精神不安・不眠を治す（酸棗仁湯，茯苓杏仁甘草湯）。2）気の上衝*[1]を下し，息切れ・動悸・喘息発作を治す（茯苓杏仁甘草湯，苓甘姜味辛夏仁湯）

甘草＋附子：冷えを除き，筋肉の緊張を緩和して，痛みを除く（甘草附子湯，芍薬甘草附子湯）

甘草＋牡蛎：十二指腸潰瘍などの神経症状を伴う胃腸障害，および胃酸過多を治す（安中散）

甘草＋麻黄：1）痺証*[24]を治す（小続命湯，麻杏薏甘湯）。2）鎮咳効果を高める（麻黄湯，麻杏甘石湯）

甘草＋李根皮：気を調え，気の上衝*[1]および奔豚*[25]を治す（定悸飲，奔豚湯（金匱要略））

配合処方 安中散，安中散加茯苓，胃苓湯，烏薬順気散，烏苓通気散，温経湯，温胆湯，越婢加朮湯，越婢加朮附湯，黄耆建中湯，黄芩湯，黄連湯，乙字湯，乙字湯去大黄，解急蜀椒湯，解労散，加減涼膈散（浅田），加減涼膈散（龔廷賢），化食養脾湯，藿香正気散，葛根黄連黄芩湯，葛根紅花湯，葛根湯，葛根湯加川芎辛夷，加味温胆湯，加味帰脾湯，加味解毒湯，加味逍遙散，加味逍遙散加川芎地黄（加味逍遙散合四物湯），加味平胃散，栝楼薤白湯，甘草乾姜湯，甘草瀉心湯，甘草湯，甘草附子湯，甘麦大棗湯，甘露飲，帰耆建中湯，桔梗湯，枳縮二陳湯，帰脾湯，芎帰膠艾湯，芎帰調血飲，芎帰調血飲第一加減，響声破笛丸，杏蘇散，駆風解毒散（湯），九味檳榔湯，荊芥連翹湯，桂姜棗草黄辛附湯，桂枝越婢湯，桂枝加黄耆湯，桂枝加葛根湯，桂枝加厚朴杏仁湯，桂枝加芍薬生姜人参湯，桂枝加芍薬大黄湯，桂枝加芍薬湯，桂枝加朮附湯，桂枝加竜骨牡蛎湯，桂枝加苓朮附湯，桂枝芍薬知母湯，桂枝湯，桂枝二越婢一湯，桂枝二越婢一湯加朮附，桂枝人参湯，啓脾湯，荊防敗毒散，桂麻各半湯，外台四物湯加味，堅中湯，甲字湯，香砂平胃散，香砂養胃湯，香砂六君子湯，香蘇散，厚朴生姜半夏人参甘草湯，五虎湯，五積散，五淋散，柴葛解肌湯，柴葛湯加川芎辛夷，柴陥湯，柴梗半夏湯，柴胡加竜骨牡蛎湯，柴胡枳桔湯，柴胡桂枝乾姜湯，柴胡桂枝湯，柴胡清肝湯（散），柴胡疎肝湯，柴芍六君子湯，柴蘇飲，柴朴湯，柴苓湯，酸棗仁湯，滋陰降火湯，滋陰至宝湯，四逆加人参湯，四逆散，四逆湯，四君子湯，紫根牡蛎湯，梔子柏皮湯，滋腎明目湯，炙甘草湯（炙甘草を使用），芍薬甘草湯，芍薬甘草附子湯，鷓鴣菜湯（三味鷓鴣菜湯），十全大補湯，十味敗毒湯，潤腸湯，蒸眼一方，生姜瀉心湯，小建中湯，小柴胡湯，小柴胡湯加桔梗石膏，小青竜湯，小青竜湯加杏仁石膏（小青竜湯合麻杏甘石湯），小青竜湯加石膏，小続命湯，椒梅湯，消風散，升麻葛根湯，逍遙散（八味逍遙散），秦艽羌活湯，秦艽防風湯，参蘇飲，神秘湯，参苓白朮散，清肌安蛔湯，清湿化痰湯，清上蠲痛湯（駆風触痛湯），清上防風湯，清暑益気湯，清心蓮子飲，清熱補気湯，清肺湯，洗肝明目湯，川芎茶調散，千金内托散，喘四君子湯，銭氏白朮散，続命湯，疎経活血湯，蘇子降気湯，大黄甘草湯，大防風湯，竹茹温胆湯，竹葉石膏湯，治頭瘡一方，治頭瘡一方去大黄，治打撲一方，中建中湯，調胃承気湯，丁香柿蒂湯，釣藤散，通導散，定悸飲，桃核承気湯，当帰飲子，当帰建中湯，当帰四逆加呉茱萸生姜湯，当帰四逆湯，当帰湯，独活葛根湯，独活湯，二朮湯，二陳湯，女神散（安栄湯），人参湯（理中丸），人参養栄湯，排膿散及湯，排膿湯，麦門冬湯，八解散，半夏散及湯，半夏瀉心湯，白朮附子湯，白虎加桂枝湯，白虎加人参湯，白虎湯，不換金正気散，茯苓杏仁甘草湯，茯苓四逆湯，茯苓沢瀉湯，附子粳米湯，附子理中湯，扶脾生脈散，平胃散，防已黄耆湯，防已茯苓湯，防風通聖散，補中益気湯，奔豚湯（金匱要略），奔豚湯（肘後方），麻黄湯，麻杏甘石湯，麻杏薏甘湯，麻子仁丸，明朗飲，薏苡仁湯，抑肝散，抑肝散加芍薬黄連，抑肝散加陳皮半夏，六君子湯，立効散，竜胆瀉肝湯，苓甘姜味辛夏仁湯，苓姜朮甘湯，苓桂甘棗湯，苓桂朮甘湯，苓桂味甘湯，麗沢通気湯，麗沢通気湯加辛夷，連珠飲

▷294 処方中 214 処方（72.8%）

使用注意 グリチルリチン酸は，甘草の主要な有効成分であるが，多量に服用すると偽アルドステロン症（低カリウム血症，血圧上昇，浮腫など），およびミオパチーといった副作用が現れることがあるので，甘草が配合された処方は使用に留意する。

備　考 基原：1. 甘草は野生品のため，資源的な枯渇が深刻化しており，現在栽培化が中国や日本で進められている。中国では栽培化が進み，中国市場での流通や輸出もされているが，グリチルリチン酸含量が低い傾向にある。日本国内においても野生品に混じって一部栽培品が流通する場合がある。なお，日本においても栽培化が進められており，グリチルリチン酸含量や安全性等，実用化にかなうものの栽培にも成功しているが，生産量はごくわずかであり，価格等の問題により需要の一部を担うという段階ではない。現在中国では，甘草は輸出数量制限が行われている品目となっている。

2.『中華人民共和国薬典 2020 年版』では炙甘草は，蜜炙甘草（ハチミツと共に炒ったもの）を指しているが，日本薬局方における炙甘草はハチミツを用いず甘草を炙っただけのものである。日本の国内では，医薬品としての甘草・炙甘草，食品としての蜜炙甘草が流通している。

効能：甘草は，単味であっても『傷寒論』で甘草湯（かんぞうとう）と呼ばれ（咽痛に用いる），独立処方として扱われている。

近年の研究報告：甘草の主要成分であるグリチルリチンの薬理作用に，肝臓のステロイド不活化酵素の抑制によって内因性ステロイドの働きを持続させる作用がある。それはすなわち，急迫時に体内に増加する抗ショック・抗ストレスホルモン

である副腎皮質ステロイドの持続・増強をはかり，生体のエネルギー利用効率を助長し，血糖値上昇，水分保持，気分の高揚を維持し，抗ストレス，抗うつ作用を示すことにほかならない。逆に副腎皮質ステロイドが不足すると全身倦怠感を呈して，それが持続するとうつ状態をまねく。

したがって，甘草を多く含有する漢方処方では，何らかの急迫症状改善と精神安定効果が期待できる。このことを常に意識しておくことが有用であろうと考えられる。甘草が多く含まれる処方には，甘草瀉心湯，小青竜湯，人参湯，五淋散，芍薬甘草湯，甘草湯，甘麦大棗湯，芎帰膠艾湯，桂枝人参湯，黄連湯，排膿散及湯，桔梗湯などがある。

枸杞子（クコシ）*Lycii Fructus*〈日局 18〉

基原　ナス科（*Solanaceae*）クコ *Lycium chinense* Miller または *L. barbarum* Linné の果実

産地：寧夏，甘粛省，新疆，内蒙古，陝西省，青海省，河北省，山西省，山東省，韓国など

異名別名　西枸杞（せいくこ）（寧夏枸杞（ねいかくこ），寧夏杞子（ねいかこし），甘枸杞（かんくこ），甘杞子（かんこし）），津枸杞（しんくこ）（血枸杞（けつくこ），血杞（けつこ），血杞子（けつこし）），明目子（めいもくし），津血杞（しんけつこ），枸杞（くこ），苟起子（くこし），甜菜子（てんさいし），紅耳墜（こうじつい），血枸子（けっくし），枸杞豆（くこず）

選品　果肉が厚く充実し，粒が大きく，赤色を呈し変色変質がなく，柔潤で，種が少ないものが良品である。赤色鮮やかなものは概ね硫黄燻蒸しているものが多いので注意が必要である

貯蔵：本品は湿気を吸いやすく吸湿すると黒く変色するので，密閉容器で保管するか，低温除湿倉庫で保管するのがよい

成分　カロテノイド：ゼアキサンチン，フィサリエンなど

その他：ベタイン，リノレン酸，β-シトステロールなど

薬理　抽出液：抗脂肪肝，降圧

抽出物：抗動脈硬化，副交感神経遮断

引用文献　本草綱目：腎を滋し，肺を潤ほす。油を搾つて燈に點ずれば目を明（あきらか）にする

効能主治　性味：甘，平

帰経：肝，腎，肺

効能：肝を養う，腎を滋養する，肺を潤す

主治：肝腎の不足，めまい，目がみえにくいもの，腰膝がだるく力が入らないもの，インポテンツ，遺精，虚労*26 による咳嗽，消渇*27 で水を多く飲むもの

現代における運用のポイント

- 明目作用

肝を補い，目を栄養して目を明らかにする。

• 滋養強壮作用
肝腎を補い，滋養強壮する。併せて虚労*26による咳嗽を治す。

配合応用 枸杞子＋菊花：目の炎症を鎮め，目を明らかにする（杞菊地黄丸）

配合処方 杞菊地黄丸
▷294 処方中 1 処方（0.3%）

備　考 基原：1. 30 年ほど前は韓国，北朝鮮などのクコ（*L. chinense* Miller を基原植物とするもの）が国内市場品の主流であったが，現在は中国の栽培品のナガバクコ（*L. barbarum* Linné を基原植物とするもの）が主流である。

2. 中国では，流通において，大きく西枸杞と津枸杞の 2 種の区分があり，等級などもおのおので分かれている。西枸杞は，寧夏枸杞とも呼ばれ，寧夏，甘粛省，内蒙古，新疆，陝西省，青海省などに産する。粒が大きく，肉厚で糖質が多く，種が少なく，味が甘く良品とされている。

津枸杞は，血枸杞とも呼ばれ，河北省，山西省，天津，山東省などに産する。糖質は西枸杞よりも少ないが，色が鮮やかで，味が甘くわずかに酸味があるのが特徴である。

文献によっては，西枸杞に寧夏枸杞（ナガバクコ *L. barubarumi*），津枸杞に枸杞（クコ *L. chinense*）を当てるものもあるが，現在は，ナガバクコが主流であり，基原植物による区分はでないと考えられる。

選品：中国では枸杞子は医薬品としてではなく，食品として流通することが多いため，果物のように甘く，果肉の多い品種を良品として選別してきた経緯がある。薬用として使用する枸杞子は韓国産，北朝鮮産の様に種が多く，中国産と比べて果肉の薄いものを良品とする考えもある。

鶏肝（ケイカン）

基　原 キジ科（*Phasianidae*）ニワトリ *Gallus gallus domestics* Brisson. の肝臓

成　分 タンパク質，脂肪，炭水化物，ビタミン類など

効能主治 性味：甘，微温
帰経：肝，腎
効能：肝腎を補う
主治：肝血虚*28で目が見えないもの，小児の慢性消化不良，婦人胎漏*29，黄疸，夜盲症

引用文献 本草綱目：風虚目暗（ふうきょもくあん）を療す。婦人の陰蝕瘡（いんしょくそう）を治するには，切片して挿入する。蟲（ちゅう）を引き出し盡（つく）して良し（鶏の項の肝の部分）
古方薬品考：善く蘇り，眼疾まさに除くべし

配合応用 鶏肝＋山薬：虚弱体質，夜盲症を治す（鶏肝丸）

配合処方 鶏肝丸
▷294 処方中 1 処方（0.3%）

備　考 基原：生薬としての流通はない。

膠飴（コウイ）*Koi*〈日局 18〉

基　原　イネ科（*Gramineae*）トウモロコシ *Zea mays* Linné，トウダイグサ科（Euphorbiaceae）キャッサバ *Manihot esculenta* Crantz，ナス科（Solanaceae）ジャガイモ *Solanum tuberosum* Linné，ヒルガオ科（Convolvulaceae）サツマイモ *Ipomoea batatas* Poiret もしくはイネ科イネ *Oryza sativa* Linné のデンプンまたはイネの種皮を除いた種子を加水分解し，糖化したもの

局方規格：本品は，1または2の加工法により製したものであり，主にマルトースを含むほか，グルコース，マルトトリオースなどを含む場合がある

1　デンプンを塩酸，シュウ酸，アミラーゼまたは麦芽汁などで糖化し，濃縮乾燥し，粉末に加工する

2　デンプンまたはデンプンに水を加えて加熱して糊化したものに，塩酸，シュウ酸，アミラーゼまたは麦芽汁などを加えて糖化し，乾燥加工または濃縮加工する

1および2の加工法により製したものを，それぞれコウイ1およびコウイ2とする

産地：日本

異名別名　飴糖（いとう），白飴糖（はくいとう），餳（とう），粉末飴

選　品　軟らかいものと硬いものとがある。米を原料とし麦芽汁を用いて糖化して精したもの（米飴）が良品である。赤褐色のもの，溶けやすいものがよい

貯蔵：低温の場所で気密保存するのが望ましい

成　分　麦芽糖，デキストリンなど

効能主治　性味：甘，温

帰経：脾，胃，肺

効能：胃腸系を調え強壮する，津液（しんえき）*14 を補い燥を潤す

主治：過労によって起こる脾胃の疾患，しぶり腹，肺の津液不足*30 による咳，吐血，口渇，咽痛，便秘

引用文献　名医別録：虚乏（きょぼう）を補い，渇を止め，血を去る（飴糖の項）

古方薬品考：温めるに良し，五臓を調和す

古方薬議：虚乏を補ひ，氣力を益し，痰を消し，嗽を止め，五臓を潤す

配合応用　膠飴＋黄耆：虚労*26 によって起こる諸症状を治す（黄耆建中湯，帰耆建中湯）

膠飴＋乾姜：脾胃虚寒*18 を治す（大建中湯，中建中湯，解急蜀椒湯）

膠飴＋甘草：太陰病*31 虚証の腹痛や急迫症状を治す（小建中湯，中建中湯）

配合処方　黄耆建中湯，解急蜀椒湯，帰耆建中湯，小建中湯，大建中湯，中建中湯，当帰建中湯

▷294 処方中 7 処方（2.4%）

山茱萸（サンシュユ）*Corni Fructus*〈日局 18〉

基　原　ミズキ科（*Cornaceae*）サンシュユ *Cornus officinalis* Siebold et Zuccarini の偽果の

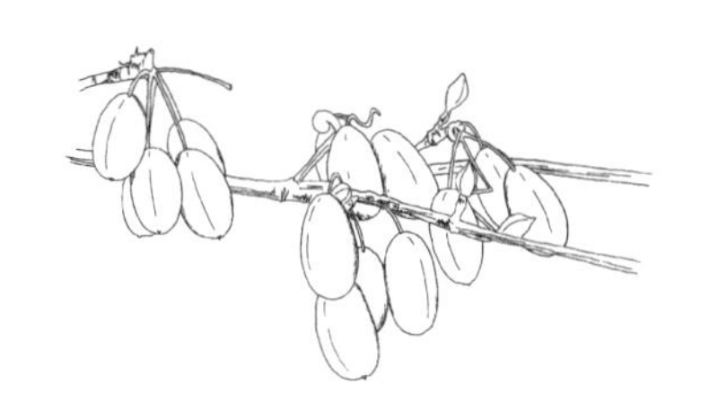

果肉

局方規格：本品は定量するとき，換算した生薬の乾燥物に対し，ロガニン 0.4% 以上を含む

産地：陝西省，浙江省，河南省，安徽省，韓国

異名別名 石棗(せきそう)，肉棗(にくそう)，蜀棗(しょくそう)，山萸肉(さんゆにく)，萸肉(ゆにく)

選　品 果肉が厚く，酸味と渋味を有する潤いのあるものが良い。古くなったもの，肉の少ないものは良くない。色は紫黒色を呈すが，古くなるにつれて黒褐色に変化する。韓国産は果肉が厚いが，中国産の一部に果肉の薄いものがある。種子があれば除いて用いる

貯蔵：乾燥不良のものは蒸れてカビがつきやすくなるので乾燥に留意し，密封保存するのが望ましい

成　分 イリドイド配糖体（ロガニン，モロニシド），トリテルペノイド（ウルソール酸），タンニンなど

薬　理 抽出物：高血糖値を低下

ウルソール酸：高血糖値を低下

効能主治 性味：酸，微温

帰経：肝，腎

効能：肝腎を補う，生殖能力を高め強精する

主治：腰膝の鈍痛，めまい，耳鳴り，陽痿[*32]，遺精，頻尿，虚労[*26]により悪寒発熱があるもの，消耗性発汗の止まらないもの，心機能不全により脈の乱れたもの

引用文献 神農本草経：心下の邪氣寒熱を主(つかさど)り，中を温め，寒湿痺を逐(お)い，三蟲(さんちゅう)を去る

古方薬品考：肝を温め，牧官(ぼくかん)を固有する　※牧官とは腎臓のことを指す。

古方薬議：中を温め，寒湿痺を逐ひ，腰膝を暖め，水道を助け，小便利，及び老人尿節ならざるを止め，耳鳴頭風(じめいとうふう)を療するを主る

現代における運用のポイント

- 止汗作用

自汗[*5]の甚だしいものに用い，体表の衛気[*2]を補い止汗する。

- 強壮作用

腎気不固[*33]に用い，陽萎・遺精を治す。併せて頻尿を治す。

配合応用 山茱萸＋五味子：肺腎陰虚[*34]による遺精・寝汗・自汗[*5]，気血の消耗（気虚[*7]・血虚[*35]）による心臓動悸・息切れ・顔面蒼白・脈細弱[*36]を治す（味麦地黄丸）

山茱萸＋地黄：肝腎を補い，強壮をはかり，肝腎陰虚[*37]によって起きるめまい・耳鳴・腰膝のだるさや無力感・頻尿・遺精・寝汗を治す，また陽痿[*32]を治す（八味地黄丸，六味丸）

山茱萸＋沢瀉：排尿を促し，残尿感を治す（八味地黄丸，六味丸）

配合処方 杞菊地黄丸，牛車腎気丸，知柏地黄丸，八味地黄丸，味麦地黄丸，六味丸（六味地黄丸）

▷294 処方中 6 処方（2.0%）

山薬（サンヤク） *Dioscoreae Rhizoma* 〈日局 18〉

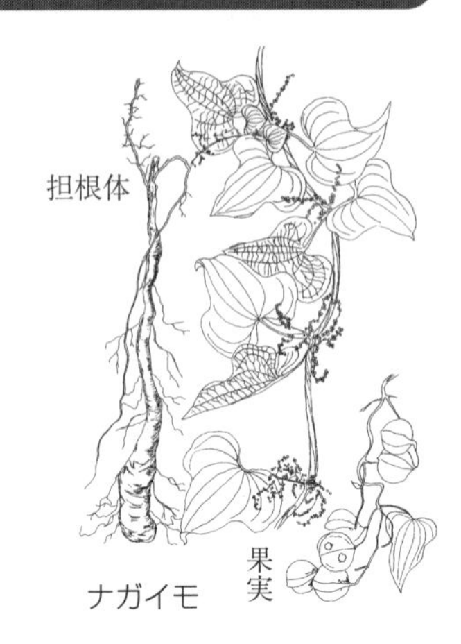

基　原 ヤマノイモ科（*Dioscoreaceae*）ヤマノイモ *Dioscorea japonica* Thunberg またはナガイモ *D. batatas* Decaisne の周皮を除いた根茎（担根体(たんこんたい)*38）

産地：青森県，河南省，江蘇省

異名別名 薯蕷(しょよ)，山芋(さんう)，署蕷(しょよ)，諸署(しょしょ)，署豫(しょよ)

選　品 質が堅く充実しており，噛んで粘りがあり，わずかに甘味があり酸味のないもの，色が白く虫のついていないものを良品とする。粘り気の点で勝る野生品（自然生(じねんじょ)）を珍重するが，流通上ではほとんど見かけられない。古くなり黄色っぽく変色し，質が軽くてもろく断面に空心があるものは，次品である

貯蔵：虫がつきやすいので，低温で湿度の低い場所に保管する

成　分 デンプン，多糖類，糖タンパク質，アミノ酸など

薬　理 多糖類：血糖降下

効能主治 性味：甘，平

帰経：肺，脾，腎

効能：胃腸機能を高め，肺を補う，腎を固める*39，強壮する

主治：脾陽虚*40 による下痢，長期の下痢，身体虚弱による咳嗽，糖尿病，遺精，帯下，頻尿

引用文献 神農本草経：傷中を主(つかさど)り，虚羸(きょるい)を補い，寒熱邪氣を除き，中を補い，氣力を益し，肌肉(きにく)を長ず（署豫の項）

古方薬品考：源(みなもと)を調え，虚損を補復す（薯蕷の項）

古方薬議：寒熱邪氣を除き，腰痛洩痢(せつり)を止め，痰涎(たんえん)を化し，虚労羸痩(きょろうるいそう)を主る（薯蕷の項）

現代における運用のポイント

- **補脾胃作用**

  胃腸虚弱なものに用い，食物消化を助け，下痢を止め，便通を調える。併せて，小児の脾虚証による寝汗を治す。

- **補肺腎作用**

  肺陽虚*41・腎陽虚*42 を補い，呼吸器系疾患および夜尿症を含む泌尿器系疾患の改善に用いる。

- **糖尿病治療作用**

  口渇を鎮め，糖尿病の体質改善に用いられる。

配合応用 山薬＋地黄：陰虚*43 による寝汗・熱感・口乾・疲労感を治す（八味地黄丸，六味丸）

山薬＋人参：脾胃の虚弱による食欲不振・倦怠感・下痢を治す（参苓白朮散，薯蕷丸）

山薬＋白朮：胃腸系の虚弱，下痢，食欲不振，易疲労，消耗性発汗を治す（啓脾湯，※薯蕷丸（しょよがん））

山薬＋茯苓：1）脾虚による下痢，久病で脾胃の気血不足による胃部の悶え，食欲不振，精神の倦怠を治す（参苓白朮散）。2）脾・腎を補い強壮をはかる（八味地黄丸，六味丸）

配合処方 鶏肝丸，啓脾湯，杞菊地黄丸，牛車腎気丸，参苓白朮散，知柏地黄丸，八味地黄丸，味麦地黄丸，六味丸（六味地黄丸）

▷294 処方中 9 処方（3.1%）

備考 基原：1．市場のほとんどはナガイモであり，ヤマノイモは日本産品の一部にあるが，極めて少ない。

2．*D. alata* Linné を基原とする広西産山薬も市場に流通する可能性があるので，注意が必要である。

蛇床子（ジャショウシ） *Cnidii Monnieris Fructus* 〈日局 18〉

基原 セリ科（*Umbelliferae*）*Cnidium monnieri* Cusson の果実

産地：山東省，湖北省，安徽省

異名別名 蛇米（じゃべい），蛇珠（じゃじゅ），蛇粟（じゃぞく），蛇牀子（じゃしょうし）

選品 果実は充実し，淡褐～淡緑色で香気のあるものを良品とする

成分 精油（ピネン，カンフェン，ボルネオールイソ吉草酸エステル），クマリン誘導体など

薬理 抗トリコモナス，抗真菌

抽出物：催淫，強い性ホルモン増強作用

効能主治 性味：辛苦，温

帰経：腎，脾

効能：腎陽を温め補う*44，皮膚掻痒を鎮め，湿邪*45 を除く，駆虫する，殺菌する。外用では洗浄薬として陰部掻痒症などに用いる

主治：陽痿（ようい）*32，男子陰部掻痒症，女子の帯下および陰部掻痒症，子宮寒冷による不妊症，風湿*46 による痺痛*47，疥癬（かいせん）

引用文献 神農本草経：婦人の陰中腫痛，男子の陰痿（いんい），湿痒を主（つかさど）る。痺氣を除き，関節を利す。癲癇（てんかん），悪瘡を主る

古方薬議：陰痿湿癢（しつよう），陰中腫痛を主り，痺氣（ひき）を除き，関節を利し，婦人子藏（しぞう）をして熱せしめ，男子の陰を浴して風冷を去る

配合応用 蛇床子＋苦参：外用，内用ともに疥癬，婦女子の陰部掻痒，帯下，皮膚掻痒を治す（蛇床子湯：外用）

配合処方 蛇床子湯

▷294 処方中 1 処方（0.3%）

大棗（タイソウ）*Ziziphi Fructus*〈日局18〉

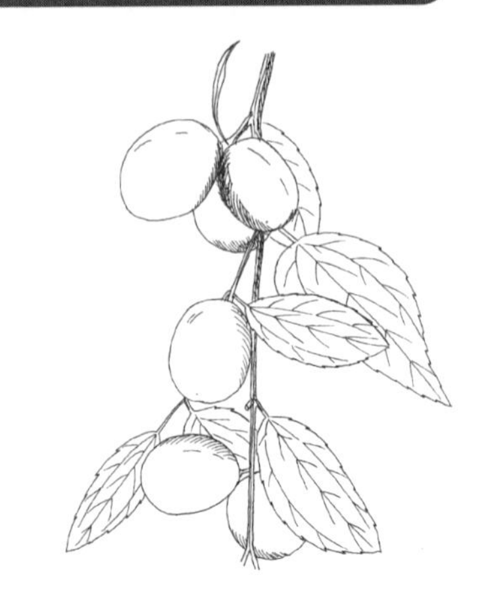

基　原　クロウメモドキ科（*Rhamnaceae*）ナツメ *Ziziphus jujuba* Miller var. *inermis* Rehder の果実
産地：河北省，河南省，山東省，山西省，新疆

異名別名　乾棗（かんそう），円棗（えんそう），紅棗（こうそう），黒棗（こくそう）

選　品　新鮮な紅色で，肉厚で肥大し，潤いがあって甘味が強く，酸味がなく，粘着質で食べて味が良く，核の小さいものを良品とする。表面に果糖の白い結晶が析出しているものはなお良いとされているが，日本市場では好まれない。河南省産は細長く，糖度が低く，粘り気が少ないので刻み用に多く用いられ，山東省産は丸く大粒のもので大炮棗（だいほうそう）とも呼ばれ，糖度が高く，夏には粘度が高く刻んで固まりやすいので，刻み向けには歓迎されない
貯蔵：本品は極めて虫やカビがつきやすいので，低温で乾燥した場所に保管する。また，刻みのものは気密保存するのが望ましい

成　分　トリテルペノイド，トリテルペノイドサポニン（ジジプスサポニンⅠ，Ⅱ），有機酸，糖類，高濃度の cyclic AMP

薬　理　抽出物：抗アレルギー，胃潰瘍予防

効能主治　性味：甘，温
帰経：脾，胃
効能：脾胃を補い，気を調え，精神安定作用を持つ
主治：胃腸系の虚弱による食欲不振，神経症による動悸・不安，婦人のヒステリー

引用文献　神農本草経：心腹の邪氣を主（つかさど）り，中を安んじ脾を養い，十二経を助く。胃氣を平らかにし，九竅（きゅうきょう）を通じ，少氣，少津液（しょうしんえき）を補い，身中不足，大驚（だいきょう），四肢重きを主り，百薬を和す
古方薬品考：胃を保んじ，駿剤（しゅんざい）を温和す
重校薬徴：攣引強急（れんいんきょうきゅう）するを主治す。故に能（よ）く胸脇引痛（きょうきょういんつう），咳逆上氣，裏急（りきゅう），腹痛を治し，奔豚（ほんとん），煩躁（はんそう），身疼（しんとう），頸項強（けいこうこわ）ばり，涎沫（えんまつ）するを兼治す
古方薬議：中を安んじ脾を養ひ，胃氣を平にし，百薬を和し，心下懸（しんかけん）を療し，嗽を止（と）む

現代における運用のポイント

- 健胃作用
  沈滞した胃腸の気を補い，機能を調える。
- 補気・鎮静作用
  気虚[*7]を補い，精神安定をはかる。

配合応用　大棗＋甘草：胃腸系を補い精神を安定させる，また諸薬を調和する（苓桂甘棗湯，甘麦大棗湯）
大棗＋生姜（乾姜）＋甘草：補脾胃の基本的な組み合わせ。多くの処方に用いられ

る（桂枝湯，小柴胡湯他多数）

※人参が加わると，なお補脾胃の効果が上がる（半夏瀉心湯，六君子湯）

大棗＋小麦：気の不調による虚煩*48・不眠・自汗*5・動悸・ヒステリーを治す（甘麦大棗湯）

大棗＋白朮：脾胃を補い，気をめぐらす（補中益気湯）

配合処方　胃苓湯，烏薬順気散，温胆湯，越婢加朮湯，越婢加朮附湯，黄耆桂枝五物湯，黄耆建中湯，黄芩湯，黄連湯，解急蜀椒湯，解労散，化食養脾湯，藿香正気散，葛根湯，葛根湯加川芎辛夷，加味温胆湯，加味帰脾湯，加味平胃散，甘草瀉心湯，甘麦大棗湯，帰耆建中湯，帰脾湯，芎帰調血飲，芎帰調血飲第一加減，桂姜棗草黄辛附湯，桂枝越婢湯，桂枝加黄耆湯，桂枝加葛根湯，桂枝加厚朴杏仁湯，桂枝加芍薬生姜人参湯，桂枝加芍薬大黄湯，桂枝加芍薬湯，桂枝加朮附湯，桂枝加竜骨牡蛎湯，桂枝加苓朮附湯，桂枝湯，桂枝二越婢一湯，桂枝二越婢一湯加朮附，啓脾湯，桂麻各半湯，堅中湯，香砂平胃散，香砂養胃湯，香砂六君子湯，五積散，呉茱萸湯，柴葛湯加川芎辛夷，柴陥湯，柴梗半夏湯，柴胡加竜骨牡蛎湯，柴胡桂枝湯，柴芍六君子湯，柴蘇飲，柴朴湯，柴苓湯，滋陰降火湯，四君子湯，炙甘草湯，生姜瀉心湯，小建中湯，小柴胡湯，小柴胡湯加桔梗石膏，参蘇飲，清肺湯，喘四君子湯，蘇子降気湯，大柴胡湯，大柴胡湯去大黄，大防風湯，中建中湯，当帰建中湯，当帰四逆加呉茱萸生姜湯，当帰四逆湯，独活葛根湯，排膿散及湯，排膿湯，麦門冬湯，八解散，半夏瀉心湯，白朮附子湯，不換金正気散，附子粳米湯，平胃散，防已黄耆湯，補中益気湯，補肺湯，六君子湯，苓桂甘棗湯，麗沢通気湯，麗沢通気湯加辛夷

▷294 処方中 90 処方（30.6%）

備　考　近年の研究報告：マウスに大棗を単独投与して抗不安効果と軽度の鎮静効果を認めた[4]。また，大棗を含む加味帰脾湯と補中益気湯，四君子湯にオキシトシンニューロンの活性化が電気生理学的に確認され，大棗を含まない人参湯で活性化が認められなかったことから，共通生薬の大棗に主たるオキシトシン神経活性化作用があり，当帰，生姜が活性化を補佐していたとの報告がある[5]。

ちなみに，オキシトシンには，精神機能に対する作用として，信頼を高める[6]，母性行動を促す[7]，不安の軽減[8]，マインドリーディングの改善[9]，自閉スペクトラム症の症状の改善[10]，薬物依存症の改善[11]などが報告され，身体機能に対する作用としては，摂食抑制と内臓脂肪減少による肥満改善[12,13]，膵臓 β 細胞反応性と血糖値の改善[14]，筋肉幹細胞活性化と増殖促進[15]，骨形成促進と骨吸収抑制[16]，海馬神経新生促進[17]などが報告されており，大棗の補脾作用や精神安定作用を裏づける科学的エビデンスになるものと考えられる。

杜仲（トチュウ） *Eucommiae Cortex* 〈日局 18〉

基　原　トチュウ科（*Eucommiaceae*）トチュウ *Eucommia ulmoides* Oliver の樹皮

産地：四川省，湖南省，湖北省，浙江省，安徽省，河南省；韓国

異名別名　思仙（しせん），木綿（もくめん），思仲（しちゅう），櫋（めん），糸連皮（しれんぴ），糸楝（しれん），樹皮（じゅひ），厚杜仲（こうとちゅう），綿杜仲（めんとちゅう）

選　品　皮は厚く，粗皮がきれいに削り去られ，内表面が黒～紫褐色で光沢があり，折ったときに白い糸状のグッタペルカ（備考欄参照）の多いものを良品とする。また，特徴的なわずかなにおいがあり，苦味があるものがよい。皮が薄く，断面の糸が少な

いものや，皮は厚いが粗皮のあるものは劣る

貯蔵：虫とカビが発生しやすいため，低温で湿度の低い場所に，防湿・密閉保存することが望ましい

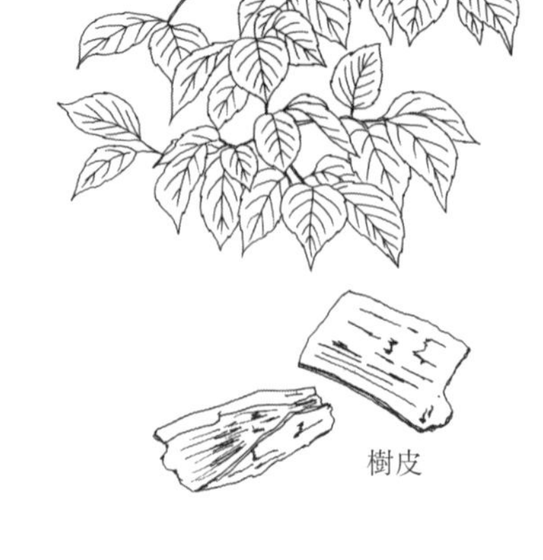

成　分　グッタペルカ（樹皮に6〜10%，葉に2%），リグナン（ピノレシノールジグルコシド），イリドイド（アウクビン，ゲニポシド）

薬　理　抽出液：降圧

抽出物：降圧，抗ストレス，血管拡張，副交感神経興奮

効能主治　性味：甘微辛，温

帰経：肝，腎

効能：肝腎を補う，筋骨を強める，安胎する

主治：腰膝のだるさ・痛み，インポテンツ，頻尿，小便の切れの悪いもの，風湿*46による痺痛*47，胎動不安，習慣性流産

引用文献　神農本草経：腰脊の痛みを主り，中を補い，精気を益す，筋骨を堅くし，志を強くし，陰下の痒湿，小便餘瀝（よれき）を除く

現代における運用のポイント

- **筋骨強化作用**
  筋肉や関節を強化する。
- **補腎強壮作用**
  腎を補い，腰膝のだるさ，インポテンツ，頻尿などを治す。
- **安胎作用**
  安胎をはかり，流産を予防する。

配合応用　杜仲＋川芎：血流を促し，体を温め，筋骨を強化して，痛みを止める（加味四物湯，大防風湯）

配合処方　加味四物湯，大防風湯

▷294処方中2処方（0.7%）

備　考　選品：トチュウの樹皮や葉には折ると白色の糸状のものが見られるが，これはグッタペルカといい，天然ゴムに類似した性質を持つ樹脂である。

その他：杜仲茶として利用される部位は葉であり，杜仲葉配糖体は血圧に関わる成分として，特定保健用食品に利用されている。

韮（ニラ） *Allii Tuberosi Folium*

基　原　ユリ科（Liliaceae）ニラ *Allium tuberosum* Rottler の葉
産地：中国，東南アジア，日本

花序

異名別名　起陽草（きようそう），韮白（きゅうはく），韭白（きゅうはく），韮菜（きゅうさい），韭菜（きゅうさい）

選　品　緑色が鮮やかで，軸の太いものを良品とする

効能主治　性味：辛，温
帰経：肝，胃，腎
効能：胃腸系を温め，気をめぐらし，瘀血（おけつ）*49 を除き，諸毒を解す。腎陽を補い*50 強壮をはかる。生汁では，腸中の瘀血を下す
主治：狭心症，吐血，鼻出血，血尿，糖尿，痔，脱肛，打撲，陽萎*32。外用して，虫さされおよび切創に用いる

引用文献　名医別録（めいいべつろく）：心に帰し，五臓を安んじ，胃中の熱を除く
本草綱目（朱震亨曰（しゅしんこういわく））：吐血，唾血，衄血（じくけつ），尿血，婦人の経脈逆行，打撲傷損，および膈噎（かくえつ）病に主効あり

配合応用　韮＋桃仁：瘀血*49 を除き，通便を促す（滋血潤腸湯）

配合処方　滋血潤腸湯
▷294 処方中 1 処方（0.3%）

備　考　基原：生薬としての流通はない。
その他：種子も韮子（きゅうし）と称して薬用にする。韮子は，肝腎を補う，腰膝を温め痛みをとる，腎陽を補い*50 強壮をはかるなどの効能があり，主に強壮剤として用いられる。

人参（ニンジン） *Ginseng Radix*〈日局 18〉

基　原　ウコギ科（*Araliaceae*）オタネニンジン *Panax ginseng* C. A. Meyer（*Panax schinseng* Nees）の細根を除いた根またはこれを軽く湯通ししたもの
局方規格：本品は定量するとき，換算した生薬の乾燥物に対し，ギンセノシド Rg_1（$C_{42}H_{72}O_{14}$：801.01）0.10% 以上およびギンセノシド Rb_1（$C_{54}H_{92}O_{23}$：1109.29）0.20% 以上を含む
産地：長野県，福島県，島根県，吉林省，黒竜江省，遼寧省，韓国，北朝鮮

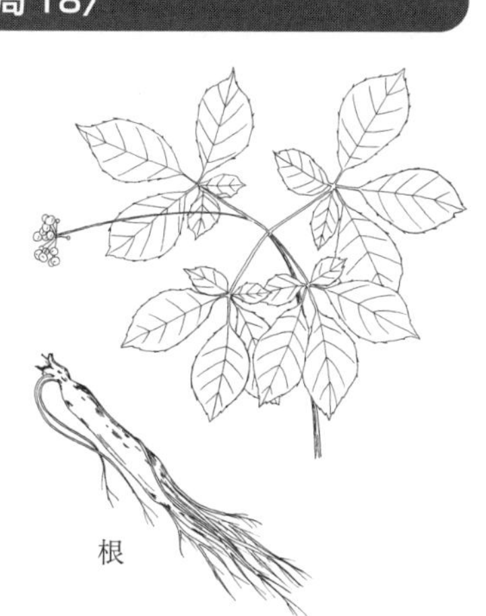

異名別名　御種人参（おたねにんじん），朝鮮人参，高麗人参，白参（はくじん），雲州人参（うんしゅうにんじん），皮付人参（かわつきにんじん），毛人参（けにんじん），紅参（こうじん），人蓡（にんじん）

選　品　市場品には生干人参（きぼしにんじん），湯通し人参（オタネ），白参，紅参などの調製法の違いによ

る区別がある（p. 120 参照）。いずれも芦頭が除かれており，太く，重く，充実し空洞のないものが良品である

生干人参…独特の香りがあり，味甘く，やや苦みがあり，コクがあるものが良品である。細根を利用した毛人参の選品も生干人参に準ずるが，毛人参は苦味が強く，甘味がない

湯通し人参…外皮が残っており，中央までアメ色で白芯のないものが良品である

白参…外皮が完全に去られており，外・内面ともに白いものが良品である

紅参…色むらがなく，芯までアメ色で白芯がないものが良品である

貯蔵：甘く，虫がつきやすいので，低温で乾燥の良い場所で保存する。細刻品は香気成分が揮散しやすいので，密封保存が望ましい

成　分　トリテルペノイドサポニン（ギンセノシド Ro，Ra～Rh）。アセチレン誘導体（パナキシノール）など

薬　理　抽出液：気道分泌亢進

サポニン類：骨髄における DNA・RNA・タンパク質・脂質の合成促進，血漿 ACTH とコルチコステロンの増加，その他精神・神経系に対する作用，実験的肝障害・実験的副腎皮質ホルモン過剰症・実験潰瘍の改善，肉芽腫形成

抽出物：大脳皮質刺激によるコリン作動性作用，血圧降下，呼吸促進，高血糖改善，インスリン作用増強，抗疲労，鎮痛，胃潰瘍抑制

効能主治　性味：甘微苦，温

帰経：脾，肺

効能：大いに元気*51 を補う，虚脱*52 を治し，津液（しんえき）*14 を生じる，精神安定をはかる

主治：労働過多による疲労，食欲不振，倦怠，食べたものをすぐに吐く，未消化便の下痢，陽虚*10 証の喘咳，発汗甚だしく虚脱するもの，けいれん発作，健忘症，めまい，頭痛，インポテンツ，頻尿，糖尿病など口渇の甚だしいもの，不正子宮出血，小児の引きつけ，慢性化した消耗性疾患，一切の気血津液の不足

引用文献　神農本草経：五臓を補するを主（つかさど）り，精神を安んじ，魂魄（こんぱく）を定め，驚悸（きょうき）を止め，邪氣を除き，目を明らかにし，心を開き，智を益す

古方薬品考：滋を生じ，虚羸（きょるい）を温補す（人蓡の項）

重校薬徴：心下痞鞕支結（しんかひこうしけつ）を主治し，心胸停飲（しんきょうていいん），嘔吐，不食，唾沫（だまつ），心痛，腹痛，煩悸（はんき）を兼治す（人蓡の項）

古方薬議：驚悸を止め，消渇（しょうかち）を止め，血脈を通じ，中を調へ，氣を治し，食を消し，胃を開く。之を食して忌（い）む無し

現代における運用のポイント

- **補気作用**

補気薬としては，非常に高い効能を示し，特に胃腸系・呼吸器系を活性化するには欠くことができない。胃腸系に働く場合には，下痢を止め，消化を促進し，体力をつける。呼吸器系に働く場合には，肺機能を高め，よく鎮咳去痰し，呼吸機能を高める。

- **生津作用**

陽明病（ようめいびょう）*53・温病（うんびょう）*54 など，高熱によって津液（しんえき）*14 が損なわれたときによく津液を補い，

口渇を止め体力をつける。

配合応用 人参＋黄耆：1）脾胃虚弱に伴う疲労感，病中病後の体力低下，糖尿病，中気下陥（ちゅうきげかん）*13のために生じる胃下垂・脱肛・子宮脱を治す（補中益気湯）。2）脾胃を補い，補気し体力をつける（加味帰脾湯，千金内托散，大防風湯，扶脾生脈散）

人参＋甘草：胃気*22を補い，下痢腹痛を治す（甘草瀉心湯，人参湯）

人参＋五味子：気を補い，強壮し，喘息様症状や呼吸促迫を治す，自汗*5を止める（人参養栄湯，扶脾生脈散）

人参＋酸棗仁：消耗性疾患による心悸亢進・不眠・精神不安を治す（帰脾湯）

人参＋地黄：造血をはかり，滋潤し，貧血を治す（十全大補湯）

人参＋乾姜（生姜）：胃腸を温め，その機能を賦活し，腹痛・腹はり・嘔気・胃腸の冷えによる下痢（未消化便）・腹部の冷感・食欲不振を治す（解急蜀椒湯，乾姜人参半夏丸，大建中湯，中建中湯，四逆加人参湯，生姜瀉心湯，続命湯，人参湯，半夏瀉心湯，奔豚湯（肘後方），六君子湯）

※この場合，乾姜を用いると胃腸を温める作用が，生姜を用いると止嘔作用が増強される

人参＋大棗＋生姜（乾姜）＋甘草：補脾胃の基本的な組み合わせ。多くの処方に配合される（小柴胡湯，半夏瀉心湯他）

人参＋石膏：津液（しんえき）*14を生じ，煩渇*55を除く（白虎加人参湯）

人参＋知母：内熱または津液不足*30に伴う口渇・煩渇*55を治す（白虎加人参湯）

人参＋麦門冬：胃および肺の津液（しんえき）*14を補い，煩躁*56を治す（竹茹温胆湯，麦門冬湯，清暑益気湯，外台四物湯加味，竹葉石膏湯）

人参＋白朮：胃腸の機能を高め，体力をつけ，食欲不振，倦怠無力，消化不良，腹部膨満感，慢性下痢，めまい，貧血，自汗*5，喘咳を治す（人参湯，参苓白朮散，清熱補気湯，四君子湯，当帰芍薬散加人参）

人参＋白朮＋茯苓：胃腸の機能を高め，胃内停水を除く（四君子湯，六君子湯）

人参＋附子：寒邪*57による胃腸機能の低下・腹痛・下痢を治す（附子理中湯）

配合処方 胃風湯，温経湯，延年半夏湯，黄連湯，解急蜀椒湯，化食養脾湯，加味温胆湯，加味帰脾湯，加味四物湯，乾姜人参半夏丸，甘草瀉心湯，帰脾湯，桂枝加芍薬生姜人参湯，桂枝人参湯，啓脾湯，外台四物湯加味，香砂養胃湯，香砂六君子湯，厚朴生姜半夏人参甘草湯，呉茱萸湯，柴葛湯加川芎辛夷，柴陥湯，柴胡加竜骨牡蛎湯，柴胡桂枝湯，柴芍六君子湯，柴蘇飲，柴朴湯，柴苓湯，四逆加人参湯，四君子湯，滋腎明目湯，炙甘草湯，十全大補湯，生姜瀉心湯，小柴胡湯，小柴胡湯加桔梗石膏，小続命湯，参蘇飲，参苓白朮散，清肌安蛔湯，清暑益気湯，清心蓮子飲，清熱補気湯，千金内托散，喘四君子湯，銭氏白朮散，続命湯，大建中湯，大半夏湯，大防風湯，竹茹温胆湯，竹葉石膏湯，中建中湯，釣藤散，当帰芍薬散加人参，当帰湯，女神散（安栄湯），人参湯（理中丸），人参養栄湯，麦門冬湯，八解散，半夏瀉心湯，半夏白朮天麻湯，白虎加人参湯，茯苓飲，茯苓飲加半夏，茯苓飲合半夏厚朴湯，茯苓四逆湯，附子理中湯，扶脾生脈散，補気健中湯（補気建中湯），補中益気湯，奔豚湯（肘後方），木防已湯，六君子湯

▷294 処方中 75 処方（25.5%）

備　考 基原：人参は類似生薬が多く見られ，竹節人参：*P. japonicus* C. A. Meyer，三七（さんしち）人

参：*P. notoginseng* Feng Hwei Chen，西洋人参：*P. quinquefolium* Linné などがあるが，それぞれ別の植物である。

効能：人参はがんなどの放射線治療時に併用すると，免疫力を高め，体力の回復を早めることができる。

近年の研究報告：

　人参の薬理作用はさまざまなものが確認されているが，海馬に障害のある若齢ラットおよび高齢ラットの学習障害を有意に改善したという報告[18]が注目される。山本は，抑肝散加陳皮半夏に紅参末を加えて，虚証の脳血管型認知症の71.4% で認知機能の改善を認め，特に記憶の改善が有意で，ADL も改善したと報告している[19]。認知症改善を考える上で，臨床に有用な情報として記載する。

【人参の分類について】

①生干人参：オタネニンジンを水洗し，細根を除いて，外皮を剥がずにそのまま乾燥したもの。

②湯通し人参（市場ではこれを御種人参（おたねにんじん）と称す）：水洗し，細根を除いて，外皮を剥がずに湯通ししてから乾燥したもの。

③白参：水洗し，細根を除いて，外皮を剥ぎ，乾燥したもの。

④紅参：水洗し，細根を除いて，外皮を剥がずに圧力釜で蒸し，赤褐色になったものを乾燥したもの。コウジンの名称で日局に収載されている。

⑤ヒゲ人参：細根を乾燥したもの。

【人参の類似生薬について】

①竹節人参（竹参（ちくじん））：江戸時代より人参の代用品として用いられており，心下痞鞕（しんかひこう）*58 には人参よりも有効であるとして，古方派の吉益東洞が竹節人参を賞用していた。人参に比べ滋養強壮作用は劣るが，鎮咳去痰・健胃・解熱作用に優れるので，咳嗽や心下部の痞（つか）えを目標に，人参の代用として用いる。薬局製剤業務指針では，小柴胡湯の変方として人参の代わりに配合されている（竹節人参の項参照）。

②三七（田七（でんしち）・田三七（でんさんしち）・三七人参（さんしちにんじん））：明代に雲南省，広西チワン族自治区の民間薬として発見された。本草書としての記載は，『本草綱目』が初めてである。漢方では，出血性疾患に広く用いられ，主な効能は，止血，駆瘀血（くおけつ）*59，止痛などである。瘀血病証以外では，リウマチ・神経痛の鎮痛薬として用いられる。出血性疾患に用いる場合，吐血・喀血・痔出血・子宮出血など内臓疾患に由来する出血には内服し，切り傷・できもの・打撲などの出血には粉末として外用する。本品の止血作用は大変強い。サンシチニンジンは，局外生規 2018 に収載されており，基原を「*P. notoginseng* Feng Hwai Chen の細根を除いた根」とし，成分含量についても「本品は定量するとき換算した生薬の乾燥物に対しギンセノシド Rg_1（$C_{42}H_{72}O_{14}$：801.01）2.0% 以上およびギンセノシド Rb_1（$C_{54}H_{92}O_{23}$：1109. 29）1.5% 以上を含む」と規定されている。

③西洋人参（洋参（ようじん）・西洋参（せいようじん）・広東人参（かんとんにんじん）・アメリカニンジン）：北アメリカ原産で，17～18 世紀にかけてヨーロッパやアメリカで広く用いられるようになった。人参と同様に疲労回復作用が認められるが，その作用は人参より劣る。しかし，滋陰（じいん）*60・清熱*17 作用は人参より優れているので，熱証患者の滋養強壮に適している。

竹節人参（チクセツニンジン）*Panacis Japonici Rhizoma*〈日局 18〉

基　原　ウコギ科（*Araliaceae*）トチバニンジン *Panax japonicus* C.A. Meyer の根茎を通

例，湯通ししたもの

産地：北海道，秋田県・福島県・山形県など東北地方，福井県，長野県，宮崎県，鹿児島県

※中国では流通していない

根茎

異名別名 竹参（ちくじん），竹人（ちくにん），土参（どじん），珠子参（じゅしさん），竹節参（ちくせつじん），栃葉人参（とちばにんじん）

選　品 太く，長く，質が堅く充実し，節が多く密集しており，表面は淡黄白色ないし灰褐色で，断面は角質黄白色を呈し，味は苦く，わずかに甘く，味の濃いものが良品である

貯蔵：虫がつきやすいので，低温で乾燥の良い場所で保存する

成　分 トリテルペノイドサポニン（チクセツサポニン類）

薬　理 チクセツサポニン類〔トランキライザー作用，解熱，鎮咳，去痰，抗浮腫（抗炎症），パパベリン様作用，腸内容物輸送促進，抗ストレス潰瘍など〕

効能主治 性味：甘微苦，微温

帰経：肺，脾，肝

効能：虚を補い，強壮する，止咳する，去痰する，止血する，止痛する

主治：病後の体力回復，食欲不振，過労・疲労による咳嗽，喀血，吐血，鼻血，血便，血尿，子宮出血過多，外傷出血，癥瘕（ちょうか）*61，瘀血*49による月経閉，産後の瘀血による腹痛，風湿*46による関節痛，打撲による損傷，化膿性のはれもの，痔瘡，毒蛇などによる咬傷

引用文献 古方薬品考：竹節蓡（ちくせつじん）は此れ直根の蘆頭，所謂（いわゆる）蓡蘆（じんろ）是なり（中略）本草蒙全に曰く蓡蘆は能く痰涎を吐す（直根人参の竹節参の項）

草木便法：散血，活血，破血する。癰腫を治し，犬傷，金刀，跌撲を療す

国薬提要：去痰する

貴州民間薬物：健脾し，腎虚を補う

現代における運用のポイント

- 補脾胃作用

胃腸を補い，心下部の痞えを除く。

- 鎮咳去痰作用

体力不足や過労による咳や痰を鎮める。

※中国では止血薬として用いるが，日本では止血作用に用いることはない。なお，日本産の竹節人参は中国産の竹節人参（竹節参）とは別種との見解がある。詳しくは，【竹節人参と人参について】を参照されたい。

配合応用 竹節人参（人参の代用として）＋桂皮：脾胃を補い，胸膈部の陽気をめぐらし*11，結気*62を散ずる（木防已湯）

配合処方 柴葛湯加川芎辛夷，木防已湯（人参の代用として）

▷294 処方中 2 処方（0.7%）

【竹節人参と人参について】

竹節人参は，日本原産のトチバニンジン *Panax japonicus* C.A. Meyer の根茎である。日本の山野に自生し，地上部はオタネニンジンと極めて似ているが，地下部の形態はかなり異なっている。地下の根茎が横に長く伸び，竹の地下茎のように，ところどころに節があることから，和名で「竹節人参（ちくせつにんじん）」と呼ばれるようになった。薬用部位はオタネニンジンが根を使用するのに対して，竹節人参では肥大した根茎を用いる。

竹節人参は，江戸時代の初期，寛永年間に，明から渡来した何欽吉（かきんきち）が薩摩においてこれを発見し，人参の代用として採集して医療に用いたのが始めたとされている。竹節人参は，御種人参に比べ苦味が強いが，江戸時代の古方派吉益東洞は，苦みのある竹節人参を心下痞鞕*58の証に好んで用いた。人参との薬効の違いでは，竹節人参は苦味が強く，健胃・去痰作用に優れるが，人参のような滋養強壮作用はあまり期待できない。

なお，中国産竹節人参（竹節参）は，基原植物が学名上で同一あるいはシノニム（同一種の別名）であるとの見解もあるが，実際に同一種であることが明確に証明されていないため，日本のトチバニンジンとは別種との考えがあり，日本では中国産竹節人参は日本産竹節人参と区別して考えられ，生薬としての流通もない。

蜂蜜（ハチミツ） *Mel* 〈日局 18〉

基　原　ミツバチ科（*Apidae*）ヨーロッパミツバチ *Apis mellifera* Linné またはトウヨウミツバチ *A. cerana* Fabricius がその巣に集めた甘味物を採集したもの

産地：中国各地

異名別名　石蜜（せきみつ），食蜜（しょくみつ），蜜（みつ），白蜜（はくみつ）

選　品　水分が少なく，油性があり，凝脂のように濃密で，棒ですくい上げると切れずに糸状に流れ落ち続け，とぐろを巻くように重なり合い，味は甘くて酸っぱくなく，芳香を持ち，きれいで夾雑物のないものを良品とする

貯蔵：高温の場所で長期保存すると発酵し，酸化しやすいため低温で気密保存する

成　分　転化糖，ショ糖，単糖類，有機酸など

効能主治　性味：甘，平

帰経：肺，脾，大腸

効能：胃腸系を補い滋養強壮する，胃部の緊張を和らげる，津液（しんえき）*14を補い，粘膜の乾燥を潤し，鎮咳し，便秘を治す

主治：肺の津液不足*30による咳嗽，乾燥性便秘，口内炎，やけど

引用文献　神農本草経：心腹邪氣（しんぷくじゃき），諸驚癇痓（きょうかんし）を主（つかさど）る。五臟を安んじ，諸不足に氣を益し，中（ちゅう）を補い，痛を止め，毒を解し，衆病を除き，百薬を和す（石蜜の項）

古方薬議：痛を止め，毒を解し，衆病（しゅうびょう）を除き，百薬を和し，嗽を止め，痢を治し，能（よ）く腸を滑らかにす（白蜜の項）

配合応用　蜂蜜＋人参：胃気*22を補い，滋養強壮をはかる（大半夏湯）

配合処方　大半夏湯。

▷294 処方中 1 処方（0.3%）

備　考　基原：食品としては，日本，オーストラリア，ブラジル，アメリカなど多くの産地のものが流通している。

効能：民間療法では，レンゲの蜂蜜を鎮咳に用いる。『傷寒論』では蜂蜜を「蜜煎導（みつせんどう）」の処方名で浣腸薬として用い，実効を上げている。

配合処方：『傷寒論』では，桂枝茯苓丸や八味地黄丸などの丸剤を作る際に基剤として蜂蜜を用いている。

卵黄（ランオウ）

基　原　キジ科（Phasiandae）ニワトリ *Gallus gallus* Brisson subsp. *domesticus* Brisson の卵の黄身

異名別名　鶏子黄（けいしおう），鶏卵黄（けいらんおう）

成　分　タンパク質（リポビテリン，リポビテレニン），脂質（レシチン），脂溶性ビタミンA，D，E，ビタミンB_1，B_2，ナイアシン，パントテン酸，鉄，リン，カルシウムなど

薬　理　レシチン：血中コレステロール減少

効能主治　性味：甘，平

帰経：心，腎

効能：体力を補い，滋養をはかる。肝風内動（かんぷうないどう）*63 を治す

主治：胸部の煩悶感・精神不安による不眠，熱病によるけいれんと意識不明，結核性衰弱，嘔吐，下痢，流産，不正子宮出血，小児消化不良。外用して，やけど・熱瘡（ねつそう）*64・湿疹

引用文献　本草綱目：陰血を補い，熱毒を解し。下痢を治す（鶏の項の卵黄の部分）

古方薬議：心を鎮め，血を補ひ，咽を清くし，音を開き，熱を散じ，驚を定め，嗽を止（と）め，利を止（と）む

配合応用　卵黄＋阿膠：血を補い，強壮をはかる（黄連阿膠湯）

卵黄＋黄連：胸部の煩悶感を除き，不眠を治す（黄連阿膠湯）

卵黄＋桔梗：排膿を促し，化膿性疾患を治す（排膿散）

配合処方　排膿散，黄連阿膠湯

▷294 処方中 2 処方（0.7%）

備　考　基原：生薬としての流通はない。局外生規 2018 には，卵黄末の収載があり，基原を「卵黄を乾燥して粉末としたもの」としている。

蓮肉（レンニク） *Nelumbinis Semen* 〈日局 18〉

基　原　スイレン科（*Nymphaeaceae*）ハス *Nelumbo nucifera* Gaertner の通例，内果皮の付いた種子でときに胚を除いたもの

産地：湖北省，湖南省，福建省

異名別名　藕實（ぐうじつ），石蓮子（せきれんし）[*65]，蓮子（れんし），蓮実（れんじつ）

選　　品　よく熟して硬く，大きくて内面が淡黄白色で，緑色の芽を取り除いてあるものを良品とする
貯蔵：虫がつきやすいので低温の場所で保存する

成　　分　アルカロイド（ロッシン，デメチルコクラウリン，オキソウシンスニン，メチルコリパリン），デンプンなど

薬　　理　抽出物：平滑筋弛緩
メチルコリパリン：冠状血管拡張
デメチルコクラウリン：子宮平滑筋弛緩

効能主治　性味：甘渋，平
帰経：心，脾，腎
効能：心を養う[*66]，腎を益す[*67]，脾を補う[*68]
主治：多夢，遺精，小便混濁，慢性虚証の下痢，不正子宮出血，帯下

引用文献　神農本草経：中を補い，神を養い，氣力を益し，百疾（ひゃくしつ）を除く（藕實莖（ぐうじつけい）の項）

配合応用　蓮肉＋黄耆：気血を補い，滋養強壮をはかる（清心蓮子飲）
蓮肉＋山薬：脾胃を補い，下痢を止める（啓脾湯）
蓮肉＋人参：心腎の陽気[*16]を補い，強壮し，利尿する（清心蓮子飲）
蓮肉＋茯苓：腎脾の気を補い，水分代謝を促し，下痢を止める（参苓白朮散）

配合処方　参苓白朮散，清心蓮子飲，啓脾湯
▷294 処方中 3 処方（1.0%）

備　　考　その他：類似生薬に芡実（けんじつ）があるが，これはオニバス（スイレン科 *Euryale ferox* Salisb.）の種子であり，蓮肉とは基原が異なる。効能面では蓮肉と似ているが，収れん[*69]作用は芡実の方がすぐれている。

(2)行気薬（ぎょうき）

行気薬とは，気のうっ滞・沈滞などによって起こる頭重・めまい・耳鳴り・咽喉の違和感・手足倦怠などの諸症に対し，気の運行を調えることによって改善する薬物のことである。

烏薬（ウヤク）*Linderae Radix*〈日局 18〉

基　　原　クスノキ科（*Lauraceae*）のテンダイウヤク *Lindera strychnifolia* Fernandez-Villar の根
産地：安徽省，河南省，福建省，江西省，浙江省，湖南省

異名別名　天台烏薬（てんだいうやく），台烏薬（だいうやく）

選　　品　芋様で肥大し，においの強いもの，横断面が淡褐色のものが良い
貯蔵：精油を含み，デンプン質で虫がつきやすいので，気密保存するのが望ましい

成　　分　精油〔モノテルペン（ボルネオール），セスキテルペン〕など

薬　理 芳香性成分：腸蠕動運動の促進による整腸

効能主治 性味：辛，温

帰経：脾，肺，腎，膀胱

効能：気を正常にめぐらせ，気のうっ滞を解消する，寒を除き，止痛する

主治：気の上逆[*70]による胸腹の脹り・痛み，消化不良で食物を吐くもの，冷えによる疝痛[*71]，脚気，頻尿

引用文献 本草綱目：中氣，脚氣，疝氣，氣厥，頭痛，腫脹，喘急を治し，小便頻数（ひんさく），および白濁を止める

配合応用 烏薬＋桂皮：虚寒[*72]による腹痛，下腹部の冷痛を治す（芎帰調血飲第一加減，八味疝気方）

烏薬＋香附子：寒気がうっ滞して起こる下腹部の脹り・痛み・疝痛[*71]を治す（芎帰調血飲，烏苓通気散）

烏薬＋陳皮：気の上逆[*70]による腹脹り・膨満感を治す（芎帰調血飲）

烏薬＋白彊蚕：去風[*73]し，気をめぐらせて痛みやけいれんを治す（烏薬順気散）

烏薬＋木香：胃部の冷痛，腹部の疼痛を治す（芎帰調血飲第一加減）

配合処方 烏薬順気散，烏苓通気散，芎帰調血飲，芎帰調血飲第一加減，八味疝気方

▷294 処方中 5 処方（1.7%）

薤白（ガイハク） *Allii Chinense Bulbus* 〈局外生規 2018〉

基　原 ユリ科（*Liliaceae*）ラッキョウ *Allium chinense* G. Don の鱗茎

産地：鹿児島県，鳥取県，四国

異名別名 薤根（がいこん），薤藠頭（がいきょうとう），大頭菜子（だいとうさいし），薤白頭（がいはくとう），藠子（きょうし），莜子（ちょうし）

選　品 ニンニク臭があり，辛味のあるもの。大きく充実して，黄白色，半透明で変色，変敗が見られない，外層の膜質鱗片葉および花茎のついていないものを良品とする

貯蔵：虫害を受けやすいので，乾燥した場所で密閉容器に保管するのが望ましい。なお，ニンニク臭の他生薬への臭い移りに注意する

鱗茎

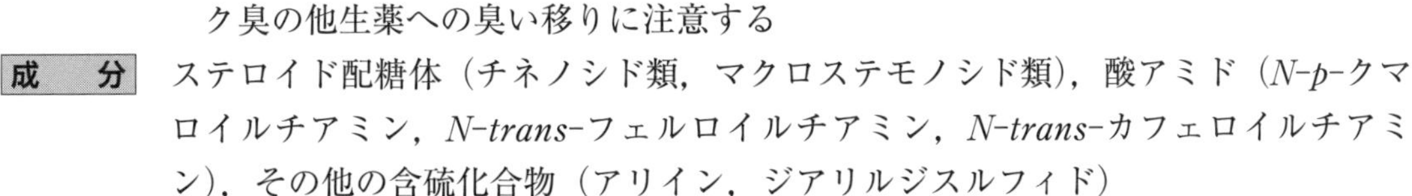

成　分 ステロイド配糖体（チネノシド類，マクロステモノシド類），酸アミド（*N*-*p*-クマロイルチアミン，*N*-*trans*-フェルロイルチアミン，*N*-*trans*-カフェロイルチアミン），その他の含硫化合物（アリイン，ジアリルジスルフィド）

薬　理 抽出物：血小板凝集抑制，抗アテローム性動脈硬化，抗酸化

酸アミド類，マクロステモノシド類：血小板凝集抑制

効能主治 性味：辛苦，温
帰経：肺，心，胃，大腸
効能：気をめぐらせて伸びやかにし，胸部の気滞[*74]を緩和する。陽気[*16]を通じてうっ結した気を散らす
主治：胸痺[*20]，心痛が背中に響くもの，胸部や心下部がつまって悶えるもの，喘咳し痰の多いもの，上腹痛，水瀉性の下痢を起こししぶり腹となるもの，白帯下，できもの，化膿性の腫れもの

引用文献 神農本草経：金瘡，瘡敗を主る（薤の項）
名医別録：寒熱を除き，水気を去り，中を温め，結を散じ，病人を利す。諸瘡，風寒に中りて水腫するは，以ってこれを塗る（薤の項）
重校薬徴：胸痺，胸背痛を主治し，喘息，咳唾を兼治す
古方薬議：中を温め，結を散じ，水気を去り，久痢を止め，気滞を泄（せつ）す。心病は宜しく之を食すべし

現代における運用のポイント
- 行気治胸痺作用
胸中に陽気をめぐらせ[*11]，胸部の緊張を緩和して胸痺[*20]を治す。胸痺治療の要約である。

配合応用 薤白＋栝楼実（または栝楼仁）：胸痺[*20]治療の基本配合，胸中に陽気をめぐらせ[*11]，痰飲[*19]を除き，緊張を緩和して，胸部の痞え，呼吸困難，胸痺を治す（栝楼薤白白酒湯，栝楼薤白湯）

配合処方 栝楼薤白白酒湯，栝楼薤白湯
▷294 処方中 2 処方（0.7%）

備　考 基原：中国では薤白として，ラッキョウの他に，ノビル *Allium macrostemon* Bunge を基原とする生薬も流通する。野蒜，小蒜，小根蒜などの別名がある。
産地：現在，日本市場では中国産は見られず，日本産の食用のラッキョウを原料に加工した生薬が流通している。また，生薬としての流通は少ない。

枳殻（キコク） *Aurantii Fructus*

基　原 ミカン科（*Rutaceae*）ダイダイ *Citrus aurantium* Linne var. *daidai* Makino，*C. aurantium* Linne またはナツミカン *C. natsudaidai* Hayata の未熟果実（で，枳実（きじつ）を採集した 1～2 カ月後に未熟果実を採集し半分に横切したもの）
※市場品は，枳殻，枳実の 2 種があるが，日局 18 では両者とも枳実として扱っている。【枳実と枳殻について】p. 127 を参照されたい
産地：浙江省，江西省，陝西省，湖南省，湖北省，日本（四国，中国）

異名別名 酸橙枳殻（さんとうきこく）

選　品 外皮は濃い濃緑～黒緑色，果皮は肉厚で，断面の橘白部が少し盛り上がり，白く，また香気が濃厚で，苦味のあるものを良品とする

貯蔵：高温多湿で虫とカビが発生しやすいため，低温で乾燥したところに保管する。精油の揮発と変色を防ぐため，気密保存が望ましい

成　分 精油，フラボノイド（ネオヘスペリジン，ナリンギンなど）

薬　理 枳実の項参照

引用文献 雷公炮炙論（らいこうほうしゃろん）：能く消一切の痺を治す

薬性論（やくせいろん）：遍身（へんしん）の風疹，肌中麻豆のごとくして悪痒するを治す。腸風，痔疾，心腹結気，両脇の脹り，虚して関膈擁塞（かんかくようそく）するを主る

開宝本草（かいほうほんぞう）：風痒，麻痺，関節を通利し，労氣，欬嗽，背膊（はいはく）の悶倦，瘤を散じ，胸膈に痰滯りて結ぼれるもの，水を逐い，脹満大なるを消し，腸風，胃を安んじ，風痛を止むるを主る

効能主治 性味：苦酸，微寒

帰経：肺，脾，胃，大腸

効能：気をめぐらせて伸びやかにし，胸部の気滞[*74]を緩和する。気の滞りを動かし，腹中の結塊を消す

主治：胸膈の痞満，脇肋部が脹り痛むもの，飲食が消化せず滞留するもの，胃腹の膨満感，下痢してしぶり腹となるもの，脱肛，子宮脱，子宮下垂

> **現代における運用のポイント**
> - 枳実の項（p. 128 参照）。
> - 【枳実と枳殻について】も参照されたい。

配合応用 枳実の項（p. 129 参照）

配合処方 枳実の項（p. 129 参照）

【枳実と枳殻について】

枳殻と枳実は植物学的に差異はなく，両者とも，枳の未成熟果を指している。本草学的には，最初に登場するのは「枳実」であり，『神農本草経』に初出する。「枳殻」が項目として登場するのは，宋代の『開宝本草』（974）だが南北朝時代の『雷公炮炙論』（420-479）にすでに枳殻という名称が存在している。枳実と枳殻を同一物とするかどうかについては，本草書によって説が分かれるが，歴代の本草書によれば，枳殻と枳実は同一物で，その大きさや成熟度合いによって両者を区別したとするものが多く見られる。

実際，この大きさと成熟度による区別は，現代に引き継がれており，『中華人民共和国薬典 2020 年版』では，「枳実は，5～6 月に幼果を摘果したものや自然に落果したものを用い，直径は，0.5～2.5 cm 程度である。枳殻は，それより成熟したもので 7 月にまだ外皮が緑色の状態のものを採集して用いる。直径は，3～5 cm 程度である」としている。

現在の日本市場においても，①果実の大きさで分けるものと，②採集時期による成熟度で分けるものがあり，各社で基準はやや異なる。例えば，理化学的試験によれば，ナリンギン含量は果実径が増加するに伴い減少し，ヘスペリジン含量は果実径が増加するに伴い増加するため大きさによって区別するものや，成長期の成分変化や気味の強弱の違いに注目して成熟期による区別を行う場合などがある。

なお，国産の場合は，枳実・枳殻と区別せずに，「赤切り：表皮が黄色」，「青切り：表皮が濃緑色」，「小割：表皮が濃緑色で小形」，「久丸：2 つ割りしない小形の全形」に分けていた。赤切り，青切りが枳

殻で，小割，久丸が枳実である。

日局 18 では，枳殻についての規定は特になく，枳殻も枳実として扱われている。両者の効能はおおむね同じと考えられるが，わが国の臨床上の慣習として，枳実は，その性が烈しく速やかで，気を破る力が強く，よく結を散じ，積を化す作用があるといわれ，水毒や食の滞りを下降させるのに対し，枳殻はその性がより緩和で，気を理め，中を寛め，脹りを除く作用にすぐれ，胸の痞えや腹満などの気滞を除く作用があるとされている[20]。

枳実（キジツ） *Aurantii Fructus Immaturus* 〈日局 18〉

基原 ミカン科（*Rutaceae*）①ダイダイ *Citrus aurantium* Linné var. *daidai* Makino, *C. aurantium* Linné，または②ナツミカン *C. natsudaidai* Hayata の未熟果実をそのまま，またはそれを半分に横切したもの

※市場品は枳実，枳殻の 2 種があるが，日局 18 では両者とも枳実として扱っている。【枳実と枳殻について】を参照されたい。

産地：①浙江省，江西省，ハイチ，②和歌山県，広島県，愛媛県

異名別名 枳殻，枳實

選品 外面が緑黒色で，果皮が厚く，中色が白く，嚢が小さく，質が堅く充実し，芳香性で苦味の強いものを良品とする。刻んだものは褐色となっているが，これは乾燥した果実が硬く，刻む時点で水戻しするためである。

貯蔵：虫やカビがつきやすく，精油分を含むので低温で乾燥した場所に気密保存するのが望ましい

成分 精油，フラボノイド（ナリンギン，ヘスペリジン，ネオヘスペリジン），クマリン，シネフリンなど

薬理 抽出液：腸管運動の抑制，抗アレルギー，収縮子宮の弛緩，血圧上昇

シネフリン：交感神経興奮

ナリンギン，ネオヘスペリジン：抗炎症

効能主治 性味：苦，寒

帰経：脾，胃

効能：滞った気を通じる，痞を散らす，去痰を促す，腹中の硬結を除く

主治：胸腹部の脹りと膨満感，胸痺*20，痞痛，咳嗽，水腫*3，飲食の停滞，便秘，胃下垂，子宮下垂，脱肛

引用文献 神農本草経：大風皮膚中に在りて，麻豆の如し，痒みに苦しむを主る。寒熱結するを除き，痢を止め，肌肉を長じ，五臓を利し，益氣す

古方薬品考：否を開いて，以って結氣を破る

重校薬徴：結実の毒を主治す。故に胸腹満痛を治し，胸痺停痰，癰膿を兼治す

古方薬議：寒熱結を除き，痢を止め，胸脇痰癖を除き，停水を逐ひ，結実を破り，脹満を消し，心下急痞痛，逆氣喘咳を主る

現代における運用のポイント

- **消化促進作用**
  飲食停滞による腹部膨満感，慢性消化不良に用い，胃腸機能の回復をはかり，消化を促進する。
- **鎮咳・去痰作用**
  胃および肺の機能低下による咳嗽に用い，鎮咳去痰する。
- **胸腹部緊張緩和作用**
  肝臓・胆のう疾患および胃腸疾患による胸腹部の緊張を緩和し，膨満感を治す。

配合応用　枳実＋栝楼仁：胸膈部の気が滞って起こる胸痛を治す（柴梗半夏湯，柴胡枳桔湯）

枳実（または枳殻）＋桔梗：1）感冒・肺炎・気管支炎など粘性の痰を伴う咳嗽を治す（柴梗半夏湯，柴胡枳桔湯）。2）肺癰[*75]・蓄膿症・皮膚化膿・咽喉炎などの各種化膿性疾患を治す（荊芥連翹湯，荊防敗毒散，排膿散，排膿散及湯）

枳実（または枳殻）＋厚朴：気逆[*76]，気滞[*74]，湿邪[*45]による腹部膨満感・腹痛・嘔吐を治す（小承気湯，枳縮二陳湯，通導散，分消湯，麻子仁丸）

枳実＋柴胡：胸脇部の満悶，腹痛，食欲不振，大便不調を治す（柴胡疎肝湯，大柴胡湯）

枳実＋芍薬：1）筋肉の緊張を緩め胸脇苦満および膨満感を治す（四逆散，大柴胡湯，解労散，柴胡疎肝湯）。2）排膿作用を有す（排膿散，排膿散及湯）

枳実＋縮砂：胸腹部の気をめぐらし，悪心，嘔吐，痛みを止める（枳縮二陳湯）

枳実（または枳殻）＋大黄：便秘による腹部の脹りと膨満感を治す（小承気湯，大柴胡湯，通導散，麻子仁丸）

枳実＋白朮：飲食停滞による胃腸の膨満感，慢性消化不良，胃腸虚弱，胃下垂を治す（茯苓飲）

配合処方　＜294 処方中に枳実として配合されている処方＞温胆湯，延年半夏湯，解労散，加減涼膈散（龔廷賢），加味温胆湯，甘露飲，枳縮二陳湯，芎帰調血飲第一加減，柴梗半夏湯，柴胡枳桔湯，柴胡疎肝湯，四逆散，滋血潤腸湯，潤腸湯，小承気湯，椒梅湯，参蘇飲，清上防風湯，大柴胡湯，大柴胡湯去大黄，竹茹温胆湯，排膿散，排膿散及湯，茯苓飲，茯苓飲加半夏，茯苓飲合半夏厚朴湯，麻子仁丸

▷294 処方中 27 処方（9.2%）

＜294 処方中，枳実（枳殻でも可），枳実（枳殻），枳殻（実），枳殻（または枳実）の表記で両者いずれかの配合としている処方＞荊芥連翹湯，荊防敗毒散，五積散，通導散，分消湯（実脾飲）

※分消湯は，枳実に代えて枳殻を用いた場合，実脾飲と名称が変わる

▷294 処方中 5 処方（1.7%）

＜294 処方中に枳殻として配合されている処方＞烏薬順気散

▷294 処方中 1 処方（0.3%）

備　考　基原：1. 日局 18 では枳実と枳殻は同一のものとして扱われているが，漢方処方では両者を区別しているものがある。市場では枳実・枳殻はそれぞれ分かれて流通

している。詳しくは，【枳実と枳殻について】p. 127を参照されたい。

2. 市場品には基原が明確でないものも見られる。広東省，福建省，湖北省などからも輸入されているが，これらの基原も不明確である。また，『中華人民共和国薬典 2020年版』には，枳実の基原として，日局に適合する *C. aurantium*（酸橙）のほか，*C. sinensis*（甘橙）の記載がみられる。また『中華人民共和国薬典 2020年版』に記載はないが，枳実・枳殻の基原として中国で昔から用いられる *C. wilsonii*（香円），*Poncirus trifoliate*（枸橘），*C. aurantium* L. var. amara Engl.（代代花）および *C. sinensis*（L.）Osbeck（甜橙）などの柑橘類も中国市場では流通しているようである。

3. 韓国産のものはカラタチ *Poncirus trifoliata* Rafin（＝*C. trifoliata* L.）が主流である。

4. なお国内流通品では，*C. aurantium* の亜種のハッサク *C. aurantium* subsp. *Hassaku*（＝*C. hassaku*）も基原植物に含まれる。

香附子（コウブシ）*Cyperi Rhizoma*〈日局18〉

基　原　カヤツリグサ科（*Cyperaceae*）ハマスゲ *Cyperus rotundus* Linné の根茎

産地：浙江省，山東省，江西省，貴州省，湖北省

異名別名　香附（こうぶ），莎草根（さそうこん），莎草香附子（さそうこうぶし）

選　品　通例，外皮が除かれ，粒が大きく肥厚し，色は白紅色～紫紅色で光潤しており，質は堅く，充実して，香りの濃厚なものを良品とする。形が小さく，質が軽く，香りの少ないものは次品である

貯蔵：精油を含み，また虫がつきやすいので，低温の場所で気密保存するのが望ましい

花序

成　分　精油（α-シペロン），トリテルペノイドなど

薬　理　抽出物：摘出回腸に対し抗ヒスタミン，抗バリウム作用

効能主治　性味：辛微苦甘，平

帰経：肝，三焦（さんしょう）*77

効能：気を調え鬱を解消する，月経を調え止痛する

主治：肝鬱*78，胃の機能不全，胸腹・胸肋の脹りと痛み，痰飲（たんいん）*19による心下部の痞（つか）え，帯下の止まらないもの

引用文献　本草綱目：時氣の寒疫（かんえき）を散じ，三焦を利し，六鬱を解き，飲食の積聚（しゃくじゅ），痰飲痞満，胕腫（ちゅうしゅ），腹脹，脚氣を消し，心腹，肢体，頭，目，歯，耳の諸痛，癰疽瘡瘍（ようそそうよう），吐血，下血，尿血，婦人の崩漏（ほうろう）帯下，月経不順，産前産後の百病を止める（莎草香附子の項）

配合応用　香附子＋延胡索：気血をめぐらし，腹部の緊張を緩和し，月経痛を治す（芎帰調血飲第一加減）

香附子＋柴胡：肝鬱*78による胸脇痛，気の上逆*70，頭痛，肩項部の緊張や痛みを治す（竹茹温胆湯，柴胡疎肝湯，滋腎通耳湯）

香附子＋縮砂：胃腸機能を高め，胃気*22をめぐらせる（分消湯，香砂平胃散，香砂養胃湯，香砂六君子湯，枳縮二陳湯）

香附子＋川芎：頭痛鼻塞し声が出しづらく高熱で肢体疼痛するもの，または熱性・充血性の頭痛を治す（川芎茶調散）

香附子＋蒼朮：肝気*21と胃気*22を調え，消化を促進し腹部の脹りと痛みをとる（香砂平胃散）

香附子＋蘇葉：気滞*74に伴う気うつ・耳閉感・胸悶感・頭痛などの症状を治す（柴蘇飲，香蘇散）

香附子＋当帰：月経を調え，止痛し，月経痛や乳腺の痛みを治す（芎帰調血飲，烏苓通気散）

配合処方 烏苓通気散，枳縮二陳湯，芎帰調血飲，芎帰調血飲第一加減，香砂平胃散，香砂養胃湯，香砂六君子湯，香蘇散，五積散，柴胡疎肝湯，柴蘇飲，滋陰至宝湯，滋腎通耳湯，椒梅湯，川芎茶調散，竹茹温胆湯，二朮湯，女神散（安栄湯），分消湯（実脾飲）

▷294 処方中 19 処方（6.5%）

柿蒂（シテイ） *Kaki Calyx*〈局外生規 2018〉

基　原 カキノキ科（*Ebenaceae*）カキノキ *Diospyros kaki* Thunberg の成熟した果実の宿存した蔕

産地：奈良県，和歌山県，徳島県，長野県，河北省，湖北省，山東省，陝西省

異名別名 柿銭，柿丁，梯蔕，柿子把

選　品 新しくて厚く，渋味があり，果肉の去り方が良く，カビや異物の付着のないものが良品である。重質のものが良い。未熟で軽いものは良くない

貯蔵：虫がつきやすいので，乾燥した場所に保管する

成　分 タンニン，トリテルペノイド，ヘミセルロースなど

薬　理 ヘミセルロース：胃内で固まり物理的にしゃっくりを止める

効能主治 性味：苦渋，平

帰経：肺，胃

効能：上衝*79した気を下げる

主治：甚だしいしゃっくり，嘔吐

引用文献 本草綱目（孟詵曰）：欬逆，噦氣には煮汁を服す

配合応用 柿蒂＋生姜：うっ滞した痰を除き，しゃっくりを止める（柿蒂湯）

柿蒂＋丁子：胃を温め，上衝*79した気を下げ，しゃっくりを止める（柿蒂湯，丁

香柿蒂湯）

配合処方 柿蒂湯，丁香柿蒂湯
▷294 処方中 2 処方（0.7%）

備　考 効能：しゃっくりの止まらない時の特効薬として，民間薬でも用いられる。

沈香（ジンコウ） *Aquilariae Resinatum Lignum* 〈局外生規 2018〉

基　原 ジンチョウゲ科（*Thymelaeaceae*）*Aquilaria agallocha* Roxburgh, *A. crassna* Pierre ex Lecomte, *A. malaccensis* Lamarck, *A. sinensis* Gilg または *A. filaria* Merrill の材。特にその辺材の材質中に黒色の樹脂が沈着したもの
産地：ベトナム，タイ，ラオス，インドネシア

異名別名 伽羅（きゃら），伽南香（きゃなんこう），密香（みっこう）

選　品 色の黒い，潤いのある，脂分に富んだ，味の辛い，質の硬くて重い，火にいぶすと香気の高いものを良品とする。白木が混じったもの，軽虚のもの，香りの良くないもの，味の甘いもの，酸っぱいもの，色が白くてまったく香りのないものは良くない
貯蔵：精油の揮散を防ぐため，気密保存するのが望ましい

成　分 精油（ベンジルアセトン，*p*-メトキシベンジルアセトン，ヒドロケイヒ酸，*p*-メトキシケイヒ酸など）

薬　理 精油成分：鎮痛，鎮静
抽出液：ヒト型結核菌，チフス菌，赤痢菌などに対する抗菌作用

効能主治 性味：辛苦，温
帰経：腎，脾，胃
効能：上衝*79した気を下げ，胃腸系を温め，機能を高める
主治：突き上げるような喘息発作，嘔吐，胃・腹の膨満痛，腎陽虚*42の冷えによる腰膝痛・精力減退，大腸の気が虚して便秘するもの，神経性尿意頻回症，神経性尿道炎

引用文献 本草綱目：上熱下寒（じょうねつげかん），氣逆喘息，大腸虚閉，小便氣淋（きりん），男子精冷を治す

配合応用 沈香＋縮砂：胃腸を温め，上衝*79した気を下げる（丁香柿蒂湯）
沈香＋木香：停滞した気をめぐらせ，経絡*80の気の流れを活性化する。また，喘息発作を軽減する（丁香柿蒂湯，喘四君子湯）

配合処方 喘四君子湯，丁香柿蒂湯
▷294 処方中 2 処方（0.7%）

青皮（セイヒ） *Citri Unshiu Pericarpium Immaturus*〈局外生規 2018〉

基　原 ミカン科（*Rutaceae*）ウンシュウミカン *Citrus unshiu* Marcowicz または *C. reticulata* Blanco の未熟果皮（四花セイヒ）または未熟果実（個セイヒ）
産地：四川省，江西省

異名別名 青橘皮（せいきっぴ），青柑皮（せいかんひ），四化青皮（しかせいひ），個青皮（こせいひ），青桔皮（せいきっぴ），小青皮（しょうせいひ），細青皮（さいせいひ）

選　品 四花青皮を良品とする。四花青皮は外皮が黒緑～緑色で，皮が厚く，内面は白色，油性に富んで香りが強く苦みのあるものが良品である。個青皮は外皮が黒緑色で，大きさが均等で，堅く充実しており，皮が厚く瓤囊（じょうのう）の小さい，香りが強く，苦みのあるものが良品である
貯蔵：高温多湿で虫とカビが発生しやすいため，低温で乾燥したところに保管する。精油の揮発と変色を防ぐため，気密保存をする

成　分 精油，フラボノイド

薬　理 血圧上昇，利胆

効能主治 性味：苦辛，温
帰経：肝，胆，胃
効能：肝の機能を調える，気のうっ滞を破る，腹部の硬結を除き気のうっ滞を去る
主治：脇肋・乳房・胃脘部の脹りと痛み，乳核（乳房結節），乳癰（乳腺炎），疝気（腹痛），食積*81，瘀血（おけつ）*49による腹中の硬結，久瘧癖塊*82

引用文献 本草図経：気滞を主る，食を下し，積結および膈気を破る
古方薬品考：唯青皮は，其未熟な者を取る。今青皮として所出するは，即ち皆柑皮なり，是（これ）柑樹の結實甚多く土人其の未熟之時に及び，之を採り以って青皮と為す。十字に切るものを四花青皮と曰う（橘皮の項）

> 現代における運用のポイント
> - 除湿消脹作用
> ガスを消し，胸脇部の脹痛，腹満を治す。

配合応用 青皮＋枳実：気のうっ滞を除き，胸脇部・腹部の脹痛・腹満を治す（柴梗半夏湯，柴胡疎肝湯）
青皮＋柴胡：肝気*21のうっ滞を除き，脇腹の痛みを治す（柴胡疎肝湯）

配合処方 柴梗半夏湯，柴胡疎肝湯
▷294 処方中 2 処方（0.7%）

備　考 基原：日本では，四花セイヒが主流である。
効能：「青皮」は，橘（きつ）（*Citrus reticulata* Blanco）の類の未成熟果実の果皮であり，成熟果実の果皮である「陳皮」や「橘皮（キッピ 2）」とは，同一の基原植物に由来する生薬であるが，陳皮や橘皮に比べ，うっ滞した気を除く効能に優れているとされる。
　本草書における「青皮」の初出は『本草図経（ほんぞうずきょう）』（1061）で，「橘柚（きつゆう）」の項に「青橘（せいきつ）」の名称で記載があり，少なくとも宋代以降には用いられていたようである。明代の『本草綱目』では「元素（張元素：金）曰く，青橘皮は気味倶に厚く

沈にして降，陰。厥陰，少陽の経に入り，肝胆の病を治す」，といった金元時代の医家の言が記載されており，金元時代には，青皮が肝胆の経を疎通するのに用いられていたことが伺える。なお，これら特定の経絡*[80]の治療に特定の薬物を用いるとする「引経報使」の考え方は，金元以降広がりをみせてゆく。

石菖根（セキショウコン）*Acori Graminei Rhizoma*〈局外生規 2018〉

基　原　サトイモ科（*Araceae*）セキショウ *Acorus gramineus* Solander または *A. tatarinowii* Shott の根茎

産地：福建省，貴州省，安徽省

異名別名　菖蒲，昌蒲，石菖蒲，昌本，昌陽

選　品　弱い刺激性の芳香があり，味はわずかに辛味がある。形態はボールペン程度の太さで，長さ約 7～10 cm，表皮は茶褐色で，断面は類白色，根茎には約 1 cm 程度の間隔で節がある。肉質は，繊維質の弱いものが良品とされる

貯蔵：通常保存で良いが，加工品（刻んだもの）は気密保存が望ましい

成　分　精油（β-アサロン，アサロン），有機酸など

薬　理　抽出液：消化液分泌促進，自発運動抑制

効能主治　性味：辛，微温

帰経：心，肝，脾

効能：意識を明らかにし，痰を除き，気を調える，血液のうっ滞を除き血流を改善する，風邪*[83]・湿邪*[45]を除く

主治：癲癇，痰厥*[84]，熱病による昏睡，健忘症，耳閉，心胸部の悶え感，胃痛，腹痛，風寒による湿痺*[85]，化膿性腫瘍，打撲傷

引用文献　神農本草経：風寒湿痺，欬逆上氣を主る。心孔を開き，五臓を補し，九竅を通じ，耳目を明らかにし，音声を出す（昌蒲の項）

配合応用　石菖根＋細辛：風邪を治し，鎮咳去痰する（独活湯：『和漢薬考』収載）

石菖根＋防風：風邪を除く（独活湯：『和漢薬考』収載）

配合処方　（独活湯）

備　考　基原：菖蒲根としてサトイモ科ショウブ（*A. colmus* Linné または *A. caliamos* Linné *var. angustatus* Bess.）の根茎も流通している。菖蒲根は芳香があり，味はわずかに辛く，長く，太く，断面が類白色で，繊維質の弱いものが良品とされる。また，*A. colmus* Linné は欧米ではカラムス根と称して用いられている。

配合処方：本品は菖蒲の名称で『和漢薬考』収載の独活湯にのみ配合されており，一般用漢方 294 処方の独活湯では，石菖根は配合されていない。

大腹皮（ダイフクヒ） *Arecae Pericarpium* 〈局外生規 2018〉

基　原　ヤシ科（*Palmae*）ビンロウ *Areca catechu* Linné またはダイフクビンロウ *A. dicksonii* Roxburgh の果皮

産地：広西，雲南省，海南省，ベトナム

異名別名　檳榔皮（びんろうひ），大腹毛（だいふくもう）

選　品　黄白色で柔らかい（繊維が細い）が，強靭で，夾雑物がないものが良品である。特異なにおいのあるものが良い

成　分　アレコリンなど微量のアルカロイドを含むとされる

効能主治　性味：辛，微温

帰経：脾，胃，大腸，小腸

効能：上衝[*79]した気を下げる，胃腸系を調え，消化を促進する

主治：腹部の痞（つか）えおよび膨満感

引用文献　本草綱目：逆氣（ぎゃっき）を降し，肌膚（きふ）中の水氣浮腫，脚氣壅逆（ようぎゃく），瘴瘧痞満（しょうぎゃくひまん），胎氣悪阻（たいきおそ），脹悶（ちょうもん）を消す

配合応用　大腹皮＋厚朴：気を調え，湿を除き，腸中のガスを除き胃腸を調える（藿香正気散，分消湯）

大腹皮＋生姜：胃腸系を温め，宿食[*86]および腸内の水滞[*87]を除く（藿香正気散）

大腹皮＋桑白皮：肺の炎症を鎮め，鎮咳，去痰する（杏蘇散）

大腹皮＋沢瀉：腸内の水滞[*87]を除き，利尿をはかる（分消湯）

大腹皮＋猪苓：腹水，手足の浮腫を除く（分消湯）

配合処方　藿香正気散，杏蘇散，分消湯（実脾飲）

▷294 処方中 3 処方（1.0%）

備　考　基原：ビンロウ *A. catechu* Linné の種子は檳榔子といい生薬として用いられる（檳榔子の項 p. 239 参照）。

陳皮（チンピ） *Citri Unshiu Pericarpium* 〈日局 18〉

基　原　ミカン科（*Rutaceae*）ウンシュウミカン *Citrus unshiu* Marcowicz または *C. reticulata* Blanco の成熟した果皮

局方規格：本品は定量するとき，換算した乾燥物に対し，ヘスペリジン 4.0% 以上を含む

産地：和歌山県，静岡県，四国，九州，浙江省，四川省，湖北省

異名別名　陳橘皮（ちんきっぴ），橘皮（きっぴ），貴老（きろう），紅皮（こうひ），黄橘皮（おうきっぴ），橘紅（きっこう），橘柚（きつゆう）

（備考参照）

選　品　外皮赤褐色で裏面が白くて肌の細かい美しいもので，気味の強いものを良品とす

る。手むきのものは精油含量が多いが，近年は缶詰やジュース原料の副産物として，熱処理されたものが多く，精油含量不足のものも見られる

貯蔵：虫がつきやすいので，低温で保存すること，また，精油の揮散を防ぐため気密保存が望ましい

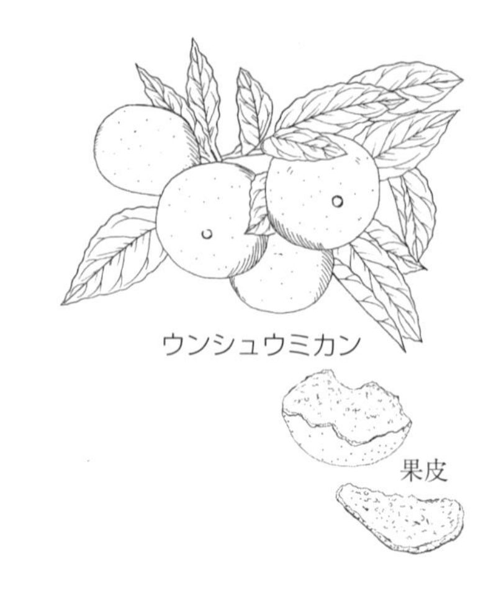

成　分　精油（*d*-リモネン），フラボノイド（ヘスペリジン），シネフリンなど

薬　理　抽出液：胃液分泌促進

抽出物：子宮のセロトニンによる収縮に拮抗（シネフリンが関与）

ヘスペリジン：肝細胞障害抑制

効能主治　性味：辛苦，温

帰経：脾，肺

効能：胃腸機能を調え気を調和する，湿を除き去痰する

主治：胸腹部の膨満感，食欲不振，嘔吐，しゃっくり，痰を伴う咳嗽，魚・カニの解毒

引用文献　神農本草経：胸中の瘕熱（かねつ），逆氣を主（つかさど）り，水穀（すいこく）を利し，久しく服すれば臭を去りて氣を下し，神を通ず（橘柚の項）

古方薬品考：脾を健やかにし，逆氣を靖降（せいこう）す（橘皮の項）

重校薬徴：噦逆（えつぎゃく）を主治し，胸痺（きょうひ），停痰（ていたん），乾嘔を兼治す（橘皮の項）

古方薬議：逆氣を主り，嘔咳（おうがい）を止め，痰涎（たんえん）を消し，胃を開き，水穀を利し，魚腥毒（ぎょせいどく）を解す（橘皮の項）

現代における運用のポイント

- 健胃作用

胃腸を調え，食欲不振・腹部の脹りと膨満感を治す。

- 鎮咳・去痰作用

肺部の湿邪*45を除き，咳を治し，喘を止め，痰を除く。

配合応用　陳皮＋藿香：胃腸内の湿邪*45を除き，胃腸の感冒を治す（藿香正気散）

陳（橘）皮＋厚朴：1）胃腸機能を高め，腹部膨満感・ガスおよび脇腹の痞積*88を除く（平胃散，九味檳榔湯，藿香正気散，不換金正気散，分消湯）。2）気をめぐらせ，痰を除き，咳を止める（喘四君子湯）

陳（橘）皮＋生姜：1）胃気*22を補い，気逆*76あるいは湿の滞りによる嘔吐・食欲不振・腹部膨満感・腹痛・下痢を治す（六君子湯，茯苓飲）。2）気滞*74・湿の滞りによる諸症状を治す（烏薬順気散，烏苓通気散，香蘇散）。3）胃気を補い，胃内停水を除き　気逆を鎮める（釣藤散）

陳（橘）皮＋人参：脾胃を補い，胃腸虚弱・元気*51不足を治す（清暑益気湯，人参養栄湯，補中益気湯）

陳（橘）皮＋半夏：1）湿による咳嗽，胸部の閉塞感，嘔吐を治す（二陳湯，六君

子湯）。2）胃内停水を除く（釣藤散）

陳皮＋茯苓：健胃し，胃部の不快感を除く（二陳湯，茯苓飲，六君子湯）

陳皮＋木香：胃気*22 をめぐらし，胃アトニー・胃下垂・腹部の膨満感・腹痛・胃痛・胸痛・嘔吐・消化不良・下痢・食欲不振を治す（分消湯，参蘇飲）

配合処方　<294 処方中に陳皮として配合されている処方>胃苓湯，烏薬順気散，烏苓通気散，温胆湯，化食養脾湯，藿香正気散，加味温胆湯，加味平胃散，枳縮二陳湯，芎帰調血飲，芎帰調血飲第一加減，杏蘇散，啓脾湯，香砂平胃散，香砂養胃湯，香砂六君子湯，香蘇散，五積散，柴芍六君子湯，柴蘇飲，滋陰降火湯，滋陰至宝湯，秦艽防風湯，参蘇飲，神秘湯，清湿化痰湯，清暑益気湯，清肺湯，喘四君子湯，疎経活血湯，蘇子降気湯，竹茹温胆湯，丁香柿蒂湯，通導散，二朮湯，二陳湯，八解散，半夏白朮天麻湯，不換金正気散，茯苓飲，茯苓飲加半夏，茯苓飲合半夏厚朴湯，分消湯（実脾飲），平胃散，補気健中湯（補気建中湯），補中益気湯，抑肝散加陳皮半夏，六君子湯

▷294 処方中 48 処方（16.3%）

<294 処方中に「陳皮（橘皮も可）」，「橘皮（陳皮も可）」の表記で両者いずれかの配合としている処方>釣藤散，人参養栄湯

▷294 処方中 2 処方（0.7%）

<294 処方中に橘皮として配合されている処方>鶏鳴散加茯苓，九味檳榔湯

▷294 処方中 2 処方（0.7%）

備　考　基原：陳皮と同一基原の生薬として橘皮（キッピ 2）がある。陳皮は日局 18 に，橘皮は局外生規 2018 にそれぞれ収載されているが，本草学的見地や現状の流通状況からして，両者は，本来一物として扱われたものと考えられる。詳しくは，【橘皮と陳皮について】p. 139 を参照されたい。

近年の研究報告：1. 六君子湯は，胃の食欲増加ホルモンであるグレリン分泌促進作用によって，抗がん剤（シスプラチン）投与後のセロトニン増加による吐き気や食欲不振などの消化器症状を改善することが知られており，この作用の主成分が陳皮であると判明している[21]。

また，グレリンは食欲不振を改善するだけでなく，強力な成長ホルモン GH の分泌促進物質であり，GH は細胞分裂・増殖，蛋白同化，軟骨細胞の分化増殖を促進し，脂肪代謝を促進し，糖新生，カルシウム吸収，電解質再吸収を促進し，免疫増強作用を有している。この成長や代謝を促進する働きは，漢方的にみれば補脾，補腎，生津，補肺作用に相応するものである。

2. 陳皮のフラボノイド成分は，虚血性脳神経障害モデルマウスの虚血後の海馬や歯状回脳室下帯や下顆粒細胞層で神経新生を促進することが明らかにされた[22]。陳皮は痰飲*19 の聖薬である二陳湯の主要構成生薬であり，漢方では認知症が心の痰飲の病とみなされてきたことから，この神経新生のエビデンスは，この認知症に対する漢方病理認識を裏づけるものと思われる。

3. 陳皮の成分であるノビレチンと HMF に肥満細胞のヒスタミン放出を強く抑制する効果があり，抗アレルギー作用を示すことが報告されている[23]。

4. アルツハイマー病（AD）の初期病態である NMDA 受容体機能低下，その下流の CREB リン酸化抑制，CRE 依存的転写活性抑制を改善する天然薬物の探査研究からノビレチンが最初にヒットした[24]。これはカンキツ属に特徴的な天然

物で，ノビレチン，タンゲレチンなどポリメトキシフラボン（PMFs）を多く含む品種としてはシィクワーサーやタチバナ，ポンカンなどが知られ，7〜9月に収穫されたものの含量が高くなる事例が多く，UV-B紫外線により増加すると報告されている[25]。

陳皮もカンキツ属であることから，市場に流通している陳皮250検体余りを調査したところ数検体だけがノビレチン高含有陳皮（N陳皮）であり，N陳皮エキスはノビレチン単独より高い改善効果を示し，N陳皮の非ノビレチン画分に含まれるタンゲレチン，シネンセチン等4成分の再混合物にN陳皮とほぼ同等の改善効果が認められた[24]。このN陳皮煎剤を1年間ADに投与した臨床研究で，AD評価スコアを有意に改善したとの報告がある[26]。

このN陳皮を配合した抑肝散加陳皮半夏の医療用エキス製剤があり，これを用いたADに対する人8週間の使用経験が報告され，介護者評価尺度で7人改善，9人不変で悪化はなかった[27]。

橘皮（キッピ） *Tachibana Pericarpium*〈局外生規2018〉

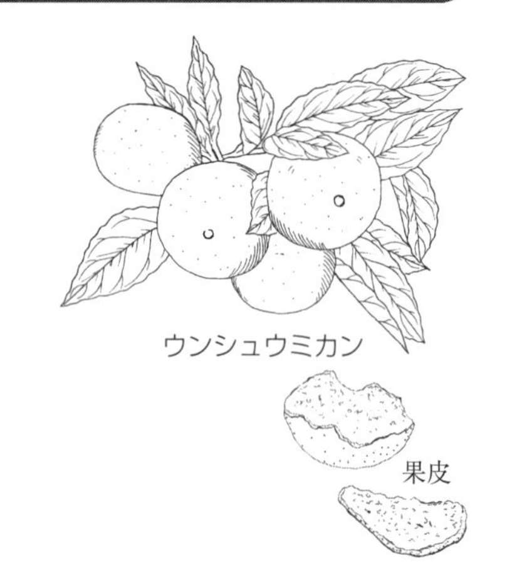

基　原　ミカン科（*Rutaceae*）タチバナ *Citrus tachibana* Tanaka，コウジ *C. leiocarpa* Tanaka およびザボン *C. grandis* Osbeck の成熟した果皮（キッピ1）またはウンシュウミカン *C. unshiu* Marcowicz および *C. reticulata* Blanco の成熟した果皮（キッピ2）

産地：浙江省，広東省，四川省，湖南省，湖北省，福建省

異名別名　陳橘皮（ちんきっぴ），陳皮（ちんぴ），貴老（きろう），黄橘皮（おうきっぴ），紅皮（こうひ），橘紅（きっこう），橘柚（きつゆう），化橘紅（かきっこう）

選　品　外皮は鮮やかな橙色で，裏面は白く肌の細かいもので，気味の強い，新しいものが良品である

貯蔵：高温多湿で虫とカビが発生しやすいため，低温で乾燥したところに保管する。精油の揮発と変色を防ぐため，気密保存をする

成　分　陳皮の項（p.136参照）

薬　理　陳皮の項（p.136参照）

効能主治　橘皮と陳皮は，本草学的な経緯を見るに，本来一物であり，その効能についても同じと考えられるため，陳皮の項p.136を参照されたい。またその経緯および現代の流通状況については，【橘皮と陳皮について】を参照されたい

引用文献　陳皮の項（p.136参照）

現代における運用のポイント

- 陳皮の項（p.136参照）

配合応用　陳皮の項（p.136参照）

配合処方　陳皮の項（p.137参照）

備　考　流通：タチバナなどキッピ1の柑橘類は生産量が少なく，生薬としての流通はない。ウンシュウミカンなどのキッピ2が主に流通している。

その他：中国では，果皮の白い肉質の部分を「橘白」，白い肉質の部分を取り除いた外側の果皮を「橘紅」，内果の周囲にある網状の維管束の部分を「橘絡」として別々に使用している。「橘白」は除湿健胃薬として，「橘紅」は寒を除き，鎮咳去痰するとして風寒による咳嗽に用いられることが多く，「橘絡」は行気・去痰薬などに用いられる。

【橘皮と陳皮について】

古来「橘皮」とは，『神農本草経』における橘柚の果皮のことである。当時の「橘（きつ）」が何かは，ミカン科のものが雑種を作りやすいこともあり，明確に特定されてはいないが，現代中国では *Citrus reticulata*（中国名：橘（きつ））およびその栽培変種の成熟果実のことである。「橘（きつ）（*C. reticulata*）」は栽培変種が多く，日本のウンシュウミカンもその交雑種にあたる※1。

「陳皮」という名称は，『神農本草経』や『傷寒論』『金匱要略』の時代には現れず，「橘」，「橘柚」，「橘皮」などの名称で呼ばれていた。梁代の『本草経集注』には「陳皮」の名称はないが，「橘柚」の項に「陳なる者をもって良しと為す」として，橘の果皮は，古いものが良品であることが書かれている。この考え方は以降の本草書や『本草綱目』などにも引き継がれており，中国においては「橘皮」と「陳皮」は二物ではなく，同じ生薬の陳旧品（良品）を示す区分であったと考えられる。なお，『経史證類大観本草』によると「陳皮」という名称は，唐代の孟詵が著した『食療本草』に初出する。また，元代の王好古は『湯液本草』[28] において「成熟して大なる者橘也色紅き故に紅皮と名づく日久しき者佳し故に陳皮と名づく」として「陳皮」の名称の由来を示している※2。

現代中国においては『中華人民共和国薬典　2020年版』および『中薬大辞典　第二版』（2012年出版）において「橘皮」「陳皮」の区別はなく，「橘（きつ）（*C. reticulata*）およびその栽培変種」〔以下「橘（きつ）（*C. reticulata*）」と略称する〕の成熟果皮が「陳皮」として収載されている。また，市場においても，「橘（きつ）（*C. reticulata*）」の成熟果皮は，新産品も陳旧品も，すべて「陳皮」の名称で流通している。ただし，薬用や食品用として中国市場に流通しているものは陳旧品ではなく新産品が多く，日本でもこれら中国産陳皮（新産品）を「橘皮」に充てる場合がある。なお中国市場で，5年ものや15年ものといった陳旧品はお茶，スープ，薬膳などの用途で販売されていることが多い。

なお，第1版である『中薬大辞典』（1978年出版）では，「陳皮」の項目はなく，「多種の橘（きつ）類の成熟果皮」※3が「橘皮」として収載されているため，中国市場においても「橘皮」と「陳皮」の名称は流動的であったと考えられるが，（橘皮・黄橘皮・陳橘皮・陳皮などの名称がある）歴代の本草書を見ても生薬としての効能において「橘皮」と「陳皮」が区別されたことはない。また，これは日本の本草関連の書籍においても同様である。

一方，現代日本の市場品の区分は，中国と異なり，「橘皮」・「陳皮」が二物として扱われている。これは，1990年ごろまでは陳皮が国産で賄える生薬であったこと，また，漢方処方においては原典に「橘皮」・「陳皮」の両者の名称が存在した（ただし1つの処方に両者が同時に配合されるものはない）ことなどに関連していると考えられる。当時，国産の陳皮は，ほぼウンシュウミカンの成熟果皮であり，中国産の陳皮は，オオベニミカン，コベニミカンなど *C. reticulata* の類の果皮であるとされていた。

また，わが国における国産の「橘皮」の基原は，江戸時代に貝原益軒の著した『大和本草』[29] 以降，その説によっていた。『大和本草』の橘（中国名に言う橘（きつ）のこと）の項には，「橘　タチハナト訓ス　ミカンナリ　其花ヲ花タチハナト古歌ニヨメリ　南方温暖ノ地及海濱沙地ニ宜シ　故ニ紀州駿州肥後八代皆名産也…紀州ノ産最佳」とあり，甚だ混乱しそうな訓が付いているが，まさにミカンについて書かれている。また「中華ヨリ来ル陳皮ハ大ニシテ性ヨシ。年々多ク来レリ日本ノ陳皮ニ性大ニマサレリ用可」として，ミカンを用いた国産陳皮より中国産陳皮を佳品としている。『大和本草』が国産で真橘（本草書にある橘(きつ)に最も合ったもの）としたものは，「白和柑子」で，これは遠州白輪に産した柑橘類でその名があるが，おそらくコウジ（*C. leiocarpa* Tanaka）のことである※4。なお，浅田宗伯は，『古方薬議』において「橘皮」の和名をタチバナと称し，白和柑子を佳品として挙げているが，「また，按ずるにタチバナは橘類の総称なり」としており，ここで言われているタチバナは，植物としてのタチバナ（*C. tachibana* Tanaka）ではなく，中国名に言う橘(きつ)を指していると考えられる。さらに「今市人皮を取りて薬と為すは皆蜜柑による（中略）熟時採る者を陳皮と為すは非なり」として，市中に「陳皮」として出回っているミカンの皮と橘(きつ)を弁別している。

すなわち，本来中国では「橘皮」と「陳皮」はどちらも，「橘(きつ)（*C. reticulata*）」の成熟果皮であったはずが，わが国では江戸時代よりミカンの果皮が「陳皮」として市場に出回っていたため，1970年頃までの現代日本では，国産陳皮（ウンシュウミカン）を主流として，国産橘皮（「白和柑子」などコウジ類）※5や中国産橘皮（中国名：黄橘皮）などが流通しており，「陳皮 ＝ 国産のウンシュウミカン」，「橘皮 ＝ 国産のコウジ類や中国産の黄橘皮」という構図が成り立ったと考えられる。なお，黄橘皮については，広陳皮〔広東省新会県に産する茶枝柑（*C. chachiensis*）〕などが用いられたとされるが，明確ではない。

なお，その後日本における「橘皮」，「陳皮」の流通品は，国産橘皮（コウジ類）も中国産橘皮（黄橘皮）も価格が高く，国産陳皮（ウンシュウミカン）が安価であったことや，処方に配合する場合も，「陳皮」を「橘皮」の代用とすることが多かったため，1970年頃からは，国産橘皮（コウジ類）の生産はなくなり，ウンシュウミカンが市場の主流となった[30]。また中国からの輸入品も，年代とともに変化し，「橘(きつ)（*C. reticulata*）」の成熟果皮が「陳皮」や「橘皮」として利用されるようになった。そのほか，ザボン *C. grandis* Osbeck（化州橘皮・化橘紅）などが輸入され「橘皮」として流通していたが，現在輸入されているのは，ほぼ「橘(きつ)（*C. reticulata*）」やウンシュウミカンの成熟果皮である※6。

なお公定書では，「橘皮」は，局外生薬規格（1989増補版）において「タチバナ *C. tachibana* Tanaka またはその他の近縁植物の成熟した果皮」と規定されていたが，2012年の改定によって当時の実状を鑑み，現在の「タチバナ *Citrus tachibana* Tanaka，コウジ *C. leiocarpa* Tanaka 及びザボン *C. grandis* Osbeck の成熟した果皮（キッピ1）又はウンシュウミカン *C. unshiu* Marcowicz 及び *C. reticulata* Blanco の成熟した果皮（キッピ2）」となった。

一方，「陳皮」は『日本薬局方』に第九改正（1976年）から収載され，当時は「ミカン *C. aurantium* Linne subsp. nobilis Makino またはその他近縁植物の成熟した果皮」と基原植物に慣用名が使われた。その後の改正で「ウンシュウミカン *C. unshiu* Markovich（*C. aurantium* Linne subsp. nobilis Makino）またはその他近縁植物の成熟した果皮」と基原名称が変更された。さらに1997年の追補による改正では，その他近縁植物が除かれ「ウンシュウミカン *C. unshiu* Markovich 又は *C. reticulata* Blanco の成熟した果皮」の2種を基原とするとされ，第十八改正（2021年）に至っている。（学名は改正当時の表記で記載）。

このような経緯から，現在の市場流通品は，ウンシュウミカンもしくは中国産の「橘(きつ)（*C. reticulata*）」の成熟果皮が「橘皮」，「陳皮」の両種の名称で流通しているが，「新産品を橘皮，陳旧品を陳皮とする」場合や「中国産のものを橘皮，日本産のものを陳皮」とする場合など，メーカー，問屋などでその区別の仕方も異なっており，統一されていない。「中国産の橘皮」と「日本産の陳皮」を比較すると，「日本産の陳皮」の方が新しいというケースもある。また中国産陳皮についても，すべてが *C. reticulata* ではなく，ウンシュウミカン由来のものがかなりあり，分別することも難しく，両者の呼称は不明瞭であるといえる。

以上長々と述べたが，まとめとしては以下のようになる。

①「橘皮」と「陳皮」について，歴代の本草書は二物としておらず，薬効についても区別はない（一部臨床家において使い分けをするケースはあるが，流通品における確認は必要であろう）。

②現在の『日本薬局方』『中国人民共和国药典』，『中药大辞典』ともに陳旧品か否かによって「橘皮」と「陳皮」を区分していない。

③現状の「橘皮」の流通品において，キッピ1の流通はほぼなく，キッピ2が流通している。これは基原としては，精油含量の差を除けば，「陳皮」と同じである※7。

このように，「橘皮」と「陳皮」を運用するうえでは，以上のような点に留意する必要があると考えられる。また将来的には，混乱を招かないような明快な表示方法が検討されてもよいのではないかと考える。

※1　日本の農研機構と国立遺伝学研究所のグループが2017年，ウンシュウミカンの全ゲノム解析に成功した。その結果，ウンシュウミカンは，キシュウミカン（*C. kinokuni*）の交配種の子どもであるクネンボ（*C. reticulata* '*Kunenbo*'）にさらにキシュウミカンが交配されたものであることが解明された（Frontiers in Genetics, 2017, 8：180）。
※2　『湯液本草』には「陳皮」と「青皮」が収載されており，この部分は「青皮」の項にある。
※3　橘の基原の項に「ミカン科の植物，福橘（オオベニミカン）*C. tangerina* Hort ex Tanaka，あるいは朱橘（コベニミカン）*C. erythrosa* Tanakaなど多種の橘類の成熟果実」とある。この当時は*C. reticulata*というくくりはまだ明確ではない。
※4　白和柑子をはじめコウジは，もとは，タチバナより接ぎ木・交配された品種であるとの見解がある[32]。
※5　1970年頃までは，和歌山で生産されたタチバナ由来の橘皮が少量流通していたとの記載がある[33]。
※6　1996年に発表された論文[31]によると，中国でもウンシュウミカンの栽培は盛んとなっており，中国産陳皮にもかなりウンシュウミカンが混じっていることが報告されている。現在でもこの状況に変わりはない。
※7　陳皮と橘皮では，精油成分含量の規定に違いはあるが，両方の規定をクリアしている流通品も多い。

白酒（ハクシュ）

基原　穀物（米，麦，黍，高粱，トウモロコシ，など）を原料とするアルコール飲料
産地：生薬としての流通はない

異名別名　酒（さけ），清酒（せいしゅ），美清酒（びせいしゅ）

選品　貯蔵：遮光して保存する。気密容器に保存する

成分　エタノール，有機酸各種，有機酸のエステル類など

薬理　中枢神経作用，循環器作用，消化器作用

効能主治　性味：甘苦辛，温
帰経：心，肝，肺，胃
効能：血脈を通じ，薬勢を行らす*89
主治：風寒による痺痛*47，筋肉のひきつり，胸痺*20，心痛，上腹部の冷痛

引用文献　名医別録：薬勢を行ぐらし，百邪の悪毒氣を殺すを主る（酒の項）
古方薬品考：脾胃を温め，養い，通暢（つうちょう）す
古方薬議：色白く，上胸中に通じ。薬力を佐（たす）けて上行極つて而して下らしむ

現代における運用のポイント

- **血行促進作用**
体を温め，血行を促進する。
- **薬効促進作用**
気血のめぐりを促し，薬の効果を早める。
- **薬物服用の際の胃腸保護作用**
胃腸を保護し，特に苦寒の薬物の胃腸への影響を緩和する。

配合応用　白酒は，煎薬の溶剤としてや，丸・散剤の服用補助剤として用いられることがほとんどであるため，特定の薬物との協力作用ではなく，処方全体の効果に影響を与えるものと考え，配合応用は特に設けない。

配合処方　栝楼薤白白酒湯（日本酒の代用可）
▷294 処方中 1 処方（0.3%）

備　考　流通：白酒は生薬としての流通はない。日本では一般的に日本酒や焼酎を代用として使用する。上等の清酒やにごり酒を用いるという臨床家もいる。また酢でも代用可能であるという意見もある。
現在の中国では，穀類を原料とする蒸留酒を「白酒」，穀類を原料とする醸造酒を「黄酒」という。一般的に白酒のアルコール度数は約 45～60% であったが，現在は度数の下がったものも流通している。黄酒のアルコール度数は 15～20% である。

木香（モッコウ） *Saussureae Radix*〈日局 18〉

基　原　キク科（*Compositae*）*Saussurea lappa* Clarke の根
産地：雲南省

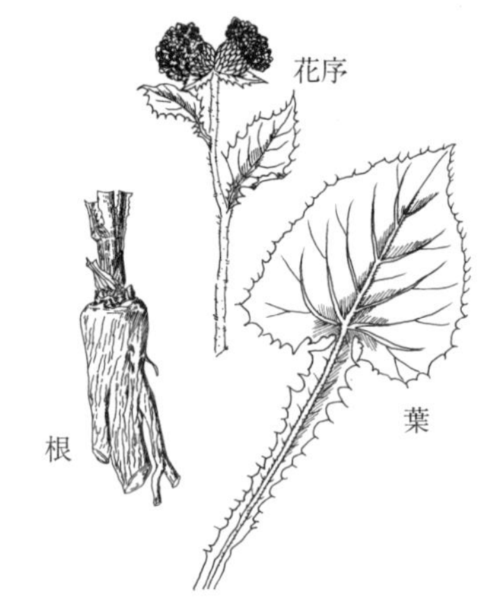

異名別名　蜜香，青木香，広木香，唐木香

選　品　外面は淡褐色，内面は褐色で，硬く角質状でよく充実したもの，香りが強く味の苦いものが良品である
貯蔵：精油の揮散を防ぐため，気密保存が望ましい

成　分　精油（コスツノリド，デヒドロコスツスラクトン）など

薬　理　抽出物，コスツノリド：胆汁分泌促進，ストレス潰瘍予防

効能主治　性味：辛苦，温
帰経：肺，肝，脾
効能：気をめぐらし止痛する，胃腸系を温め調える
主治：胃腸の冷えによる腹部の脹り・痛み，嘔吐，下痢，しぶり腹

引用文献　神農本草経：邪氣を主る。毒疫，温鬼を辟け，志を強くし，淋露を主る
日華氏諸家本草：心腹一切の氣を治し，瀉，霍乱，痢疾を止め，胎を安んじ，脾を健にし，食を消し，羸痩，膀胱冷痛，嘔逆，反胃を療す
本草綱目（張元素曰）：滞氣を散じ，諸氣を調え，胃氣を和し，肺氣を泄す

現代における運用のポイント

- 消化促進作用

胃腸虚弱による飲食停滞に用い，胃腸を温め，食欲を増進させ，腹部膨満を治す。

- 止瀉作用

湿邪*45および寒邪*57による下痢・腹痛を治す。

配合応用 木香＋厚朴：停滞した胃気*22をめぐらし，腹部の膨満感・脹りを治す（香砂養胃湯，枳縮二陳湯，喘四君子湯）

木香＋陳皮：胃気*22をめぐらし，胃アトニー・胃下垂・腹部の膨満感・腹痛・胃痛・胸痛・嘔吐・消化不良・下痢・食欲不振を治す（分消湯，参蘇飲）

木香＋人参：脾胃を補い，胃の活動を盛んにし，気をめぐらす（加味帰脾湯）

木香＋檳榔子：胃腸における飲食の停滞，胃腸の脹り・膨満感を除き，気をめぐらす（女神散，九味檳榔湯）

配合処方 烏苓通気散，加味帰脾湯，枳縮二陳湯，帰脾湯，芎帰調血飲第一加減，九味檳榔湯，香砂養胃湯，牛膝散，椒梅湯，参蘇飲，喘四君子湯，銭氏白朮散，丁香柿蒂湯，女神散（安栄湯），分消湯（実脾飲）

▷294処方中15処方（5.1%）

使用注意 日本で流通する木香にアリストロキア酸を含むものはないが，中国等ではアリストロキア酸を含有する青木香※（マルバウマノスズクサ *Aristolochia contorta* Bge.，ウマノスズクサ *A. debilis* Sieb. et Zucc.）および南木香（雲南馬兜鈴 *A. yunnanenis* Franch.）が木香として用いられることがあるため，個人輸入等の方法で外国の漢方薬を使用する際には注意を要する。

※なお，木香の別名に青木香があるが，ここでいう *Aristlochia* 属の青木香とは，別植物である。また，中国において青木香の名称で呼ばれる生薬は複数存在する。

(3) 鎮静薬

鎮静薬とは主として気の上衝*1によって起こるのぼせ・頭重感・めまい・動悸・身体動揺・精神不安などの諸症状を，降気*15鎮静して改善する薬物を言う。

遠志（オンジ） *Polygalae Radix* 〈日局18〉

基　原 ヒメハギ科（*Polygalaceae*）イトヒメハギ *Polygala tenuifolia* Willdenow の根または根皮

産地：陝西省，河北省，河南省，山西省，内蒙古

異名別名 大遠志（だいおんじ），肉遠志（にくおんじ），遠志肉（おんじにく），遠志筒（おんじとう）

選　品 なるべくごつごつと肥えて太く長いものが良い。細いものや太くても暗色を帯びた朽ちているものは良くない。根の木心を抜いて肉質部のみとなったものを肉遠志と称し，良品とする。大きなものほど良い

成　分　トリテルペノイドサポニン（オンジサポニンA〜G），キサントン類，ケイヒ酸誘導体など

薬　理　抽出物：抗浮腫，利尿，抗ストレス潰瘍，気道分泌促進

効能主治　性味：苦辛，温
帰経：心，腎
効能：精神を安らかにし頭脳を明晰にする，うっ滞した気を解消し併せて去痰する
主治：驚きやすく動悸するもの，健忘症，夢精，不眠，咳嗽多痰，できもの

引用文献　神農本草経：欬逆（がいぎゃく），傷中を主（つかさど）り，不足を補い，邪氣を除き，九竅（きゅうきょう）を利し，智恵を益し，耳目を聡明にし，忘れず，志を強くし，力を倍す

配合応用　遠志＋桔梗：鎮咳去痰作用を有す
遠志＋五味子：咳嗽，痰の喀出困難を治す（人参養栄湯）
遠志＋酸棗仁：精神安定をはかり不安を除く，不眠・驚悸[*90]・健忘を治す（帰脾湯，加味帰脾湯，加味温胆湯）
遠志＋茯苓：精神虚弱による心悸・多夢を治す（帰脾湯，加味帰脾湯，加味温胆湯）
遠志＋竜眼肉：気を補い，精神安定をはかる（帰脾湯，加味帰脾湯）

配合処方　加味温胆湯，加味帰脾湯，帰脾湯，人参養栄湯
▷294 処方中 4 処方（1.4%）

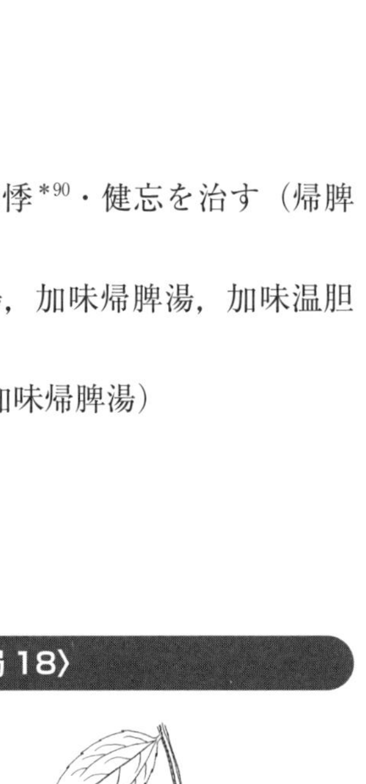

酸棗仁（サンソウニン）*Ziziphi Semen*〈日局 18〉

基　原　クロウメモドキ科（*Rhamnaceae*）サネブトナツメ *Ziziphus jujuba* Miller var. *spinosa* Hu ex H. F. Chow の種子
産地：河北省，遼寧省，山東省，山西省

異名別名　棗仁（そうにん），酸棗核（さんそうかく）

選　品　扁平な卵円形で，なるべく粒の大きいもの。表面は小豆色を呈して光沢があり，味は緩和で油様，ほのかに甘いものが良品である。色が浅く，粒が扁平の品は「ミャンマー産」,「基原不詳」のものがあり避けた方が良い
貯蔵：虫やカビがつきやすいので，低温で乾燥した場所に保管する

種子

成　分　脂肪酸，トリテルペノイドサポニン（ジュジュボシドA〜C），ステロールなど

薬　理　抽出物，脂肪油画分：ヘキソバルビタール睡眠延長，鎮静，鎮痛

脂肪油：ヘキソバルビタール睡眠延長，鎮痛，血圧の持続性上昇，回腸収縮増強
水可溶性画分：ヘキソバルビタール睡眠延長，鎮痛

効能主治 性味：甘，平
帰経：心，脾，肝，胆
効能：養肝*91し心寧（しんねい）*92する，精神を安定させる，精神性発汗を止める
主治：虚煩*48で不眠，強い精神不安による動悸，煩渇*55，消耗性発汗

引用文献 神農本草経：心腹の寒熱，邪結（けつ）して氣聚（あつ）まり，四肢酸疼（さんとう），湿痺を主（つかさど）る
古方薬品考：疲れを補い，能（よ）く不寝（ふしん）を療す（酸棗の項）
重校薬徴：煩躁眠る能（あた）わざるを主治する
古方薬議：心腹寒熱，邪結氣聚（じゃけつきじゅ），煩して眠（ねむる）を得ず，臍上下痛み（さいじょうげ），虚汗久洩（きょかんきゅうせつ）を主る

> **現代における運用のポイント**
> - **精神安定作用**
> 精神安定をはかり，動悸・不安・不眠を治す。
> - **強壮止汗作用**
> 体力虚弱による消耗性発汗に用い，衛気*2を補い，止汗する。

配合応用 酸棗仁＋遠志：精神安定をはかり不安を除く，不眠・健忘・驚悸（きょうき）*90を治す（帰脾湯，加味帰脾湯，加味温胆湯）
酸棗仁＋山梔子：心火亢盛*93による煩躁*56・不眠を治す（加味帰脾湯）
酸棗仁＋知母：血虚*35による不眠・寝汗・めまい・目の充血を治す（酸棗仁湯）
酸棗仁＋茯苓：胃腸機能低下および神経の衰弱により起こる口渇・寝汗・不眠・健忘を治す（酸棗仁湯，加味帰脾湯）
酸棗仁＋竜眼肉：心身過労による，不眠・健忘・驚悸*90を治す（加味帰脾湯，帰脾湯）

配合処方 温胆湯，加味温胆湯，加味帰脾湯，帰脾湯，酸棗仁湯
▷294 処方中 5 処方（1.7%）

蒺梨子（シツリシ） *Tribuli Fructus* 〈日局 18〉

基　原 ハマビシ科（*Zygophyllaceae*）ハマビシ *Tribulus terrestris* Linné の果実
産地：湖北省，山東省，安徽省，河北省

異名別名 蒺藜子（しつりし），白蒺藜（はくりし），刺蒺藜（ししつり），硬蒺藜（こうしつり）

選　品 粒の大きさにムラがなく，充実していて，灰白～灰緑色のものが良い

成　分 アルカロイド（ハルミン，ハルマン），フラボノイド（ケンフェロール）など

薬　理 抽出液：降圧
アルカロイド画分：利尿，心臓の運動抑制

効能主治 性味：苦辛，温
帰経：肝，肺
効能：皮膚の血熱[*94]を除く，目の充血をとる，上衝[*79]した気を下げる，血行を促進する
主治：頭痛，身体の掻痒感，目赤腫翳（もくせきしゅえい）[*95]，胸部膨満感，突き上げるような咳，癥瘕（ちょうか）[*61]，乳難[*96]，るいれき[*97]

引用文献 神農本草経：悪血（あくけつ）を主（つかさど）る。癥結積聚（ちょうけつしゃくじゅ）を破る。喉痺，乳難を主る

配合応用 蒺藜子＋黄連：血熱[*94]を除き，目の充血をとる（洗肝明目湯）
蒺藜子＋何首烏：腎陰虚[*98]および肝気[*21]のうっ滞による立ちくらみ・頭痛・不眠を治す（当帰飲子）
蒺藜子＋地黄：皮膚の乾燥を潤す（当帰飲子）
蒺藜子＋当帰：血虚[*35]による貧血を治す（当帰飲子）

配合処方 洗肝明目湯，当帰飲子
▷294 処方中 2 処方（0.7%）

小麦（ショウバク） *Tritici Fructus* 〈局外生規 2018〉

基　原 イネ科（*Gramineae*）コムギ *Triticum aestivum* Linné の果実

異名別名 麳（らい），浮小麦（ふしょうばく）（水中に投じた時に浮いてくる未成熟なもの），小麥（しょうばく）

選　品 充実した新しいものが良品である。なお，自汗[*5]・盗汗[*99]には浮小麦がよいとされる
貯蔵：虫害に留意し，低温の場所で保存する

成　分 デンプン，タンパク質，脂肪油など

効能主治 性味：甘，涼
帰経：心，脾，腎
効能：心・腎の気を調える，煩熱[*100]を除く，止渇する
主治：臓躁[*101]，煩熱，口渇，下痢，化膿性の腫れ物，外傷による出血，やけど

引用文献 名医別録：熱を除き，躁渇，咽乾を止め，小便を利し，肝氣を養い，漏血，唾血を止むるを主（つかさど）る
本草綱目（孫思邈曰（そんしばくいわく））：心氣を養う。心病はこれを食うがよし
本草綱目：陳（ふる）きものを湯に煎じて飲めば虚汗を止める。焼いて性を存し，油で調えて諸瘡，湯火傷灼（とうかしょうしゃく）に塗る
古方薬議：煩熱を除き，燥渇咽乾を止め，小便を利し，心氣を養ふを主（つかさど）る

配合応用 小麦＋甘草：神経の興奮・ヒステリーなどを緩和し，不眠症を治す（甘麦大棗湯）
小麦＋大棗：気の不調による虚煩[*48]・不眠・自汗[*5]・動悸・ヒステリーを治す（甘麦大棗湯）

配合処方 甘麦大棗湯
▷294 処方中 1 処方（0.3%）

備　考 基原：食用の小麦を薬用に転用している。

釣藤鈎（チョウトウコウ） *Uncariae Uncis Cum Ramulus* 〈日局 18〉

基　原 アカネ科（*Rubiaceae*）カギカズラ *Uncaria rhynchophylla* Miquel, *U. sinensis* Haviland または *U. macrophylla* Wallich の通例とげ，ときには湯通しまたは蒸したもの
局方規格：本品は定量するとき換算した生薬の乾燥物に対し総アルカロイド（リンコフィリン及びヒルスチン）0.03% 以上を含む
産地：広西，貴州省，湖南省

カギカズラ

異名別名 釣藤鉤（ちょうとうこう），釣藤（ちょうとう），吊藤（ちょうとう），釣藤鈎子（ちょうとうこうし），鈎藤（こうとう），釣鈎藤（ちょうこうとう），金鈎藤（きんこうとう），挂鈎藤（けいこうとう），鶯爪風（おうそうふう）

選　品 トゲの形はカギまたは錨（いかりじょう）状，茎は細くトゲは丈夫，光沢があり滑らか，赤褐色ないし紫褐色のものが良品である。茎の混入が少ないものが良い

成　分 インドールアルカロイド（リンコフィリン，イソリンコフィン，コリノキセイン，イソコリノキセイン，ヒルスチンなど）

薬　理 抽出物：抗けいれん，血圧降下，腸管血流量増加，空間認知障害改善
ヒルスチン：睡眠延長，体温降下

効能主治 性味：甘，涼
帰経：肝，心
効能：清熱[*17]し，平肝熄風（へいかんそくふう）[*102]する，けいれん発作を治す
主治：小児の引きつけ・けいれん，大人の高血圧，めまい，立ちくらみ，妊娠期のけいれん発作

引用文献 本草綱目：大人の頭旋（とうせん），目眩（もくげん）を治し，肝風（かんふう）を平らかにし，心熱を除く。小児の内に釣る腹痛，斑疹発するを治す（釣藤の項）

現代における運用のポイント

- 平肝熄風[*102]作用
  肝風内動[*63]による頭痛・めまい・目の充血を治す。またけいれん発作を治す。
- 血圧降下作用
  気の上衝[*1]を下げ，併せて血圧を降下する。

配合応用 釣藤鈎＋黄柏：炎症を鎮め，神経緊張を緩和する（七物降下湯）
釣藤鈎＋菊花：上衝[*79]した気を下げ，血熱[*94]を鎮め，血圧を下げ，目の充血およびめまいを治す（釣藤散）

釣藤鈎＋柴胡：肝火*103 を鎮め，肝気*21 を調え，神経緊張を和らげる（抑肝散）
釣藤鈎＋石膏：清熱*17 し，血圧を下げる（釣藤散）
釣藤鈎＋川芎：気血のうっ滞をめぐらし，頭痛を治す（当帰芍薬散加黄耆釣藤）

配合処方　七物降下湯，釣藤散，当帰芍薬散加黄耆釣藤，抑肝散，抑肝散加芍薬黄連，抑肝散加陳皮半夏
▷294 処方中 6 処方（2.0%）

天麻（テンマ） *Gastrodiae Tuber* 〈日局 18〉

基　原　ラン科（*Orchidaceae*）オニノヤガラ *Gastrodia elata* Blume の塊茎を湯通しまたは蒸したもの
産地：浙江省，湖北省，雲南省，四川省，貴州省

異名別名　鬼督郵（きとくゆう），明天麻（めいてんま），水洋芋（すいようう），赤箭（せきせん）

選　品　黄白色，半透明で，中身が充実し，堅いものが良品である。灰褐色で外皮が十分に取り除かれておらず，軽く，断面に中空のあるものは質が劣る

成　分　バニリン，バニリルアルコールなど

薬　理　バニリルアルコール：胆汁分泌促進，てんかん様発作の抑制

効能主治　性味：甘，平
帰経：肝
効能：平肝熄風（へいかんそくふう）*102 する，けいれん発作を鎮める
主治：めまい，四肢の麻痺，半身不随，言語障害，小児のけいれん，引きつけ

引用文献　神農本草経：鬼，精物（せいぶつ），蠱毒（こどく）の悪氣を殺するを主（つかさど）る。久しく服すれば氣力を益し，陰を長じ肥健（ひけん）し，身を軽くし，年を増す（赤箭の項）

配合応用　天麻＋沢瀉：胃腸の機能低下・肝陽上亢*104 によるめまい，頭痛を治す（半夏白朮天麻湯）
天麻＋半夏：湿を除き，頭痛を治す（半夏白朮天麻湯）

配合処方　半夏白朮天麻湯
▷294 処方中 1 処方（0.3%）

牡蛎（ボレイ） *Ostreae Testa* 〈日局 18〉

基　原　イタボガキ科（*Ostreidae*）カキ *Ostrea gigas* Thunberg の貝がら
産地：広島県

異名別名　カキ殻，牡蠣（ぼれい）

選　品　古いものほど良く，外面は青白色のものほど良品であるとされる。粉末は鑑別困難なため用いない

成　分　炭酸カルシウム（主成分），リン酸カルシウム，ケイ酸塩，微量のタンパク質など

薬理 粉末の一定量以上は制酸効果を与える

効能主治 性味：鹹(かん)渋，涼

帰経：肝，腎

効能：寝汗を止める，上衝*79した気を下げる，汗を止める，遺精・夢精などを改善する，去痰する，るいれき*97などの堅い腫瘍を軟化させる

主治：小児のけいれん・引きつけ，めまい，自汗*5，寝汗，遺精，淋濁(りんだく)*105，不正子宮出血，帯下，るいれき

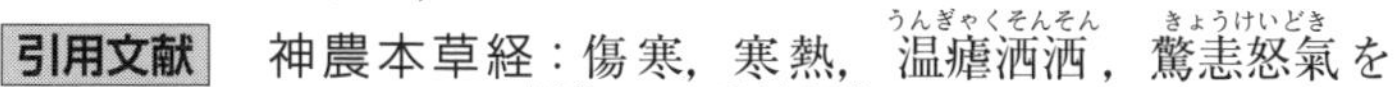

引用文献 神農本草経：傷寒，寒熱，温瘧洒洒(うんぎゃくそんそん)，驚恚怒氣(きょうけいどき)を主(つかさど)り，拘緩鼠瘻(こうかんそろう)，女子の帯下赤白を除く，久しく服すれば骨節を強くし邪鬼を殺して年を延す

古方薬品考：溢(いつ)を除き，且(かつ)，滑洩(かっせつ)を渋(じゅう)す

重校薬徴：胸腹の動を主治し，驚狂(きょうきょう)，煩躁，失精を兼治す

古方薬議：傷寒寒熱，温瘧洒洒，驚恚怒氣を主り，盗汗(とうかん)を止め，洩精(せっせい)を療し，心脇下(しんきょうか)の痞熱(ひねつ)を治す

現代における運用のポイント

- **精神安定作用**

気虚*7が原因となるのぼせ・精神不安・不眠・寝汗・めまいなどに用い，降気*15をはかり精神を安定させる。

- **抗潰瘍作用**

胃酸過多による潰瘍・胸やけに用い，胃酸分泌を抑制し，潰瘍を治す。

配合応用 牡蛎＋黄耆：堅くなった腫瘍を軟化させ，乳腫を治す（紫根牡蛎湯）

牡蛎＋甘草：十二指腸潰瘍など神経症状を伴う胃腸障害，および胃酸過多を治す（安中散）

牡蛎＋桂皮：気の上衝*1・不調和により起こる煩躁*56・動悸・不眠を治す（桂枝加竜骨牡蛎湯，定悸飲）

牡蛎＋柴胡：微熱を治し，自汗*5を止める（柴胡桂枝乾姜湯）

牡蛎＋紫根：硬性の腫瘤を軟化し，難治性の腫瘍・皮膚病を治す（紫根牡蛎湯）

牡蛎＋芍薬：体表の気を調え，止汗する（桂枝加竜骨牡蛎湯）

牡蛎＋竜骨：胸腹部の動悸を伴うけいれん発作，煩躁，不眠，多夢，めまいを治す（柴胡加竜骨牡蛎湯，桂枝加竜骨牡蛎湯）

配合処方 安中散，安中散加茯苓，桂枝加竜骨牡蛎湯，柴胡加竜骨牡蛎湯，柴胡桂枝乾姜湯，紫根牡蛎湯，定悸飲

▷294 処方中 7 処方（2.4%）

備考 効能：中国では一般に，胃酸過多に用いる場合は煅牡蛎(たんぼれい)*106を用いる（安中散など）。神経興奮を鎮める場合は，生牡蛎を用いる（桂枝加竜骨牡蛎湯など）。

李根皮（リコンピ） *Prunisalicinae Cortex*

基　原　バラ科（Rosaceae）スモモ *Prunus salicina* Lindley の根皮の靭皮(じんぴ)*107 部分

※局外生規 2018 には，「バラ科（Rosaceae）スモモ *Prunus salicina* Lindley の樹皮または根皮」を基原として「李皮(りひ)」が収載されている

産地：中国，韓国

異名別名　李根白皮(りこんはくひ)，甘李根白皮(かんりこんはくひ)

選　品　外側は赤色を帯びた灰褐色から黒褐色で，内側は黄白色から淡黄茶褐色である。質は軽くしなやかで，繊維性が強く切断しにくい。香りはわずかで味は苦く渋みがあり，大きな皮片が良品である

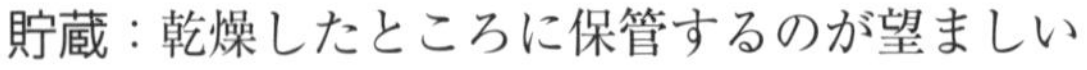

貯蔵：乾燥したところに保管するのが望ましい

成　分　未詳

薬　理　未詳

効能主治　性味：苦鹹，寒

帰経：肝

効能：清熱*17 し，気を下し，解毒する

主治：気逆*76 奔豚(ほんとん)*25，湿熱による下痢（伝染性腸炎），赤白色の帯下，消渇*27，脚気，丹毒*108，化膿性のできもの

引用文献　名医別録：消渇(しょうかち)，心煩(しんぱん)，奔氣(ほんき)逆するを止むるを主る（李核人の根皮の項）

> 現代における運用のポイント
>
> ● 精神安定作用
>
> 心煩，気逆*76 奔豚*25 を治す。

配合応用　李根皮＋甘草：気を調え，気の上衝*1 および奔豚*25 を治す（定悸飲，奔豚湯（金匱要略））

李根皮＋桂皮＋茯苓：気の上衝*1 を治し，精神安定をはかる（定悸飲）

配合処方　定悸飲，奔豚湯（金匱要略）：（桑白皮の代用可）

▷294 処方中 2 処方（0.7%）

備　考　李根皮のみの流通はほとんどないため，李皮を用いている。桑白皮を代用にする場合もある。

竜骨（リュウコツ） *Fossilia Ossis Mastodi*〈日局 18〉

基　原　大型ほ乳動物の化石化した骨で，主として炭酸カルシウムからなる

産地：陝西省，甘粛省，内蒙古

異名別名　龍骨(りゅうこつ)，白竜骨(はくりゅうこつ)，花竜骨(かりゅうこつ)，五花竜骨(ごかりゅうこつ)，土竜骨(どりゅうこつ)

選　品　白色で質が軟らかく，破砕しやすいもの，なめると舌に吸着するものが良品である。黄色や暗黒色のもの，硬く砕けにくいものは良くない。最近は動物の骨を酸で処理した速成のものが多く出回っており，本物の化石は少ない

成　分　炭酸カルシウム，リン酸カルシウム，ヒドロキシアパタイト，ケイ酸，鉄分，カリウム，リン，ヨウ素など

薬　理　抽出物：体温降下，抗けいれん，中枢神経抑制

効能主治　性味：甘渋，平

帰経：心，肝，腎，大腸

効能：精神安定をはかり，けいれん発作を鎮める。気虚*7を補い汗を止め，遺精を治す。陽虚*10による出血を止める。腎・腸の陽気*16を補い，下痢を治す。外用して，口のふさがらないできものを治す

主治：精神不安によるけいれん発作，動悸，不安，健忘，不眠多夢，自汗*5，寝汗，遺精，小水混濁，吐血，鼻出血，血便，不正子宮出血，帯下，下痢脱肛，長期間傷口がふさがらない潰瘍

引用文献　神農本草経：心腹鬼疰（しんぷくきしゅ），精物老魅（せいぶつろうみ），欬逆（がいぎゃく），洩痢膿血（せつりのうけつ），女子漏下（ろうげ），癥瘕堅結（ちょうかけんけつ），小児の熱氣驚癇（ねっききょうかん），歯を主（つかさど）る。小児大人の驚癇，癲疾狂走（てんしつきょうそう），心下の結氣，喘して息することあたわず，諸（もろもろ）の痙（けい），精物を殺すを主る

古方薬品考：血を理（おさ）め，神（しん）の虚脱を鎮む

重校薬徴：臍（さいか）下の動を主治し，驚狂（きょうきょう）を兼治す

古方薬議：小兒熱氣（しょうにねっき），驚癇，心腹煩満を主り，夢寐洩精（むびせっせい），小便洩精を療す

現代における運用のポイント

- 精神安定作用

精神疲労による不眠・不安・動悸・のぼせ・寝汗・多夢などに用い，気を補い精神安定をはかり，不安を解消する。

- 強壮作用

気虚証のインポテンツおよび夢精に用い，益気*109・益精*110し，強壮をはかる。

配合応用　竜骨＋桂皮：のぼせを下げ，精神安定をはかり，不眠を治す，血圧を下げる（桂枝加竜骨牡蛎湯）

竜骨＋茯苓：のぼせを下げ，動悸・不眠を治し，精神安定をはかる（柴胡加竜骨牡蛎湯）

竜骨＋牡蛎：胸腹部の動悸を伴うけいれん発作，煩躁*56，不眠，多夢，めまいを治す（柴胡加竜骨牡蛎湯，桂枝加竜骨牡蛎湯）

配合処方　桂枝加竜骨牡蛎湯，柴胡加竜骨牡蛎湯

▷294処方中2処方（0.7%）

備　考　基原：竜骨の基原には諸説があるが，正倉院御物中の竜骨および竜歯はインド産の化石シカ *Cervus*（Axis）*punjabiensis* Brown や旧ゾウ *Palaeoloxodon namadicus*（Falc. & Caut）などを基原としている。

配合応用：『傷寒論』では，桂皮・甘草・竜骨・牡蛎は鎮静作用を目的として4味1組で用いられている。

＊1：p. 264 参照　＊2：p. 263 参照　＊3：p. 266 参照　＊4：p. 273 参照　＊5：汗が出るべき状態でないのに発汗してしまうこと　＊6：気血が共に虚して疲れやすく，自汗し，身体各部に麻痺やしびれを伴う　＊7：p. 264 参照　＊8：→気虚 p. 264，血虚 p. 265 参照　＊9：p. 259 参照　＊10：p. 255 参照　＊11：沈滞している活動エネルギー（気）を活性化してめぐらせること　＊12：風邪によっておこる関節痛・神経痛・麻痺など　＊13：p. 273 参照　＊14：p. 265 参照　＊15：何らかの要因で上逆した気をもとの位置におろすこと　＊16：p. 255 参照　＊17：性が涼・寒の薬物を用いて熱を除くこと　＊18：脾胃の機能低下に，冷えが伴った状態　＊19：p. 266 参照　＊20：胸が塞がれた感じがし，呼吸困難や胸痛のあるもの。狭心症なども含む　＊21：→臓器を冠する気 p. 263 参照　＊22：→臓器を冠する気 p. 263 参照　＊23：→心気虚 p. 268，脾気虚 p. 273 参照　＊24：風・湿・寒などの病邪に侵され，筋肉・関節に痛み・だるさ・しびれ・麻痺などが起こる病　＊25：ヒステリー発作。臍下から胸腔部への突き上げるような動悸を伴う　＊26：体力が衰弱した状態　＊27：はなはだしい口渇を伴う病証。高熱による津液不足の状態や糖尿病などをいう。　＊28：p. 274 参照　＊29：妊婦の微量子宮出血で腹痛のないもの　＊30：p. 265 参照　＊31：p. 262 参照　＊32：インポテンツ　＊33：p. 272 参照　＊34：→肺陰虚 p. 270，腎陰虚 p. 271 参照　＊35：p. 265 参照　＊36：細く力のない脈で，陽気の不足による衰弱を示す脈状　＊37：p. 274 参照　＊38：Dioscorea 属植物の地下部は，植物形態学上，茎と根の中間型を示し，正しくは担根体（rhizophor）と称するものである　＊39：→固腎渋精法 p. 272 参照　＊40：p. 273 参照　＊41：p. 270 参照　＊42：p. 271 参照　＊43：p. 255 参照　＊44：→温補腎陽法 p. 272 参照　＊45：p. 284 参照　＊46：p. 281 参照　＊47：神経痛様の痛み，しびれ　＊48：体力が衰えて，精神が不安定となり，煩悶感を起こすこと　＊49：p. 265 参照　＊50：→温補腎陽法 p. 272 参照　＊51：p. 263 参照　＊52：長期にわたる発熱・下痢・自汗・出血などの病気または大きなショックにより，精気が減少し生命力が弱っている状態　＊53：p. 261 参照　＊54：温性の邪による病。悪寒がなく，咽喉部の津液不足の状態が現れる p. 286 参照　＊55：煩悶感を伴うような口渇　＊56：熱証による煩悶感，胸部だけでなく手足を含め全体に及ぶ　＊57：p. 281 参照　＊58：みぞおちの痞え，およびかたまりを手に触れて圧痛があるもの　＊59：p. 265 参照　＊60：血および津液を補うこと　＊61：腹中にできる瘀血性の硬結　＊62：局所での気滞が進行して結滞となり痛みを起こすもの　＊63：p. 275 参照　＊64：高熱時に皮膚粘膜に水疱が現れるもの，多くは口の周りに一週間ほど出る　＊65：ハスの殻付きの果実のことを言う　＊66：→養心法 p. 269 参照　＊67：→益腎法 p. 272 参照　＊68：→補脾法 p. 273 参照　＊69：引きしめる作用，この場合出血や下痢を止める　＊70：p. 264 参照　＊71：腹部の激しい痛み（鼠径ヘルニアなど）　＊72：活動エネルギーが不足し，冷えを伴うもの　＊73：感冒・中風などの風邪による病を治す　＊74：p. 264 参照　＊75：肺の化膿性疾患で，膿血を含んだ痰や唾を出す　＊76：p. 264 参照　＊77：p. 279 参照　＊78：p. 274 参照　＊79：上部に突き上げてくること　＊80：p. 267 参照　＊81：飲食物がなかなか消化せず，胃腸に滞留すること　＊82：長期の瘧疾の後しこりができたもの　＊83：p. 280 参照　＊84：痰が多いために気が閉ざされ四肢厥冷を起こすもの　＊85：湿邪により関節痛・神経痛・麻痺などを起こしたもの　＊86：胃腸の働きが悪く，消化されずに食物が停滞している状態　＊87：p. 266 参照　＊88：痞えがあり，その部位に明瞭な結塊を示し，固定した痛みのあるもの　＊89：薬効促

進作用　＊90：強い精神不安による心悸亢進（発作性のものを驚悸，持続性のものを怔忡とすることが多い）　＊91：p. 275 参照　＊92：p. 269 参照　＊93：p. 268 参照　＊94：瘀血で炎症の強いもの，および温病で熱が血分に入った状態（通常，血便・吐血などの出血が伴う）　＊95：目が充血し腫れたために，膜がはったように見えにくくなっている状態　＊96：乳汁分泌困難および難産の 2 説あり　＊97：頸部リンパ節結核　＊98：p. 271 参照　＊99：寝汗　＊100：胸苦しさを伴う熱感および発熱　＊101：精神不安となり，嘆き悲しんだり，時に気抜けした状態　＊102：p. 275 参照　＊103：p. 274 参照　＊104：p. 270 参照　＊105：小便が出しぶり濁るもの　＊106：牡蛎を焼いたもの　＊107：根の外皮のすぐ内側にある柔らかな部分。甘皮　＊108：皮膚の一部が朱を塗ったように紅く火で灼いたように熱くなる疾病　＊109：補気ともいう。気を補って気虚証を治療する方法，生命エネルギーを増強すること　＊110：腎を補い，強精をはかる

1）豊田一恵　他：5/6 腎摘腎不全モデルにおける生薬オウギ（黄耆）の腎一酸化窒素合成酵素（NOS）発現抑制効果．順天堂医学，57（4）：387-394，2011
2）還元糖とアミノ化合物（アミノ酸，ペプチドおよびタンパク質）を加熱したときなどに見られる，褐色物質（メラノイジン）を生み出す反応のこと。褐変反応（browning reaction）とも呼ばれる。アミノカルボニル反応の一種であり，褐色物質を生成する代表的な非酵素的反応である
3）Motomura K, et al.：Astragalosides isolated from the root of astragalus radix inhibit the formation of advanced glycation end products. J Agric Food Chem, 57（17）：7666-7672, 2009
4）Peng WH et al.：Anxiolytic effect of seed of Ziziphus jujuba in mouse models of anxiety. J Ethnopharmacol, 72（3）：435-441, 2000
5）前島裕子　他：加味帰脾湯による脳視床下部オキシトシンニューロンに対する作用．日本東洋心身医学研究，34（1/2）：16-19, 2019
6）Kosfeld M et al.：Oxytocin increases trust in humans. Nature, 435（7042）：673-676, 2005
7）Jin D et al.：CD38 is critical for social behaviour by regulating oxytocin secretion. Nature, 446（7131）：41-45, 2007
8）MacDonald K et al.：Oxytocin's role in anxiety：A critical appraisal. Brain Res, 1580：22-56, 2014
9）Domes G et al.：Oxytocin Promotes Facial Emotion Recognition and Amygdala Reactivity in Adults with Asperger Syndrome. Neuropsychopharmacology, 39（3）：698-706, 2014
10）Aoki Y et al.：Oxytocin improves behavioural and neural deficits in inferring others' social emotions in autism. Brain, 137（11）：3073-3086, 2014
11）Sanna F et al.：The potential role of oxytocin in addiction：What is the target process?. Curr Opin Pharmacol, 58（Suppl 1）：8-20, 2021
12）Maejima Y et al.：Peripheral oxytocin treatment ameliorates obesity by reducing food intake and visceral fat mass. Aging, 3（12）：1169-1177, 2011
13）Maejima Y et al.：Nasal oxytocin administration reduces food intake without affecting locomotor activity and glycemia with c-Fos induction in limited brain areas. Neuroendocrinology, 101：35-44, 2015
14）Klement J et al.：Improves β-Cell Responsivity and Glucose Tolerance in Healthy Men. Diabetes, 66（2）：264-271, 2017
15）Elabd C et al.：Oxytocin is an age-specific circulating hormone that is necessary for muscle maintenance and regeneration. Nat Commun, 5（1）：4082, 2014
16）Tamma R et al.：Oxytocin is an anabolic bone hormone. Proc Natl Acad Sci USA, 106（17）：7149-7154, 2009
17）Lin Y et al.：Oxytocin stimulates hippocampal neurogenesis via oxytocin receptor expressed in CA3 pyramidal neurons. Nat Commun, 8（1）：537, 2017
18）Nishijo H, et al：The Japanese Journal of Physiology, 53 Suppl：S90, 2003
19）山本孝之：痴呆に対する抑肝散加陳皮半夏と紅参の併用療法．長寿科学総合研究，6：287-292，1993
20）難波恒夫：和漢薬百科図鑑 1，2，保育社，1993, 1994，米田該典　監，鈴木洋：くすりの事典，医歯薬出版，1994 による
21）Takeda H, et al.：Rikkunshito, an herbal medicine, suppresses cisplatin-induced anorexia in rats via 5-HT2 receptor antagonism. Gastroenterology, 134：2004-2013, 2010
22）Okuyama S, et al.：Heptamethoxyflavone, a citrus flavonoid, enhances brain-derived neurotrophic factor production and neurogenesis in the hippocampus following cerebral global ischemia in mice. Neurosci Lett, 528（2）：190-195, 2012
23）Chun YT：Screening of Antiallergic Effect in Traditional Medicinal Drugs and Active Constituents of Aurantii Fructus Immaturus. 生薬学雑誌，43（4）：314-323，1999
24）Kawahata I et al.：Potent activity of nobiletin-rich Citrus reticulata peel extract to facilitate cAMP/PKA/ERK/CREB signaling associated with learning and memory in cultured hippocampal neurons：identification of the substances responsible for the pharmacological action. J Neural Transm, 120（10）：1397-1409, 2013
25）山家一哲　他：'太田ポンカン' とタチバナにおけるフラベド中フラボノイド含量の経時変化．園学研，19（2）：183-188, 2020
26）Seki T et al.：Nobiletin-rich Citrus reticulata peels, a kampo medicine for Alzheimer's disease：a case series. Geriatr Gerontol Int, 13（1）：236-238, 2013
27）橋詰直樹　他：臨床研究　アルツハイマー型認知症に対するノビレチン高含有陳皮配合抑肝散加陳皮半夏の使用経験．漢方と最新治療，27（3）：271-275, 2018
28）元　王好古撰：湯液本草巻ノ三　明呉中二校　明刊（国立国会図書館デジタルコレクション）
29）貝原篤信：大和本草巻ノ十，1709（国立国会図書館デジタルコレクション）
30）中井康雄：実用漢方シリーズ―その XXIX―陳皮・橘皮・青皮．漢方研究，2：70-73，3：110-113, 1972
31）土田貴志他：柑橘類生薬の基原と品質に関する研究（第 4 報）日本及び中国産「陳皮」，「青皮」，「枳実」，「枳殻」，「橙皮」の基原について．Natural medicines, 51（3）：231-243, 1997
32）広報おまえざき，2021 年 2 月号
33）小松新平：生薬コラム 14　生薬の選び方・使い方　陳皮と橘皮．中医臨床，29（4）：104-105, 2008

Ⅷ　血薬

血薬とは，血液不足または血行不良によって起こる諸症状と瘀血（おけつ）*1が原因して引き起こす諸症状に対し，補血*2または駆瘀血（くおけつ）*3作用によって改善をはかる薬物のことである。通常，補血薬と駆瘀血薬に分類される。

（1）補血薬

補血薬とは，血液成分を補い，血液不足または血行不良によって起こる貧血・倦怠感・低血圧・めまい・息切れなどの諸症状の改善をはかる薬物のことである。

阿膠（アキョウ）*Asini Corii Collas*〈局外生規 2018〉

基原　ウマ科（*Equidae*）ロバ *Equus asinus* Linné の毛を去った皮，骨，けんまたはじん帯を水で加熱抽出し，脂肪を去り，濃縮乾燥したもの
産地：山東省，マカオ，韓国

異名別名　煮皮（にかわ），膠（にかわ），白阿膠（はくあきょう），玉阿膠（たまあきょう），三千本膠（さんぜんほんきょう）

選品　選品：新しくて光沢があり，夏もあまり軟化せず，異臭がないものが良品である。煎剤のときには他薬を煎じてろ過した後に加えて溶かす

成分　コラーゲン，アミノ酸など

薬理　抽出液：造血，体内カルシウム平衡の改善，筋ジストロフィーの予防・治療

効能主治　性味：甘，平
帰経：肺，肝，腎
効能：津液（しんえき）*4を補い，補血*2する，安胎作用*5を有す。
主治：血虚*6，過労による咳，吐血，鼻出血，血便，月経不順，子宮の不正大量出血，流産しかかったもの

引用文献　神農本草経：心腹内崩（しんぷくないほう）して労極まり，洒々（そんそん）として瘧状（ぎゃくじょう）の如く，腰腹痛み，四肢酸疼（ししさんとう），女子下血，胎を安んずるを主（つかさど）る。久しく服すれば，身軽く益氣す
古方薬品考：補益，血液を固衛（こえい）す
古方薬議：内崩下血，腰腹痛，四肢酸疼，虚労，羸痩（るいそう），咳嗽を主り，血を和し，陰を滋（うるお）し，風を除き，燥を潤し，痰を化し，小便を利し，大腸を調ふ

現代における運用のポイント

- 補血[*2]・止血作用

止血と補血を主り，あらゆる出血性疾患（鼻出血・吐血・喀血・血便・血尿など）に適用される。

- 滋陰[*7]・潤燥作用

よく陰分[*8]（血液）を補う作用があるので，血虚[*6]による煩悶・精神不安・不眠を治す。

配合応用 阿膠＋黄連（または黄芩）：諸熱による鼻出血・痔出血・子宮出血・血便・血尿・吐血・口内出血を治す。また，心煩[*9]して不眠となる症状を治す。併せて血を補う（黄連阿膠湯）

阿膠＋艾葉：出血に伴う不眠症・煩躁[*10]，各種の出血（吐血，喀血，鼻出血，血尿，痔出血，腸出血，子宮出血）を治す（芎帰膠艾湯）

阿膠＋滑石：止血作用を有す（猪苓湯）

阿膠＋地黄：1）陰虚[*11]証の者のるい痩・咳嗽・心煩（しんぱん）[*9]・不眠・心悸亢進を治す（炙甘草湯）。2）止血作用を増強する（芎帰膠艾湯）

阿膠＋芍薬：陰虚[*11]を補って養血し止血する。更に地黄を加えると，血虚[*6]の諸症，吐血・鼻出血，熱病での津液不足[*12]による身熱[*13]・心煩[*9]を治す（芎帰膠艾湯）

阿膠＋麦門冬：血虚[*6]から陰虚発熱[*14]を起こしたものに対し，陰分[*8]を補い，皮膚粘膜を滋潤し，手足のほてりや口中の乾きを治す（温経湯）

配合処方 温経湯，黄連阿膠湯，芎帰膠艾湯，杏蘇散，炙甘草湯，猪苓湯，猪苓湯合四物湯

▷294 処方中 7 処方（2.4%）

備　考 生薬名：＜阿膠の名前の由来について＞

東阿（山東省東阿県）に大きな井戸があり，毎年年末にその水で膠を煮た。これが阿膠の語源となった。その井戸は阿井と呼ばれた。古くからこの地方のものが最も有名である。

基原：形状は，玉状・板状と 2 種類のものがある。

艾葉（ガイヨウ） *Artemisiae Folium* 〈日局 18〉

基　原 キク科（*Compositae*）ヨモギ *Artemisia princeps* Pampanini またはオオヨモギ *A. montana* Pampanini の葉および枝先

産地：日本各地，韓国

異名別名 医草（いそう），灸草（きゅうそう），家艾（かがい）

選　品 葉片が厚く柔靭で，表面に濃緑色が残り，背面が灰白色を呈し，絨毛が多く，香気が強く，苦いものを良品とする。新芽の時期に採集したものが良く，茎の混入しないものが良い

成　分 タンニン類（ジカフェオイルキナ酸，クロロゲン酸），精油（シネオール）など

薬　理 抽出物：腸管および心臓の運動を抑制，呼吸促進，血圧降下，毛細血管の透過性を

抑制

効能主治　性味：苦辛，温

帰経：脾，肝，腎

効能：気血を調える，寒湿*15を除き，経脈*16を温める，止血する，安胎*5する。外用では，浴剤として血行を促進し，冷えを除く

主治：腹部の冷えによる痛み，下痢による筋肉のけいれん，慢性下痢，吐血，鼻出血，下血，月経不順，不正子宮出血，帯下，流産しかかったもの，できもの，疥癬

花序

オオヨモギ

引用文献　本草綱目：中を温め，冷を逐い，湿を除く（艾の項）

古方薬品考：癤を療し，また妄血を止む

古方薬議：下痢，吐血，婦人漏血，帯下を主り，腹痛を止め，百病に灸す

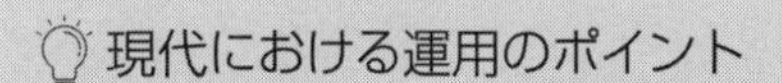

現代における運用のポイント

- 止血作用

虚寒*17性の出血性疾患（子宮出血・血便・血尿・吐血）に用いる。

- 安胎作用*5

冷えによる腹痛を治し，また流産を予防する。

配合応用　艾葉＋阿膠：出血に伴う不眠症・煩躁*8，各種の出血（吐血，喀血，鼻出血，血尿，痔出血，腸出血，子宮出血）を治す（芎帰膠艾湯）

艾葉＋地黄：血熱*18のために生じる吐血・鼻出血・血尿・痔出血を治す（芎帰膠艾湯）

艾葉＋川芎：冷えによる腹痛・月経痛を治す（芎帰膠艾湯）

艾葉＋当帰：補血*2をはかり貧血を治す（芎帰膠艾湯）

配合処方　芎帰膠艾湯

▷294 処方中 1 処方（0.3%）

備　考　基原：中国産は基原が不明確で，味が非常に苦い。

効能：<外用法>

浴剤として，冷え症，腰痛，湿疹に用いる。生葉は止血に用いる。モグサを作り，灸法に用いる。モグサの最も古い記載は，孟子による。モグサによる灸法は鍼の出現より古い。

何首烏（カシュウ）*Polygoni Multiflori Radix*〈日局 18〉

基　原　タデ科（*Polygonaceae*）ツルドクダミ *Polygonum multiflorum* Thunberg の塊根で，しばしば輪切される

産地：広東省，広西，湖南省，貴州省

異名別名　首烏，白何首烏

選　品 塊が肥大し，堅実で質が重く，紅褐色で，内部に花紋があるものを良品とする

成　分 アントラキノン類，スチルベン配糖体（1.2% 以上）

薬　理 抽出液：腸管運動を促進，神経系興奮，疲労した心臓に対する強心作用，抗菌

アントラキノン：クロナキシーを低下，神経系興奮

塊根

効能主治 性味：苦甘渋，微温

帰経：肝，腎

効能：肝を補う，腎気*19 を補い増血する，緩下作用を有す

主治：若白髪，貧血によるめまい，腰膝の弱まり，筋骨のだるい痛み，遺精，大量の子宮出血，長引く帯下，慢性マラリア，慢性肝炎，できもの，るいれき*20，痔疾，軽度の便秘

引用文献 本草綱目：血を養い肝を益し，精を固め腎を益し，筋骨を健やかにし，髭髪（しはつ）を黒くし，滋補の良薬である

配合応用 何首烏＋蒺藜子：腎陰虚*21 および肝気*22 のうっ滞による立ちくらみ・頭痛・不眠を治す（当帰飲子）

何首烏＋川芎：末端の血流を促す（当帰飲子）

何首烏＋当帰：補血*2 をはかり，貧血を治す（当帰飲子）

配合処方 当帰飲子

▷294 処方中 1 処方（0.3%）

備　考 生薬名：＜何首烏の名前の由来＞

中国の何（か）という名前の者が本薬を服し，首から上（頭髪）がカラスのように黒くなったという伝説から名づけられた。

胡麻（ゴマ） *Sesami Semen* 〈日局 18〉

基　原 ゴマ科（*Pedaliaceae*）ゴマ *Sesamum indicum* Linné の種子

産地：中国

異名別名 黒脂麻（こくしま），胡麻仁（ごまにん），芝麻（しま），巨勝子（きょしょうし）

選　品 粒が大きく，黒色で充実し，質の重いもの，夾雑物のないものを良品とする。新しいものが良い。白胡麻で代用しても良い

成　分 リグナン類（セサミン，エピセサミン，セサモール，セサモリノール），脂肪油（ゴマ油）など

薬　理 エピセサミン：脂質代謝改善

セサモリノール：抗酸化

効能主治 性味：甘，平

帰経：肝，腎
効能：肝腎を補い，五臓の津液*4 を潤す
主治：肝腎陰虚*23，めまい，風痺*24，乾燥性便秘，病後のるい痩，若白髪，婦人の乳少

引用文献 神農本草経：傷中虚羸に五内を補し，氣力を益し，肌肉を長じ，髄脳を塡す

配合応用 胡麻＋地黄：肌を潤す（消風散）

配合処方 消風散
▷294 処方中 1 処方（0.3%）

備　考 基原：ゴマは種子の色によって黒ゴマ・白ゴマ・黄ゴマなどに分けられるが，黒ゴマは薬効が高く，薬用の幅も広いので，一般に薬用には黒ゴマを用いている。現在は食用のゴマを薬用に転用している。

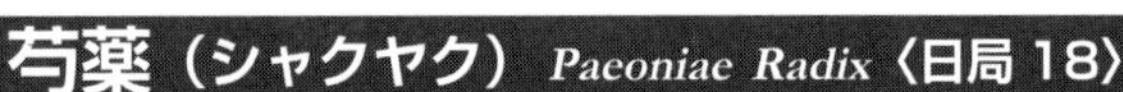

芍薬（シャクヤク） *Paeoniae Radix* 〈日局 18〉

基　原 ボタン科（*Paeoniaceae*）シャクヤク *Paeonia lactiflora* Pallas の根
局方規格：本品は定量するとき，換算した生薬の乾燥物に対し，ペオニフロリン（$C_{23}H_{28}O_{11}$：480.46）2.0% 以上を含む
産地：北海道，新潟県，長野県，奈良県，和歌山県，四川省，浙江省，安徽省，韓国

異名別名 白芍，白芍薬，金芍薬，真芍，赤芍，赤芍薬，山芍

選　品 棒状で太く，長くまっすぐで，皮の去り方が良く，充実しており，柔軟性と適度の湿り気があり，断面が白色で変色しておらず，香気が強いものが良品である。味はやや甘く，後に収れん性があるものが良い。湾曲しているものや，断面が変色しているものは次品である
貯蔵：本品は，虫がつきやすく，変色しやすいので，低温で，乾燥の良い場所に保管する

成　分 変形モノテルペン配糖体（ペオニフロリン），安息香酸，ガロタンニンなど

薬　理 抽出物：抗炎症，鎮痛，腸内容物輸送促進，胃運動亢進，子宮運動を亢進の後抑制
ペオニフロリン：鎮静，鎮痛，抗ペンチレンテトラゾールけいれん，胃運動および子宮運動を軽度に抑制，オキシトシンによる子宮収縮に拮抗，血管拡張，抗炎症，抗アレルギー，抗ストレス潰瘍，記憶学習障害の改善，甘草成分グリチルリチンとの併用で相乗的に筋弛緩作用を示す

効能主治 性味：苦酸，涼

帰経：肝，脾

効能：血を養い[*25]肝を和らげる[*26]，胃部の緊張を緩め止痛する，陰を斂め汗を収める[*27]

主治：胸腹脇肋の疼痛，下痢による腹痛，自汗[*28]，寝汗，陰虚発熱[*14]，月経不順，不正子宮出血，帯下

引用文献

神農本草経：邪氣腹痛を主り，血痺を除き，堅積，寒熱疝瘕を破り，痛みを止め，小便を利し，氣を益す

古方薬品考：否を排き，血を順らし，肌を固む

重校薬徴：結実して拘攣するを主治す。故に腹満，腹痛，頭痛，身体疼痛，不仁を治し，下利，煩悸，血証，癰膿を兼治す

古方薬議：血痺を除き，堅積を破り，痛を止め，中を緩め，悪血を散じ，藏府の擁氣を通宣し，女人一切の疾，並に産前後の諸疾を主る

現代における運用のポイント

- **緊張緩和作用**

四肢および腹部の緊張緩和をはかり，四肢の筋肉痛・けいれん，および腹痛を治す。

- **通経作用**

瘀血[*1]を除き，婦人科系の働きを調え，月経不順・こしけ・月経痛を治す。

- **止汗作用**

体表の衛気[*29]を補い，寝汗過多を治す。

配合応用

芍薬＋阿膠：陰虚[*11]を補って養血し止血する。さらに地黄を加えると，血虚[*6]の諸症，吐血・鼻出血，熱病での津液不足[*12]による身熱[*13]・心煩[*9]を治す（芎帰膠艾湯）

芍薬＋延胡索：腹部や筋肉・関節の緊張を緩和し，鎮痛する（烏苓通気散，折衝飲）

芍薬＋甘草：筋肉の緊張またはけいれんによる脇痛・腹痛・筋肉痛・手足痛を治す（芍薬甘草湯，解労散，桂枝芍薬知母湯，桂枝二越婢一湯，柴胡疎肝湯，小続命湯）

芍薬＋枳実：1）筋肉の緊張を緩め胸脇苦満[*30]および膨満感を治す（四逆散，大柴胡湯，柴胡疎肝湯）。2）排膿作用を有す（排膿散）

芍薬＋桂皮：1）体表の衛気[*29]を調え，発汗を抑制する。また，衛気をめぐらせて麻痺などの機能回復を図る（桂枝湯，黄耆桂枝五物湯，小続命湯）。2）芍薬を倍量にすると，腹痛を治す効果が現れる（桂枝加芍薬湯，小建中湯）

芍薬＋牛膝：瘀血[*1]による腹痛を治す（折衝飲，芎帰調血飲第一加減，牛膝散）

芍薬＋柴胡：肝の機能異常による胸脇苦満[*30]，腹痛，大便不調，食欲不振，精神不安，黄疸，月経不調を治す（加味逍遙散，柴胡疎肝湯，大柴胡湯）

芍薬＋地黄：血虚[*6]によるめまい，月経出血の少ないもの，および各種の血虚証を治す（芎帰膠艾湯，四物湯）

芍薬＋川芎：血行を促し，腹部を温め，月経痛および腹痛などの痛みを治す（柴胡疎肝湯，四物湯，小続命湯，当帰芍薬散）

芍薬＋大黄：大黄の瀉下作用に伴う痛みを緩和し，便通を速やかにする（桂枝加芍薬大黄湯，麻子仁丸）

芍薬＋当帰：1）血を補い，血行を促し，婦人科系の機能を調える。また，貧血による動悸，耳鳴り，月経不順，月経痛，けいれん，冷え症，腹痛を治す（四物湯，当帰芍薬散，扶脾生脈散，当帰飲子）。2）肝血を補い，肝の陰分を滋し*31，肝気*22の高ぶりを鎮静する（抑肝散）

芍薬＋牡丹皮：瘀血*1による腹痛・月経不順・子宮筋腫，温病*32の熱が営分*33に入り，起きる諸症状（発斑，吐血，鼻出血）を治す（温経湯）

配合処方 胃風湯，胃苓湯，烏苓通気散，温経湯，温清飲，黄耆桂枝五物湯，黄耆建中湯，黄芩湯，黄連阿膠湯，解労散，加減涼膈散（龔廷賢），葛根紅花湯，葛根湯，葛根湯加川芎辛夷，加味四物湯，加味逍遙散，加味逍遙散加川芎地黄（加味逍遙散合四物湯），帰耆建中湯，芎帰膠艾湯，芎帰調血飲第一加減，荊芥連翹湯，桂枝越婢湯，桂枝加黄耆湯，桂枝加葛根湯，桂枝加厚朴杏仁湯，桂枝加芍薬生姜人参湯，桂枝加芍薬大黄湯，桂枝加芍薬湯，桂枝加朮附湯，桂枝加竜骨牡蛎湯，桂枝加苓朮附湯，桂枝芍薬知母湯，桂枝湯，桂枝二越婢一湯，桂枝二越婢一湯加朮附，桂枝茯苓丸，桂枝茯苓丸料加薏苡仁，桂麻各半湯，堅中湯，甲字湯，牛膝散，五積散，五淋散，柴葛解肌湯，柴葛湯加川芎辛夷，柴胡桂枝湯，柴胡清肝湯（散），柴胡疎肝湯，柴芍六君子湯，滋陰降火湯，滋陰至宝湯，四逆散，滋血潤腸湯，紫根牡蛎湯，滋腎通耳湯，滋腎明目湯，七物降下湯，四物湯，芍薬甘草湯，芍薬甘草附子湯，十全大補湯，小建中湯，小青竜湯，小青竜湯加杏仁石膏（小青竜湯合麻杏甘石湯），小青竜湯加石膏，小続命湯，升麻葛根湯，逍遙散（八味逍遙散），神仙太乙膏，真武湯，清熱補気湯，清熱補血湯，折衝飲，洗肝明目湯，疎経活血湯，大柴胡湯，大柴胡湯去大黄，大防風湯，中建中湯，猪苓湯合四物湯，当帰飲子，当帰建中湯，当帰散，当帰四逆加呉茱萸生姜湯，当帰四逆湯，当帰芍薬散，当帰芍薬散加黄耆釣藤，当帰芍薬散加人参，当帰芍薬散加附子，当帰湯，独活葛根湯，人参養栄湯，排膿散，排膿散及湯，扶脾生脈散，防風通聖散，補陽還五湯，奔豚湯（金匱要略），麻子仁丸，薏苡仁湯，抑肝散加芍薬黄連，連珠飲
▷294処方中102処方（34.7%）

備　考 基原：1. 日局13の追補より，栽培種を意識した改正がなされ，基原植物が1種類に限定され，中国産の野生品は除かれた。

2. 芍薬は，現在中国では「白芍薬」と「赤芍薬」とに明確に分かれ，使用上別の効能を目指して使い分けられている。「白芍薬」は栽培種の *P. lactiflora* Pallas の根の皮を去り湯通ししたものを言い，「赤芍薬」は野生種の *P. lactiflora* Pallas およびその近縁植物（すべて野生種）の根を皮付きのまま乾燥させたものを言う。

なお，日本の芍薬は栽培種の *P. lactiflora* Pallas の皮を去り乾燥させたもので，中国の「白芍薬」とは異なる。

3. 芍薬の主成分であるペオニフロリンの含量は，皮去りよりも皮つきの方が多く，栽培種より野生種の方が多い。

4. 日本では，従来，栽培種の皮去り品のみを扱ってきたが，エキス製剤の普及に伴ってペオニフロリン含量の高い皮付きが流通するようになった。ただ，これは栽培種の *P. lactiflora* Pallas の皮付きの根であり，中国で言う「赤芍薬」とは異なる。

5. 現在，芍薬の日本における流通では，栽培種の皮去り品（刻み品として使

用），栽培種の皮付き品（エキス製剤に使用），中国の赤芍薬（中医など一部で使用）と，大きく3種類に分かれている。

効能：1. 中国の白芍薬と赤芍薬については，おそらく根の内色で白・赤を区別したものと考えられる。3〜4世紀ごろまでは，赤白の区別はなく，野生品の皮付きのものであったと考えられる。赤白の区別が初めて出てくるのは，500年ごろで（『本草経集註（しっちゅう）』に見られる），薬効の差にも触れられている。また宋代には，栽培種の芍薬が，多く薬用に使用されるようになったという記載がある。

2.「白芍薬」と「赤芍薬」の効能の違いについては，両者とも内臓痛・婦人科系疾患に用いられるが，胃腸系疾患および自汗*28があるものについては「白芍薬」が，瘀血*1排泄の効果を狙うものについては「赤芍薬」が多く用いられる。

熟地黄（ジュクジオウ）〈日局18〉

基原　ゴマノハグサ科（*Scrophulariaceae*）アカヤジオウ *Rehmannia glutinosa* Liboschitz var. *purpurea* Makino または *R. glutinosa* Liboschitz の根を蒸したもの

産地：河南省

異名別名　熟地

選品　熟地黄は，乾地黄を酒で蒸した後表皮をむいたもので，色が漆のように黒く，光沢があり，柔軟性に富み，甘味のあるものを良品とする。酒蒸が十分で水分が残留しないものが良い。芯まで熟したものが良く，芯の硬いものは，未完成品で不良である

貯蔵：気密容器に保存する。風がよく通る乾燥の良い場所は適さない

成分　地黄の項（p. 91 参照）

薬理　地黄の項（p. 91 参照）

効能主治　性味：甘，微温

帰経：肝，腎

効能：津液（しんえき）*4と血を滋養する

主治：陰虚*11で血が少ないもの，腰膝の痿弱（いじゃく）*34，労嗽骨蒸（ろうそうこつじょう）*35，遺精，不正子宮出血，月経不順，糖尿病，頻尿，耳聾（じろう），めまい

引用文献　地黄の項（p. 91 参照）

現代における運用のポイント

- 補血*2作用

血虚*6を補い，月経不順・貧血・立ちくらみなどの貧血症状を治す。

- 滋養作用

津液*4・精液などを滋養して補い，寝汗・遺精・陰虚発熱*14を治す。

配合応用　（熟）地黄＋桂皮（肉桂）：造血し，気を充実させ，強壮をはかる（十全大補湯）

※この場合は桂皮より肉桂の方が効果がよい。

（熟）地黄＋山茱萸：肝腎の陰虚*11によって起きるめまい・耳鳴・腰膝のだるさや

無力感・遺精・寝汗を治す，また陽痿*36を治す（六味丸，八味地黄丸）
（熟）地黄＋山薬：陰虚*11による寝汗・熱感・口乾・疲労感を治す（六味丸，八味地黄丸）
（熟）地黄＋当帰：婦人の貧血を伴う動悸，健忘，神経衰弱，不眠症，月経不順，月経痛，不妊症を治す（温清飲，四物湯）
（熟）地黄＋麦門冬（または天門冬）：陰分*8を補い，粘膜を潤し，炎症を治す（甘露飲）

配合処方　地黄の項 p. 93 参照

備　考　基原：日局 16 の第一追補より，ジオウの項目中に乾地黄・熟地黄の区別が記載されるようになった。本書では，乾地黄と熟地黄の効能の違いに着目して，両者の項目を分けている。また，一般用漢方 294 処方中の同一処方においても時代によって，熟地黄が用いられたり乾地黄が用いられたりする場合がある。

なお，同一処方において使い分ける場合，乾地黄も熟地黄もすぐれた滋陰*7効果を持つが，乾地黄を用いる場合はより清熱*37効果や止血効果が高くなり，熟地黄を用いる場合はより補血*2効果や滋養し補う効果が高くなる。また，虚証のはなはだしい場合や胃弱の場合には，熟地黄を用いる方がよい。

※なお，時代によって乾地黄，熟地黄の名称が意味するものが異なる場合があるので，留意する。詳しくは【古典における生地黄・乾地黄・熟地黄の区別と変遷】p. 94 を参照されたい。

当帰（トウキ）*Angelicae Acutilobae Radix*〈日局 18〉

基　原　セリ科（*Umbelliferae*）トウキ *Angelica acutiloba* Kitagawa またはホッカイトウキ *A. acutiloba* Kitagawa var. *sugiyamae* Hikino の根を，通例，湯通ししたもの

産地：北海道，鳥取県，和歌山県，奈良県，青森県，群馬県，愛媛県，四川省，浙江省

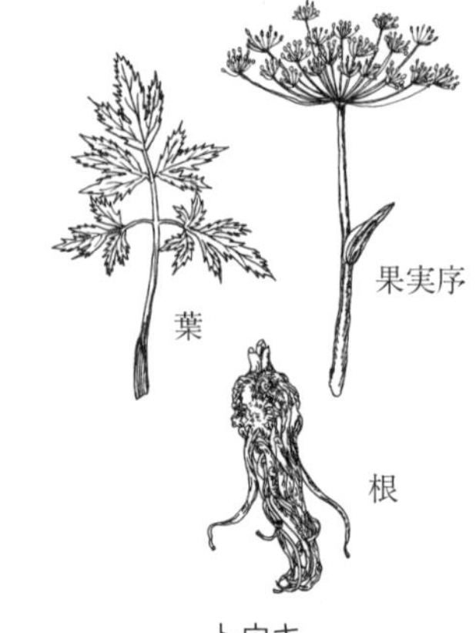

異名別名　當歸（とうき），大和当帰（やまととうき），大深当帰（おおぶかとうき），北海当帰（ほっかいとうき），唐当帰（からとうき），朝鮮当帰（ちょうせんとうき）

選　品　大きく，よく肥大し，木質化せず，柔らかで潤いがあり，表面が黄褐色を呈し，断面が黄白色～アメ色で，柔軟性があり，芳香と甘味があり，やや辛いものを良品とする。大和産は甘味が多く芯まで湯通しされアメ色を呈する

貯蔵：本品は油分を含み，空気中の水分を吸収しやすく，腐りやすく，かつ虫がつきやすいため，低温で，湿度の低い場所で保存するのが望ましい

成　分　精油（リグスチリド，ブチリデンフタリド），ポリアセチレン類（ファルカリンジオール，ファルカリノール，ファルカリノロン），コリン，クマリン（スコポレチン）など

薬理　抽出物：鎮痛，血管透過性抑制，抗炎症，子宮運動亢進その後抑制，急性浮腫抑制
精油：解熱
リグスチリド，ブチリデンフタリド：抗アセチルコリン作用
ファルカリンジオール：疼痛反応に拮抗
リグスチリド：抗喘息，鎮痙

効能主治　性味：甘辛，温
帰経：心，肝，脾
効能：補血[*2]する，血行促進し冷えを除く，止痛する，月経を調える，腸の津液[*4]を補い，活動を速やかにする。外用では，浴剤として血行を促進し冷えを除く。軟膏剤として皮膚組織の回復を早める
主治：月経不順，月経停止，腹痛，癥瘕結聚（ちょうかけつじゅ）[*38]，不正子宮出血，貧血性の頭痛，めまい，麻痺，乾燥性便秘，下痢，しぶり腹，化膿性の各種できもの，打撲傷

引用文献　神農本草経：欬逆上氣（かいぎゃくじょうき），温瘧寒熱（うんぎゃくかんねつ）の洗洗（せんせん）として皮膚中に在るもの，婦人の漏下（ろうげ），絶子（ぜっし），諸悪瘡瘍（しょあくそうよう），金瘡（きんそう）を主（つかさど）る。煮て之を飲む
古方薬品考：温達（おんたつ）せしめ，氣血を調和す
古方薬議：欬逆上氣（かいぎゃくじょうき），婦人漏下，心腹諸痛を主り，腸胃筋骨皮膚を潤し，中を温め，痛を止（と）む

現代における運用のポイント

- 補血[*2]・回陽作用
  血を補い，陽気をめぐらし[*39]，冷えを解消し，月経不順・月経痛・子宮内膜症・腹痛を治す。
- 安胎作用[*5]
  身体を温め，婦人科系の働きを活性化させ，不妊症を治し，妊婦においては安胎をはかる。
- 通便作用
  身体が冷え，腸部の血流不全によって起こる便秘に対し，造血をはかり，血流を改善して，腸の活動を促進し，便秘を解消する。

配合応用　当帰＋黄耆：1）増血をはかり，下部に沈滞した気を上にめぐらす。痔，めまい，立ちくらみ，脱肛，子宮下垂，夜尿症を治す（補中益気湯，十全大補湯，帰耆建中湯）。2）気血をめぐらせ，皮膚の再生を促し，化膿性疾患を治す（千金内托散）
当帰＋黄芩：子宮機能を調え，安胎をはかる（当帰散）
当帰＋艾葉：補血[*2]をはかり貧血を治す（芎帰膠艾湯）
当帰＋桂皮：腹部の血行を促し，腹痛および冷えをとる（当帰建中湯）
当帰＋玄参：血と津液[*4]を補い皮膚や粘膜の炎症を治す（清熱補気湯）
当帰＋香附子：月経を調え，止痛し，月経痛や乳腺の痛みを治す（芎帰調血飲，烏苓通気散）
当帰＋地黄：1）婦人の貧血を伴う動悸，健忘，神経衰弱，不眠症，月経不順，月経痛，不妊症を治す（温清飲，四物湯）。2）血・津液[*4]を補い，皮膚や

粘膜を潤し，陰虚発熱[*14]による炎症やできものなどの症状を治す（加減涼膈散（龔廷賢），当帰飲子，麻子仁丸，神仙太乙膏：外用）

当帰＋紫根：内用，外用共に血行促進し，皮膚機能を回復させる（紫雲膏：外用，紫根牡蛎湯）

当帰＋芍薬（または＋川芎）：血を補い，血行を促進する基本的な組み合わせ（当帰芍薬散，四物湯他多数）

当帰＋芍薬：1）血を補い，血行を促し，婦人科系の機能を調える。また，貧血による動悸，耳鳴り，月経不順，月経痛，けいれん，冷え症，腹痛を治す（四物湯，当帰芍薬散，扶脾生脈散，当帰飲子）。2）肝血を補い，肝の陰分を滋し[*31]，肝気[*22]の高ぶりを鎮静する（抑肝散）

当帰＋升麻：血をめぐらせ，昇提作用[*40]により，脱肛・子宮脱などを治す（乙字湯，補中益気湯）

当帰＋沈香：気血を補い，流れを調えて，咳を止める（喘四君子湯）

当帰＋川芎：1）血を補い，血行を促し，体を温め，冷え症・月経痛・不妊症を治す。また皮膚の新陳代謝を促進し，肌のツヤを良くする。浴剤としても用いる（温経湯，温清飲，当帰芍薬散，四物湯，千金内托散，当帰飲子）。2）血行を促し，麻痺を改善する（続命湯）。3）肝血の不足[*41]を補い，肝気[*22]を調える（抑肝散）

当帰＋白朮：腹部を温め，血流を促し，貧血・流産しかかったもの・浮腫を治す（当帰散）

当帰＋麻子仁：熱病による津液[*4]の枯燥および血虚[*6]による便秘を治す（潤腸湯）

配合処方　胃風湯，烏苓通気散，温経湯，温清飲，乙字湯，乙字湯去大黄，加減涼膈散（龔廷賢），加味帰脾湯，加味四物湯，加味逍遙散，加味逍遙散加川芎地黄（加味逍遙散合四物湯），帰耆建中湯，帰脾湯，芎帰膠艾湯，芎帰調血飲，芎帰調血飲第一加減，荊芥連翹湯，牛膝散，五積散，五淋散，柴胡清肝湯（散），滋陰降火湯，滋陰至宝湯，紫雲膏，滋血潤腸湯，紫根牡蛎湯，滋腎通耳湯，滋腎明目湯，七物降下湯，四物湯，蛇床子湯，十全大補湯，潤腸湯，消風散（八味逍遙散），逍遙散，秦艽防風湯，神仙太乙膏，清上蠲痛湯（駆風触痛湯），清暑益気湯，清熱補気湯，清熱補血湯，清肺湯，折衝飲，洗肝明目湯，千金鶏鳴散，千金内托散，喘四君子湯，続命湯，疎経活血湯，蘇子降気湯，大防風湯，猪苓湯合四物湯，通導散，当帰飲子，当帰建中湯，当帰散，当帰四逆加呉茱萸生姜湯，当帰四逆湯，当帰芍薬散，当帰芍薬散加黄耆釣藤，当帰芍薬散加人参，当帰芍薬散加附子，当帰湯，当帰貝母苦参丸料，独活湯，女神散（安栄湯），人参養栄湯，扶脾生脈散，防風通聖散，補中益気湯，補陽還五湯，奔豚湯（金匱要略），薏苡仁湯，抑肝散，抑肝散加芍薬黄連，抑肝散加陳皮半夏，竜胆瀉肝湯，連珠飲

▷294 処方中 78 処方（26.5%）

備　考　基原：1. 中国当帰（唐当帰）は *A. sinensis* (Oliv.) Diels. を基原とする。日本産当帰とは基原植物が異なり，成分含量も異なっているため，現在，日本の漢方処方では日局 18 に準拠した日本産当帰のみが使用されている。日本産当帰には，ホッカイトウキとトウキの 2 種がある。

2. 現在，中国から輸入されているものは，日本の種苗を中国で栽培したものである。

3. 当帰は，日本各地に自生し，江戸時代から野生種の採集や栽培がおこなわれ

てきた。現在は，野生品はほぼ採りつくされ，品種改良された栽培種のみが流通しているが，需要の20% 程度[1]を国内産で賄うことのできる数少ない生薬である。

伏竜肝（ブクリュウカン）*Terra Flava Usta*

基原　中国の黄土で作られ，多年使用された竈(かまど)の底の焼土

異名別名　竈内黄土(そうないおうど)，竈中土(そうちゅうど)，釜下土(ふかど)，竈中黄土(そうちゅうおうど)，灶心黄土(そうしんおうど)

選品　大きくて赤褐色できめ細かく軟らかいものを良品とする。古いものほど良い

成分　黄土地帯のカマドの焼土：SiO_3，Fe_2O_3，MgO，アルカリ，アルカリ土類。熱灼七輪の破片（日本産伏竜肝の代用品）：SiO_3，MgO，CaO，Na_2O，K_2O，SiO_3，Cl，Fe_2O_3，Al_2O_3

薬理　Mg イオン：胃内末梢神経麻痺，瀉下，アシドーシスに対するアルカリ補給，解毒，利尿，肝機能正常化など。アルカリ，カルシウムおよびケイ酸分の溶出物：解毒，鎮吐

効能主治　性味：辛，温

帰経：脾，胃

効能：胃腸を温め，湿を除く，止嘔し，止血する

主治：嘔吐，反胃(はんい)*42，腹痛，下痢，吐血，鼻出血，血便，血尿，妊娠悪阻(にんしんおそ)，不正子宮出血，帯下，化膿性のできもののくずれたもの

引用文献　本草綱目：心痛，狂顛(きょうてん)，風邪(ふうじゃ)，蠱毒(こどく)を治し，妊娠には胎を護る，小児の臍瘡(さいそう)，重舌(じゅうぜつ)，風噤(ふうきん)，反胃，中悪(ちゅうあく)，卒魘(そつえん)，諸瘡(しょそう)に用いる

古方薬議：咳逆，吐血，鼻洪(びこう)，腸風(ちょうふう)，帯下，尿血を止(と)むを主る（黄土の項）

配合応用　伏竜肝＋阿膠：下血や吐血，不正子宮出血を治す（※黄土湯(おうどとう)）

伏竜肝＋生姜：止嘔する（伏竜肝湯）

配合処方　伏竜肝湯

▷294 処方中 1 処方（0.3%）

備考　基原：一般的に流通はない。

竜眼肉（リュウガンニク）*Longan Arillus*〈日局 18〉

基原　ムクロジ科（*Sapindaceae*）リュウガン *Euphoria longana* Lamarck の仮種皮

産地：広西，福建省；ベトナム；タイ

異名別名　龍眼肉(りゅうがんにく)，益智(やくち)，龍眼干(りゅうがんかん)，桂円肉(けいえんにく)，龍目(りゅうもく)

選品　果肉のしっかりした甘味の強いもの，潤いのある軟らかいものを良品とする。黒く軟質で，べとべとするものは，糖分を加えている可能性があり良くない。新鮮なものは茶褐色であり，古くなるに従い黒褐色に変色する

貯蔵：果糖が多く吸湿しやすいので気密容器で保存する。また温度が高いと酸化し

やすいので低温の場所で保存する

成　分　糖類，有機酸など

薬　理　抽出液：オードアン小胞子菌の生育を抑制

効能主治　性味：甘，温
帰経：心，脾
効能：心脾を益す*43，気血を補う，精神を安定させる
主治：虚労羸弱（きょろううるいじゃく）*44，不眠，健忘症，精神不安によるけいれん発作，動悸・不安

引用文献　神農本草経：五臓の邪氣，志を安んじ，厭食（えんしょく）を主（つかさど）り，久しく服すれば魂（こん）を強くして耳明す（龍眼の項）
本草綱目：胃を開き，脾を益し，虚を補し，智を長ずる（龍眼の項の實の部分）

配合応用　竜眼肉＋遠志：気を補い，精神安定をはかる（帰脾湯，加味帰脾湯）
竜眼肉＋酸棗仁：心身過労による不眠・健忘・驚悸（きょうき）*45を治す（帰脾湯，加味帰脾湯）
竜眼肉＋当帰：補血*2し，貧血を治す（帰脾湯，加味帰脾湯）
竜眼肉＋人参：胃気*22を補い，滋養強壮する（帰脾湯，加味帰脾湯）

配合処方　帰脾湯，加味帰脾湯
▷294 処方中 2 処方（0.7%）

（2）駆瘀血薬

駆瘀血薬とは，体内に滞積した非生理的な血液を排除することにより血行を調え，冷えのぼせ・顔面紅潮・吹き出物・内出血・精神不安などの諸症状を改善する薬物のことである。

鬱金（ウコン）*Curcumae Longae Rhizoma*〈日局 18〉

基　原　ショウガ科（*Zingiberaceae*）ウコン *Curcuma longa* Linné の根茎をそのまま，またはコルク層を除いたものを，通例，湯通ししたもの
局方規格：本品は定量するとき，換算した生薬の乾燥物に対し，総クルクミノイド（クルクミン，デメトキシクルクミンおよびビスデメトキシクルクミン）1.0～5.0% を含む
産地：四川省，福建省，広東省，広西，インド

異名別名　欝金（うこん），郁金（うこん），宇金（うこん），姜黄（きょうおう），ターメリック

選　品　固体が大きくて質の固い，内部が橙黄色のものが良品である。褐色のものは質が劣る

貯蔵：本品は精油を含有する生薬なので，気密容器での保存が望ましい

成　分　精油 1.5～5.5%（ターメロン），橙黄色色素（クルクミン）など

薬　理　抽出液：血清コレステロール値増加

抽出液，精油，クルクミン：利胆

効能主治　性味：辛苦，涼

帰経：心，肺，肝

効能：気をめぐらし，うっ滞した気を解消する，血熱*18 を鎮め，瘀血（おけつ）*1 を排泄する。外用では，軟膏剤として患部の炎症を鎮める

主治：胸腹脇肋の諸痛，精神の病的抑鬱や興奮，熱病による意識混濁，吐血，鼻出血，血尿，黄疸，打撲損傷，できもの，腫れもの，湿疹・皮膚病で初期痛痒するもの

引用文献　新修本草：血積を主り，気を下し，肌を生じ，血を止め，悪血を破り，血淋，尿血，金瘡を主る。

本草綱目：血氣の心腹痛，産後の敗血，心を衝（つ）き死せんとし，失心顚狂（しっしんてんきょう）するもの，蠱毒（こどく）を治す

配合応用　鬱金＋黄柏：（外用）患部の炎症を鎮め，鎮痛する（中黄膏）

配合処方　中黄膏

▷294 処方中 1 処方（0.3%）

使用注意　ウコンはサプリメントなどで過剰摂取や長期摂取を行った場合に，肝障害・消化器障害などの障害事象が起きた例があるため注意が必要である。また，サプリメントや健康食品の場合には，医薬品として認められているウコン（＝アキウコン *C. longa* Linné）とは基原の異なるものが用いられている場合も多いので，注意する

（参考資料：独立行政法人国立健康・安全研究所「健康食品」の安全性・有効性情報）

備　考　基原：1. 現代中国では一般にショウガ科 *Curcuma* 属の根茎を姜黄，塊根を鬱金と呼ぶ。日本の鬱金（*C. longa* Linné の根茎）は中国では姜黄と言われる。

2. 本草学的には，鬱金・姜黄とも『新修本草』に初出するが，当時は，両者の基原植物は異なっている。鬱金の基原植物はアキウコンであり，姜黄はハルウコン *C. aromatica* Salisb. である。現代中国の基原とは異なっているので注意する[2)]。

3. 混同しやすい植物として，健康食品などの分野で扱われているハルウコンがあるが，日本ではこれを薬用として用いない。

産地：ウコンは日本でもわずかに生産されている。ハルウコンは沖縄県や大分県などで生産され，生産量も多い。

延胡索（エンゴサク） *Corydalis Tuber* 〈日局 18〉

基　原　ケシ科（*Papaveraceae*）*Corydalis turtschaninovii* Besser forma *yanhusuo* Y. H. Chou et C. C. Hsu の塊茎を，通例，湯通ししたもの

局方規格：本品は，定量するとき換算した生薬の乾燥物に対し，デヒドロコリダリ

ン〔デヒドロコリダリン硝化物（$C_{22}H_{24}N_2O_7$）として〕0.08% 以上を含む

産地：浙江省，江蘇省

異名別名　延胡（えんご），玄胡索（げんごさく），元胡索（げんごさく）

選　品　形が大きく，表面の色が黄金色で，皮に細かい皺紋があり，よく肥え，かつ質が堅く重いもので断面は黄褐色のアメ色で，光沢があるものを良品とし，断面が暗色のものは次品である

貯蔵：通常保存で良いが，長期保存の場合は褐色に変色する。また虫害に留意する

成　分　アルカロイド（ℓ-コリダリン，デヒドロコリダリン，*d*-テトラヒドロパルマチンなど）

薬　理　粉剤・抽出物：鎮痛

テトラヒドロパルマチン：催眠，条件反射抑制，胃液分泌量減少，下垂体の ACTH 分泌促進・放出抑制，発情抑制，鎮痛，鎮痙などの中枢抑制

コリダリン型アルカロイド：抗潰瘍，胃液分泌抑制

抽出液：抗凝血活性，抗血管内血液凝固

アルカロイド：鎮痙，胃液分泌抑制，抗潰瘍

デヒドロコリダリン：潰瘍発生抑制，潰瘍治癒促進

効能主治　性味：辛苦，温

帰経：肝，胃

効能：血をめぐらす，瘀血（おけつ）[*1] を除く，気をめぐらす，鎮痛する

主治：心・腹・腰・膝の諸痛，月経不順，腹中の硬結，不正子宮出血，産後の貧血によるめまい，後産が続いて止まらないもの，打撲傷

引用文献　本草綱目：活血し，氣を利し，止痛し，小便を利す

> 現代における運用のポイント
>
> - 鎮痛作用
>
> 関節痛・腹痛・月経痛など各種の痛みの疾患に用い，緊張を緩和し止痛する。
>
> - 駆瘀血（くおけつ）[*3] 作用
>
> 月経不順をはじめとした各種の瘀血性の疾患に用い，瘀血 [*1] を除く。

配合応用　延胡索＋茴香：疝痛 [*46]，下腹部痛を治す（安中散，枳縮二陳湯）

延胡索＋甘草：筋肉の緊張を緩和し，鎮痛する（安中散）

延胡索＋桂皮：瘀血 [*1] を除き，血行を促して，腹痛・月経痛などの痛みを止める（安中散，折衝飲，八味疝気方）

延胡索＋香附子：気血をめぐらし，腹部の緊張を緩和し，月経痛を治す（芎帰調血飲第一加減）

延胡索＋牛膝：瘀血 [*1] を除き，婦人科系の諸痛を治す（牛膝散）

延胡索＋芍薬：腹部や筋肉・関節の緊張を緩和し，鎮痛する（烏苓通気散，折衝飲）

延胡索＋川芎：瘀血による諸痛・頭痛を治す（折衝飲）

延胡索＋良姜：冷えを除き，筋肉・関節の緊張を解き，痛みを治す（安中散）

配合処方 安中散，安中散加茯苓，烏苓通気散，枳縮二陳湯，芎帰調血飲第一加減，牛膝散，折衝飲，八味疝気方

▷294 処方中 8 処方（2.7%）

備　考 基原：以前は韓国産（*C. nakai* Ishidoya）も流通していた。

紅花（コウカ） *Carthami Flos* 〈日局 18〉

基　原 キク科（*Compositae*）ベニバナ *Carthamus tinctorius* Linné の管状花をそのまままたは黄色色素の大部分を除いたもので，ときに圧搾して板状としたもの

産地：甘粛省，四川省，河南省，新疆

異名別名 紅藍花（こうらんか），刺紅花（しこうか），草紅花（そうこうか），ベニバナ

選　品 形が大きく，紅色が鮮やかで黄色の部分が少なく，香りが良く，質は粗雑でなく柔軟でしっとりとしており，茎を含まず，異物の混入のないものを良品とする

貯蔵：乾燥した通気性の良いところに保管する。
また，光に当たると変色が早いので日本薬局方では，遮光した密閉容器に保管するよう規定している

成　分 色素（カータミン，サフロールイエロー），脂肪油，リグナン，フラボノイド，ステロール類など

薬　理 抽出液：血小板凝集抑制（アデノシンの作用），血管拡張，マクロファージ活性化，動脈血流量増加

効能主治 性味：辛，温

帰経：心，肺

効能：血流を良くし月経を通じる，瘀血（おけつ）[*1] を除き止痛する。外用では浴剤として血行を促進し，冷えを除く

主治：無月経，癥瘕（ちょうか）[*47]，難産，死産，後産の下りないもの，瘀血による痛み，化膿性の腫れ物，打撲傷

引用文献 本草綱目：血を活し，燥を潤し，痛を止め，腫を散じ，経を通ずる

配合応用 紅花＋葛根：顔面および上背部の充血を除く（葛根紅花湯）

紅花＋牛膝：月経閉止，癥瘕[*47] を治す（折衝飲，芎帰調血飲第一加減）

紅花＋川芎：瘀血[*1] を除き，血行を促進する（治頭瘡一方）

紅花＋当帰：血流を良くし月経を調える（通導散）

紅花＋桃仁：1）婦女子の月経閉止，瘀血[*1] による腹痛および各種の腫痛などを治す（折衝飲，芎帰調血飲第一加減）。2）瘀血に起因する麻痺しびれなどを

治す（補陽還五湯）

配合処方 葛根紅花湯，芎帰調血飲第一加減，滋血潤腸湯，蒸眼一方，秦艽羌活湯，秦艽防風湯，折衝飲，治頭瘡一方，治頭瘡一方去大黄，通導散，補陽還五湯
▷294 処方中 11 処方（3.7%）

備　考 配合処方：外用では洗眼剤である蒸眼一方に紅花が配合されている。

牛膝（ゴシツ） *Achyranthis Radix*〈日局 18〉

基　原 ヒユ科（*Amaranthaceae*）① *Achyranthes bidentata* Blume または②ヒナタイノコズチ *A. fauriei* H. Léveillé et Vaniot の根
産地：①河南省，②茨城県

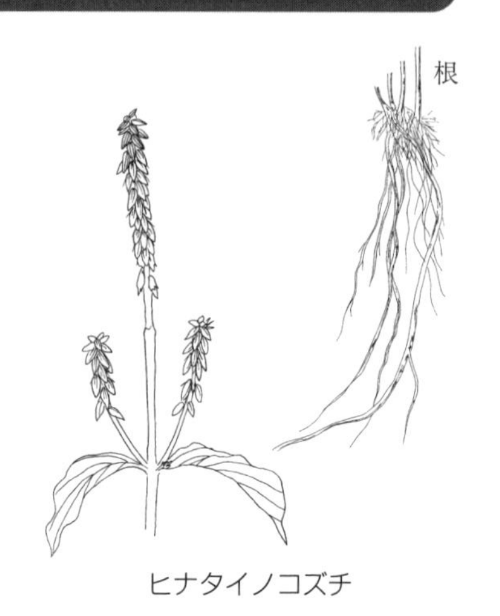

ヒナタイノコズチ

異名別名 懐牛膝（かいごしつ），常陸牛膝（ひたちごしつ）

選　品 太くて長く，皮は薄くきめが細かく，淡褐色で，柔軟性があり，潤いのあるものを良品とする
貯蔵：糖質でありカビが出やすいため，低温で湿度の低い場所に保管する。吸湿すると黒褐色に変質するため，気密保存が望ましい

成　分 トリテルペノイドサポニン，昆虫変態ホルモン（エクジステロン，イノコステロン）など

薬　理 抽出物：解熱，鎮痛，抗アレルギー，血圧降下，子宮運動刺激

効能主治 性味：甘辛酸，平
帰経：肝，腎
効能：瘀血（おけつ）[*1] を除く，化膿性の腫れ物を治す。焙った場合は肝腎を補い，筋骨を強める
主治：淋病，血尿，無月経，癥瘕（ちょうか）[*47]，難産，後産の下りないもの，産後の瘀血による腹痛，咽喉炎，化膿性の腫れ物，打撲傷。焙った場合は腰膝骨痛，手足のけいれん，運動麻痺

引用文献 神農本草経：寒湿痿痺（いひ），四肢拘攣し，膝痛して屈伸すべからざるもの，血氣を逐（お）い，傷熱，火爛（からん），胎を堕ろすを主（つかさど）る

配合応用 牛膝＋延胡索：瘀血[*1]を除き，婦人科系の諸痛を治す（牛膝散）
牛膝＋紅花：月経閉止，癥瘕[*47]を治す（折衝飲，芎帰調血飲第一加減）
牛膝＋地黄：腎を補い，炎症を鎮め，麻痺・シビレ・痛みを除く（牛車腎気丸，加味四物湯）
牛膝＋芍薬：瘀血[*1]による腹痛を治す（折衝飲，芎帰調血飲第一加減，牛膝散）
牛膝＋川芎：瘀血[*1]を除き，血行を促進し，瘀血に起因する痛みやシビレを除く（疎経活血湯）
牛膝＋桃仁：瘀血[*1]を除き，瘀血に起因する痛みやシビレを治す（疎経活血湯）
牛膝＋附子：瘀血[*1]を除き，体を温めて，関節痛や神経痛を治す（大防風湯）

配合処方 芎帰調血飲第一加減，牛膝散，牛車腎気丸，折衝飲，疎経活血湯，大防風湯，加味四物湯
▷294 処方中 7 処方（2.4%）

備　考 基原：日本産牛膝（ヒナタイノコズチ）は常陸地方などで栽培され，常陸牛膝の名があるが，現在では流通がない。広東省から産するものに川牛膝があるが，基原植物が *Cyathula officinalis* Kuan で局方に準じていない。

川芎（センキュウ） *Cnidii Rhizoma* 〈日局 18〉

基　原 セリ科（*Umbelliferae*）センキュウ *Cnidium officinale* Makino の根茎を，通例，湯通ししたもの
産地：北海道，岩手県，福島県

異名別名 芎藭（きゅうきゅう），胡藭（こきゅう）

選　品 一般に肥大し，硬く，重質で充実しており，外面は灰色～灰褐色，内面が帯緑褐色～アメ色で空心がなく，虫がついておらず，芳香が強く，辛味の強いものを良品とする。北海道では，通常 10 月ごろまでに掘り出すが，遅れると乾燥中に凍結して空心ができ劣品となる
貯蔵：生干（きぼ）しの川芎は非常に虫が付きやすい（現在は流通していない）。市場品は湯通しかあるいは蒸してあり，デンプンが糊化して角質となり虫害を受けにくいが，湯通しが悪く糊化不十分であるものもあり，保管は，乾燥の良い場所で行うと良い

成　分 精油（フタリド化合物：クニジリド，ネオクニジリド，リグスチリド，ブチリデンフタリドなど）

薬　理 抽出液：抗血栓
抽出物：ヘキソバルビタール睡眠延長，メタンフェタミン運動量亢進の拮抗，体温降下，鎮痛，中枢抑制，血管拡張
リグスチリド，ブチリデンフタリド：鎮痙
クニジリド，ブチリデンフタリド，ネオクニジリド：抗カビ

効能主治 性味：辛，温
帰経：肝，胆
効能：うっ滞した気をめぐらし，風邪（ふうじゃ）[*48]・湿邪[*49]を除く。活血[*50]し，止痛する
主治：風寒[*51]による頭痛・めまい，脇や腹の疼痛，寒邪[*52]による筋の麻痺，無月経，難産，後産の下りきらないもの，化膿性の腫れ物

引用文献 神農本草経：中風脳に入りて頭痛し，寒痺によりて筋攣緩急（きんれんかんきゅう）し，金瘡（きんそう），婦人の血閉して子無きを主（つかさど）る（芎藭の項）
古方薬品考：上達し，瘀（お）を破り，血を順（めぐ）らす（芎藭の項）
古方薬議：頭痛，金瘡，血閉，心腹堅痛，半身不遂（はんしんふつい），鼻洪（びこう），吐血及び溺血（できけつ）を主り，膿を排（はい）し，氣を行（めぐ）らし，鬱を開く（芎藭の項）

現代における運用のポイント

- **活血・行気作用**
  非活動的となった血流を改善し，気をめぐらし，月経不順・月経痛・腹痛・難産・冷え症などを治す。
- **鎮痛作用**
  血行を促進し，沈滞した気を発散し，風邪・瘀血[*1]による頭痛を治す。

配合応用 川芎＋延胡索：瘀血[*1]による諸痛・頭痛を治す（折衝飲）
川芎＋黄芩：血液循環不全に伴う神経不安・のぼせ・不眠・神経衰弱を治し，安胎作用[*5]を有す（当帰散，奔豚湯（金匱要略））
川芎＋艾葉：冷えによる腹痛・月経痛を治す（芎帰膠艾湯）
川芎＋紅花：瘀血[*1]を除き，血行を促進する（治頭瘡一方）
川芎＋紫根：血流を改善して，腫瘤の腫れや痛みを治す（紫根牡蛎湯）
川芎＋芍薬：血行を促し，腹部を温め，月経痛および腹痛などの痛みを治す（柴胡疎肝湯，四物湯，小続命湯，当帰芍薬散）
川芎＋辛夷：鼻粘膜のうっ血を除く，頭痛・鼻閉・鼻炎・蓄膿症を治す（葛根湯加川芎辛夷，柴葛湯加川芎辛夷）
川芎＋当帰：1）血を補い，血行を促し，体を温め，冷え症・月経痛・不妊症を治す。また皮膚の新陳代謝を促進し，肌のツヤを良くする。浴剤としても用いる（温経湯，温清飲，当帰芍薬散，四物湯，千金内托散，当帰飲子）。2）血行を促し，麻痺を改善する（続命湯）。3）肝血の不足[*41]を補い，肝気[*22]を調える（抑肝散）
川芎＋当帰＋芍薬：血を補い，血行を促進する基本的な組み合わせ（当帰芍薬散，四物湯他多数）
川芎＋人参：補血[*2]し，貧血を治す（十全大補湯）
川芎＋防風：血行を促し，風邪[*48]を除き，頭痛を治す（川芎茶調散）
川芎＋竜胆：瘀血[*1]による炎症を鎮め，疼痛を治す（疎経活血湯）

配合処方 胃風湯，烏薬順気散，温経湯，温清飲，応鐘散（芎黄散），葛根湯加川芎辛夷，加味四物湯，加味逍遙散加川芎地黄（加味逍遙散合四物湯），芎帰膠艾湯，芎帰調血飲，芎帰調血飲第一加減，響声破笛丸，荊芥連翹湯，荊防敗毒散，五積散，五物解毒散，柴葛湯加川芎辛夷，柴胡清肝湯（散），柴胡疎肝湯，酸棗仁湯，紫根牡蛎湯，滋腎通耳湯，滋腎明目湯，七物降下湯，四物湯，十全大補湯，十味敗毒湯，小続命湯，清上蠲痛湯（駆風触痛湯），清上防風湯，清熱補血湯，折衝飲，洗肝明目湯，川芎茶調散，千金内托散，続命湯，疎経活血湯，大防風湯，治頭瘡一方，治頭瘡一方去大黄，治打撲一方，猪苓湯合四物湯，当帰飲子，当帰散，当帰芍薬散，当帰芍薬散加黄耆釣藤，当帰芍薬散加人参，当帰芍薬散加附子，女神散（安栄湯），防風通聖散，補陽還五湯，奔豚湯（金匱要略），抑肝散，抑肝散加芍薬黄連，抑肝散加陳皮半夏，連珠飲
▷294 処方中 56 処方（19.0%）

備　考 基原：中国における川芎の基原植物は *Ligusticm chuanxiong* Hort. である。日本産とは基原が異なるために，成分含量も異なる。日本の漢方処方では日局 18 に準拠した日本産の川芎を使用している。なお現在は，日本の川芎の種苗を中国で栽

血薬(2)駆瘀血薬

培し輸入することもある。

川骨（センコツ） *Nupharis Rhizoma* 〈日局 18〉

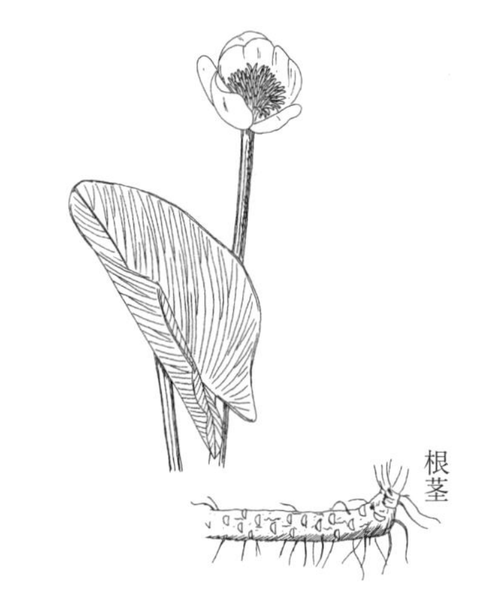

基　原 スイレン科（*Nymphaeaceae*）①コウホネ *Nuphar japonica* De Candolle，②ネムロコウホネ *N. pumila* De Candolle またはそれらの種間雑種の根茎を縦割したもの

産地：①北海道，本州，②湖北省

異名別名 萍蓬草根（ひょうほうそうこん），水栗子（すいりつし）

選　品 肥大し，充実したもので，内部が白く，肉厚に乾し上がっており，新鮮なものを良品とする。古くなったものは成分が低下し，薬用にならない

貯蔵：虫がつきやすいので，低温の場所で保存する

成　分 アルカロイド（ヌファリジン，ヌファラミン，デオキシヌファラミン），タンニン（ガロタンニン，エラグタンニン）など

薬　理 抽出物：抗浮腫，利尿

効能主治 性味：甘，寒

効能：虚を補う*53，健胃する，月経を調える，瘀血（おけつ）*1 を除き止痛する

主治：病後の衰弱，消化不良，月経不順

引用文献 本草拾遺（ほんぞうしゅうい）：虚を補い，氣力を益すを主（つかさど）る。久しく食せば饑（う）えず，腸胃を厚くす（萍蓬草根の項）

配合応用 川骨＋川芎：打撲によるうっ血を除き，止痛する（治打撲一方）

配合処方 治打撲一方

▷294 処方中 1 処方（0.3%）

備　考 基原：現在日本では，川骨として中国産のネムロコウホネ *N. Pumila* De Candolle が多く流通している。なお，川骨（せんこつ）という生薬名は，日本語の「コウホネ」を音読みしたもので，中国名ではない。中国では，ネムロコウホネは，萍蓬草と呼ばれ，根茎や種子を川骨と同様の目的で薬用にしている。

蘇木（ソボク） *Sappan Lignum* 〈日局 18〉

基　原 マメ科（*Leguminosae*）*Caesalpinia sappan* Linné の心材

産地：広西，雲南省，安徽省；東南アジア

異名別名 蘇方木（すほうぼく），蘇芳（すおう），蘇方（すおう）

選　品 堅く紅黄色の強いものが良品である。時に白色まだらのものがあり，不良である

成　分 ブラジリン，精油（フェランドレン，オシメン）など

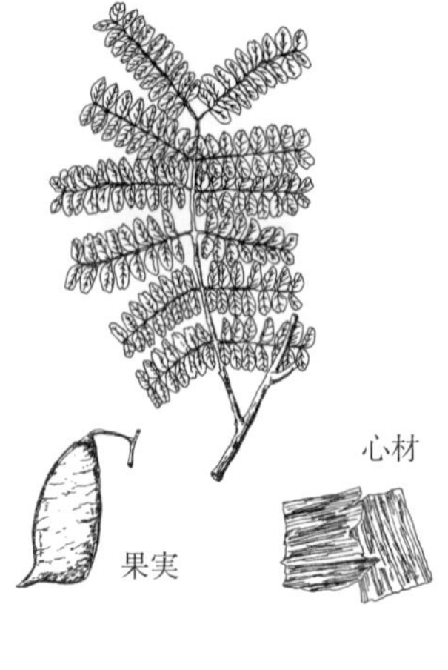

薬　理　抽出液：摘出心臓の収縮力増強・振幅の顕著な増大，抗菌

効能主治　性味：甘鹹，平
帰経：心，肝
効能：血行を促し，瘀血*1を除く，腫れを消す，止痛する
主治：婦人科系の不調による腹痛，月経閉止，産後の瘀血による腹部の脹りと痛み，喘息，下痢，破傷風，化膿性の腫れ物，打撲充血による痛み

引用文献　日華氏諸家本草：婦人の血氣，心腹痛，月水不調，および蓐労。膿を排し，痛を止め，癰腫，撲損瘀血を消す。女人の失音，血噤，赤白痢，并に後分急痛を治す（蘇方木の項）

配合応用　蘇木＋大黄：血熱*18を除き，炎症を鎮める，便通をはかる（通導散）
蘇木＋当帰：打撲の瘀血*1，婦人科系の瘀血の諸症状を治す（通導散）

配合処方　通導散
▷294 処方中 1 処方（0.3%）

備　考　異名別名：蘇木は蘇芳とも呼ばれ，飛鳥時代には既に日本に輸入され，広く赤色色素の染料として用いられてきた。

桃仁（トウニン）*Persicae Semen*〈日局 18〉

基　原　バラ科（*Rosaceae*）モモ *Prunus persica* Batsch または *P. persica* Batsch var. *davidiana* Maximowicz の種子
局方規格：本品は定量するとき，換算した生薬の乾燥物に対し，アミグダリン 1.2% 以上を含む
産地：陝西省，山西省，貴州省，四川省，雲南省，新疆

異名別名　桃核仁

選　品　粒が大きく，油分が多く，質は充実し満ちており，形が整っていて，カビや虫のついていないものを良品とする。保管が悪く，内色が黒黄色に変色していたり，採取時期が早く充実していなかったり，異物が混入しているものは次品である。時に杏仁が混入したものがあるので，十分な注意を要す
貯蔵：本品は，虫がつきやすく，温度が高いと酸敗しやすいので，低温で乾燥した風通しの良い場所で，防湿し気密保存する。刻んだものは特に留意する

成　分　青酸配糖体（アミグダリン），脂肪油など

薬　理　抽出液，タンパク性成分：カラゲニン足蹠浮腫を抑制，酢酸誘発毛細血管透過亢

進を抑制
抽出物：子宮運動亢進

効能主治 性味：苦甘，平
帰経：心，肝，大腸
効能：瘀血（おけつ）[*1]を除き，血行を促進する，腸の津液（しんえき）[*4]を潤し，便通をなめらかにする
主治：無月経，癥瘕（ちょうか）[*47]，瘀血による発熱・腫痛，関節リウマチ痛，マラリア，打撲傷，乾燥性便秘

引用文献 神農本草経：瘀血，血閉瘕（けっぺいか），邪氣を主（つかさど）り，小虫（しょうちゅう）を殺す（桃核仁の項）
古方薬品考：血分，大便を潤通す
古方薬議：瘀血，血閉瘕を主り，咳逆上氣，疼痛を止め，大便を通潤す

現代における運用のポイント

- **駆瘀血（くおけつ）[*3]作用**
  体内の瘀血解消をはかり，月経不順・月経痛・痔・鼻出血・打撲・卒中後遺症を治す。
- **潤腸・通便作用**
  乾燥性の便秘に対し，桃仁の油成分で腸を潤滑し，通便をはかる。

配合応用 桃仁＋杏仁：津液不足[*12]で血虚[*6]も兼ねる乾燥性便秘を治す（潤腸湯）
桃仁＋桂枝：瘀血[*1]により生ずる冷え症・月経不順・月経痛・血行不順を治す（桂枝茯苓丸）
桃仁＋紅花：1）婦女子の月経閉止，瘀血[*1]による腹痛および各種の腫痛などを治す（折衝飲，芎帰調血飲第一加減）。2）瘀血に起因する麻痺しびれなどを治す（補陽還五湯）
桃仁＋牛膝：瘀血[*1]を除き，瘀血に起因する痛みやシビレを治す（疎経活血湯）
桃仁＋大黄：炎症性の瘀血[*1]を除く，瘀血に起因する婦人科の諸疾患，ふきでもの・皮膚炎，腸潰瘍，便秘，打撲捻挫による損傷，内出血による疼痛などを治す（大黄牡丹皮湯，桃核承気湯）
桃仁＋冬瓜子：炎症を鎮め，瘀血を除き，排膿を促す（大黄牡丹皮湯）
桃仁＋芒硝：瘀血[*1]による血熱[*18]を治す（桃核承気湯）
桃仁＋牡丹皮：甚だしい瘀血[*1]に起因する婦人科の諸疾患，皮膚疾患，打撲の際の内出血，腫痛，腹痛，痔疾患，化膿性の疾患である急性虫垂炎を治す（桂枝茯苓丸，八味疝気方）
桃仁＋麻子仁：腸内の熱による乾燥性便秘を治す（潤腸湯）

配合処方 芎帰調血飲第一加減，桂枝茯苓丸，桂枝茯苓丸料加薏苡仁，甲字湯，牛膝散，滋血潤腸湯，潤腸湯，秦艽防風湯，折衝飲，千金鶏鳴散，疎経活血湯，大黄牡丹皮湯，桃核承気湯，独活湯，八味疝気方，補陽還五湯
▷294処方中16処方（5.4%）

備　考 選品：桃仁と杏仁は見分けがつきにくいが，区別の目安としては次の通りである。桃仁は，脂質が高く表皮のしわが明瞭でなく，また外形がやや楕円形である。杏仁は脂質が低く表皮にしわがあり，外形も横幅が広くややハートのように片方が

すぼまった形である。

乳香（ニュウコウ） *Olibanum*

ニュウコウジュ

基　原　カンラン科（Burseraceae）ニュウコウジュ *Boswellia carterii* Birdwood の幹から得たゴム樹脂
産地：エジプト，エチオピア

異名別名　薫陸香（くんろくこう），燻陸香（くんろくこう），馬尾香（ばびこう），乳頭香（にゅうとうこう），オリバナム

選　品　琥珀色で乳頭様のものを良品とする。褐色を呈した不整形の塊状のものは良くない。砂石，樹皮や夾雑物がなく，粉末で手に粘り，芳香のあるものが良品である

成　分　樹脂（ボスウェル酸，オリバノレセン），精油（ピネン）など

薬　理　精油：抗菌

効能主治　性味：辛苦，温
帰経：心，肝，脾
効能：瘀血（おけつ）*1 を除き，消炎鎮痛をはかり，筋肉関節の痛みを治す。外用では，粉末塗布剤として打撲傷，腫れ物に用いる
主治：瘀血による腹部疼痛・心痛，化膿性の腫れ物，打撲傷，月経痛，産後の腹痛

引用文献　本草綱目：癰疽（ようそ），諸毒の裏に托せるを消し，心を護り，血を活し，痛を定め，筋を伸べ，婦人の産難，折傷（せっしょう）を治す

配合応用　乳香＋甘草：筋肉の緊張を緩和し，痛み・けいれんを治す（丁香柿蒂湯）

配合処方　丁香柿蒂湯
▷294 処方中 1 処方（0.3%）

樸樕（ボクソク） *Quercus Cortex* 〈日局 18〉

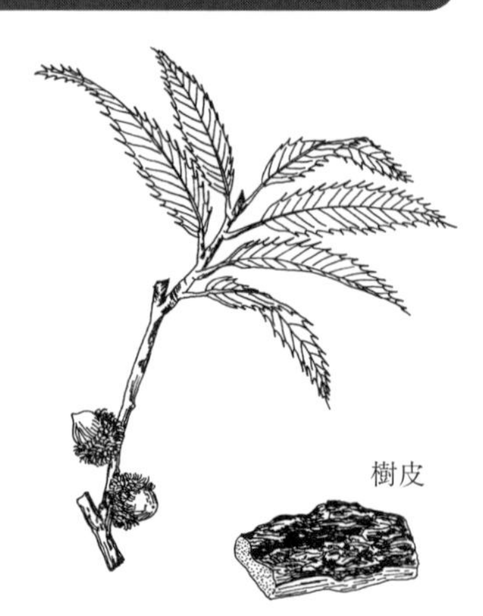

基　原　ブナ科（*Fagaceae*）クヌギ *Quercus acutissima* Carruthers，コナラ *Q. serrata* Murray，ミズナラ *Q. mongolica* Fischer ex Ledebour var. *crispula* Ohashi またはアベマキ *Q. variabilis* Blume の樹皮
産地：長野県など

異名別名　橡木皮（しょうぼくひ），土骨皮（どこっぴ），櫟樹皮（れきじゅひ）

選　品　わずかに渋味を有し，厚みのあるものが良品である。

成　分　タンニン，フラボノイド（クエルチトリン）

薬　理　タンニン，フラボノイド（クエルチトリン）：収れん，抗菌

効能主治　性味：苦，平

効能：下痢を止め，瘀血[*1]を除く。外用では，瘀血を除き，膿血を除く

主治：下痢，るいれき，できものの回復の悪いもの

引用文献　本草拾遺：悪瘡。風に中り，毒露に犯されしもの，煎汁を取り，瘡を洗ひ，まさに膿血盡くし止ましむべし。また痢を治す（橡木皮の項）

日華氏諸家本草：水痢を治し，瘰癧を消し，悪瘡を除く（櫟樹皮の項）

配合応用　樸樕（桜皮の代用として）＋桔梗：排膿を促進する（十味敗毒湯）

樸樕＋川芎：血をめぐらし，瘀血[*1]を除き，打ち身，傷，できものを治す（治打撲一方）

樸樕＋川骨：血をめぐらし，瘀血[*1]による痛みを治す（治打撲一方）

樸樕＋大黄：（内服）清熱[*37]し，瘀血[*1]を除く（治打撲一方）。（外用）できものの炎症をとり，瘀血を除き，回復を早める

配合処方　治打撲一方（桜皮の代用可），十味敗毒湯（桜皮の代用として）

▷294 処方中 2 処方（0.7%）

備　考　基原：中国で樸樕とは同属植物のカシワ（*Q. dentata* Thunb.）のことで，その樹皮を槲皮と言い，生薬として利用している。また，クヌギの樹皮を中国では橡木皮と言うが，生薬としてはあまり利用しない。

効能：桜皮の項（p. 236 参照）。

牡丹皮（ボタンピ）*Moutan Cortex*〈日局 18〉

基　原　ボタン科（*Paeoniaceae*）ボタン *Paeonia suffruticosa* Andrews（*Paeonia moutan* Sims）の根皮

局方規格：本品は定量するとき，ペオノール 0.9% 以上を含む

産地：安徽省，山東省，湖北省，陝西省，江蘇省

異名別名　丹皮，牡丹根皮，牡丹，丹根

選　品　一般に太くしっかりとしており，均一円直な管状で木心がなく，ひげがなく，皮が薄く肉厚で香気が強く，折面の色が白く粉性で外皮は黒褐色で，ペオノールの結晶が析出しているものを良品とする。中色が変色したものは古く不良である。最近中国より芍薬に牡丹を接木したと思われるものが輸入されているが（通称西丹皮と言う），良品とは言えない

貯蔵：本品は，特殊な気味があり，したがってそれ自体に防虫作用がある

成　分　フェノール類（ペオノール，ペオノシド），モノテルペノイド配糖体（ペオニフロリン，オキシペオニフロリン），タンニンなど

薬　理　抽出物：抗炎症，抗アレルギー，自発運動抑制，ヘキソバルビタール睡眠延長，鎮

痛，血糖降下，インスリン分泌促進

ペオノール：抗菌，鎮静，運動量抑制，ヘキソバルビタール睡眠延長，鎮痛，体温降下，解熱，抗けいれんの緩和な作用

効能主治　性味：辛苦，涼

帰経：心，肝，腎

効能：清熱*37し血熱*16を鎮める，瘀血(おけつ)*1を除き月経を調える

主治：温病(うんびょう)*32で熱が血分(けつぶん)*54に入った諸症状（発斑，けいれん性発作，吐血，鼻出血，血便，骨蒸労熱(こつじょうろうねつ)*55），月経不順，腹部の硬結，虫垂炎などの化膿性疾患，打ち身

引用文献　神農本草経：寒熱，中風瘈瘲(ちゅうふうけいしょう)，痙(けい)，驚癇(きょうかん)邪氣を主(つかさど)る。癥堅瘀血(ちょうけんおけつ)の腸胃に留舎(りゅうしゃ)するを除き，五臓を安んじ，癰瘡(ようそう)を療す（牡丹の項）

古方薬品考：血を活し，煩熱を清涼にす（牡丹の項）

古方薬議：癥堅瘀血を除き，癰瘡を療し，月経を通じ，撲損(ぼくそん)を消し，腰痛を治し，煩熱を除く（牡丹の項）

現代における運用のポイント

- 駆瘀血(くおけつ)*3作用

瘀血*1停滞による月経不順・月経痛・頭痛・腹痛・腰痛に用い，瘀血を除くことによってそれらの症状を解消する。

- 清熱作用

温病*32による出血またはうっ血を伴う発熱性の病症に用い，吐血・鼻出血・発疹を治し，解熱をはかる。

配合応用　牡丹皮＋桂皮：瘀血*1による腹痛・月経不順・精神不安を治す（折衝飲，桂枝茯苓丸）

牡丹皮＋山梔子：血熱*18をさまし，精神不安・不眠を治す（加味逍遙散）

牡丹皮＋地黄：1）駆瘀血*3し，血熱*18をさまし，炎症を鎮める（清熱補血湯）。2）うっ血による煩悶感を伴う熱感・手足のほてりを治す（八味地黄丸）

牡丹皮＋芍薬：瘀血*1による腹痛・月経不順・子宮筋腫，温病*32の熱が営分(えいぶん)*33に入り，起きる諸症状（発斑，吐血，鼻出血）を治す（温経湯）

牡丹皮＋大黄：炎症性の瘀血*1を除く，瘀血に起因する婦人科の諸疾患，ふきでもの・皮膚炎・腸潰瘍，打撲捻挫による損傷，内出血による疼痛などを治す（大黄牡丹皮湯）

牡丹皮＋冬瓜子：炎症を鎮め，排膿し，膿瘍を消失する（大黄牡丹皮湯）

牡丹皮＋桃仁：甚だしい瘀血*1に起因する婦人科の諸疾患，皮膚疾患，打撲の際の内出血，腫痛，腹痛，痔疾患，化膿性の疾患である急性虫垂炎を治す（桂枝茯苓丸，八味疝気方）

牡丹皮＋芒硝：瘀血*1による血熱を治す（大黄牡丹皮湯）

配合処方　温経湯，加味帰脾湯，加味逍遙散，加味逍遙散加川芎地黄（加味逍遙散合四物湯），芎帰調血飲，芎帰調血飲第一加減，桂枝茯苓丸，桂枝茯苓丸料加薏苡仁，甲字湯，杞菊地黄丸，牛膝散，牛車腎気丸，清熱補血湯，折衝飲，大黄牡丹皮湯，知柏地黄丸，八味地黄丸，八味疝気方，味麦地黄

丸，六味丸（六味地黄丸）
▷294 処方中 20 処方（6.8%）

益母草（ヤクモソウ） *Leonuri Herba* 〈日局 18〉

基原 シソ科（*Labiatae*）メハジキ *Leonurus japonicus* Houttuyn または *L. sibiricus* Linné の花期の地上部
産地：長野県，貴州省，山東省，吉林省

異名別名 茺蔚（じゅうい），益母（やくも），益明（えきめい）

選品 茎，葉および花からなるが，葉の多いもの，青味を帯びた新しいものが良い。茎は細く，質が柔らかく，緑色をしており，夾雑物のないものを良品とする

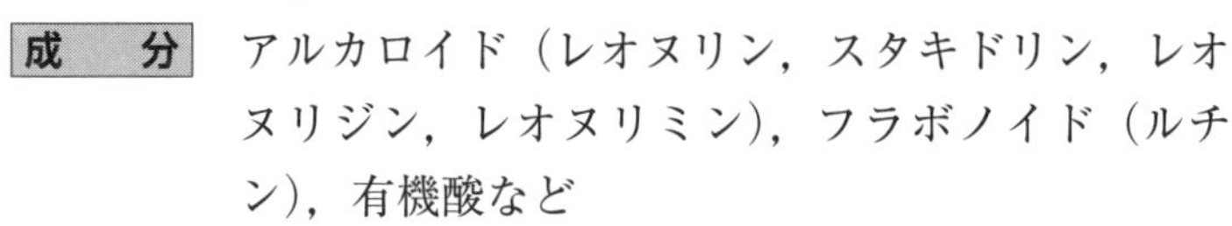

成分 アルカロイド（レオヌリン，スタキドリン，レオヌリジン，レオヌリミン），フラボノイド（ルチン），有機酸など

薬理 抽出物：子宮筋収縮力・緊張性の増強，血液凝固促進
ルチン，レオヌリン，レオヌリジン，スタキドリン：子宮筋興奮，利尿，降圧

効能主治 性味：辛苦，涼
帰経：心包（しんぽう）*56，肝
効能：瘀血（おけつ）*1 を除き血行を促す，月経を調える，利尿して水腫*57 を除く
主治：月経不順，月経閉止，後産（のちざん）が下りないもの，産後のめまい，瘀血による腹痛，不正子宮出血，血尿，血便下痢，化膿性の各種できもの

引用文献 神農本草経：癮瘮癢（いんしんかゆ）きを主（つかさど）る。浴湯を作るべし（茺蔚子の項の茎の部分）
本草綱目：血を活し，血を破り，経を調え，毒を解し，胎漏（たいろう），産難，胎衣（たいい）下らず，血運（けつうん），血風（けっぷう），血痛（けっつう），崩中漏下（ほうちゅうろうげ），尿血，瀉血（しゃけつ），疳痢（かんり），痔疾，打撲内損の瘀血，大小便の不通を治す（茺蔚の項の茎の部分）

配合応用 益母草＋紅花：瘀血*1 による腹痛，後産の下りないものを治す（芎帰調血飲第一加減）
益母草＋当帰：瘀血*1 を除き，温血*58 し，冷え症・月経不順を治す（芎帰調血飲）
益母草＋白朮：腎・膀胱系の炎症を鎮め，利尿を促し，水腫*57 を除く（芎帰調血飲）

配合処方 芎帰調血飲，芎帰調血飲第一加減
▷294 処方中 2 処方（0.7%）

使用注意 妊娠時はサプリメント等による過剰摂取は避ける

＊1：p. 265 参照　＊2：p. 265 参照　＊3：p. 265 参照　＊4：p. 265 参照　＊5：胎児を安定させること　＊6：p. 265 参照　＊7：陰分すなわち血や津液を補うこと　＊8：この場合は主に血液や津液を指す p. 255 参照　＊9：胸部がほてり，悶えること　＊10：熱証による煩悶感，胸部だけでなく手足を含め全体に及ぶ　＊11：p. 255 参照　＊12：p. 265 参照　＊13：身体の深部から出てくる高熱　＊14：血虚や津液不足によって，発熱したり，炎症を起こしたり，機能亢進したりすること　＊15：p. 282 参照　＊16：p. 267 参照　＊17：活動エネルギーが不足し，冷えを伴うもの　＊18：瘀血で炎症の強いもの，および温病で熱が血分に入った状態（通常血便・吐血などの出血が伴う）　＊19：→臓器を冠する気 p. 263 参照　＊20：頸部リンパ節結核　＊21：p. 271 参照　＊22：→臓器を冠する気 p. 263 参照　＊23：p. 274 参照　＊24：風邪によって起こる関節痛，神経痛，麻痺など　＊25：血虚証に対し血を補うこと　＊26：→和肝法 p. 275 参照　＊27：陰虚による寝汗に対して，陰分を補いかつ体表を固めて寝汗を止めること　＊28：汗が出るべき状態でないのに発汗してしまうこと　＊29：p. 263 参照　＊30：胸から脇にかけての圧迫感，少陽病に特徴的に現れ，柴胡剤の適応となる　＊31：→滋養肝血法 p. 275 参照　＊32：温性の邪による病。悪寒がなく，津液不足の状態が現れる。p. 286 参照　＊33：p. 283 参照　＊34：肢体が弱って力が入らず萎えてしまう状態　＊35：結核などで咳嗽を伴い，体内深部より浸み出してくるような熱　＊36：インポテンツ　＊37：涼性・寒性の薬物を用いて熱を除くこと　＊38：腹中にできる瘀血性の硬結が集まり，大きくなったもの　＊39：沈滞している活動エネルギー（気）を活性化して，めぐらせる　＊40：沈滞した気を引き上げる作用　＊41：→肝血虚 p. 274 参照　＊42：p. 277 参照　＊43：→益心脾法 p. 269 参照　＊44：体力が衰弱しやせ衰えている状態。肺結核なども含む　＊45：強い精神不安による心悸亢進（発作性のものを驚悸，持続性のものを怔忡とすることが多い）　＊46：腹部の激しい痛み（鼠径ヘルニアなど）　＊47：腹中にできる瘀血性の硬結　＊48：p. 280 参照　＊49：p. 284 参照　＊50：局部的な血液のうっ滞を取り除き，血流を良くすること（血液を活性化する）　＊51：p. 281 参照　＊52：p. 281 参照　＊53：病気による虚証または体質的虚証を補うこと　＊54：p. 287 参照　＊55：身体の深部から浸み出してくるような熱で，多くは寝汗を伴う。肺結核などに見られる　＊56：p. 268 参照　＊57：p. 266 参照　＊58：脾胃または婦人科系の働きを活発にして，増血および血流を促すことによって身体を温めること

1)「原料生薬使用量等調査報告書―平成 23 年～24 年度―」（H27.7）日本漢方生薬製剤協会
2)『本草の植物―北村四郎選集Ⅱ』北村四郎著　保育社（1985），『新訂増補　國訳本草綱目』春陽堂（1973）による

IX 水薬

水薬とは，体内の水分代謝をはかる作用を持つ薬物の総称である。体内に滞積した非生理的水分は，いろいろな形で身体に害を及ぼす。漢方ではその非生理的な水分を状態によって，水滞（痰飲・水腫）*1，湿*2 などと言う。水薬は用いる病状により以下のごとく分類される。水滞を除くための薬物を利水薬，湿を除くための薬物を去湿薬，さらに去湿に加えて胃腸機能を調える薬物を去湿健胃薬，鎮痛を兼ねる薬物を去湿止痛薬と言う。また，胸部に溜まった痰飲が咳や痰の形になった場合の治療薬を鎮咳去痰薬と言う。

（1）利水薬

利水薬とは，体内に滞積した非生理的水分（水滞）を利尿により除く薬物のことである。具体的には，浮腫・水腫・関節水腫・胃内停水などの病症を治療する。水滞の病症の変形である，めまい・頭重・倦怠感・嘔気なども併せて治療することができる。

茵蔯蒿（インチンコウ） *Artemisiae Capillaris Flos* 〈日局 18〉

基　原　キク科（*Compositae*）カワラヨモギ *Artemisia capillaris* Thunberg の頭花
産地：長野県，徳島県，九州，江蘇省，浙江省

異名別名　茵陳蒿（いんちんこう），茵蔯（いんちん），茵陳（いんちん），綿茵陳（めんいんちん），因陳（いんちん）

選　品　新しく，色鮮やかで，葉や軸が少なく，香りの強いものが良品である。かつて，韓国産のものはイワヨモギの花穂であり，別基原のものであったが，現在はほとんど流通がない

成　分　精油（カピリン，カピラリン，メチルオイゲノール），6, 7-ジメトキシクマリン，クロモン誘導体（カピラリシン），フラボノイドなど

薬　理　抽出液：利胆，降圧，利尿
精油：抗菌，利尿
6, 7-ジメトキシクマリン：利胆，降圧，利尿

効能主治　性味：苦辛，涼
帰経：肝，脾，膀胱

効能：清熱[*3]し湿[*2]を除く，黄疸を治す
主治：湿熱[*4]による黄疸，小便不利[*5]，風疹

引用文献 神農本草経：風湿寒熱の邪氣を主（つかさど）り，熱結黄疸を治す（因陳の項）
古方薬品考：満を瀉し，専ら黄疸を療す（茵蔯の項）
重校薬徴：発黄，小便不利を主治す
古方薬議：熱結黄疸，小便不利を主り，伏瘕（ふくか）を去る（茵蔯の項）

現代における運用のポイント

- 黄疸治療作用
すべての黄疸に対して有効であり，中国では，黄疸の特効薬とも言われる。
- 解熱作用
肝臓・胆のう疾患による発熱，および少陽病[*6]における発熱に対し解熱作用を発揮する。

配合応用 茵蔯蒿＋黄芩：脾胃の湿熱[*4]を除き，口内炎を治す（甘露飲）
茵蔯蒿＋金銭草（きんせんそう）[1)]：湿熱[*4]による黄疸症状・胆道結石症を治す
茵蔯蒿＋山梔子：肝炎・胆嚢炎・肝硬変などによる黄疸・全身の痒み・口内炎・小便黄赤で出にくいものを治す（茵蔯蒿湯）
茵蔯蒿＋大黄：黄疸，胆石，肝炎を治す，便通を促し，湿熱[*4]を除く（茵蔯蒿湯，加味解毒湯）
茵蔯蒿＋沢瀉：湿熱[*4]を瀉し，利尿し水分代謝をはかる（茵蔯五苓散）
茵蔯蒿＋白朮（または茯苓）：湿[*2]を除き，利尿し水分代謝をはかる（茵蔯五苓散）

配合処方 茵蔯蒿湯，茵蔯五苓散，加味解毒湯，甘露飲
▷294処方中4処方（1.4%）

備　考 基原：1. 中国産と日本産は成分組成に違いが認められている。
2. 日本では茵蔯蒿として頭花を使うが，中国では葉の部分（地上部の若い葉）も使用する。後者は「綿茵蔯」の名称で日本でも流通している。
3. 基原植物であるカワラヨモギは自生する場所によって成分・DNAが異なるため，6, 7–ジメトキシクマリンの確認試験によって決定する。
4. 沖縄にカワラヨモギという名称の食用植物があるが，これは基原が異なる。
5. 現在は，野生品が中心のため成分組成に違いがある。将来は栽培化を進めて，品質の安定を図ることが望ましい。

滑石（カッセキ） *Kasseki* 〈日局18〉

基　原 主として含水ケイ酸アルミニウムおよび二酸化ケイ素からなる鉱物
※日局16よりカッセキの項には，「本品は鉱物学上の滑石とは異なる」とのただし書きがある。
産地：福建省

異名別名 軟滑石（なんかっせき）（加水ハロサイト），白陶土（はくとうど）（カオリナイト），唐滑石（からかっせき）

（備考参照）

選　品　質はきれいに整って均一でなめらかで砕けやすく，無臭で色は白色にやや青みがかり，つるつるし，ほかの鉱物など異物のないものが良品とされる

貯蔵：密閉容器での保存が望ましい

成　分　加水ハロサイト（Al_2O_3・$2SiO_2$・$2H_2O$・$2H_2O$），カオリナイト（Al_2O_3・$2SiO_2$・$2H_2O$）

効能主治　性味：甘淡，寒

帰経：胃，膀胱

効能：清熱*3する，湿*2を除き経絡*7の流通を良くし，利尿をはかる

主治：熱射病などの煩渇*8，排尿困難，熱性下痢，淋病，黄疸，水腫*9，鼻出血，脚気，皮膚潰瘍

引用文献　神農本草経：身熱泄澼（しんねつせつへき），女子乳難，癃閉（りゅうへい）を主（つかさど）り，小便を利し，胃中積聚（いちゅうしゃくじゅ）の寒熱を蕩（とう）し，精氣を益す

古方薬品考：滑達にして，能（よ）く留結（りゅうけつ）を通す

重校薬徴：小便不利を主治し，渇を兼治す

古方薬議：小便を利し，渇を止め，煩熱心躁（はんねつしんそう）を除き，腸胃中の積聚寒熱を蕩し，能く五淋（ごりん）を療す

現代における運用のポイント

- **清熱*3・利尿作用**

膀胱炎・急性尿道炎・膀胱結石などに用い，消炎および利尿をはかる。

- **清熱・解暑作用**

夏場の日射病・熱射病に用い，清熱をはかり，口渇・煩悶を治す。

配合応用　滑石＋阿膠：止血作用を有す（猪苓湯）

滑石＋甘草：暑邪を感受して起こす身熱，心煩（しんぱん）*10口渇，残尿感を治す（防風通聖散）

滑石＋山梔子：湿熱*4を除き，尿道炎，膀胱炎，残尿感を治す（五淋散）

滑石＋石膏：湿熱*4を除き，煩熱*11および，黄疸・鼻出血を治す（防風通聖散）

滑石＋沢瀉：腎・膀胱系の炎症による口渇・血尿・小便不利*5を治す（猪苓湯）

滑石＋芒硝：清熱*3し，利尿する（防風通聖散）

滑石＋猪苓：腎炎，膀胱炎，小便不利*5，水様性の下痢，血尿，排尿痛，浮腫を治す（猪苓湯）

配合処方　加味解毒湯，五淋散，猪苓湯，猪苓湯合四物湯，防風通聖散

▷294処方中5処方（1.7%）

備　考　基原：滑石には含水ケイ酸マグネシウムを主成分とする硬滑石〔鉱物学上の滑石（タルク：$3MgO$・$4SiO_2$・H_2O）〕と含水ケイ酸アルミニウムを主成分とする軟滑石（加水ハロサイトなど）があるが，日本の漢方では軟滑石が用いられ，日局18でも軟滑石を滑石として定めている。現代中国では，滑石として硬滑石を用いているが，硬滑石と軟滑石では物質が異なり，日本では両者を明確に区別しているので，混同しないよう留意する。なお，硬滑石（タルク）は日局18に保護

剤として収載されている。

黒豆（クロマメ）

基　原　マメ科（Leguminosae）ダイズ *Glycine max* (Linné) Merrill の黒色の種子

異名別名　黒大豆，烏豆

選　品　外面が黒く，肉厚で表面に白い粉がふいていてシワがあり，傷や虫食いのないものが良い。日本では丹波産が良い。中国産は粒が小さい

成　分　トリテルペノイドサポニン（ソヤサポニンA～C），イソフラボン類（ダイズイン，ゲニステイン，ゲニスチン），脂肪油，デンプン，ケファリン，レシチン，アルブミンなど

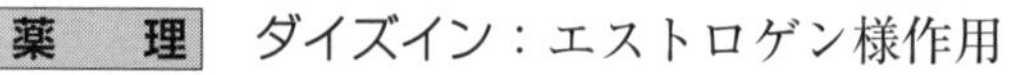

薬　理　ダイズイン：エストロゲン様作用

効能主治　性味：甘，平

帰経：脾，腎

効能：血行を促し，利尿をはかる，筋肉・関節痛を治す，食品および諸薬の毒を解す

主治：水腫[*9]による脹りと膨満感，脚気，黄疸浮腫，風痺[*12]による筋肉の引きつれ，腰痛，不眠，産後の感染による破傷風，強直，けいれん，口噤[*13]，熱を持った化膿性の腫れ物，諸薬の中毒

引用文献　神農本草経：癰腫に塗る。煮汁を飲めば鬼毒を殺し，痛を止む（生大豆の項）

古方薬議：水脹を逐ひ，関脈を通じ，諸毒を解す（大豆の項）

配合応用　黒豆＋甘草：附子などの薬物中毒を解毒する

黒豆＋桂皮：腰痛を治す

配合処方　（独活湯）

備　考　基原：生薬としての流通はない。

配合処方：本品は『和漢薬考』収載の独活湯にのみ配合されており，一般用漢方294処方の独活湯では黒豆を配合していない。

細茶（サイチャ）／茶葉（チャヨウ） *Camellia Sinensis Folium*〈局外生規2018〉

基　原　ツバキ科（*Theaceae*）チャノキ *Camellia sinensis* Kuntze の葉で，しばしば枝先を伴う

産地：日本

異名別名　苦荼，茗

成　分　プリン誘導体（カフェイン，テオフィリン，テオブロミン），カテキン類（カテキ

ン，エピカテキン），タンニン，フラボノイド

薬　理　カフェイン：中枢神経興奮，強心，利尿，血管拡張
テオフィリン：強心，利尿，気管支拡張
タンニン：抗菌，収れん，止瀉
カテキン，エピカテキン：虫歯予防，口臭抑制，ウイルス感染阻止，抗コレステロール，抗がん

効能主治　性味：苦甘，涼
帰経：心，肺，胃
効能：頭と目を明らかにする。煩渇*8を除く，痰を除く，消化を促す，利尿する，解毒する
主治：頭痛，目のくらみ，多眠症，心煩*10，口渇，飲食の停滞が原因となって起こる痰，マラリア，下痢

引用文献　新修本草（しんしゅうほんぞう）：瘻瘡（ろうそう）を主（つかさど）る。小便を利し，痰熱，渇を去り，人をして睡（ねむ）りを少なからしむ（茗苦㭨茗の項）。氣を下し，宿食を消すを主る（苦㭨の項）
本草綱目：濃煎は風熱痰涎（たんえん）を吐す（茗の項）

配合応用　細茶＋菊花：頭と目を明らかにし，目疾患を改善する（滋腎明目湯）
細茶＋川芎：血流を促し，頭痛を治す（川芎茶調散）

配合処方　滋腎明目湯，川芎茶調散
▷294 処方中 2 処方（0.7%）

備　考　配合処方：1．川芎茶調散処方中の細茶について，原方『和剤局方（わざいきょくほう）』の記述は「諸薬末を茶水にて調え，のみ下す」となっており，処方中には細茶の記載はない。
2．五虎湯の原典『万病回春（まんびょうかいしゅん）』には細茶の記載があるが，各方剤書の五虎湯の記載を比較するに，細辛の誤記である可能性がある。

車前子（シャゼンシ） *Plantaginis Semen*〈日局 18〉

種子

基　原　オオバコ科（*Plantaginaceae*）オオバコ *Plantago asiatica* Linné の種子
産地：江西省，北朝鮮

異名別名　当道（とうどう），牛遺（ごい），地衣（ちい），車前実（しゃぜんじつ）

選　品　黒褐色の光沢のある長楕円形のもので，質の充実したものを良品とする。褐色を帯びた光沢のないものは良くない。粒の大きいものが良い（近年小粒の品が見受けられるが，基原が違うと言われており注意を要する）

成　分　イリドイド（アウクビン），粘液性多糖（プランタサン，プランタゴ-ムシラーゲ A），フラバノン配糖体（プランタゴシド）など

薬理　抽出物：胆汁分泌促進，腸血流量増加，インターフェロン誘起作用
プランタゴ-ムシラーゲＡ：免疫賦活，血糖降下

効能主治　性味：甘，寒
帰経：腎，膀胱
効能：水分代謝を促す，清熱[*3]する，目を明らかにする，去痰する
主治：小便不利[*5]，小便淋濁（りんだく）[*14]，帯下，血尿，暑気あたりの下痢，咳嗽多痰，湿痺[*15]，目赤障翳（もくせきしょうえい）[*16]

引用文献　神農本草経：氣癃（きりゅう）を主（つかさど）り，痛を止め，水道，小便を利し，湿痺を除く

配合応用　車前子＋黄連：目の充血を除き，炎症を鎮め，浮腫を去る（明朗飲）
車前子＋菊花：目の充血，痛みに用いる
車前子＋地骨皮：腎・膀胱系の炎症を除き，排尿を促す（清心蓮子飲）
車前子＋茯苓：水分代謝を促し，排尿を速やかにする（牛車腎気丸，清心蓮子飲）
車前子＋木通：尿道炎・膀胱炎などによる排尿痛・血尿・小便不利[*5]，婦人の帯下を治す（竜胆瀉肝湯，五淋散）

配合処方　牛車腎気丸，五淋散，清心蓮子飲，明朗飲，竜胆瀉肝湯
▷294 処方中 5 処方（1.7%）

備考　その他：車前草（オオバコの花期の全草）は日局 18 収載の生薬であり，去痰薬として用いる。なお，ヨーロッパでは，同属植物（P. *ovata* Farsk）の種子を薬用および粘液原料にする。

蒼朮（ソウジュツ）*Atractylodis Lanceae Rhizoma*〈日局 18〉

基原　キク科（*Compositae*）ホソバオケラ *Atractylodes lancea* De Candolle，シナオケラ *A. chinensis* Koidzumi またはそれらの種間雑種の根茎
産地：陝西省，湖北省，河南省，安徽省，内蒙古

ホソバオケラ

異名別名　古立蒼朮（こだちそうじゅつ），茅朮（ぼうじゅつ），南蒼朮（なんそうじゅつ），北蒼朮（ほくしょうじゅつ），佐渡（さど）オケラ，山蒼朮（さんそうじゅつ）

選品　ひげ根が少なく，外皮は黄黒色で，質は堅く充実しており，断面には朱色の点がはっきりと見え，油分に富み，芳香が強く，味は甘く，辛く，わずかに苦く，切断後放置するとカビ状の白色綿状結晶を析出するものを良品とする
貯蔵：低温で乾燥した場所に保管すると良い。また，精油の揮散を防ぐため気密保存するのが望ましい

成分　精油（β-ユーデスモール，ヒネソール），ポリアセチレン化合物（アトラクチロジン）など

薬理　抽出液：Na^+，K^+，Cl^- の各イオン排泄促進
抽出物：黄体機能退行，血糖降下，抗潰瘍，胆汁分泌促進

β-ユーデスモール，ヒネソール：鎮静，自発運動抑制，ヘキソバルビタール睡眠延長，電撃けいれん抑制，小腸内容物輸送促進，胃液分泌抑制，抗潰瘍
アトラクチロジン：胆汁分泌促進

効能主治

性味：辛苦，温
帰経：脾，胃
効能：脾胃の機能を高める，うっ滞した気をめぐらす，凝滞した湿[*2]を除く，発汗する，鎮痛作用を有す
主治：湿盛困脾（しっせいこんぴ）[*17]，疲労が甚だしくすぐ横になりたくなる，上腹部の痞（つか）え感があり腹の脹っている状態，食欲不振，嘔吐，水様性下痢，細菌性下痢，瘧疾（ぎゃくしつ）[*18]，痰飲[*19]，水腫[*9]，流行性感冒，風寒湿痺[*20]，足が萎えるもの，夜盲症

引用文献

本草綱目：湿痰留飲（しつたんりゅういん），…及び脾湿下流（ひしつかりゅう），濁瀝帯下（だくれきたいげ），滑瀉腸風（かっしゃちょうふう）を治す
※朮の引用文献は白朮の項（p. 193 参照）

現代における運用のポイント

- **鎮痛作用**
風湿[*21]による関節痛・筋肉痛に用い，利水により風湿を除き，気の流通を促し，関節痛・筋肉痛を治す。
- **健胃作用**
胃腸の湿[*2]を除き，食欲不振・消化不良・腹部膨満感・下痢を治す。

配合応用

蒼朮＋桂皮：体表の湿[*2]を除き，神経痛・リウマチを治す（桂枝加朮附湯）
蒼朮＋香附子：肝気[*22]と胃気[*23]を調え，消化を促進し腹部の脹りと痛みをとる（香砂平胃散）
蒼朮＋厚朴：胃腸部の水滞[*1]・湿[*2]による痞満[*24]・悪心嘔吐・下痢・食欲不振・消化不良・腹部膨満感（ガス）を治す（平胃散，香砂平胃散，分消湯）
蒼朮＋白朮：脾胃を補い体表の湿[*2]を除く，神経痛，関節炎を治す（二朮湯）
蒼朮＋茯苓：小便不利[*5]による浮腫，下痢を治す（分消湯）
蒼朮＋附子：体を温め，湿[*2]を除く作用を増強し，神経痛・リウマチ・関節痛を治す（桂枝加朮附湯）
蒼朮＋麻黄：体表の湿[*2]を除き，浮腫および関節痛を治す（越婢加朮湯，桂枝芍薬知母湯，薏苡仁湯）
蒼朮＋薏苡仁：利尿を促し関節の水腫[*9]を除く（薏苡仁湯）
沢瀉・猪苓・白朮（蒼朮）・茯苓のいずれかの組み合わせ：利水作用を発現する代表的な組み合わせで，利水を目的とした多くの処方に含まれる。体内の水分代謝を促して，利尿をはかり，小便不利[*5]および水滞[*1]による諸症状を治す（五苓散，猪苓湯*，当帰芍薬散，八味地黄丸*他多数）＊蒼朮の配合はない
※それぞれの配合の特徴については【五苓散に配合される利水薬の特徴】p. 190 参照

配合処方

＜294 処方中に「蒼朮（白朮も可）」，「白朮（蒼朮も可）」，「白朮あるいは蒼朮」等の表記で両者いずれかの配合としている処方＞

茵蔯五苓散，越婢加朮湯，越婢加朮附湯，加味帰脾湯，加味四物湯，加味逍遙散，加味逍遙散加川芎地黄（加味逍遙散合四物湯），加味平胃散，帰脾湯，芎帰調血飲，芎帰調血飲第一加減，桂枝加朮附湯，桂枝加苓朮附湯，桂枝芍薬知母湯，桂枝二越婢一湯加朮附，桂枝人参湯，啓脾湯，香砂平胃散，香砂六君子湯，五積散，五苓散，柴芍六君子湯，柴苓湯，滋陰降火湯，滋陰至宝湯，四君子湯，十全大補湯，消風散，逍遙散（八味逍遙散），四苓湯，真武湯，清湿化痰湯，清上蠲痛湯（駆風触痛湯），清暑益気湯，疎経活血湯，大防風湯，定悸飲，当帰散，当帰芍薬散，当帰芍薬散加黄耆釣藤，当帰芍薬散加人参，当帰芍薬散加附子，女神散（安栄湯），人参湯（理中丸），人参養栄湯，不換金正気散，茯苓飲，茯苓飲加半夏，茯苓飲合半夏厚朴湯，茯苓沢瀉湯，附子理中湯，平胃散，防已黄耆湯，補中益気湯，薏苡仁湯，抑肝散，抑肝散加芍薬黄連，抑肝散加陳皮半夏，六君子湯，苓姜朮甘湯，苓桂朮甘湯，連珠飲

▷294 処方中 62 処方（21.1%）

＜294 処方中に蒼朮と白朮の両方が配合されている処方＞

胃苓湯，香砂養胃湯，二朮湯，分消湯（実脾飲），補気健中湯（補気建中湯）

▷294 処方中 5 処方（1.7%）

＜294 処方中に蒼朮として配合されている処方＞

桂枝越婢湯，秦艽防風湯，治頭瘡一方，治頭瘡一方去大黄，麗沢通気湯，麗沢通気湯加辛夷

▷294 処方中 6 処方（2.0%）

＜294 処方中に白朮として配合されている処方＞

胃風湯，烏苓通気散，化食養脾湯，藿香正気散，甘草附子湯，参苓白朮散，清熱補気湯，喘四君子湯，銭氏白朮散，沢瀉湯，八解散，半夏白朮天麻湯※，白朮附子湯，防風通聖散，明朗飲

※「蒼朮を加えても可」の記載あり

▷294 処方中 15 処方（5.1%）

備　考　基原：1. 白朮と蒼朮の歴史的な区別については，明確なところは不明である。主な説は2説あり，1つは張仲景（ちょうちゅうけい）から始まると言い，もう1つは陶弘景（とうこうけい）から始まると言う。ちなみに，『宋版傷寒論』における朮は，みな白朮と記載されている。本草学的には，宋代の『本草図経（ほんぞうずきょう）』の編者蘇頌（そしょう）は，「古方で朮とあるのは，皆，白朮のことである」と述べている（この場合の古方とは日本で言う古方を意味せず，宋代以前の処方を意味する）。その後も，蒼朮と白朮の用法については，本草書においても方書においても混乱が見られる。わが国においては，おおむね古方派は主に蒼朮を用い，後世派および中医学派では両者を使い分けている。

2. 蒼朮と白朮は，基原植物が類似しているので識別が困難である。わが国においても，蒼朮と白朮の区別については混乱が見られ，植物分類学上の明確な区別ができない時代にはオケラの根茎を蒼朮とし，その皮をむいたものを白朮とする場合もあった。

現在では純度試験によって蒼朮と白朮を区別しているが，野生種については，蒼朮であってもこの純度試験によって判別できないものがあるという。

3. 日本産蒼朮については，江戸時代（享保年間）にホソバオケラの種苗が日本にもたらされ，各地で栽植されるようになったのがはじめである。現在流通している蒼朮はすべて中国産であり，日本産は流通していない。日本産蒼朮は，新潟県佐渡で栽培されていたため一名サドオケラの名があるが，現在では奈良県など日本の一部の地域で，限定的に栽培が続けられているのみである。

成分：蒼朮を切断して放置するとき，断面からカビ状の白色結晶が析出することが

あり，アトラクチロールと呼ばれる。これは，β-ユーデスモールとヒネソールの混合物である。

効能主治：吉益東洞は「薬徴」において，蒼朮・白朮ともに「朮」の名で総括し，利水剤として用いた。また，利水作用においては蒼朮がすぐれるとして，蒼朮を重用した。この考え方は日本の古方派に引き継がれている。一方，中国では，蒼朮と白朮を区別して用いている。共に脾胃を補い気をめぐらす作用は共通するが，蒼朮は発汗しながら湿邪[*25]を除く作用，白朮は利水しながら湿邪を除く作用を目的に用いている。

沢瀉（タクシャ） *Alismatis Tuber* 〈日局 18〉

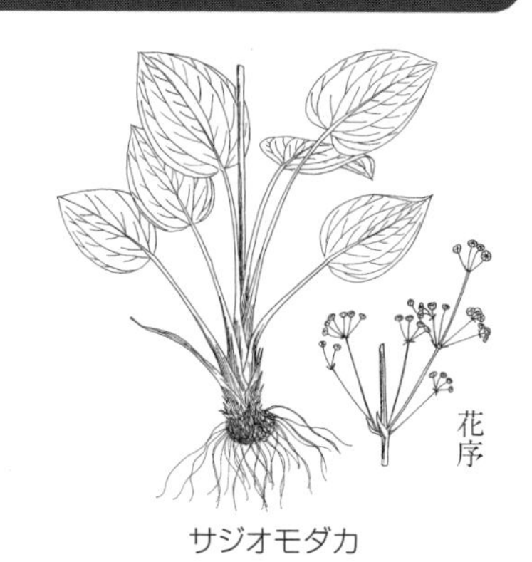

サジオモダカ

基　原　オモダカ科（*Alismataceae*）サジオモダカ *Alisma orientale* Juzepczuk の塊茎で，通例，周皮を除いたもの

産地：四川省，広西，江西省，福建省

異名別名　澤瀉（たくしゃ），川沢瀉（せんたくしゃ），建沢瀉（けんたくしゃ），信州沢瀉（しんしゅうたくしゃ）

選　品　形が大きく，黄白色で質が堅く充実し，重質で粉性に富み，わずかに甘味を感じるものを良品とする。福建沢瀉（建沢瀉）が最良とされていたが，現在の研究では必ずしもそうとは言えない。古いものや調製の悪いものは褐色に変色している

貯蔵：本品は，虫やカビがつきやすいので，低温（15～18℃）で湿度の低い環境（30～40%）が望ましい。少量の場合は，気密保存するとなお良い

成　分　トリテルペノイド（アリソール A，B，アリソール A モノアセテート），デンプン，レシチンなど

薬　理　粉末：肝脂肪の蓄積を抑制。アリソール A モノアセテート：肝臓のコレステロール量を低下

効能主治　性味：甘，寒

帰経：腎，膀胱

効能：利尿し水分代謝をはかる，湿[*2]と水滞[*1]を除き，炎症を鎮める

主治：小便不利[*5]，水腫[*9]，腹部膨満感，嘔吐，下痢，胃内停水[*26]，脚気，めまい，淋病，血尿

引用文献　神農本草経：風寒湿痺（ふうかんしっぴ），乳難（にゅうなん），消水（しょうすい）を主（つかさど）り，五臓を養い，氣力を益し，肥健（ひけん）にす

古方薬品考：水路を宜（よろ）しく通ず

重校薬徴：小便不利を主治す。故に支飲（しいん），冒眩（ぼうげん）を治し，吐，渇，涎沫（えんまつ）を兼治す

古方薬議：痞満（ひまん），消渇（しょうかち），淋瀝（りんれき），頭旋（とうせん）を除き，膀胱の熱を利し，尤（もっと）も水を行（めぐ）らすに長（ちょう）ず

現代における運用のポイント

- **除湿・利水作用**
  膀胱炎・浮腫・水腫*9など体内の水滞*1を排尿によって治す。
- **降気（こうき）*27・利水作用**
  上焦*28部の水滞によって起こる頭重感・めまい・耳鳴りなどを，降気*27し水滞を除くことによって治す。

配合応用
沢瀉＋滑石：腎・膀胱系の炎症による口渇・血尿・小便不利*5を治す（猪苓湯）
沢瀉＋山茱萸：排尿を促し，残尿感を治す（八味地黄丸，六味丸）
沢瀉＋白朮：尿利減少または頻数（ひんさく）を治し，胃内停水*26を除き，水気の上衝*29によるめまい，下痢，嘔吐，むくみを治す（半夏白朮天麻湯，沢瀉湯（たくしゃとう），当帰芍薬散）
沢瀉＋木通：腎・膀胱系の炎症を鎮め，血尿，水腫*9，小便不利*5を治す（竜胆瀉肝湯）
沢瀉，猪苓，白朮（蒼朮），茯苓のいずれかの組み合わせ：利水作用を発現する代表的な組み合わせで，利水を目的とした多くの処方に含まれる。体内の水分代謝を促して，利尿をはかり，小便不利*5および水滞*1による諸症状を治す（五苓散，猪苓湯，当帰芍薬散，八味地黄丸，他多数）
※それぞれの配合の特徴については【五苓散に配合される利水薬の特徴】参照

配合処方
胃苓湯，茵陳五苓散，烏苓通気散，啓脾湯，杞菊地黄丸，牛車腎気丸，五淋散，五苓散，柴苓湯，四苓湯，秦艽防風湯，沢瀉湯，知柏地黄丸，猪苓湯，猪苓湯合四物湯，当帰芍薬散，当帰芍薬散加黄耆釣藤，当帰芍薬散加人参，当帰芍薬散加附子，独活湯，八味地黄丸，半夏白朮天麻湯，茯苓沢瀉湯，分消湯（実脾飲），補気健中湯（補気建中湯），味麦地黄丸，竜胆瀉肝湯，六味丸（六味地黄丸）
▷294 処方中 28 処方（9.5%）

備　考
基原：以前は台湾・韓国・日本産も流通していたが，現在日本市場では中国産のみである。

【五苓散に配合される利水薬の特徴】

五苓散は，尿不利やむくみなどによく用いられる利水剤であるが，その構成生薬のほとんどが著名な利水薬〔沢瀉・猪苓・白朮（蒼朮）・茯苓〕である。これらの生薬は，相互に協力してすぐれた利水作用を発揮し利尿を図るため，一般に利水薬としてまとめて考えらえることも多いが，それぞれ異なった特徴を持っている。

- 沢瀉は，利水作用とともに降気*27作用を持つため，白朮とともに用いると，水気の上衝*29によるめまい，頭重感，耳鳴りなどを治す。沢瀉湯は，この作用により，水滞*1に起因するめまいの治療薬として著名である。また，消炎作用を持つので，滑石・木通・車前子などとともに用いると泌尿器系の炎症を除き排尿を促進する。猪苓湯・五淋散などに用いられる。
- 茯苓は，単独での利水作用は弱いが，白朮・猪苓などの他の利水薬とともに用いると，むくみ・水腫*9・痰飲*19など，体内に貯留している水滞を除く作用にすぐれる。五苓散をはじめ，真武湯・苓桂朮甘湯・当帰芍薬散など水滞が原因で起こる諸症状（むくみ，めまい，動悸など）を除く方剤に含まれている。この作用は，小半夏加茯苓湯・茯苓飲などでは，胃内停水*26を，苓甘姜味辛夏仁湯・茯苓杏仁甘草湯などでは，胸部の痰飲を除く働きをしている。また，利水以外の効果としては，脾胃を補い，強壮する作用があり，六君子湯，四君子湯などでは，人参とともに脾胃の強化を図る。もう1つは，降気し精神安定を図る作用である。この場合は，桂枝と協力する。桂枝茯苓丸・苓桂朮甘湯などに用いられ，よく気の上衝*30を改善する。

- 白朮（蒼朮）は，猪苓・沢瀉などの利水薬と配合されると利水作用が増強されるが，利水作用とともに利湿作用にもすぐれるため，桂枝・附子・麻黄などと協力すると，体表の浮腫や，筋肉・関節の倦怠感などをよく除く。また，陳皮・茯苓などと協力して，胃腸の湿邪*25を除き，腹部膨満感や軟便などを改善する。前者の作用を生かしたものとして，桂枝加朮附湯・麻黄加朮湯・越婢加朮湯などがあり，後者の作用を生かしたものとして六君子湯，茯苓飲，平胃散などがある。なお，白朮は人参・茯苓と協力するとすぐれた健胃作用を発揮し，食欲不振・胃重感を改善して，脾胃の強化を図る。処方では，人参湯・六君子湯・補中益気湯などに配合されている。また，当帰・川芎などの温血剤と配合すると安胎*31作用が増強される。
- 猪苓は，利水作用に特化した薬物である。排尿を促進し，むくみ・膀胱炎・水腫などを治す。また，水滞によって体内の水分バランスの崩れたものを改善し，よく口渇を止める。五苓散，猪苓湯，四苓湯，分消湯など利水を目的とした方剤に沢瀉，白朮（蒼朮），茯苓など他の利水薬とともに配合される。

このように，利水薬と言ってもさまざまな特徴を持つので，臨床の現場においては，それぞれの特徴を生かした運用を心がけるとよい。

猪苓（チョレイ） *Polyporus* 〈日局 18〉

基原 サルノコシカケ科（*Polyporaceae*）チョレイマイタケ *Polyporus umbellatus* Fries の菌核

産地：陝西省，雲南省，甘粛省

菌核

子実体（地上部）

異名別名 豕零（しれい），豨苓（きれい）

選品 軟らかさが残り，軽質で，肥大し，表皮が黒く，充実しており，内色が白く粉性に富み，砂や石がからまず異物が混入しないものを良品とする。中国産の小粒のものは重質，大きいものは軽質である

貯蔵：カビや虫に侵されることはないが，古くなったり湿ったりすると内色が変化しやすいので，乾燥した場所に保管しなければならない

成分 ステロール類（エルゴステロール），脂肪酸，多糖類

薬理 抽出物：利尿

効能主治 性味：甘淡，平

帰経：脾，腎，膀胱

効能：口渇を止め，利尿し，湿*2を除く

主治：小便不利*5，水腫*9，脚気，下痢，淋濁*32，帯下

引用文献 神農本草経：痎瘧（かいぎゃく）を主（つかさど）る。毒蠱（どくこしゅ）疰祥ならざるを解し，水道を利す

古方薬品考：善く燥し，尿道を泄利す

重校薬徴：渇して小便不利を主治す
古方薬議：水道を利し，傷寒温疫（しょうかんうんえき）の大熱を解し，腫脹満（しゅちょうまん）を主り，渇を治し，湿を除く

現代における運用のポイント
- **利水作用**
膀胱炎・浮腫・水腫*9などに用い，排尿によってこれらを治す。併せて口渇を治す。

配合応用 猪苓＋滑石：腎炎，膀胱炎，小便不利*5，水様性の下痢，血尿，排尿痛，浮腫を治す（猪苓湯）
猪苓＋大腹皮：腹水，手足の浮腫を除く（分消湯）
沢瀉，猪苓，白朮（蒼朮），茯苓のいずれかの組み合わせ：利水作用を発現する代表的な組み合わせで，利水を目標とした多くの処方に含まれる。体内の水分代謝を促して，利尿をはかり，小便不利*5および水滞*1による諸症状を治す（五苓散，猪苓湯，当帰芍薬散*，八味地黄丸*他多数）＊猪苓の配合はない
※それぞれの配合の特徴については【五苓散に配合される利水薬の特徴】p. 190参照

配合処方 胃苓湯，茵陳五苓散，五苓散，柴苓湯，四苓湯，猪苓湯，猪苓湯合四物湯，分消湯（実脾飲）
▷294処方中8処方（2.7%）

燈心草（トウシンソウ）*Junci Herba*〈局外生規2018〉

基　原 イグサ科（*Juncaceae*）イ *Juncus effusus* Linné の地上部で，ときに茎の髄だけのもの（トウシン）がある
産地：浙江省，江蘇省，日本

異名別名 灯心（とうしん），灯草（とうそう），灯心草（とうしんそう），灯芯草（とうしんそう），虎鬚草（こしゅそう），赤鬚（せきしゅ）

選　品 色は緑色で，茎の太いもの，茎髄（芯）が多いものが良い

成　分 フラボノイド（ルテオリン），脂肪酸，多糖類，タンパク質など

効能主治 性味：甘淡，寒
帰経：心，肺，小腸
効能：心火亢盛（しんかこうせい）*33を鎮め，利尿をはかり，排尿痛を治す
主治：膀胱炎，水腫*9，小便不利*5，黄疸による発熱，心煩（しんぱん）*10による不眠，小児の夜泣き，扁桃腺炎，創傷

引用文献 本草綱目：心火を降し，血を止め，氣を通じ，腫を散じ，渇を止める

配合応用 燈心草＋滑石：膀胱の炎症を除き，利尿を促す（加味解毒湯）
燈心草＋猪苓：炎症をとり，利尿を促し，膀胱炎・腎炎・浮腫を治す（分消湯）

配合処方 加味解毒湯，滋腎明目湯，分消湯（実脾飲）

▷294 処方中 3 処方（1.0%）

備　考　生薬名：燈心草の名前は，かつて「イグサ」の茎髄が油燈の芯として使われており，その茎髄のことを「燈心」と呼んでいたことに由来する。古くは生薬としてこの「燈心」のみを用いたが，現在は茎および地上部を用いている。

白朮（ビャクジュツ）*Atractylodis Rhizoma*〈日局 18〉

基　原　キク科（*Compositae*）①オケラ *Atractylodes japonica* Koidzumi ex Kitamura の根茎（和ビャクジュツ）または ②オオバナオケラ *A. macrocephala* Koidzumi（*A. ovata* De Candolle）の根茎（唐ビャクジュツ）

産地：①吉林省，黒竜江省，遼寧省，②湖南省，浙江省

異名別名　和白朮，唐白朮，朮

選　品　①ワビャクジュツ…断面は黄白色，質はやや疎であるが，油点が多く香気に富むものが良品とされる。

②カラビャクジュツ…大きくて表面は灰黄～灰褐色，断面は黄白色，質は硬固で，空洞のないものが良品とされる。

両者とも葉茎等の混入のないものが良い

貯蔵：精油の揮散を防止するため，気密保存が望ましい

成　分　精油〔ユーデスマ-4（14），7（11）-ジエン-8-オン，アトラクチロン，アトラクチレノリドⅠ～Ⅲ〕など

薬　理　抽出物：抗ストレス潰瘍，酢酸腹膜炎による血管透過性の亢進抑制（ユーデスマジエン，アトラクチレノリドⅠ～Ⅲが関与），抗炎症，胆汁分泌促進，抗腫瘍

アトラクチロン：肝障害抑制

効能主治　性味：苦甘，温

帰経：脾，胃

効能：脾胃を補い，湿*2 を除く，健胃・利尿・鎮静作用を有す

主治：消化器系の弱い虚弱体質，食欲不振，疲労倦怠感，腹部膨満感，下痢，胃内停水*26，水腫*9，黄疸，関節炎，関節腫痛，神経痛，脚気，小便困難，めまい，寝汗，妊婦のむくみ

引用文献　神農本草経：風寒湿痺，死肌，痙，疸を主り，汗を止め，熱を除き，食を消す（朮の項）

古方薬品考：湿水を除いて，尿道を調利せしむ（朮の項）

重校薬徴：利水を主る。故に小便不利，自利，浮腫，支飲冒眩，失精下痢を治し，沈重疼痛，骨節疼痛，嘔渇，喜唾するを兼治す（朮の項）

古方薬議※：風寒湿痺を主り，胃を開き，痰涎を去り，下泄を止め，小便を利し，

心下急満（しんかきゅうまん）を除き，腰腹冷痛（ようふくれいつう）を治す
※白朮の項に記載されるが，同項目中に蒼朮も付記されている。また白朮と蒼朮の効能は分けられていない

現代における運用のポイント

- **健胃作用**
  胃腸虚弱のものに用い，食欲不振・腹部膨満・下痢を治す。
- **利水作用**
  体表の浮腫・倦怠などの原因となる湿*2 を除き，それらの症状を解消する。また，腹中の湿*2 を除き，腹部膨満・軟便を解消する。
- **止汗作用**
  表虚証*34 の自汗*35 に用い，脾胃の機能を高め，利水をはかり，自汗を解消する。

配合応用 白朮＋藿香：脾胃の虚弱による嘔吐，下痢を治す（藿香正気散，香砂六君子湯，銭氏白朮散）

白朮＋乾姜：陽気をめぐらし*36，下焦*37 の冷えと水腫*9 を除く（苓姜朮甘湯）

白朮＋桂皮：体表の湿*2 を除き，神経痛・リウマチを治す（甘草附子湯，桂枝加朮附湯）

白朮＋蒼朮：脾胃を補い体表の湿*2 を除く，神経痛，関節炎を治す（二朮湯）

白朮＋沢瀉：尿利減少または頻数を治し，胃内停水*26 を除き，水気の上衝*29 によるめまい，下痢，嘔吐，むくみを治す（半夏白朮天麻湯，沢瀉湯，当帰芍薬散）

白朮＋当帰：腹部を温め，血流を促し，貧血・流産しかかったもの・浮腫を治す（当帰散）

白朮＋人参：胃腸の機能を高め，体力をつけ，食欲不振，倦怠無力，消化不良，腹部膨満感，慢性下痢，めまい，貧血，自汗*35，喘咳を治す（人参湯，参苓白朮散，清熱補気湯，四君子湯，当帰芍薬散加人参）

白朮＋附子：身体を温め，湿*2 を除く作用を増強し，神経痛・リウマチ・関節痛を治す（桂枝加朮附湯，白朮附子湯）

白朮＋麻黄：体表の湿*2 を除き，浮腫および関節痛を治す（越婢加朮湯，桂枝芍薬知母湯，薏苡仁湯）

白朮＋薏苡仁：1）利尿を促し関節の水腫*9 を除く（薏苡仁湯）。2）下痢を止める（参苓白朮散）

沢瀉，猪苓，白朮（蒼朮），茯苓のいずれかの組み合わせ：利水作用を発現する代表的な組み合わせで，利水を目標とした多くの処方に含まれる。体内の水分代謝を促して，利尿をはかり，小便不利*5 および水滞*1 による諸症状を治す（五苓散，猪苓湯*，当帰芍薬散，八味地黄丸* 他多数）＊白朮の配合はない
※それぞれの配合の特徴については【五苓散に配合される利水薬の特徴】p. 190 参照

配合処方 蒼朮の項（p. 187 参照）

備　考 基原：1. 白朮としては，現在，種の異なるワビャクジュツとカラビャクジュツの

両方が認められているが，成分的には類似している。日本産のものは多年草であるが，カラビャクジュツは二年草である。

2. 現在では，純度試験により蒼朮とは区別されるようになっている（蒼朮の項の備考 p. 188 参照）。

茯苓（ブクリョウ） *Poria* 〈日局 18〉

基　原　サルノコシカケ科（*Polyporaceae*）マツホド *Wolfiporia cocos* Ryvarden et Gilbertson（*Poria cocos* Wolf）の菌核で，通例，外層をほとんど除いたもの

産地：雲南省，湖北省，湖南省，四川省，貴州省，安徽省，河南省，広西

マツなどの根に寄生する

菌核

異名別名　伏苓（ぶくりょう），赤茯苓（せきぶくりょう），茯神（ぶくしん），伏神（ぶくしん），茯菟（ふくと），茯霊（ぶくれい）

選　品　重く堅く充実しており，断面はキメが細かく，淡紅色あるいは純白で，噛むと歯に強力に粘着するものを良品とし，たたくと空虚な音がし，軽くふんわりとし，断面が粗かったり，裂け目のあるものは次品である。また，表皮を完全に除去したものが良い。栽培品は軽質で粘り気がないので次品である

貯蔵：低温で乾燥した場所に保管すると良い。ただし，風通しの良い場所などであまり乾燥しすぎると，粘性を失い，ひび割れが生じるので良くない。防湿，防寒，防熱に心がけること。なお，カビの生えたものは使えない

成　分　トリテルペン（エブリコ酸，パヒマ酸），ステロール，多糖類（β-パヒマン）など

薬　理　抽出物：きわめて弱い利尿，胃潰瘍予防

多糖類：抗腫瘍活性

効能主治　性味：甘淡，平

帰経：心，脾，肺

効能：湿[*2]を除き水分代謝を促す，脾胃を補い胃腸の働きを促進し精神を安定させる

主治：小便不利[*5]，水腫[*9]による脹り・むくみ，胃内停水[*26]を伴う咳嗽，嘔吐，水様性下痢，遺精，尿混濁，精神不安によるけいれん発作，健忘症

引用文献　神農本草経：胸脇逆氣（きょうきょうぎゃくき），憂恚驚邪恐悸（ゆうけいきょうじゃきょうき），心下結痛（しんかけっつう），寒熱，煩満（はんまん），欬逆，口焦舌乾（こうしょうぜっかん）を主（つかさど）り，小便を利す

古方薬品考：津（しん）を生じ，また逆満（ぎゃくまん）を瀉（しゃ）す

重校薬徴：利水を主る。故に能（よ）く停飲（ていいん），宿水（しゅくすい），小便不利，眩（げん），悸，瞤動（じゅんどう）を治し，煩躁（はんそう），嘔渇不利（おうかつふり），咳，短氣を兼治す

古方薬議：胸脇の逆氣（ぎゃくき），恐悸，心下結痛を主り，小便を利し，消渇（しょうかち）を止め，胃を開き瀉を止（と）む

現代における運用のポイント

- **利水作用**
脾胃の機能を高め，水腫[*9]・浮腫およびその他の水滞[*1]を治す。
- **健胃作用**
胃内停水[*26]による食欲不振・消化不良などに用い，胃内停水を除き，胃腸機能を調える。
- **精神安定作用**
水滞および瘀血（おけつ）[*38]による気の上衝[*30]によって起こる精神不安に用い，気を下し，精神安定をはかる。

配合応用

茯苓＋遠志：精神虚弱による心悸・多夢を治す（帰脾湯，加味帰脾湯，加味温胆湯）

茯苓＋甘草：1）心脾気虚[*39]による心悸亢進・息切れ・精神不安・不眠を治す（酸棗仁湯，茯苓杏仁甘草湯）。2）気の上衝[*30]を下し，息切れ・動悸・喘息発作を治す（茯苓杏仁甘草湯，苓甘姜味辛夏仁湯）

茯苓＋杏仁：胸中の痰飲[*19]を除き，喘咳を治す（茯苓杏仁甘草湯，苓甘姜味辛夏仁湯）

茯苓＋桂皮：気の上衝[*30]に伴って生ずるめまい・頭痛・動悸・不安感・のぼせを治す（桂枝茯苓丸，苓桂朮甘湯，定悸飲，抑肝散，苓桂味甘湯，連珠飲，明朗飲）

茯苓＋酸棗仁：胃腸機能低下および神経の衰弱により起こる口渇・寝汗・不眠・健忘を治す（酸棗仁湯，加味帰脾湯）

茯苓＋山薬：1）脾虚による下痢，久病[*40]で脾胃の気血不足による胃部の悶え，食欲不振，精神の倦怠を治す（参苓白朮散）。2）脾・腎を補い強壮をはかる（八味地黄丸，六味丸）

茯苓＋車前子：水分代謝を促し，排尿を速やかにする（牛車腎気丸，清心蓮子飲）

茯苓＋沢瀉：排尿を促し，残尿感を治す（八味地黄丸，六味丸）

茯苓＋陳皮：健胃し，胃部の不快感を除く（二陳湯，茯苓飲）

茯苓＋人参：胃腸を補い，体力をつけ，下痢を止め，気をめぐらせる（六君子湯，四君子湯，茯苓四逆湯）

茯苓＋半夏：胃内停水[*26]を除き，嘔気を止める（小半夏加茯苓湯）

茯苓＋附子：腎気を補い，水分代謝をはかり，小便不利[*5]，浮腫を治す（八味地黄丸，真武湯）

茯苓＋竜骨：のぼせを下げ，動悸・不眠を治し，精神安定をはかる（柴胡加竜骨牡蛎湯）

沢瀉，猪苓，白朮（蒼朮），茯苓のいずれかの組み合わせ：利水作用を発現する代表的な組み合わせで，利水を目標とした多くの処方に含まれる。体内の水分代謝を促して，利尿をはかり，小便不利[*5]および水滞[*1]による諸症状を治す（五苓散，猪苓湯，当帰芍薬散，八味地黄丸他多数）
※それぞれの配合の特徴については【五苓散に配合される利水薬の特徴】p. 190参照

配合処方 安中散加茯苓，胃風湯，胃苓湯，茵陳五苓散，烏苓通気散，温胆湯，解労散，化食養脾湯，藿香正気散，加味温胆湯，加味帰脾湯，加味逍遙散，加味逍遙散加川芎地黄（加味逍遙散合四物湯），枳縮二陳湯，帰脾湯，芎帰調血飲，芎帰調血飲第一加減，九味檳榔湯（去大黄の変方として），桂枝加苓朮附湯，桂枝茯苓丸，桂枝茯苓丸料加薏苡仁，啓脾湯，鶏鳴散加茯苓，堅中湯，甲字湯，香砂養胃湯，香砂六君子湯，杞菊地黄丸，五積散，牛車腎気丸，五淋散，五苓散，柴胡加竜骨牡蛎湯，柴芍六君子湯，柴朴湯，柴苓湯，酸棗仁湯，滋陰至宝湯，四君子湯，十全大補湯，十味敗毒湯，小半夏加茯苓湯，逍遙散（八味逍遙散），四苓湯，参蘇飲，真武湯，参苓白朮散，清湿化痰湯，清心蓮子飲，清熱補気湯，清肺湯，喘四君子湯，銭氏白朮散，疎経活血湯，竹茹温胆湯，知柏地黄丸，釣藤散，猪苓湯，猪苓湯合四物湯，定悸飲，当帰芍薬散，当帰芍薬散加黄耆釣藤，当帰芍薬散加人参，当帰芍薬散加附子，二朮湯，二陳湯，人参養栄湯，八解散，八味地黄丸，半夏厚朴湯，半夏白朮天麻湯，伏竜肝湯，茯苓飲，茯苓飲加半夏，茯苓飲合半夏厚朴湯，茯苓杏仁甘草湯，茯苓四逆湯，茯苓沢瀉湯，分消湯（実脾飲），防已茯苓湯，補気健中湯（補気建中湯），味麦地黄丸，明朗飲，抑肝散，抑肝散加芍薬黄連，抑肝散加陳皮半夏，六君子湯，苓甘姜味辛夏仁湯，苓姜朮甘湯，苓桂甘棗湯，苓桂朮甘湯，苓桂味甘湯，連珠飲，六味丸（六味地黄丸）

▷294 処方中 94 処方（32.0%）

防已（ボウイ） *Sinomeni Caulis et Rhizoma* 〈日局 18〉

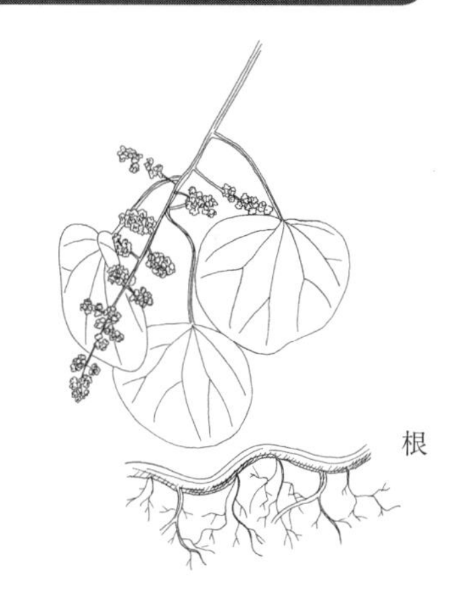

基　原 ツヅラフジ科（*Menispermaceae*）オオツヅラフジ *Sinomenium acutum* Rehder et Wilson のつる性の茎および根茎を，通例，横切したもの

産地：四国，九州，江蘇省

異名別名 防己（ぼうき），漢防已（かんぼうい），石解（せきかい），木防已（もくぼうい），青藤（せいとう），青風藤（せいふうとう）

選　品 乾燥が良く，菊花紋理（きっかもんり）のあるもの，とりわけ道管が著しいものが良い。菊花紋理がひび割れているもの，極端に黒ずんでいるものは良くない。また，味の苦いものが良品である。横断面の色は，カットの時期や方法により暗褐色のものと淡黄褐色のものの両者が流通している。従来，暗褐色のものが良いとされていたが，一部では製剤上の理由で淡黄褐色のものも好まれる

貯蔵：乾燥した場所に保管する

成　分 アルカロイド（シノメニン，ジシノメニン，シナクチン，ツヅラニン，マグノフロリン），ステロールなど

薬　理 抽出物：抗アレルギー，ヒスタミン誘発喘息を抑制

抽出液，抽出物：PCA 反応の色素漏出を抑制

塩酸シノメニン：坐骨神経痛，慢性腰痛，慢性関節炎，関節リウマチ，筋肉リウマチなどに対する鎮痛

効能主治 性味：苦，寒

帰経：膀胱，脾，腎

効能：水分代謝を促し，下焦*37の湿熱*4を除く。鎮痛作用を有す
主治：水腫*9の甚だしいもの，湿熱による脚気，手足けいれん痛，湿疹，できもの

引用文献 神農本草経：風寒，温瘧（うんぎゃく）の熱氣，諸癇（しょかん）を主（つかさど）る。邪を除き，大小便を利す（防己（ぼうき）の項）
古方薬品考：尿を瀉して湿熱を除き，二便を利す
重校薬徴：水（すい）を主治す
古方薬議：邪を除き，大小便を利し，腠理（そうり）を通じ，癰腫悪結（ようしゅあくけつ）を散じ，脚氣を洩（せっ）し，血中の湿熱を瀉し，風水の氣を療するの要薬なり

現代における運用のポイント
- 利水作用
体表の湿*2を除き，浮腫および倦怠感を解消する。
- 鎮痛作用
体表の湿の停滞によって起こる筋肉痛・関節炎に用い，湿を除き，鎮痛をはかる。

配合応用 防已＋黄耆：体表の衛気*41を補い，湿*2を除き，利尿して水腫*9を除く，併せて寝汗を治す（防已黄耆湯）
防已＋桂皮：体表部や胸膈に停まる水滞*1を除き，痛みや浮腫を治す（栝楼薤白湯，防已茯苓湯，木防已湯）
防已＋石膏：体内の水滞*1による心臓性浮腫・心臓性喘息を治す（木防已湯）
防已＋防風：風湿*21の邪を除き，シビレ・痛み・麻痺を治す（小続命湯）

配合処方 栝楼薤白湯，小続命湯，疎経活血湯，独活湯，防已黄耆湯，防已茯苓湯，木防已湯
▷294処方中7処方（2.4%）

使用注意 <広防已（こうぼうい）について>
ウマノスズクサ科（Aristolochiaceae）の植物，*Aristolochia fangchi* Wu. を基原とする中国産の広防已には，腎障害の副作用を持つとされるアリストロキア酸が認められる。しかし，これは日本に輸入されておらず，また，日本で流通している防已とは基原もまったく異なる。なお，中国においても広防已は，『中華人民共和国薬典 2005年版』以降は削除されており，中国での流通もほとんどみられない。
※細辛（p. 11），木通（p. 200）の使用注意参照

備　考 基原：1. 中国では防已の種類は多く以前は，粉防已（ふんぼうい），広防已，漢中防已（かんちゅうぼうい），木防已など多くの種類がみられたが，現在では，木防已の流通はほとんど見られず，またウマノスズクサ科の植物である広防已・漢中防已は，アリストロキア酸の副作用の問題によって，ほぼ流通がなくなったため，防已としては，粉防已に一本化されている。ただし粉防已は，ツヅラフジ科のシマハスノハカズラ（*Stephania tetrandra* S. Moore）であるので，日本で流通する防已とは，基原が異なる。なお，日本の防已であるオオツヅラフジは，中国では，「青風藤」と呼ばれている。
2. 日本でも，以前は防已に，漢防已（防已）と木防已の2種があったが，この区別は，唐代以降の本草書の区別に由来している。わが国では，江戸時代，漢防已として中国の輸入品であるシマハスノハカズラを用いていたが，その後，国産のオオツヅラフジが代わりに用いられるようになったため，後に漢防已というと

オオツヅラフジを指すようになった。木防已は，ツヅラフジ科のアオツヅラフジ〔*Cocculus trilobus*（Thunb.）DC.〕のことを指すが，その後アオツヅラフジは，用いられなくなり，漢防已・木防已という区別はほとんど意味をなさなくなった。現在は，防已に一本化され，日本ではオオツヅラフジが用いられている。

3. 防已は野生品のため，資源的な枯渇が懸念されている。

異名別名：日本では「防已（ぼうい）」と言うが，本草書の記載は「防己（ぼうき）」である。この相違については，江戸時代の日本の本草家が字義の解釈から「防已（ぼうい）」が正しいとして以後これを用いるようになった。

木通（モクツウ） *Akebiae Caulis*〈日局 18〉

基　原　アケビ科（*Lardizabalaceae*）アケビ *Akebia quinata* Decaisne またはミツバアケビ *A. trifoliata* Koidzumi のつる性の茎を，通例，横切したもの

産地：四国，長野県，群馬県，鹿児島県

アケビ

異名別名　通草（つうそう），白木通（はくもくつう），三葉木通（さんようもくつう）

選　品　放射状の紋理（もんり）が著明で，横切面の灰白色ないし黄白色のものが良い

成　分　トリテルペノイドサポニン（アケボシド Stb～f, h～k）など

薬　理　抽出物：抗ストレス潰瘍，抗浮腫，利尿

サポニン：抗炎症，胃液分泌抑制，抗ストレス潰瘍

効能主治　性味：苦，涼

帰経：心，小腸，膀胱

効能：清熱*3 利尿し，水腫*9 を消す，排乳作用，抗真菌作用を有す

主治：血尿，淋濁（りんだく）*32，水腫，胸中の煩熱*11，咽喉腫痛，乳汁分泌困難

引用文献　神農本草経：悪虫（あくちゅう）を去り，脾胃の寒熱を除き，九竅（きゅうきょう），血脈，関節を通利するを主（つかさど）り，人をして忘（ぼう）せしめず（通草の項）

古方薬品考：竅（きょう）を開き，水道を通利す（通草の項）

古方薬議：九竅，血脈，関節を通利し，小便を利し，水腫浮大を主り，煩熱を除く（通草の項）

配合応用　木通＋車前子：尿道炎・膀胱炎などによる排尿痛・血尿・小便不利*5，婦人の帯下を治す（竜胆瀉肝湯，五淋散）

木通＋石膏：清熱*3 をはかり，体表部の水滞*1 を利尿に導く（消風散）

木通＋沢瀉：腎・膀胱系の炎症をとり，血尿，水腫*9，小便不利*5 を治す（竜胆瀉肝湯）

木通＋芒硝：湿熱*4 を鎮め，利尿をはかる（通導散）

木通＋竜胆：清熱*3 し，陰部の不快感を治す（竜胆瀉肝湯）

配合処方 加味解毒湯，五淋散，消風散，通導散，当帰四逆加呉茱萸生姜湯，当帰四逆湯，八味疝気方，竜胆瀉肝湯

▷294 処方中 8 処方（2.7%）

使用注意 ＜関木通について＞

中国では以前，木通としてウマノスズクサ科（Aristolochiaceae）のキダチウマノスズクサ *Aristolochia manshuriensis* Kom. を基原とする「関木通」が一般的に流通していた。しかし「関木通」には，腎障害を起こすアリストロキア酸が認められたため，現在は使用禁止となっており，『中華人民共和国薬典』においても 2005 年版以降は削除されている。また，木通の配合された製剤についても，日本向けに輸出されるものに「関木通」が配合される可能性はない。中国国内向けの製剤についても，法規上使用禁止であるが，ただし，地方によっては，全く存在しないとは言い切れないので，その点は留意した方がよい。なお，日本産の木通（アケビ）は関木通とは別基原であり，副作用の心配はない。

※細辛（p. 11），防已（p. 198）の使用注意参照

備　考 異名別名：『神農本草経』や『傷寒論』に記載されている通草とは，木通のことであり，現在通草と称しているものはウコギ科のカミヤツデ（*Tetrapanax papyreferum*）の髄のことである。

薏苡仁（ヨクイニン）*Coicis Semen*〈日局 18〉

基　原 イネ科（*Gramineae*）ハトムギ *Coix lacryma-jobi* Linné var. *mayuen* Stapf の種皮を除いた種子

産地：湖南省，貴州省，タイ

異名別名 ハトムギ，八斗麦，玉珠，起実，苡米，薏米

選　品 皮付は種皮を除いて用いる。大粒，白色で充実し，重く歯間に粘着するものが良い

貯蔵：虫がつきやすいので低温で湿度の低い場所で保存する

成　分 デンプン，タンパク質，脂肪油，多糖類，ステロール，コイクセノリドなど

薬　理 抽出物：収縮血管拡張，子宮収縮，腸管収縮および収縮抑制（大量投与），骨格筋収縮抑制，血糖・血清 Ca 量低下，抗腫瘍

コイクセノリド：抗腫瘍

効能主治 性味：甘淡，涼

帰経：脾，肺，腎

効能：利尿し，水腫[*9]を除き，瘀血[*38]を除き，イボをとり，肌を潤す，肺気[*42]を調え，肺痿[*43]，肺癰[*44]，咳嗽を治す，清熱[*3]する，湿[*2]を除き関節痛を治す。炒したものは下痢を止める

主治：神経痛，リウマチ，四肢筋肉のけいれん，水腫，脚気，肺痿，肺癰，小水混

濁，帯下，水様性下痢

引用文献 神農本草経：筋急拘攣（きんきゅうこうれん）し，屈伸すべからず，風湿痺，氣を下（くだ）すを主（つかさど）る

古方薬品考：脾を扶（たす）け，湿痺を除去する（薏苡の項）

重校薬徴：癰膿（ようのう）を主治し，浮腫，身疼（しんとう）を兼治す

古方薬議：筋脈の拘攣，風湿痺を主り，氣を下し，腸胃を利し，水腫を消し，熱を清し，肺痿（はいい），肺氣，膿血を吐するを主る

現代における運用のポイント

- 利水作用

体表の湿*2を除き，四肢の倦怠感を治し，また関節の水腫*9を除き，関節痛を治す。

- 美肌作用

瘀血*38を解毒し，血液を活性化して，肌を潤し，イボを取る。特に水イボを取るには効果がある。シミも薄くする。

- 抗腫瘍作用

肺および胃腸系のポリープ・腫瘍などに用い，それらの解消をはかる。

配合応用 薏苡仁＋蒼朮（または白朮）：1）利尿を促し関節の水腫*9を除く（薏苡仁湯）。2）下痢を止める（参苓白朮散）

薏苡仁＋人参：脾胃の気を補い，利尿を促し，下痢を止め，浮腫を除く（参苓白朮散）

薏苡仁＋敗醤：排膿を促進する（薏苡附子敗醤散）

薏苡仁＋茯苓：脾の虚弱により，全身に水がめぐらず，異常な水分貯留を生ずる浮腫を治す（参苓白朮散）

薏苡仁＋牡丹皮（または桃仁）：瘀血*38を除き，肌をなめらかにする（桂枝茯苓丸料加薏苡仁）

薏苡仁＋麻黄：湿*2によるしびれ・だるさ・筋肉のけいれん・疼痛，水腫*9，イボを治す（麻杏薏甘湯，薏苡仁湯）

配合処方 桂枝茯苓丸料加薏苡仁，参苓白朮散，麻杏薏甘湯，薏苡仁湯，薏苡附子敗醤散

▷294処方中5処方（1.7%）

備　考 基原：食用と薬用がある。日本で薬用として使用されている薏苡仁はモチ型であり，ヨードデンプン反応が陽性となるウルチ型のものは除かれている。また，形態上，薏苡仁と紛らわしいジュズダマ（*Coix lacryma*-jobi L. var. susutama Honda：川穀）はウルチ型である。東南アジアで食用とされているものは大粒のものが多い。種皮を除かないものはハトムギと言い，飲料および化粧品原料等に多量に使われる。なお，ハトムギは，「ハトムギの果実および苞しょう」を基原として局外生規2018に収載されている。

産地：日本での生産もあるが，ほとんどがハトムギ（殻つき）としての流通である。

(2)去湿健胃薬

去湿健胃薬とは，内湿を除き胃腸機能を調える薬物のことである。内湿とは，湿邪*25が胃

腸に侵襲して起こる病証で，具体的には食欲不振・胃腸の膨満感・嘔吐・渋り腹・軟便下痢などの症状を呈する。

藿香（カッコウ）*Pogostemi Herba*〈日局18〉

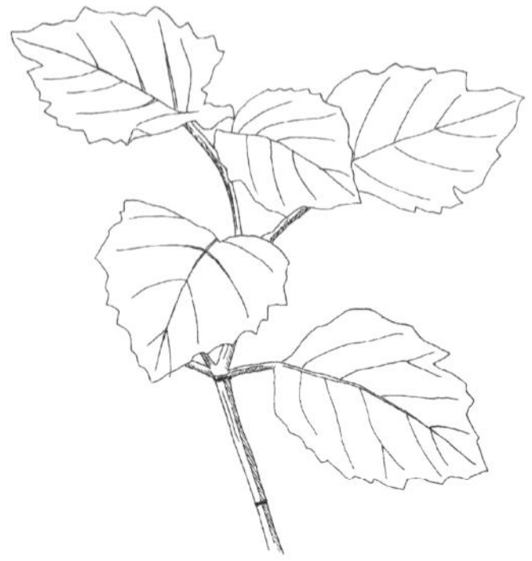

基　原　シソ科（*Labiatae*）*Pogostemon cablin* Bentham の地上部
産地：広東省，インドネシア

異名別名　広藿香（こうかっこう），川藿香（せんかっこう），土藿香（どかっこう）

選　品　茎が太く堅く，断面が緑色を帯び，葉は厚く柔軟で，香気が強いものが良い
貯蔵：香気を保つため，気密保存するのが望ましい

成　分　精油（パチョリアルコール）など

薬　理　抽出液：抗真菌，胃液分泌促進

効能主治　性味：辛，微温
帰経：肺，脾，胃
効能：胃腸系を調え気の流通を良くする，疫病の予防と治療，湿*2を除く
主治：暑中多湿時の感冒，寒邪*45による発熱，頭痛，胸脘部*46が痞（つか）えて悶えるもの，嘔吐，下痢，マラリア，口臭。一般にかぜが胃腸系に入り吐瀉するものを治す

引用文献　名医別録：風水毒腫を療す。悪気（あくき）を去り，霍乱（かくらん），心痛を療す
本草図経（ほんぞうずきょう）：脾胃，吐逆を治するに最要の薬となす

現代における運用のポイント

- 去湿健胃作用

胃腸の湿邪*25を除き，胃腸機能を回復させ，下痢・腹部膨満感・嘔吐などを治す。

配合応用
藿香＋厚朴：胃腸の湿*2を除き，胃腸症状を伴う感冒を治す（八解散）
藿香＋縮砂：胃腸を調えて消化機能を助け嘔吐を止める。さらに香附子を加えると妊娠嘔吐，気滞*47による食欲不振を治す（香砂平胃散）
藿香＋蘇葉：感冒・妊娠・脾胃の機能低下による悪心・嘔吐ならびに咳嗽を治す（藿香正気散）
藿香＋陳皮：胃腸内の湿邪*25を除き，胃腸の感冒を治す（霍香正気散）
藿香＋半夏＋生姜：寒湿*48が胃腸系を阻害して起こる腹部膨満感・胃部の疼痛・嘔吐を治す（藿香正気散，不換金正気散，八解散）
藿香＋白芷：胃腸の湿*2を除き，頭痛・腹痛を治す。胃腸系の感冒に用いる（藿香正気散）
藿香＋白朮：脾胃の虚弱による嘔吐，下痢を治す（藿香正気散，香砂六君子湯，銭氏白朮散）
藿香＋香薷（こうじゅ）[2]：夏季に暑さに傷（やぶ）られ，湿*2が脾胃を阻害して起こる胸悶*49・腹部膨

満感・嘔吐，あるいは湿熱*4によって起こる胃部の脹りと膨満感・悪心・嘔吐を治す

配合処方 藿香正気散，香砂平胃散，香砂六君子湯，銭氏白朮散，丁香柿蒂湯，八解散，不換金正気散
▷294 処方中 7 処方（2.4%）

備　考 基原：薬用には主に中国産の広藿香 *P. cablin*（Blanco）Bentham が用いられる。インドネシアでは藿香は薬用に用いられるのではなく，多くはパチョリ油などの薫香関係に用いられる。

縮砂（シュクシャ） *Amomi Semen*〈日局 18〉

基　原 ショウガ科（*Zingiberaceae*）*Amomum villosum Loureiro var. xanthioides* T. L. Wu et S. J. Chen, *A. villosum Loureiro var. villosum* または *A.* longiligulare T. L. Wu の種子の塊
産地：広東省，雲南省，貴州省，四川省，広西，ベトナム，タイ

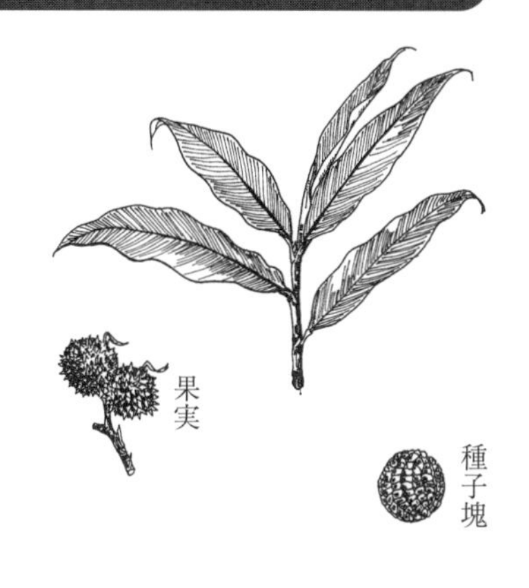

異名別名 砂仁（しゃじん），縮砂仁（しゅくしゃじん），縮沙蜜（しゅくしゃみつ），縮砂蔤（しゅくしゃみつ）

選　品 果皮を除いた種子塊で，大型で堅く充実した仁が豊満で香味の強いものを良品とする。また，灰褐色で楕円形の大きいものが良く，未熟で暗黒色の砕けやすいものは次品である。時に種子の粒がやや大きく白褐色で，種子の角に丸みのある月桃（ハナミョウガ）が混入している場合があるため，注意を要する
貯蔵：香気を保つため，気密保存するのが望ましい

成　分 精油（ボルネオール，ボルニルアセテート，リナロール，*d*-カンファー，ネロリドール）など

薬　理 抽出物：胃酸分泌抑制，胆汁分泌促進，抗アレルギー

効能主治 性味：辛，温
帰経：脾，胃
効能：気をめぐらし胃腸系を調える，胃を和す*50，醒脾（せいひ）*51する
主治：心窩部から腹部にかけての脹りと痛み，胃腸機能低下による飲食の停滞，のどが塞がり嘔吐するもの，冷えによる下痢，流産予防

引用文献 本草綱目：肺を補い，脾を醒（さま）し，胃を養い，腎を益し，元氣を理し，滞氣を通じ，寒飲脹痞，噎膈（えっかく）嘔吐を散じ，婦人の崩中（ほうちゅう）を止め，咽喉口歯の浮熱を除く（縮砂蔤の項）

現代における運用のポイント

- **消化促進作用**
胃腸の活動を促進し，腹部膨満感・飲食停滞を解消し，消化不良による下痢を治す。

- 安胎*31 作用
  婦人科系の陽気*52 を活性化して，安胎*50 をはかる。

配合応用 縮砂＋茴香：胃腸の冷えを除く（安中散）
縮砂＋藿香：胃腸を調えて消化機能を助け嘔吐を止める。さらに香附子を加えると妊娠嘔吐，気滞*47 による食欲不振を治す（香砂平胃散）
縮砂＋枳実：胸腹部の気をめぐらし，悪心，嘔吐，痛みを止める（枳縮二陳湯）
縮砂＋香附子：胃腸機能を高め，胃気*23 をめぐらせる（分消湯，香砂平胃散，香砂養胃湯，香砂六君子湯，枳縮二陳湯）
縮砂＋厚朴：気のうっ滞および湿*2 の停滞による腹部の脹り・痛み・膨満感を治す（香砂平胃散，胃苓湯）
縮砂＋白豆蔻：嘔吐，下痢を治す（香砂養胃湯）
縮砂＋良姜：胃腸の冷えを除き，鎮痛する（安中散，丁香柿蒂湯）

配合処方 安中散，安中散加茯苓，胃苓湯，化食養脾湯，枳縮二陳湯，響声破笛丸，香砂平胃散，香砂養胃湯，香砂六君子湯，椒梅湯，参苓白朮散，喘四君子湯，丁香柿蒂湯，分消湯（実脾飲）
▷294 処方中 14 処方（4.8%）

草豆蔻（ソウズク） *Alpiniae Katsumadai Semen* 〈局外生規 2018〉

基　原 ショウガ科（*Zingiberaceae*）*Alpinia katsumadai* Hayata の種子の塊
産地：広東省，広西，海南省

異名別名 草蔻（そうく），草蔻仁（そうくじん），草叩仁（そうくじん），豆蔻（ずく），草豆仁（そうずにん），草豆蔻（そうずく）
※草豆蔻の「蔻」の字には異字体が多く，上記以外にも「蒄」の字がある。本書の生薬名の文字は『大漢和辞典』3)によった。

選　品 種子は成熟して大きく，充実し，堅実で，清涼感のある芳香が強く，味は辛辣なものを良品とする
貯蔵：カビが発生しやすいため，低温で乾燥したところに保管する。精油の揮散を防ぐため，気密保存するのが望ましい

成　分 精油（α-フムレン，カンフェン），フラボノイド（アルピネチン，カルダモミン）

薬　理 芳香性健胃：消化不良改善

効能主治 性味：辛，温
帰経：脾胃
効能：中を温め，湿*2 を燥（かわか）し，気をめぐらせ，健脾する
主治：寒湿*48 が脾胃に滞り胃腹が冷痛するもの，心下部が痞（つか）え膨満感のあるもの，嘔吐，水瀉性下痢，消化不良，痰飲*19，脚気，マラリア，口臭

引用文献 名医別録：中を温め，心腹痛，嘔吐，口の臭氣を去るを主る（豆蔻※の項）

※「豆蔻」の名称で収載。『本草衍義』には「豆蔻とは草豆蔻のことだ」とある

現代における運用のポイント

- **去湿健胃作用**

 胃腸の湿[*2]を除き，温め，その機能を調えて，腹脹りや痛み・嘔吐を治す。

配合応用 草豆蔻＋乾姜：胃腸を温めて，嘔吐を治す（枳縮二陳湯）

配合処方 枳縮二陳湯

▷294 処方中 1 処方（0.3%）

白豆蔻（ビャクズク） *Amomi Rotundi Fructus*

基　原 ショウガ科（Zingiberaceae）ビャクズク *Amomum cardamomum* Linné の子実

産地：インドネシア

異名別名 白蔻（びゃくく），多骨（たこつ）

選　品 丸くてよく肥えた，色の淡いものを良品とする。暗色を帯びたり，果殻が破れていたり，しなびたものは良くない。果皮が薄く完全で，香味の濃厚なものが良い。使用時は表皮を除去して用いる

貯蔵：香気を保つため気密保存するのが望ましい

成　分 精油 2～8%（*d*-カンファー，*d*-ボルネオール，1, 8-シネオール），脂肪油など

薬　理 精油：芳香性健胃作用

効能主治 性味：辛，温

帰経：肺，脾

効能：気をめぐらす，胃を温める，消化を促す，胃腸系の緊張をほどき機能を調える

主治：気滞[*47]，飲食の停滞，胸部の悶え感，腹脹り，噎膈（えつかく）[*53]，嘔吐，反胃[*54]，マラリア

引用文献 開宝本草（かいほうほんぞう）：積冷氣（しゃくれいき）を主（つかさど）る。吐逆，反胃を止め，穀を消し，氣を下す

本草綱目：噎膈を治し，瘧疾寒熱（ぎゃくしつかんねつ）を除き，酒毒を解く

配合応用 白豆蔻＋厚朴：寒湿[*48]による脾胃の脹りと膨満感を治す（香砂養胃湯）

白豆蔻＋縮砂：嘔吐，下痢を治す（香砂養胃湯）

白豆蔻＋陳皮：湿[*2]が停滞し腹部にガスがたまることによる胸腹部の膨満感を治す（香砂養胃湯）

配合処方 香砂養胃湯（小豆蔻の代用可）

▷294 処方中 1 処方（0.3%）

備　考 基原：<小豆蔻と白豆蔻について>

小豆蔻はショウガ科 *Elettaria cardamomum* Maton の果実である。小豆蔻は，明

治時代に苦味チンキの原料として利用されていたこともあり，第1版の日本薬局方から収載品目となっている。『中葯大辞典』によれば小豆蔻は白豆蔻の類似生薬として扱われており，中国においては元来，白豆蔻が使われていた。現在は両者が流通しているが，主流を占めているのは白豆蔻である。なお，スパイスとしてよく知られるカルダモンとは，小豆蔻のことである。

配合処方：香砂養胃湯の薬味は原典『万病回春』では白豆蔻となっており，現在の一般用漢方294処方中でも白豆蔻が配合されているが，その代用品として小豆蔻を用いても良いことになっている。

(3)去湿止痛薬

去湿止痛薬とは，湿[*2]の病変である外湿を除き止痛する薬物を言う。外湿とは気候など体外の湿気の強さによって，体表・筋肉・関節の気の流通が阻害される病証で，具体的には，筋肉・関節痛や四肢倦怠感などの症状を呈する。

威霊仙（イレイセン） *Clematidis Radix*〈日局18〉

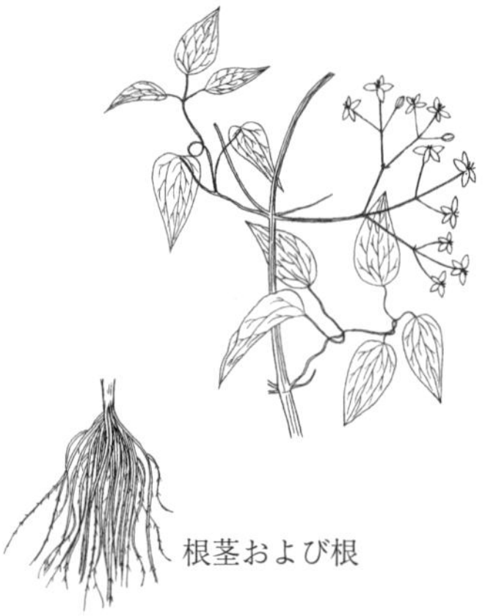

基　原　キンポウゲ科（*Ranunculaceae*）*Clematis mandshurica* Ruprecht, サキシマボタンヅル *C. chinensis* Osbeck または *C. hexapetala* Pallas の根および根茎

産地：河北省，遼寧省，吉林省

根茎および根

異名別名　葳霊仙（いれいせん），葳苓仙（いれいせん），能消（のうしょう）

選　品　根が細くて長く色の黒い土砂のないものを良品とする

成　分　アネモニン，トリテルペノイドサポニン，フェノール類，ステロール類，糖類，アミノ酸など

薬　理　抽出液：血圧降下，腸管収縮，血糖降下

アネモニン：血糖降下，鎮痛

効能主治　性味：辛鹹（かん），温

帰経：膀胱

効能：風湿[*21]を除く，経絡[*7]のうっ滞を通す，痰や病理的多唾を治す，腹中の硬結を散らす。外用では，洗浄薬として痔および皮膚疾患の炎症に用いる

主治：痛風，慢性化した痺証[*55]，腰膝冷痛，脚気，マラリア，腹中の硬結，破傷風，扁桃腺炎，骨がのどに刺さったもの

引用文献　開宝本草（かいほうほんぞう）：諸風。五臓を宣通（せんつう）し，腹内の冷滞，心膈（しんかく）の痰水，久積癥瘕（きゅうせきちょうか），痃癖気塊（げんぺききかい），膀胱の宿膿（しゅくのう），悪水（あくすい），腰膝の冷疼を去り，折傷を療す。久しく服すれば，温疫（うんえき），瘧（ぎゃく）なし

配合応用　威霊仙＋羌活：風湿寒による痺証[*55]・関節疼痛，特に上半身の麻痺疼痛を治す

（疎経活血湯，二朮湯）

威霊仙＋牛膝：風湿[*21]が経絡[*7]に阻滞して起きる関節の疼痛，特に下半身の麻痺疼痛を治す（疎経活血湯）

威霊仙＋白朮（または蒼朮）：湿[*2]を除き，痛みを治す（疎経活血湯，二朮湯）

威霊仙＋防已：風湿[*21]を除き，経絡[*7]を通ず（疎経活血湯）

配合処方　疎経活血湯，二朮湯，蛇床子湯

▷294 処方中 3 処方（1.0%）

使用注意　中国では，同属植物であるセンニンソウ *C. terniflora* DC. の根を鉄脚威霊仙と称す。センニンソウは全草が有毒で，この生汁が皮膚につくと発赤および水疱を起こすことがある。なお，現在日本では，センニンソウは市場に見られない。

松脂（ショウシ）

基　原　マツ科（Pinaceae）ユショウ（油松）*Pinus tabulaeformis* Corr., バビショウ（馬尾松）*P. massoniana* Lamb. またはウンナンショウ（雲南松）*P. yunnanensis* Franch. の幹から採った油状樹脂を，蒸留して精油を除去した遺留物

バビショウ

異名別名　瀝青，松香，松膏，松膠香

効能主治　性味：苦甘，温

帰経：肝，脾

効能：外用して，風湿[*21]による皮膚病・湿疹などで痒みのあるものを治す，排膿し解毒する，皮膚の回復を早める。内服して，関節痛を治す

主治：外用して，できものがくずれたもの，面疔，痔瘻，回復の悪いできもの，疥癬，しらくも，刀傷，捻挫，できものによる掻痒。内服して，リウマチ性麻痺痛，関節炎

引用文献　神農本草経：疽，悪瘡，頭瘍，白禿，風氣による疥搔を主る。五臓を安んじ，熱を除く

配合応用　松脂＋ゴマ油：（外用）傷口の防腐作用・回復を早める（左突膏）

松脂＋黄蝋：（外用）傷口をふさぎ固め，傷口の拡大を防ぐ（左突膏）

配合処方　左突膏

▷294 処方中 1 処方（0.3%）

備　考　基原：現在，一般的に流通はない。

秦艽（ジンギョウ）*Gentianae Macrophyllae Radix*〈局外生規 2018〉

基　原　リンドウ科（*Gentianaceae*）*Gentiana macrophylla* Pallas, *G. straminea* Maximowicz, *G. crassicaulis* Duthie ex Burkill または *G. dahurica* Fischer の根

産地：陝西省，四川省

異名別名 秦膠（じんきょう），秦糺（じんきゅう），秦爪（じんそう），秦艽（じんこう）

選　品 細い糸がもつれた形状をなしたものであって，味の苦いものを良品とする。一般には大秦艽（だいじんぎょう）（*G. macrophylla* Pallas）が用いられる。主根には割れ目があり，根元は黒褐色，胴体・枝根は淡褐色を呈すものが良い

G. crassicalis Duthie ex Burkill

成　分 アルカロイド（ゲンチアニン，ゲンチアニジンなど）

薬　理 抽出液：降圧，抗菌

ゲンチアニン：抗炎症，少量で鎮静，大量で中枢興奮

効能主治 性味：苦辛，平

帰経：肝，胃，胆

効能：風邪・湿邪*25による痛みを治す。血流を促し，筋肉関節の緊張を緩める，清熱*3し，利尿する

主治：リウマチによる麻痺疼痛，筋骨のけいれん，黄疸，血便，骨蒸潮熱（こつじょうちょうねつ）*56，小児疳症*57の発熱，小便不利*5

引用文献 神農本草経：寒熱邪氣，寒湿風痺，肢節の痛みを主（つかさど）る。水を下し，小便を利す（秦艽の項）

配合応用 秦艽＋黄柏：炎症を除く（秦艽防風湯）

秦艽＋羌活：湿熱*4を除き，炎症を鎮め，止痛する（秦艽羌活湯）

秦艽＋当帰：血流を促し，痔核および痔出血を治す（秦艽防風湯）

秦艽＋防風：湿熱*4を除き，炎症を鎮め，止痛する（秦艽防風湯）

配合処方 秦艽防風湯，秦艽羌活湯

▷294 処方中 2 処方（0.7%）

①独活（ドクカツ） *Araliae Cordatae Rhizoma* 〈日局 18〉
②唐独活（トウドクカツ） *Angelicae Pubescentis Radix* 〈局外生規 2018〉

基　原 ①ウコギ科（*Araliaceae*）ウド *Aralia cordata* Thunberg の，通例，根茎，②セリ科（*Umbelliferae*）シシウド *Angelica pubescens* Maximowicz または *A. biserrata* Shan et Yuan の根（唐独活）（備考参照）

産地：①新潟県，長野県，韓国，②四川省，貴州省，湖北省

異名別名 獨活（どくかつ）。①和独活（わどくかつ），九眼独活（きゅうがんどくかつ），②独滑（どくかつ），長生草（ちょうせいそう）

選　品 内部充実し，香気の強いものが良品である（①，②共通）

貯蔵：虫がつきやすいので，低温保存が望ましい

成　分 ①精油，ジテルペン酸，ステロール，有機酸，アミノ酸。②クマリン誘導体（アン

ゲロール，アンゲリコン，オストール），精油，脂肪油など

薬　理 ②オストール：鎮痛，抗炎症

効能主治 性味：辛苦，温

帰経：腎，膀胱

効能：感冒を治す，湿[*2]を除き，体を温め，寒を散らす[*58]，止痛する

主治：風寒湿痺[*20]，腰膝の酸痛[*59]，手足のけいれん痛，慢性気管支炎，頭痛，歯痛

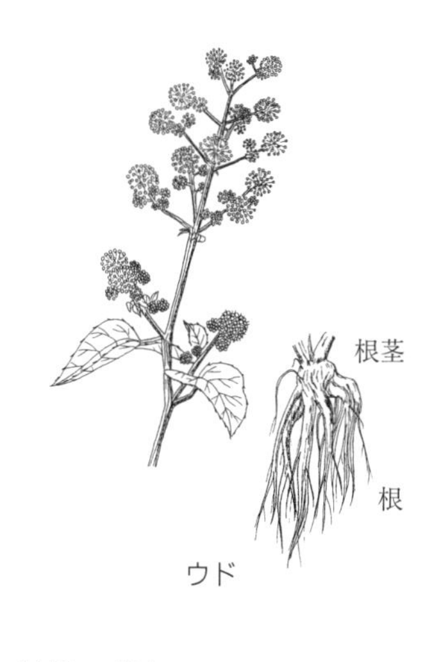

引用文献 神農本草経：風寒の撃つ所，金瘡，止痛，奔豚，癇痓，女子の疝瘕を主る

古方薬品考：節を利し，諸風疾を療す

古方薬議：諸中風湿，手足攣痛，遍身痛痺酸疼，頭旋，目赤，頭項伸び難きを治す

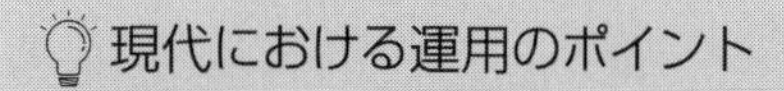
現代における運用のポイント

- 去風湿作用

風湿[*21]の邪を除き，神経痛・関節痛・筋肉痛を治す。併せて感冒を治す。

配合応用 独活（唐独活）＋葛根：感冒を治し，湿[*2]を除き，頭痛・肩痛を治す。また，鼻閉を通ず（独活葛根湯，麗沢通気湯）

独活（唐独活）＋羌活：風寒湿による痺証[*55]を治す（独活湯）

独活（唐独活）＋荊芥：風湿[*21]を除く，透疹作用[*60]を持つ（十味敗毒湯，荊防敗毒散）

独活（唐独活）＋藁本：風寒湿による頭痛・頭頂痛を治す（清上蠲痛湯）

独活（唐独活）＋細辛：風寒湿の三邪を除去する。頭痛，眼痛を治す（清上蠲痛湯）

独活（唐独活）＋防風：表部の風湿[*21]による，痛み・浮腫・関節痛・麻痺を治す（独活湯）

配合処方 荊防敗毒散，十味敗毒湯，清上蠲痛湯（駆風触痛湯），独活葛根湯，独活湯，麗沢通気湯，麗沢通気湯加辛夷

▷294 処方中 7 処方（2.4%）

備　考 基原：<独活と唐独活について>

1. 日本産の独活と中国産の独活は基原植物を異にしている。日本産の独活は，江戸期に中国産独活の代替としてウドの根茎を独活としたもので，和独活とも呼ばれる。中国産の独活はシシウドの栽培品種である *A. biserrata* Shan et Yuan の根を用いており，日本では唐独活と呼ばれる。逆に日本産の独活であるウドは，中国では九眼独活と呼ばれ，あまり使用されない。日本では，日局 18 にドクカツ（ウド）が，局外生規 2018 にトウドクカツ（シシウド）が収載され，それぞれ医薬品として認められている。市場では，独活の流通量が多いが，以前と比べて唐独活の流通量が増加している。一般用漢方 294 処方では，唐独活は用いられていないが，日本で製剤化されている漢方処方にも，独活寄生湯など唐独活を用

いるものがある。

2. 日本では，ウドの細根を和羌活として用いる場合がある。独活と和羌活は基原植物が同一となるので留意する（羌活の備考 p. 4 参照）。

木瓜（モッカ）*Chaenomelis Fructus*〈局外生規 2018〉

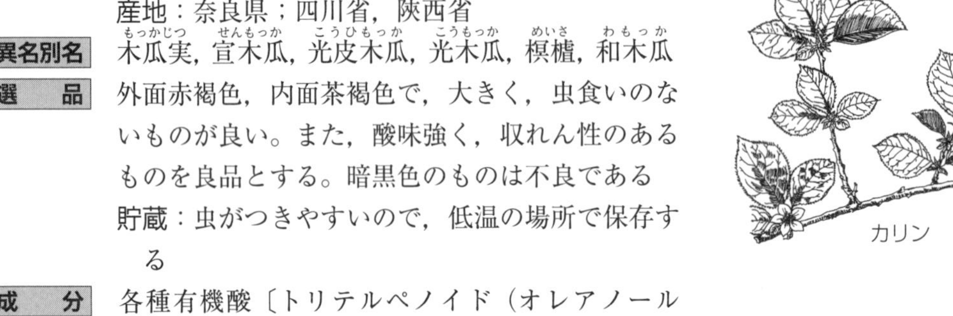

基　原　バラ科（*Rosaceae*）①カリン *Chaenomeles sinensis* Koehne の偽果（光皮モッカ）または②ボケ *C. speciosa* Nakai の偽果（皺皮モッカ）

産地：奈良県；四川省，陝西省

異名別名　木瓜実（もっかじつ），宣木瓜（せんもっか），光皮木瓜（こうひもっか），光木瓜（こうもっか），榠樝（めいさ），和木瓜（わもっか）

選　品　外面赤褐色，内面茶褐色で，大きく，虫食いのないものが良い。また，酸味強く，収れん性のあるものを良品とする。暗黒色のものは不良である

貯蔵：虫がつきやすいので，低温の場所で保存する

成　分　各種有機酸〔トリテルペノイド（オレアノール酸，ウルソール酸），フェノリックアシッド（没食子酸，p-ヒドロキシ安息香酸），クロロゲン酸，カフェー酸〕，フラボノイド（ルチン，クェルセチン），精油等

薬　理　トリテルペノイド：抗炎症，肝保護，抗腫瘍

フラボノイド：抗酸化，抗痙攣，鎮痛，抗インフルエンザ

効能主治　性味：酸，温

帰経：肝，脾

効能：湿*2 を除き，筋肉の緊張を緩め，四肢の筋肉けいれんを治す。また，胃気*23 を調え，食欲不振，下痢を治す

主治：嘔吐，下痢，筋肉けいれん，リウマチの麻痺，脚気，水腫*9

引用文献　名医別録：湿痺，邪氣霍乱（かくらん），大いに吐下し，転筋（てんきん）止まざるを主（つかさど）る

日華氏諸家本草（にっかししょかほんぞう）：吐瀉，奔豚（ほんとん），および脚氣，水腫，冷熱痢（れいねつり），心腹痛（しんぷくつう）を止め，渇，嘔逆，痰唾等を療す

配合応用　木瓜＋呉茱萸：寒湿*48 による脚気，下腹部が脹って冷痛するもの，吐瀉，腹部の引きつれを治す（鶏鳴散加茯苓）

木瓜＋檳榔子：湿*2 を除き，水腫*9 を消す（鶏鳴散加茯苓）

配合処方　鶏鳴散加茯苓

▷294 処方中 1 処方（0.3%）

備　考　基原：市場で流通する木瓜にはカリンを基原とする光皮木瓜（こうひもっか）と，ボケを基原とする皺皮木瓜（しゅうひもっか）がある。中国では木瓜はボケを基原とするものが流通し，カリンを基原とするものは榠樝と呼ばれる。なお，榠樝は，風湿*21 によるシビレや痛みを治す作用に加え，鎮咳去痰作用も有している。

（4）鎮咳去痰薬

鎮咳去痰薬とは，痰飲*19 が咳や痰の形で現れた状態を治療・改善する薬物のことである。具体的には，喘息・気管支炎・百日咳・喀痰困難・多痰・かぜの咳嗽などの病症を治療する。

なお，中医学ではその薬性により，温化寒痰薬，清化熱痰薬，止咳平喘薬の3種に分類される。

阿仙薬（アセンヤク）*Gambir*〈日局18〉

基　原　アカネ科（*Rubiaceae*）*Uncaria gambir* Roxburgh の葉および若枝から得た水製乾燥エキス
産地：インドネシア

異名別名　孩児茶（がいじちゃ），烏爹泥（うたでい），ガンビール

選　品　淡褐色で，質が軽く脆（もろ）く，渋味の少ない甘味のある，収れん性のあるもの（舌でなめると吸着する）を良品とする。暗紫褐色で硬く，質が重く，渋味の強いものは良くない。古くなるほど品質は良い
貯蔵：なるべく乾燥した場所に保存するのが望ましい

成　分　カテキン類〔(＋)-カテキン，(－)-カテキン，(＋)-エピカテキン〕，ビフラボノイド（ガンビリイン），インドールアルカロイド（ガンビルタンニン）など

薬　理　抽出物：小腸の蠕動運動抑制，止瀉（大腸にはほとんど作用しない）
(＋)-カテキン：大腸菌によるアミン，硫化水素およびインドール産生を抑制

効能主治　性味：苦渋，涼
効能：清熱*3 する，痰を除く，止血する，消化を促す，痛みを治す。外用では，粉末塗布薬として，傷の回復を早める
主治：痰熱咳嗽*61，口渇の甚だしいもの，吐血，鼻出血，血尿，血便下痢，不正子宮出血，小児の消化不良，小児の引きつけ，喉痺*62，湿疹

引用文献　本草綱目：上膈（じょうかく）の熱を清し，痰を化し，津（しん）を生ずる。金瘡（きんそう），一切の諸瘡に塗れば，肌を生じ，痛を鎮め，血を止め，湿*2 を収める（烏爹泥の項）

配合応用　阿仙薬＋桔梗：肺および咽喉部の排膿・去痰を促す（響声破笛丸）
阿仙薬＋連翹：咽喉部の炎症を鎮め，咽痛を治す（響声破笛丸）

配合処方　響声破笛丸
▷294処方中1処方（0.3%）

備　考　基原：アセンヤクノキ（児茶（じちゃ））は *Acacia catechu*（L.）Wild で，別植物である。

訶子（カシ） *Chebulae Fructus*〈局外生規 2018〉

基原 シクンシ科（*Combretaceae*）*Terminalia chebula* Retziusの果実
産地：インド

異名別名 訶梨勒（かりろく），訶黎勒（かりろく），訶黎（かり），唐訶子（からかし），ミロバラン，テルミナリア

選品 黄褐色で光沢があり堅いもので，粒が大きく重く，肉が厚く，タンニン質で渋みの強いものが良品とされている

成分 タンニン 20～40%（エラグタンニン：ケブリン酸，ケブラグ酸）など

薬理 抽出液：強い抗菌
タンニン：収れん，止瀉
ケブリン酸：平滑筋に対し鎮痙

効能主治 性味：苦酸渋，温
帰経：肺，胃，大腸
効能：斂肺（れんぱい）*63，腸を収れんし下痢を止める*64，下から突き上げるような咳を治す
主治：慢性的な咳により声の出ないもの，慢性の下痢，脱肛，血便，不正子宮出血，帯下，遺精，頻尿

引用文献 日華氏諸家本草（にっかししょかほんぞう）：痰を消し，氣を下（くだ）し，煩を除く。水を治し，中（ちゅう）を調え，瀉痢，霍乱（かくらん），奔豚（ほんとん）腎氣，肺氣喘急を止め，食を消し，胃を開き，腸風瀉血，崩中帯下，五膈の氣を止める（訶梨勒の項）
本草綱目（朱震亨曰（しゅしんこういわく））：大腸を実し，肺を斂（ひきし）め，火（か）を降ろす（訶梨勒の項）
古方薬品考：氣を泄し，下痢を止む（訶梨勒の項）

配合応用 訶子＋甘草：咽痛緩和と去痰作用を有す（響声破笛丸）
訶子＋桔梗：慢性的な咳による声がれを治す，去痰作用を有す（響声破笛丸）
訶子＋連翹：のどの炎症を治す（響声破笛丸）

配合処方 響声破笛丸
▷294 処方中 1 処方（0.3%）

備考 異名別名：インドではミロバランと言い，聖なる樹木として尊ばれている。
効能：成分にタンニンが多く含まれ，化粧品分野で収れん剤（肌を引きしめる）として用いられる。

栝楼根（カロコン） *Trichosanthis Radix*〈日局 18〉

基原 ウリ科（*Cucurbitaceae*）*Trichosanthes kirilowii* Maximowicz，キカラスウリ *T. kirilowii* Maximowicz var. *japonica* Kitamura またはオオカラスウリ *T. bracteata* Voigtのコルク層をできるだけ除いた根

産地：安徽省，江蘇省，河北省，河南省，遼寧省，広東省，広西

異名別名 天花粉（てんかふん），瓜呂根（かろこん），瓜蔞根（かろこん），栝蔞根（かろこん），蔞根（ろこん），括樓根（かろこん）

選　品 色が白く，きめが細かく，粉性が十分で，繊維質の少ない，肥大し，苦味の少ないものを良品とする。苦味の強いものは，カラスウリ（備考参照）の根である

貯蔵：デンプン質のため虫害に留意する

成　分 デンプン，アミノ酸，脂肪酸，ステロイド，ククルビタン系トリテルペン，レクチンなど

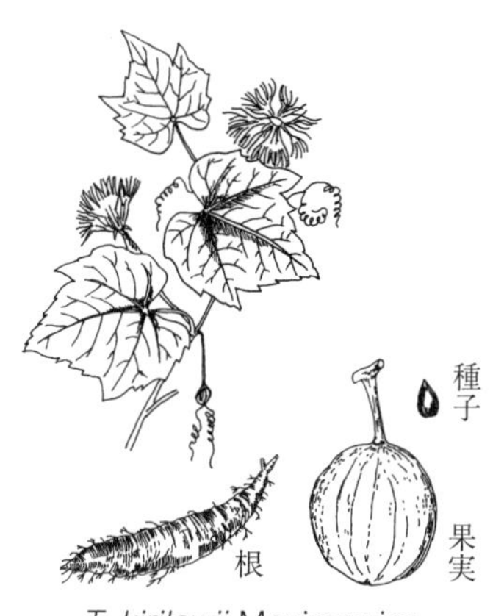

T. kirilowii Maximowicz

薬　理 抽出物：抗ストレス潰瘍，エタノール消失促進

効能主治 性味：甘苦酸，涼

帰経：肺，胃

効能：津液（しんえき）*65 を生じ乾燥感を潤す，口渇を止める，清熱*3 する，排膿し腫れを消す

主治：熱病による口渇，糖尿病など口渇を伴う病，黄疸，肺燥咳血*66，熱性の咳嗽，化膿性の腫れ物，痔漏（じろう）

引用文献 神農本草経：消渇（しょうかち），身熱，煩満，大熱を主（つかさど）る。虚を補い，中を安んじ，絶傷を続（つ）ぐ

古方薬品考：津（しん）を生じ燥を潤す

古方薬議：消渇，身熱，煩満，大熱を主り，小便利を止め，膿を排し，腫毒を消し，津液を行（めぐ）る。心中結痛（けっこ）の者は是に非（あら）ざれば除く能（あた）はず

現代における運用のポイント

- **滋潤・清熱*3 作用**

温病（うんびょう）*67 の津液不足*68 による発熱に用い，津液*65 を補い，清熱をはかる。併せて，咽喉の乾燥感を治す。陽病*69 の糖尿病にも応用される。

- **鎮咳・去痰作用**

熱性の咳嗽に用い，鎮咳去痰をはかる。

配合応用 栝楼根＋甘草：咽痛，咳を治す（柴胡清肝湯）

栝楼根＋桔梗：排膿作用の促進（柴胡清肝湯）

栝楼根＋牛蒡子：消炎して咽痛を治す（柴胡清肝湯）

栝楼根＋柴胡：津液*65 を補いつつ，清熱*3 する（柴胡桂枝乾姜湯）

栝楼根＋地黄：津液*65 を増し，煩躁*70 を治す（柴胡清肝湯）

配合処方 柴胡桂枝乾姜湯，柴胡清肝湯（散）

▷294 処方中 2 処方（0.7%）

備　考 効能：栝楼根の製剤は陣痛促進作用がある。

その他：カラスウリ *T. cucumeroides* Maxim. の根（土瓜根（どかこん））は栝楼根の基原ではないが，非常に苦く，吐剤として用いられることがある。

栝楼実（カロジツ） *Trichosanthis Fructus*

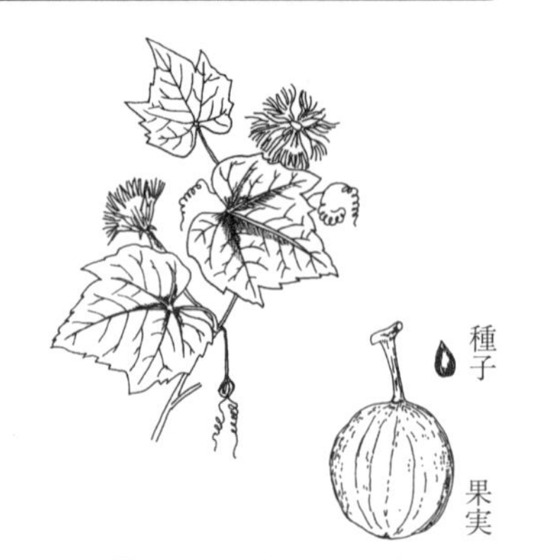

T. kirilowii Maximowicz

基　原　ウリ科（Cucurbitaceae）*Trichosanthes kirilowii* Mazimowicz，キカラスウリ *T. kirilowii* Maximowicz var. *japonica* Kitamura またはオオカラスウリ *T. bracteata* Voigt の成熟果実

産地：浙江省，河北省

異名別名　果裸（から），王菩地楼（おうぼちろう），瓜蔞（かろう），天（てん），円子（えんし），沢姑（たくこ），黄瓜（おうか），全栝楼（ぜんかろ），全瓜蔞（ぜんかろ），沢巨（たくきょ），沢冶（たくじ），王白（おうはく），天瓜（てんか），瓜蔞（かろ），天円子（てんえんし），柿瓜（しか）

選　品　大きく，質が充実し重く，傷がなく，果皮が澄黄色で，果肉部分は色が白く粉性があり，種子を多く含み，糖性が強いものが良品である

貯蔵：虫とカビが発生しやすいため，低温で乾燥したところで，気密容器に保存するのが望ましい

成　分　トリテルペノイド，樹脂，色素，有機酸，糖質，脂肪酸（パルミチン酸など），アミノ酸，タンパク質

薬　理　抗菌，抗がん（細胞レベル）

効能主治　（栝楼の項）

性味：甘微苦，寒

帰経：肺，胃，大腸

効能：清熱*3 し，去痰する，胸膈部の痞えや気滞*47 を除く，腸を潤滑して通便をはかる

主治：肺の炎症による咳嗽，胸痺*71，結胸*72，消渇（しょうかち）*73，便秘，化膿性のできもの

引用文献　名医別録：胸痺を主る。人面を悦澤にす（栝楼根の実の項）

重校薬徴：痰飲を主治す。故に，結胸，胸痺，心痛，喘息，咳唾を治す

古方薬議：胸痺を主り，心肺を潤し，咽喉を利し，胸膈の欝熱（うつねつ）を去り，痰結を滌（すす）ぎ，治嗽の要薬と為す

古方薬品考：専ら結胸気労を療す

現代における運用のポイント

- 治胸痺作用

胸部の痰飲*19 を除き胸痺*71 を治す。

- 治結胸作用

胸部の痰飲を除き小結胸（軽度の結胸*72 症状）を治す。

配合応用　栝楼実＋薤白：胸痺*71 治療の基本配合，胸中に陽気をめぐらせ*36，痰飲*19 を除き，緊張を緩和して，胸部の痞え，呼吸困難，胸痺を治す（栝楼薤白白酒湯）

配合処方　栝楼薤白白酒湯（栝楼仁の代用可）

▷294 処方中 1 処方（0.3%）

備　考 流通：市場品は新鮮果実を輪切りにして乾燥させる。外皮は粗いしわがあり，緑色から黄色を呈し，果肉部分は類白色で粉性があり，種子（栝楼仁）を多く含んでいる。

【栝楼実と栝楼仁について】

「栝楼実」の同類生薬に「栝楼仁」（栝楼仁の項参照）がある。「栝楼実」は栝楼の種子を含む果実，「栝楼仁」は種子だが，日本では，一般的に種子を用いることが多い。中国では，果実全体を「栝楼」，「全栝楼」，果皮を「栝楼皮」，種子を「栝楼子」として区別して用いている。

本草学的には，「栝楼」の登場は『神農本草経』に遡るが，このときは「栝楼根」の効能の記載で実の記載はない。実の効能の記載が現れるのは梁代の『名医別録』においてである。また，南北朝時代の『雷公炮炙（らいこうほうしゃ）』（420〜479）では，果実の内でも皮と種子の効能は別であるとしている。さらに明代の『本草綱目』において李時珍は，「栝楼は古方では，全部をそのまま用いたのだが，後世では子と瓤（じょう）（わたの部分）をそれぞれ分けて用いるとしている」として，より時代が下るほど，果実の中身を分けて用いる傾向は強くなったようである。

なお，『傷寒論』・『金匱要略』中の「括楼薤白白酒湯」，「括楼薤白半夏湯」に配合される「栝楼実」は，本来は果実（栝楼実）のことであるが，日本では一般的に種子（栝楼仁）が使用され，栝楼実の利用は極めて少ない。

ただ，栝楼実と栝楼仁の効能の違いについてみるに，両者とも清熱し，痰を除き，腸を潤す効能があるが，胸痺や結胸の治療に関しては，『古方薬議』や『古方薬品考』に栝楼実の利用を促す記載がある。現代の『中薬大辞典第二版』においても，胸部の気のうっ結を解消し，胸痺や結胸を治す効果は栝楼実の主治には記載があるが，栝楼仁の主治には記載されていない。これらは，今後考慮すべき視点であると考える。

栝楼仁（カロニン） *Trichosanthis Semen* 〈局外生規 2018〉

基　原 ウリ科（*Cucurbitaceae*）*Trichosanthes kirilowii* Maximowicz，キカラスウリ *T. kirilowii* Maximowicz var. *japonica* Kitamura またはオオカラスウリ *T. bracteata* Voigt の種子

産地：安徽省，江蘇省，湖北省，広東省

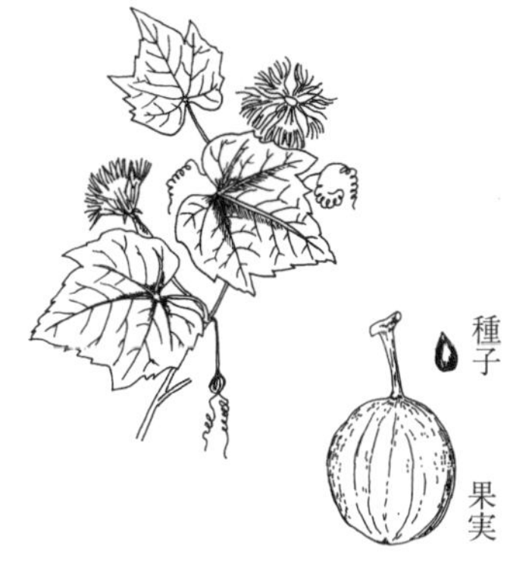

T. kirilowii Maximowicz

異名別名 栝楼子（かろし），瓜呂仁（かろにん），栝蔞仁（かろにん），瓜蔞仁（かろにん）

選　品 形が整い，ふっくらとして，油性に富み，胚が淡緑白色ものを良品とする。黄色く熟した実の種子を用いる

貯蔵：刻むと油が滲みやすいので気密保存が望ましい

成　分 脂肪酸など

薬　理 抽出物：抗炎症，鎮痛

効能主治 性味：甘，寒

帰経：肺，胃，大腸

効能：肺を潤す[*74]，去痰する，腸の代謝を良くする

主治：熱性の痰と咳，乾燥性便秘，化膿性の腫れ物，乳汁の分泌不足

引用文献　日華子諸家本草：虚労口乾を補い，心肺を潤し，手，面の皺，吐血，腸風，瀉血，赤白痢を治す。並びに炒用す（栝樓子の項）

古方薬品考：専ら結胸氣労を療す（蔞實の項）

重校薬徴：痰飲を主治す，故に結胸，胸痺，心痛，喘息，咳唾を治す（栝蔞実の項）

古方薬議：胸痺を主り，心肺を潤し，咽喉を利し，胸膈の鬱熱を去り，痰結を滌ぎ，治嗽の要薬と為す（括蔞實の項）

配合応用　栝楼仁（または栝楼実）＋薤白：胸痺[*71]治療の基本配合，胸中に陽気をめぐらせ[*36]，緊張を緩和して，胸部の痞え，呼吸困難，胸痺を治す（栝楼薤白白酒湯，栝楼薤白湯）。

栝楼仁＋枳実：胸膈部の気が滞って起こる胸痛を治す（柴梗半夏湯，柴胡枳桔湯）

栝楼仁＋半夏：水滞[*1]と熱がからみ胸部に痰が詰まった状態を治す（柴陥湯，柴梗半夏湯，柴胡枳桔湯）

配合処方　栝楼薤白湯，栝楼薤白白酒湯（栝楼実の代用として），柴陥湯，柴梗半夏湯，柴胡枳桔湯

▷294 処方中 5 処方（1.7%）

使用注意　腸を潤し，便を通じる作用があるので，軟便性の下痢の者への使用には留意する。

備　考　効能：中国では抗炎症・鎮痛作用を目標として，種子のみではなく果実全体（栝楼実）を使用している。『傷寒論』中の処方「栝楼薤白白酒湯」でも胸痺[*71]治療の特効薬として栝楼実が使われており，果実としての使用も検討されたい（栝楼実の項 p. 214 参照）

款冬花（カントウカ）*Farfarae Flos*

基　原　キク科（Compositae）フキタンポポ *Tussilago farfara* Linné の花蕾を乾燥したもの

産地：河北省，甘粛省

異名別名　冬花，款花，欵冬花

選　品　半開きの花蕾のみで土砂のない新しいものを良品とする。花の開かないものや開きすぎのものは薬力が弱く，少し開きかけたものが良いとされる。また，大きく紫紅色で花柄のないものが良い

貯蔵：虫がつきやすいので低温で湿度の低いところに気密保存するのが望ましい

成　分　トリテルペノイド（ファラジオール，アルニジオール），フラボノイド（ルチン，ヒペリン），トリテルペノイドサポニン，タンニンなど

薬　理　抽出液：鎮咳去痰

効能主治　性味：辛，温
帰経：肺
効能：肺の津液（しんえき）を潤し*75，下から突き上げる咳を治し，去痰する
主治：下から突き上げるような咳，喘息，咽喉部の痰のつかえ

引用文献　神農本草経：欬逆（がいぎゃく）上氣して善（よ）く喘するもの，喉痺*62，諸驚癇（しょきょうかん）*76，寒熱邪気を主（つかさど）る

配合応用　款冬花＋五味子：水滞*1による咳や痰を治す（補肺湯）
款冬花＋麦門冬：肺の津液不足*68を潤し鎮咳去痰をはかる（補肺湯）
款冬花＋百合：肺の津液不足*68による咳嗽を治す

配合処方　補肺湯
▷294 処方中 1 処方（0.3%）

使用注意　成分のファラジオール，アルニジオールに発癌活性が認められたという報告がある。

桔梗（キキョウ）*Platycodi Radix*〈日局 18〉

基　原　キキョウ科（*Campanulaceae*）キキョウ *Platycodon grandiflorus* A. De Candolle の根
産地：湖北省，湖南省，安徽省，浙江省，四川省，山東省，貴州省，韓国

異名別名　桔梗根（ききょうこん），苦桔梗（くききょう），白薬（はくやく）

選　品　乾燥が良く，太く，長さが均一で，色が白く，質が堅硬で，味が苦く，えぐみの強いものを良品とし，痩せて，小さく枝分かれし，質がもろく，色が黄色っぽく苦味のないものは次品である。晒桔梗（さらしききょう）よりも外皮のついた生干桔梗（きぼしききょう）の方が良い
貯蔵：虫がつきやすいので，乾燥し，風通しの良い場所で保管する。吸湿して古くなると茶褐色に変色するため，防湿に留意する

成　分　トリテルペノイドサポニン（プラチコジン D），イヌリン，ステロール類など。

薬　理　抽出物：唾液分泌・気道粘液分泌を亢進，血糖降下，抗浮腫，抗ストレス潰瘍
抽出液：去痰
粗プラチコジン：鎮静，鎮痛，解熱，鎮咳，去痰，末梢血管拡張，胃液分泌抑制，膵液分泌促進，抗潰瘍，抗炎症，抗アレルギー

効能主治　性味：苦辛，平
帰経：肺，胃
効能：去痰し肺機能を調え鎮咳する，排膿作用を促す
主治：外感*77による咳嗽，咽喉の腫痛，胸部膨満感，脇痛，下痢腹痛，化膿性疾患

引用文献　神農本草経：胸脇痛むこと刀刺の如く，腹満し，腸鳴幽々（ゆうゆう），驚恐悸氣（きょうきょうきき）を主（つかさど）る
古方薬品考：滞を除き，喉を利し，肺を清す

重校薬微：濁唾腫膿（だくだしゅのう）を主治す

古方薬議：胸脇痛むこと刀刺の如きを主り，喉咽痛を療し，痰を消し，癥瘕（ちょうか）を破り，血を養い，膿を排し，竅（きょう）を利し，嗽逆，口舌瘡を生じ，赤目腫痛を治す

現代における運用のポイント

- 鎮咳・去痰作用
  感冒・肺炎・気管支炎に用い，粘性の痰を伴う咳嗽を治す。
- 排膿作用
  麦粒腫・蓄膿症・肺膿瘍・その他の化膿性疾患に用い，排膿を促す。
- 咽痛治療作用
  扁桃腺炎・急性咽喉炎などに用い，咽痛を治す。

配合応用

桔梗＋黄耆：排膿を促進し，皮膚や粘膜を回復させる（千金内托散）

桔梗＋桜皮または樸樕：排膿を促進する（十味敗毒湯）

桔梗＋甘草：1）咽痛治療作用，鎮咳去痰作用を有し，咽喉痛・扁桃痛・咳嗽を治す（桔梗湯，外台四物湯加味，柴胡桔枳湯）。2）排膿を促進し，化膿性疾患を治す（加減涼膈散（浅田），加減涼膈散（龔廷賢），千金内托散，排膿散及湯，排膿湯）

桔梗＋枳実：1）感冒・肺炎・気管支炎など粘性の痰を伴う咳嗽を治す（柴梗半夏湯，柴胡枳桔湯）。2）肺癰（はいよう）*44・蓄膿症・皮膚化膿・咽喉炎などの各種化膿性疾患を治す（荊芥連翹湯，荊防敗毒散，排膿散，排膿散及湯）

桔梗＋杏仁：鎮咳去痰作用を有す（柴梗半夏湯，杏蘇散，清肺湯）

桔梗＋牛蒡子：咽痛を止め，去痰作用を有す（駆風解毒湯，※銀翹散（ぎんぎょうさん））

桔梗＋蘇葉：感冒時の鼻塞，痰の多い咳嗽，多くは胃腸虚弱者に用いられる（参蘇飲）

桔梗＋竹茹：胸部の炎症を除き，痰を除き，止咳する（清肺湯，竹茹温胆湯）

桔梗＋貝母：化膿性の腫れ物などに対し，消炎解毒・排膿作用を示す。呼吸器系疾患での粘稠な痰を除く（清肺湯，外台四物湯加味）

桔梗＋薄荷：咽喉部の炎症を鎮め，緊張を緩和し，去痰をはかる（響声破笛丸）

桔梗＋白芷：化膿性のできものに対して排膿を促す（清上防風湯）

桔梗＋卵黄：排膿を促し，化膿性疾患を治す（排膿散）

桔梗＋連翹：咽喉の腫痛を治し，排膿する（柴胡清肝湯，駆風解毒湯）

配合処方

烏薬順気散，延年半夏湯，加減涼膈散（浅田），加減涼膈散（龔廷賢），藿香正気散，桔梗湯，響声破笛丸，杏蘇散，駆風解毒散（湯），荊芥連翹湯，荊防敗毒散，鶏鳴散加茯苓，外台四物湯加味，五積散，柴梗半夏湯，柴胡枳桔湯，柴胡清肝湯（散），滋腎明目湯，十味敗毒湯，小柴胡湯加桔梗石膏，参蘇飲，参苓白朮散，清上防風湯，清肺湯，洗肝明目湯，千金内托散，竹茹温胆湯，排膿散，排膿散及湯，排膿湯，防風通聖散

▷294 処方中 31 処方（10.5%）

杏仁（キョウニン） *Armeniacae Semen*〈日局 18〉

基　原　バラ科（*Rosaceae*）ホンアンズ *Prunus armeniaca* Linné，アンズ *P. armeniaca* Linné var. *ansu* Maximowicz または *P. sibirica* Linné の種子

産地：河北省，遼寧省，陝西省，山西省，北朝鮮

局方規格：本品は定量するとき，換算した乾燥物に対し，アミグダリン 2.0% 以上を含む

異名別名　杏核仁，杏子，苦杏仁，甜杏仁

選　品　粒が大きく，肉厚で，質が豊満で，外面の上皮に赤味があるもの，内色は白く味が苦く，油分が表面に出ず，変色しておらず，砕けたものがないものを良品とし，肉薄で小さく，質が軽く，やせて，内色が黄褐色を呈するものは次品である。また，砕くとベンズアルデヒドの香気の強いものが良い。刻んだものでは桃仁との区別は至難であるので，細刻品の仕入れには注意を要する。なお，苦味の少ない甜杏仁と言われる形の大きなものがあるが，これは薬用には用いない

貯蔵：刻んだものは，油が滲み出し，古くなると酸化しやすいので，低温で乾燥した場所に気密保存するのが望ましい

成　分　青酸配糖体（アミグダリン），脂肪油など

薬　理　抽出液（キョウニン水）：鎮咳，去痰

抽出物：解熱，摘出回腸自動運動亢進

効能主治　性味：苦，寒

帰経：肺，大腸

効能：去痰し止咳する，喘息発作を治める，腸を潤滑し通便をはかる

主治：感冒による咳嗽，喘息による胸部膨満感，喉痺[*62]，乾燥性便秘

引用文献　神農本草経：欬逆上氣，雷鳴，喉痺を主り，氣を下し，乳を産す。金瘡，寒心，奔豚を主る（杏核仁の項）

古方薬品考：氣分，逆を降し，喘を止む

重校薬徴：胸間の停水を主治す。故に能く喘を治し，心痛，結胸，胸満，胸痺，短気，浮腫を兼治す

古方薬議：氣を下し肌を解き，結を散じ，燥を潤し，咳逆上氣を主り，狗毒を殺す

現代における運用のポイント

- **鎮咳・去痰作用**
  すべての咳・喘息に用いることができ，喘息の発作を和らげ，鎮咳去痰する。
- **潤腸・通便作用**
  乾燥性の便秘に用い，腸を潤滑し，通便をはかる。その作用は緩和であるので老人の便秘にもよく用いられる。

配合応用　杏仁＋甘草：1）鎮咳去痰する（麻杏甘石湯，麻黄湯，苓甘姜味辛夏仁湯）。2）胸

部の痰飲[*19]を除き，胸痺[*71]，呼吸促迫を治す（茯苓杏仁甘草湯）

杏仁＋桔梗：鎮咳去痰作用を有す（柴梗半夏湯，杏蘇散，清肺湯）

杏仁＋厚朴：気逆[*78]による喘咳を治す（桂枝加厚朴杏仁湯）

杏仁＋桑白皮：肺の炎症，急性の気管支炎，肺気腫に伴う咳嗽，呼吸困難を治す（五虎湯，清肺湯，杏蘇散）

杏仁＋蘇葉：感冒による咳嗽を治す（杏蘇散，神秘湯）

杏仁＋桃仁：津液不足[*68]で血虚[*79]も兼ねる乾燥性便秘を治す（潤腸湯）

杏仁＋貝母：咳嗽し，呼吸困難で痰の多い症状を治す（清肺湯，外台四物湯加味）

杏仁＋茯苓：胸部の痰飲[*19]を除き，喘咳を治す（茯苓杏仁甘草湯，苓甘姜味辛夏仁湯）

杏仁＋麻黄：咳嗽喘息を治す（麻黄湯，麻杏甘石湯，続命湯，小続命湯）

杏仁＋麻子仁：腸を潤滑にして，乾燥性便秘を治す（麻子仁丸，潤腸湯）

配合処方 杏蘇散，桂枝加厚朴杏仁湯，桂麻各半湯，外台四物湯加味，五虎湯，柴梗半夏湯，潤腸湯，小青竜湯加杏仁石膏（小青竜湯合麻杏甘石湯），小続命湯，神秘湯，清肺湯，続命湯，茯苓杏仁甘草湯，麻黄湯，麻杏甘石湯，麻杏薏甘湯，麻子仁丸，苓甘姜味辛夏仁湯

▷294 処方中 18 処方（6.1%）

使用注意 『中薬大辞典』には有毒という記載がある。日局 17 の解説書には「抽出エキスはマウス経口投与で LD_{50}：2.25（2.02～2.51）g/kg（生薬に換算すると約 20 g/kg）」とある。

備　考 選品：杏仁と桃仁の区別については，桃仁の備考の項（p. 175）参照。

厚朴（コウボク） *Magnoliae Cortex*〈日局 18〉

基　原 モクレン科（*Magnoliaceae*）①ホオノキ *Magnolia obovata* Thunberg（*M. hypoleuca* Siebold et Zuccarini），② *M. officinalis* Rehder et Wilson，③ *M. officinalis* Rehder et Wilson var. *biloba* Rehder et Wilson の樹皮

局方規格：本品は定量するときマグノロール 0.8% 以上を含む

産地：①福井県，長野県，新潟県，青森県，香川県，岐阜県，②四川省，湖北省，③浙江省，江蘇省，福建省

ホオノキ

異名別名 赤朴（こうぼく），厚皮（こうひ），和厚朴（わこうぼく），唐厚朴（からこうぼく）

選　品 皮が厚く，濃い茶色で，油分に富み，断面は明るい光のある紫紅色で，香りが濃厚で，味はやや辛く，若干の苦味と渋みがあるものを良品とする。皮が薄く，色の薄いものは次品である

貯蔵：低温で湿度の低い場所に，防湿・気密保存することが望ましい

成　分 アルカロイド（マグノクラリン，マグノフロリン），精油（β-ユーデスモール），

リグナン（マグノロール，ホオノキオール）など

薬　理　抽出液：胃運動促進，腸管運動抑制
抽出物：中枢抑制（筋弛緩，鎮痛，抗けいれん）
マグノロール：抗ストレス潰瘍，胃液分泌抑制，胃粘膜出血阻止
マグノクラリン：軽度なクラーレ様作用
β-ユーデスモール：胃液分泌促進，抗潰瘍

効能主治　性味：苦辛，温
帰経：脾，胃，大腸
効能：胃腸系の代謝を良くする，気を下（くだ）す*80，胃腸の湿*2を除く，咳・痰を治す
主治：胸腹部の痞満（ひまん）*24・脹り・痛み，反胃（はんい）*54，嘔吐，宿食不消（しゅくしょくふしょう）*81，痰と喘咳，寒邪*45と湿邪*25による下痢

引用文献　神農本草経：中風（ちゅうふう）傷寒の頭痛，寒熱，驚悸，氣血痺，死肌（しき）を主（つかさど）り，三蟲（さんちゅう）を去る
古方薬品考：氣を下し，脾胃を温導す
重校薬徴：胸腹脹満を主治し，腹痛と喘を兼治す
古方薬議：痰を消し，氣を下し，結水を去り，宿血（しゅくけつ）を破り，水穀を消化し，大いに胃氣を温むるを主（つかさど）り，腹痛脹満，喘咳を療す

現代における運用のポイント

- 鎮咳・去痰作用
主に精神的な要因の強い咳・梅核気（ばいかくき）*82に用い，患部の緊張緩和をはかり，諸症状を緩解する。
- 健胃作用
胃腸部の機能を促進し，腹部の脹りと膨満感を除く。また，腹部に滞留するガスを除く。

配合応用　厚朴＋藿香：胃腸の湿*2を除き，胃腸症状を伴う感冒を治す（藿香正気散，八解散）
厚朴＋枳実：気逆*78，気滞*47，湿*2による腹部膨満感・腹痛・嘔吐を治す（小承気湯，枳縮二陳湯，通導散，分消湯，麻子仁丸）
厚朴＋杏仁：気逆*78による喘咳を治す（桂枝加厚朴杏仁湯）
厚朴＋紫蘇子：上衝*29した気を下げ，鎮咳去痰する（蘇子降気湯，喘四君子湯）
厚朴＋縮砂：気のうっ滞および湿*2の停滞による腹部の脹り・痛み・膨満感を治す（香砂平胃散，胃苓湯）
厚朴＋蒼朮：胃腸部の水滞*1・湿*2による痞満・悪心嘔吐・下痢・食欲不振・消化不良・腹部膨満感（ガス）を治す（平胃散，香砂平胃散，分消湯）
厚朴＋蘇葉：気逆*78，気滞*47，湿*2による咳嗽，胸部不快感を治す（半夏厚朴湯）
厚朴＋陳皮：1）胃腸機能を高め，腹部膨満感・ガスおよび脇腹の痞積*83を除く（平胃散，九味檳榔湯，藿香正気散，不換金正気散，分消湯）。2）気をめぐらせ，痰を除き，咳を止める（喘四君子湯）
厚朴＋半夏：梅核気*82，胃の機能の失調，気が通ぜず湿*2が停滞して起きる胃部の脹り・膨満感および胃部から突き上げてくるような嘔吐・咳嗽を治す（厚朴生姜半夏人参甘草湯，半夏厚朴湯）

厚朴＋白豆蔻：寒湿[*48]による脾胃の脹りと膨満感を治す（香砂養胃湯）
厚朴＋檳榔子：胃腸の湿[*2]を除き，胸腹部の脹り・膨満感を治す（九味檳榔湯）
厚朴＋木香：停滞した胃気[*23]をめぐらし，腹部の膨満感・脹りを治す（香砂養胃湯，枳縮二陳湯，喘四君子湯）

配合処方 胃苓湯，藿香正気散，加味平胃散，枳縮二陳湯，九味檳榔湯，桂枝加厚朴杏仁湯，香砂平胃散，香砂養胃湯，厚朴生姜半夏人参甘草湯，五積散，柴朴湯，潤腸湯，小承気湯，椒梅湯，神秘湯，千金内托散，喘四君子湯，蘇子降気湯，丁香柿蒂湯，通導散，当帰湯，八解散，半夏厚朴湯，不換金正気散，茯苓飲合半夏厚朴湯，分消湯（実脾飲），平胃散，補気健中湯（補気建中湯），麻子仁丸
▷294処方中29処方（9.9%）

五味子（ゴミシ）*Schisandrae Fructus*〈日局18〉

基　原 マツブサ科（*Schisandraceae*）チョウセンゴミシ *Schisandra chinensis* Baillon の果実
産地：吉林省，遼寧省，黒竜江省

異名別名 北五味子（ほくごみし），菋（み），玄及（げんきゅう），会及（かいきゅう），五梅子（ごばいし）

選　品 乾燥が良く，果皮が赤紫色で，味は甘く酸味が強く，大きく肉厚で，潤いと光沢を備え，しわのあるもの，種子は渋みのあるものを良品とする。早い時期，果実が成熟する前に採取したもので，果皮が淡い紅色で皮がもろく，肉が薄く，油分のないものは次品である。ときどき，五味子の表面に白い粉が見られることがあるが，これはふつうカビではなく，クエン酸が析出したもので，品質が良いことを意味する
貯蔵：乾燥しすぎると潤いがなくなり，品質が劣化するので，低温で気密包装するのが望ましい

成　分 精油（シトラール），セスキテルペン（(+)-イランゲン），リグナン（シザンドリン，ゴミシン），有機酸，脂肪油など

薬　理 抽出物：中枢作用増強，利尿，抗ストレス，抗疲労
シザンドリン：自発運動抑制，体温降下，鎮痛，胃運動抑制，ストレス潰瘍予防，胃液分泌抑制，胆汁分泌促進
ゴミシンA：自発運動抑制，体温降下，鎮痛，胃運動抑制，ストレス潰瘍予防，中枢抑制，鎮咳，GOT・GPTの上昇抑制

効能主治 性味：酸，温
帰経：肺，腎
効能：斂肺（れんぱい）[*63]，腎の津液（しんえき）[*65]を補う，汗を収める[*84]，渋精（じゅうせい）[*85]
主治：肺虚による喘咳，口中乾燥口渇（こうかつ），自汗[*35]，寝汗，過労によるるい痩（そう），夢精，遺精，陽痿[*86]，慢性の下痢

引用文献　神農本草経：益氣，欬逆（がいぎゃく）上氣，労傷羸瘦（るいそう）を主（つかさど）り，不足を補い，陰を強め，男子の精を益す
古方薬品考：潤暢（じゅんちょう）し，肺臟を鎮瀉（ちんしゃ）す
重校薬微：咳逆を主治し，兼ねて渇を治す
古方薬議：咳逆上氣を主り，渇を止め，煩熱を除く

現代における運用のポイント

- **鎮咳作用**
肺気虚*[87]の咳・喘息などに用い，鎮咳をはかる。
- **生津（せいしん）・止汗作用**
津液*[65]を補い，寝汗・自汗*[35]を治す。
- **補腎作用**
腎の機能不全によるインポテンツおよび水瀉性下痢に用いる。

配合応用　五味子＋黄耆：陽虚*[88]による自汗*[35]を治す（清暑益気湯）
五味子＋桂皮：のぼせを下げ，鎮咳をはかる（苓桂味甘湯）
五味子＋細辛：水滞*[1]に寒邪*[45]が加わって起きる喘咳を治す（小青竜湯，苓甘姜味辛夏仁湯）
五味子＋山茱萸：肺腎陰虚*[89]による遺精・寝汗・自汗*[35]，気血の消耗（気虚・血虚*[79]）による心臓動悸・息切れ・顔面蒼白・脈細弱を治す（味麦地黄丸）
五味子＋人参：気を補い，強壮し，喘息様症状や呼吸促迫を治す，自汗*[35]を止める（人参養栄湯，扶脾生脈散）
五味子＋麦門冬：肺の津液*[65]を補い，肺気虚*[87]による喘咳を治す（清肺湯，補肺湯，味麦地黄丸，扶脾生脈散）
五味子＋麦門冬＋玄参：津液*[65]を補い，口中の乾燥・炎症を治す（清熱補気湯，清熱補血湯）
五味子＋半夏：胃内停水*[26]を除き，鎮咳する（小青竜湯，苓甘姜味辛夏仁湯）

配合処方　加味温胆湯（玄参の代替として），加味四物湯，杏蘇散，小青竜湯，小青竜湯加杏仁石膏（小青竜湯合麻杏甘石湯），小青竜湯加石膏，清暑益気湯，清熱補気湯，清熱補血湯，清肺湯，人参養栄湯，扶脾生脈散，補肺湯，味麦地黄丸，苓甘姜味辛夏仁湯，苓桂味甘湯
▷294 処方中 16 処方（5.4%）

紫菀（シオン）*Asteris Radix*〈局外生規 2018〉

基　原　キク科（*Compositae*）シオン *Aster tataricus* Linné filius の根および根茎
産地：河北省，安徽省

異名別名　軟紫菀（なんしおん），青菀（せいおん），紫苑（しおん）

選　品　根が長く，淡褐色，柔らかで強く，質がよく充実し，茎を除いてあるものが良品である。また，水で煎じて泡立ちの良いものが良い。ひげ根が多く水洗不十分で土砂の付着したものが見受けられるので，十分注意する

貯蔵：あまり乾燥させすぎないよう留意する

成　分　トリテルペノイド（エピフリーデリノール，フリーデリン，シオノン），トリテルペノイドサポニンなど

薬　理　抽出液：去痰，抗菌

効能主治　性味：苦，温

帰経：肺

効能：肺を温め機能を促進する，上衝*29した気を下げる，痰を除き，止咳する

主治：風寒*90による咳嗽，喘息，疲労による咳嗽で膿血を吐くもの，喉痺*62，小便不利*5を治す

引用文献　神農本草経：欬逆上氣，胸中寒熱，結氣を主る。蠱毒，痿躄を去り，五臓を安んず

配合応用　紫菀＋桔梗：のどの腫れを除き，咽痛を治す（外台四物湯加味）

紫菀＋杏仁：鎮咳，去痰をはかる（杏蘇散）

紫菀＋五味子：痰の多い咳嗽，呼吸困難で自汗*35するものを治す（杏蘇散）

紫菀＋蘇葉：肺気*42を調え，去痰し，咽喉を通ず（杏蘇散）

紫菀＋当帰：血行を促進し，体を温め，咳嗽，咳血を治す（扶脾生脈散）

配合処方　杏蘇散，外台四物湯加味，扶脾生脈散

▷294処方中3処方（1.0%）

紫蘇子（シソシ）*Perillae Fructus*〈局外生規2018〉

基　原　シソ科（*Labiatae*）シソ *Perilla frutescens* Britton var. *crispa* W. Deaneの果実

産地：湖北省，広東省，河南省，広西，韓国

異名別名　蘇子，黒蘇子，野麻子，鉄蘇子

選　品　粒が充実し，均一で，灰褐色を呈し，夾雑物のないものを良品とする。未熟で軽い品は不良である

成　分　精油（ペリルアルデヒド，リモネン，ピネン），脂肪油

効能主治　性味：辛，温

帰経：肺，大腸

効能：上衝*29した気を下げる，去痰する，肺の津液*65を補う，腸を調える

主治：下から突き上げる咳，痰がからむ喘息，胸部における気滞*47，便秘

引用文献　本草綱目：風を治し，氣を順にし，膈を利し，腸を寛にし，魚蟹の毒を解す（蘇の項の子の部分）

配合応用　紫蘇子＋厚朴：上衝*29した気を下げ，鎮咳・去痰作用を有す（蘇子降気湯）

紫蘇子＋桑白皮：呼吸器の炎症を除き，喘咳を治す（喘四君子湯）
紫蘇子＋陳皮：肺および胃の機能を調え，上衝*29した気を下げ，鎮咳する（蘇子降気湯）
紫蘇子＋半夏：去痰し，咽喉を通ず（蘇子降気湯）

配合処方 蘇子降気湯（蘇葉の代用可），喘四君子湯
▷294 処方中 2 処方（0.7%）

備　考 基原：シソの葉は蘇葉といい，生薬として用いられる（蘇葉の項 p. 17 参照）。
産地：日本でもごくわずか生産されている。

鐘乳（ショウニュウ）

基　原 石灰鉱物の一種。鍾乳石 Stalactite

異名別名 滴乳石（てきにゅうせき），鍾乳石（しょうにゅうせき），石鍾乳（せきしょうにゅう），虚中（きょちゅう）

選　品 形状が指のようで色つやが良く，光潤なもので，中央に孔の通っているものが良品である。むやみに太くて長いもの，質が粗くて内部に孔の通っていないものは良くない。鳥の羽茎（うけい）のような形で透明感があり，中が空虚で軽いものは「鵝管石（がかんせき）」といって上品である

成　分 炭酸カルシウム，少量のマグネシウムを含む

効能主治 性味：甘，温
帰経：肺，腎
効能：肺気を温める*91，陽気*52をさかんにする，乳汁の分泌を促す
主治：過労および寒さによる喘息および咳嗽，陽萎*86，足腰の冷えと麻痺，乳汁分泌困難

引用文献 神農本草経：欬逆（かいぎゃく）上氣を主（つかさど）る，目を明らかにし，精を益し，五臓を安んじ，百節を通じ，九竅（きゅうきょう）を利し，乳汁を下す（石鍾乳の項）

配合応用 鐘乳＋桂皮：陽気をめぐらし*36，冷えをとる（補肺湯：『千金方』収載）
鐘乳＋五味子：肺気を温め*91，鎮咳する（補肺湯：『千金方』収載）

配合処方 （補肺湯）

備　考 基原：太いものを鍾乳石と言い，細く管状のものは滴乳石と言う。滴乳石は鵝管石の1つとして扱われることもある。
配合処方：一般用漢方 294 処方の補肺湯では鐘乳は，配合されていないが，原典『千金方（せんきんほう）』には配合されているものと配合されていないものと両方の記載がある。

前胡（ゼンコ） *Peucedani Radix* 〈日局 18〉

基　原 セリ科（*Umbelliferae*）*Peucedanum praeruptorum* Dunn（白花ゼンコ）またはノダケ *Angelica decursiva* Franchet et Savatier（*P. decursivum* Maximowicz）（紫花ゼンコ）の根

産地：浙江省，貴州省，湖北省，湖南省，安徽省，広西

異名別名 全胡（ぜんこ）

選　品 形が整い，長く，質が堅く，断面が黄白色で，香気の強いものが良品とされる

貯蔵：虫害に留意し，低温の場所で保存する

成　分 フロクマリン類（ノダケニン，デクルシン），精油成分（エストラゴール，リモネン）など

薬　理 抽出液：抗滲出，抗炎症，抗浮腫，胃炎改善，去痰

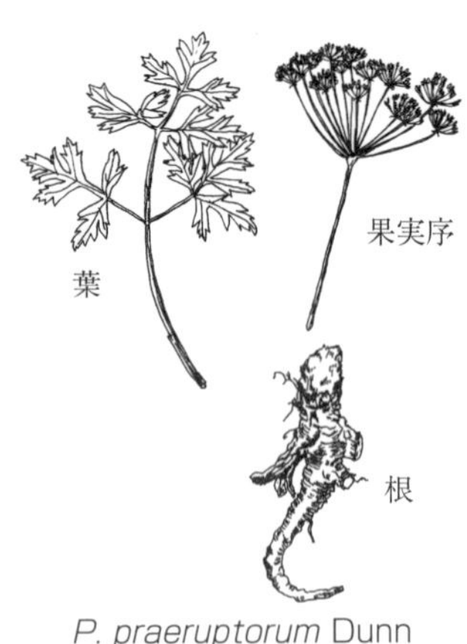

P. praeruptorum Dunn

効能主治 性味：苦辛，涼

帰経：肺，脾

効能：風熱*92を除く，上衝*29した気を下（くだ）す*80，去痰する

主治：風熱による頭痛，熱性病の咳嗽，嘔気，胸膈部の煩悶感

引用文献 本草綱目：肺熱を清し，痰熱を化し，風邪（ふうじゃ）を散ず

古方薬議：傷寒寒熱，痰満，胸脇中痞，心腹結氣，風頭痛を治し，痰を去り，氣を下し，胃を開き，食を下す

配合応用 前胡＋葛根：熱を鎮め，頭痛を治す（参蘇飲）

前胡＋桔梗：肺の炎症を鎮め，鎮咳・去痰する（参蘇飲）

前胡＋紫蘇子：肺気*42を調え，鎮咳・去痰する（蘇子降気湯）

配合処方 荊防敗毒散，参蘇飲，蘇子降気湯

▷294 処方中 3 処方（1.0%）

桑白皮（ソウハクヒ） *Mori Cortex* 〈日局 18〉

基　原 クワ科（*Moraceae*）マグワ *Morus alba* Linné の根皮

産地：河南省，広西，安徽省

異名別名 桑根白皮（そうこんはくひ），桑根皮（そうこんぴ），桑皮（そうひ），白桑皮（はくそうひ）

選　品 周皮を除いた類白色のものを用いるが，周皮をつけた外面茶褐色のものもある。周皮が薄く，白色で柔軟なものが良い

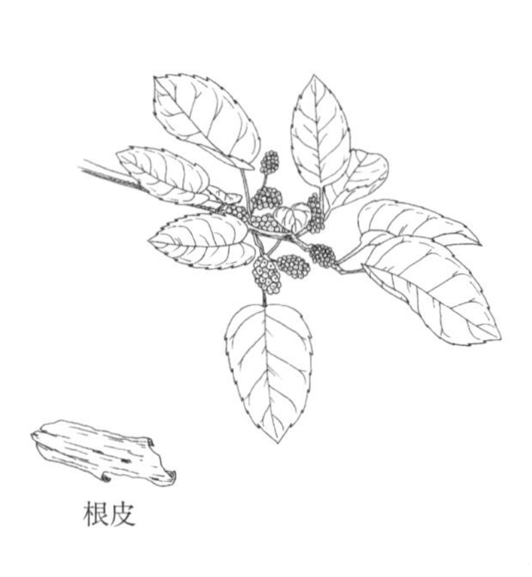

成　分 プレニルフラボン誘導体（モルシン，クワノン A～H），トリテルペノイドなど

薬　理 抽出物：血糖降下，血圧降下，摘出心臓運動抑制，鎮痛，カラゲニン・デキストラン浮腫の抑制，瀉下

水性画分：心臓・血管・腸管・子宮でアセチルコリン様作用

クワノン G，H：血圧降下，摘出心臓運動抑制

効能主治 性味：甘，寒

帰経：肺，脾

効能：肺の炎症を鎮め喘咳を治す，水滞*1・水腫*9を除く

主治：肺の炎症による喘咳，吐血，水腫，脚気，小便不利*5

引用文献 神農本草経：傷中，五労，六極の羸痩，崩中，脈絶するを主り，虚を補い，氣を益す（桑根白皮の項）

古方薬品考：肺を瀉し，水を利し，咳を止む（桑根の項）

配合応用 桑白皮＋桔梗：肺の炎症を鎮め，去痰する（清肺湯，杏蘇散）

桑白皮＋杏仁：肺の炎症，急性の気管支炎，肺気腫に伴う咳嗽，呼吸困難を治す（五虎湯，清肺湯，杏蘇散）

桑白皮＋紫蘇子：呼吸器の炎症を鎮め，喘咳を治す（喘四君子湯）

桑白皮＋麦門冬：肺の炎症を鎮め，津液*65を補い鎮咳去痰する（補肺湯）

配合処方 杏蘇散，五虎湯，清肺湯，喘四君子湯，補肺湯，奔豚湯（金匱要略）：李根白皮の代用として
▷294 処方中 6 処方（2.0%）

備　考 基原：かつては，野生の桑が用いられていたが，市場品は中国産の栽培種を用いているため基原植物が一種となっている。

竹茹（チクジョ） *Bambusae Caulis* 〈局外生規 2018〉

基　原 イネ科（*Gramineae*）の *Bambusa textilis* McClure, *B. pervariabilis* McClure, *B. beecheyana* Munro, *B. tuldoides* Munro，ハチク *Phyllostachys nigra* Munro var. *henonis* Stapf ex Rendle またはマダケ *P. bambusoides* Siebold et Zuccarini の稈の内層

産地：広東省

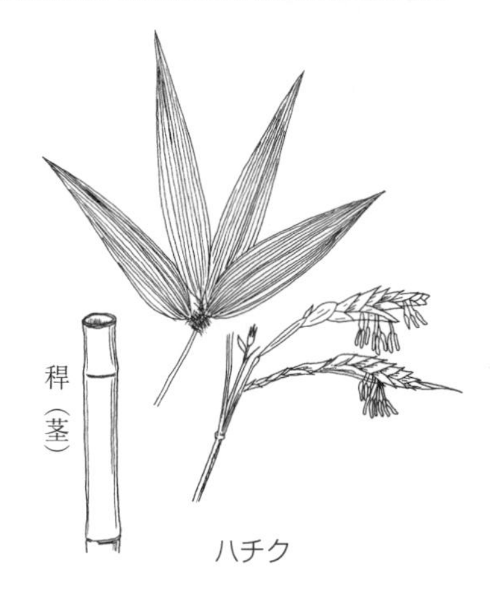

異名別名 竹筎，青竹茹，淡竹茹，淡竹皮茹

選　品 条片が細く均一で，帯緑黄白色で，質が柔韌なものが良品である。新鮮なものほど良い

成　分 トリテルペノイド，ペントサン，リグニン，セルロースなど

薬　理 制がん，抗菌

効能主治 性味：甘，涼

帰経：胃，胆

効能：清熱*3する，血熱*93を鎮める，痰を除く，止嘔する

主治：熱によって煩悶するもの，嘔吐，吃逆*94，熱痰，咳喘，吐血，鼻出血，不正子宮出血，悪阻，胎動不安，驚癇*95

引用文献 名医別録：嘔啘，温氣，寒熱，吐血，崩中して筋に溢るを主る（淡竹の項の皮筎の部分）

本草綱目：傷寒労復，小児熱癇，婦人の胎動を治す（竹の項の淡竹茹の部分）
古方薬議：嘔啘，寒熱，肺痿，唾血，傷寒労復を主る

配合応用 竹茹＋桔梗：胸部の炎症を除き，痰を除き，止咳する（清肺湯，竹茹温胆湯）
竹茹＋玄参：津液*65 を補い，清熱*3 して心煩*10 を除く（加味温胆湯）
竹茹＋生姜：胃の炎症をとり，止嘔する（温胆湯，加味温胆湯）
竹茹＋陳皮：胃中の炎症を除き胃気*23 を活発にし，嘔吐・嘔逆を止める（温胆湯，加味温胆湯）
竹茹＋半夏：胃気*23 を調えて，止嘔し，また痰を除く（温胆湯，加味温胆湯）

配合処方 温胆湯，加味温胆湯，清肺湯，竹茹温胆湯
▷294 処方中 4 処方（1.4%）

備　考 基原：ハチク，マダケは葉（竹葉の項 p. 62 参照）や稈を火であぶって切り口から流れ出た液汁（竹瀝の項参照）も生薬として用いられる。

竹瀝（チクレキ）*Phyllostachydis Succus*〈局外生規 2018〉

基　原 イネ科（*Gramineae*）ハチク *Phyllostachys nigra* Munro var. *henonis* Stapf ex Rendle またはマダケ *P. bambusoides* Siebold et Zuccarini の稈を火であぶり，切り口から流れ出た液汁

異名別名 竹油，竹汁，淡竹瀝

選　品 透明で色艶の良いものを良品とする。味のうす甘いものが良い。苦くて辛いものは若竹から採取したものであり良くない

成　分 無機物

効能主治 性味：甘苦，寒
帰経：心，胃
効能：清熱*3 し去痰を促し，興奮を鎮め混濁した意識を明らかにする
主治：脳卒中による意識不明，肺炎による意識混濁，けいれん発作，てんかん，高熱による煩渇*8，妊娠期の不安・悶え感，破傷風

引用文献 本草綱目：子冒風痓を治し，射罔の毒を解す
本草綱目（朱震亨曰）：中風の失音不語。血を養い，痰を清す。風痰，虚痰の胸膈に在って人をして癲狂せしむるものを治す（竹の項の淡竹瀝の部分）

配合応用 竹瀝＋生姜：脳卒中による意識障害・口噤*13 を治し，止嘔し，去痰する（清湿化痰湯：『改訂新版漢方処方集』収載）
竹瀝＋半夏：熱痰による咳嗽，呼吸困難，胸部の煩悶感を治す（清湿化痰湯：『改訂新版漢方処方集』収載）

配合処方 （清湿化痰湯）

備　考 基原：1. 一般的に流通はない。
2. ハチク，マダケは葉（竹葉の項 p. 62 参照）や稈の内層（竹茹の項 p. 227 参照）も生薬として用いられる。
配合処方：本品は『改訂新版漢方処方集』の清湿化痰湯のみに配合されており，一

般用漢方 294 処方の清湿化痰湯には配合されていない。

天南星（テンナンショウ） *Arisaematis Tuber* 〈局外生規 2018〉

マイヅルテンナンショウ

基　原　サトイモ科（*Araceae*）マイヅルテンナンショウ *Arisaema heterophyllum* Blume, *A. erubescens* Schott, *A. amurense* Maximowicz またはその他同属の近縁植物のコルク層を除いた塊茎
産地：湖北省，河南省，四川省，河北省

異名別名　南星（なんしょう），虎掌（こしょう），虎掌南星（こしょうなんしょう）

選　品　大きく，灰白色で，粉性に富むものが良品である。味の辛辣（しんらつ）なものが良い

成　分　トリテルペノイドサポニン，安息香酸，デンプンなど

薬　理　抽出液：去痰，抗けいれん，鎮静，鎮痛

効能主治　性味：苦辛，温
帰経：肺，肝，脾
効能：湿[*2]を除き去痰する，けいれん発作を治す
主治：脳卒中による意識障害，顔面神経麻痺，半身不随，癲癇（てんかん），引きつけ，破傷風，めまい，咽喉炎，るいれき[*96]，できもの

引用文献　神農本草経：心痛寒熱，結氣積聚（けっきしゃくじゅ），伏梁（ふくりょう），傷筋（しょうきん），痿（い），拘緩（こうかん）を主（つかさど）る。水道を利す（虎掌の項）
本草綱目：驚癇（きょうかん），口眼喎斜（こうがんかしゃ），口舌の瘡糜（そうび），結核，解顱（かいろ）を治す

配合応用　天南星＋蒼朮：風湿[*21]による麻痺，疼痛を治す（清湿化痰湯，二朮湯）
天南星＋半夏：湿[*2]を除き，胸脇の脹痛を除く（清湿化痰湯）

配合処方　清湿化痰湯，二朮湯
▷294 処方中 2 処方（0.7%）

使用注意　テンナンショウ類は，シュウ酸カルシウムの針晶が多く含まれているため，植物を誤食すると中毒症状を起こす。根茎を生で食した場合，強烈な刺激作用があり，口腔粘膜がびらんし，ひどい場合は部分的に壊死して脱落するので，生での使用には注意が必要である。なお，生の天南星を湯液に用いる場合は，生姜を配合して十分に煎じると良い。

備　考　基原：半夏の大型のものは，天南星と類似しているので注意を要する。

貝母（バイモ） *Fritillariae Bulbus* 〈日局 18〉

基　原　ユリ科（*Liliaceae*）アミガサユリ *Fritillaria verticillata* Willdenow var. *thunbergii* Baker のりん茎

産地：奈良県，浙江省，江西省

異名別名 浙貝母（せつばいも），浙貝（せつばい），象貝母（ぞうばいも），川貝母（せんばいも）

選　品 浙貝母と川貝母があり，日本では一般的に浙貝母（アミガサユリ）が多く流通している。肉厚で充実し，外面および内面に褐色が出ていないものを良品とする。川貝母は浙貝母に比べると植物も異なり，小ぶりである（備考参照）

貯蔵：虫害に留意する

成　分 ステロイドアルカロイド（バーチシン，バーチシノン，バーチシリン，フリチラリン），アルカロイド配糖体（ペイミノシド），ジテルペン類など

薬　理 抽出液：血圧降下

フリチラリン：呼吸運動中枢麻痺，嘔吐促進，呼吸および自発運動の障害，横紋筋の興奮性亢進

バーチシリン：呼吸麻痺，血管収縮

効能主治 性味：大苦，寒

帰経：肺，三焦*97，胃，肝

効能：清熱*3 し痰を除く，るいれき*96 を治す

主治：風熱*92 による咳嗽，肺の化膿性疾患により咽喉がふさがるもの，るいれき，できもの

引用文献 神農本草経：傷寒（しょうかん）の煩熱，淋瀝（りんれき），邪氣，疝瘕（せんか），喉痺（こうひ），乳難（にゅうなん），金瘡（きんそう），風痙（ふうけい）を主（つかさど）る

古方薬品考：煩を除き，結氣（けっき）を渙散（かんさん）す

重校薬徴：胸隔の鬱結（うっけつ），痰飲（たんいん）を主治す

古方薬議：傷寒煩熱（はんねつ），淋瀝喉痺，咳嗽，上氣（じょうき），吐血，咯血（かっけつ），肺痿（はいい），肺癰（はいよう）を主り，腹中の結実，心下満（しんかまん），胸脇の逆氣（ぎゃくき）を療す

現代における運用のポイント

- **鎮咳・去痰作用**

熱性の咳嗽に用い，鎮咳去痰をはかる。寒性のものには用いない。

- **るいれき*96 治療作用**

るいれき・化膿性の腫れ物のいまだ崩れないものに用い，炎症を鎮め，るいれきを解消する。

配合応用 貝母＋桔梗：化膿性の腫れ物などに対し，消炎解毒，排膿作用を示す。呼吸器系疾患での粘稠な痰を除く（清肺湯，外台四物湯加味）

貝母＋杏仁：咳嗽し呼吸困難で痰の多い症状を治す（清肺湯，外台四物湯加味）

貝母＋当帰：妊婦のリンパ節炎による小便不利*5 を治す（当帰貝母苦参丸料）

貝母（川貝母）＋麦門冬：肺の津液*65 を補い，鎮咳，去痰する（外台四物湯加味，滋陰至宝湯）　※この場合は川貝母の方が効果が増強される

配合処方 外台四物湯加味，滋陰至宝湯，清肺湯，当帰貝母苦参丸料

▷294 処方中 4 処方（1.4%）

備考 基原：貝母（アミガサユリ）は中国では浙貝母と呼ばれ，これ以外に *F. cirrhosa* D. Don を基原とする川貝母も流通する。『本草綱目』以前の文献には浙貝母と川貝母の区別がなく，両者とも貝母として取り扱われていた。現在，中国では浙貝母と川貝母を区別して用いている。

効能：浙貝母は，清熱*3，去痰，るいれき*96 を治す作用にすぐれ，多くは急性熱病の咳嗽に用いられる。川貝母は潤肺（じゅんぱい）*98，去痰作用にすぐれ，多くは慢性虚労性の咳嗽*99 に用いられる。

土貝母はウリ科の植物の塊茎で，貝母とはまったく別の生薬である。

配合応用：川貝母＋蛇胆（じゃたん），川貝母＋枇杷葉は，中国では鎮咳去痰を目的とした民間療法として著名である。

その他：貝母は薬鶏（やくけい）（貝母鶏（ばいもけい））を作る際の飼料となっている。貝母鶏は呼吸器系虚弱なものの治療および体質改善を目的とした薬膳の重要な素材となっている。

白芥子（ハクガイシ） *Sinapis Semen*

基原 アブラナ科（Cruciferae）シロガラシ *Sinapis alba* Linné の子実

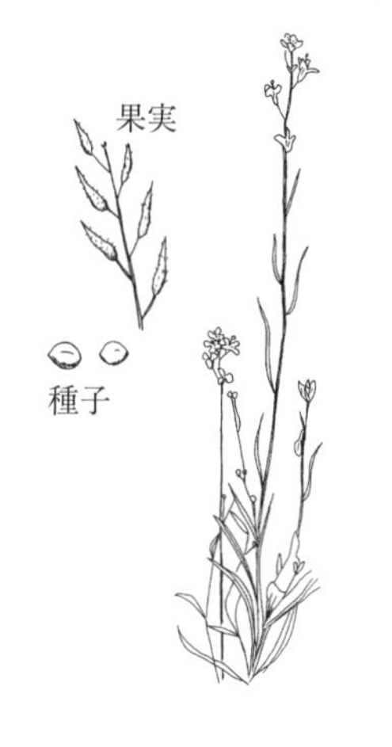

異名別名 辣菜子（らつさいし），マスタード

選品 大きく，実の入った，白色〜淡黄色のきれいなものを良品とする

成分 カラシ油配糖体（シナルビン），アルカロイド（シナピン），酵素（ミロシン），脂肪油など

薬理 抽出液：抗真菌

効能主治 性味：辛，温

帰経：肺，胃

効能：胃腸系を温め寒邪*45 を除き，去痰を促す。

外用し，湿布薬として用いれば，温め血流を良くして止痛する

主治：冷えによる咳喘多痰，嘔吐，卒中による言語障害，冷えによる神経痛・関節痛・筋肉痛，脚気。外用として，打撲腫痛，各種神経痛および麻痺

引用文献 本草綱目：氣を利し，痰を豁（かつ）し，寒を除き，中を暖め，腫を散じ，痛を止め，喘嗽（ぜんそう），反胃，痺木（ひぼく），脚氣，筋骨腰節（きんこつようせつ）の諸痛を治す

配合応用 白芥子＋甘草：四肢の陽気をめぐらし*36，冷えをとり，筋肉の動きをなめらかにする（清湿化痰湯）

白芥子＋蒼朮：寒邪*45・湿邪*25 を除き，血流を促し，冷えによる神経痛・関節痛・筋肉痛を治す（清湿化痰湯）

配合処方 清湿化痰湯

▷294 処方中 1 処方（0.3%）

備考 基原：1. 現在流通する白芥子はシロガラシ（yellow mastard）で香辛料用を転用している。

2. 芥子(がいし)と言うとカラシナ *Brassica juncea* Czerniaew et Cosson の種子を指し，和がらしの原料にも用いられるが，現在，生薬としての流通はない。

効能：白芥子はスパイスのマスタードとして有名である。薬用としての主な用途は共通する。

半夏（ハンゲ） *Pinelliae Tuber* 〈日局 18〉

基　原　サトイモ科（*Araceae*）カラスビシャク *Pinellia ternata* Breitenbach のコルク層を除いた塊茎

産地：四川省，甘粛省，貴州省，雲南省，安徽省，湖北省，韓国

異名別名　珠半夏(しゅはんげ)，法半夏(ほうはんげ)，羊眼半夏(ようがんはんげ)

選　品　乾燥が良く，粒が大きく丸く，質が堅く，充実し，外皮（コルク層）がきれいに除かれ，色が白く，粉性に富み，泥などが付着しないものを良品とする。質が充実したものが良い。小粒のものは次品である。なお，白いものが良品とされるが，あまりに純白のものは，漂白しすぎていると思われるものがあり，注意を要する。近年は，無漂白のものも流通している。褐色のものは古い可能性がある

貯蔵：本品は，虫やカビはつきにくいが，しけると変色する。保管は風通し良く，乾燥した場所でするのが良い

成　分　ホモゲンチジン酸とそのグルコシド，3,4-ジヒドロキシベンズアルデヒドとそのジグルコシド，セレブロシド，デンプンなど

薬　理　抽出液：唾液分泌亢進。抽出物：鎮吐活性

効能主治　性味：辛，温

帰経：脾，胃

効能：湿*2を除き，去痰を促す，突き上げるような嘔吐・咳を止める

主治：反胃(はんい)*54，咳喘多痰(がいぜんたたん)，嘔吐，胸部膨満感，頭痛，めまい

引用文献　神農本草経：傷寒，寒熱，心下(しんか)堅きもの，氣を下し，喉咽腫れ痛み，頭眩(ずげん)，胸脹，欬逆(かいぎゃく)し，腸鳴し，止汗を主(つかさど)る

古方薬品考：喉を利し，欬逆，嘔を除く

重校薬徴：痰飲(たんいん)，嘔吐を主治す。兼ねて心痛，逆満，腹中雷鳴，咽痛，咳悸(がいき)

古方薬議：氣を下し，胃を開き，痰涎(たんえん)を消し，嘔吐を止め，咳逆，喉咽腫痛を主る

現代における運用のポイント

- 鎮咳・去痰作用

多くの咳嗽に用いるが，特に湿性の咳嗽の湿*2を除き，鎮咳去痰をはかるのに有効である。

• 止嘔作用
胃部から突き上げてくるような嘔吐に用い，胃の機能を調え，胃内停水*26を除き，止嘔する。

配合応用 半夏＋栝楼仁：水滞*1と熱がからみ胸部に痰が詰まった状態を治す（柴陥湯，柴梗半夏湯，柴胡桔枳湯）
半夏＋乾姜：胃部を温め，胃内停水*26を除き，嘔気を止める（乾姜人参半夏丸，半夏瀉心湯，解急蜀椒湯，枳縮二陳湯，苓甘姜味辛夏仁湯）
半夏＋甘草：半夏の副作用を減じ，のどの腫れを除き，咽痛を治す（半夏散及湯）
半夏＋厚朴：梅核気*82，胃の機能の失調，気が通ぜず湿*2が停滞して起きる胃部の脹り・膨満感，および胃部から突き上げてくるような嘔吐・咳嗽を治す（厚朴生姜半夏人参甘草湯，半夏厚朴湯）
半夏＋五味子：胃内停水*26を除き，鎮咳する（小青竜湯，苓甘姜味辛夏仁湯）
半夏＋紫蘇子：去痰し，咽喉を通ず（蘇子降気湯）
半夏＋生姜（止嘔を目的とした場合の基本的な組み合わせ）：半夏の毒を抑え，気の上逆を止め，止嘔作用を増強する（小半夏加茯苓湯，小柴胡湯，大柴胡湯，二陳湯，奔豚湯（金匱要略））
半夏＋生姜＋藿香：寒湿*48が胃腸系を阻害して起こる腹部膨満感・胃部の疼痛・嘔吐を治す（藿香正気散，不換金正気散，八解散）
半夏＋竹茹：胃気*23を調えて，止嘔し，また痰を除く（温胆湯，加味温胆湯）
半夏＋陳皮：1）湿*2による咳嗽，胸部の閉塞感，嘔吐を治す（二陳湯，六君子湯）。2）胃内停水*26を除く（釣藤散）
半夏＋天麻：湿*2を除き，頭痛を治す（半夏白朮天麻湯）
半夏＋麦門冬：胃気*23を調え，津液*65を補い，鎮咳去痰し，突き上げるような咳を止める（麦門冬湯，竹葉石膏湯）
半夏＋茯苓：胃内停水*26を除き，嘔気を止める（小半夏加茯苓湯）
半夏＋附子：冷痰を除き，逆満*100，嘔吐を治す（附子粳米湯）

配合処方 温経湯，温胆湯，延年半夏湯，黄連湯，解急蜀椒湯，化食養脾湯，藿香正気散，加味温胆湯，乾姜人参半夏丸，甘草瀉心湯，枳縮二陳湯，堅中湯，香砂六君子湯，厚朴生姜半夏人参甘草湯，五積散，柴葛解肌湯，柴葛湯加川芎辛夷，柴陥湯，柴梗半夏湯，柴胡加竜骨牡蛎湯，柴胡枳桔湯，柴胡桂枝湯，柴芍六君子湯，柴蘇飲，柴朴湯，柴苓湯，生姜瀉心湯，小柴胡湯，小柴胡湯加桔梗石膏，小青竜湯，小青竜湯加杏仁石膏（小青竜湯合麻杏甘石湯），小青竜湯加石膏，小半夏加茯苓湯，参蘇飲，清肌安蛔湯，清湿化痰湯，蘇子降気湯，大柴胡湯，大柴胡湯去大黄，大半夏湯，竹茹温胆湯，竹葉石膏湯，丁香柿蒂湯，釣藤散，当帰湯，二朮湯，二陳湯，麦門冬湯，八解散，半夏厚朴湯，半夏散及湯，半夏瀉心湯，半夏白朮天麻湯，不換金正気散，伏竜肝湯，茯苓飲加半夏，茯苓飲合半夏厚朴湯，附子粳米湯，奔豚湯（金匱要略），奔豚湯（肘後方），抑肝散加陳皮半夏，六君子湯，苓甘姜味辛夏仁湯
▷294 処方中 63 処方（21.4%）

使用注意 半夏は生食すると，えぐ味と粘膜に対する刺激感が現れるため，その使用には留意する。半夏のえぐ味は，3, 4-ジグリコシリックベンズアルデヒド，口唇粘膜に対する刺激感は，粘液細胞中のシュウ酸カルシウムの針晶によると考えられている。こ

の刺激感は煎じることによって消失するが，これは，煎剤にするとき粘液の膨化によって針晶が包まれるためと考えられている。さらに，生姜あるいは生の生姜汁と一緒に服用すると，これらのえぐ味や刺激感が軽減する。

備　考　選品：かつて水半夏（みずはんげ）という別属のものが入っていた時期もあったが，局方不適であり，現在は流通もない。

枇杷葉（ビワヨウ）*Eriobotryae Folium*〈日局18〉

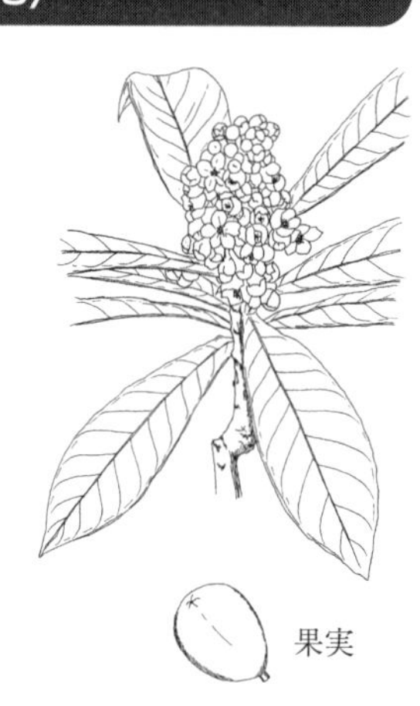

基　原　バラ科（*Rosaceae*）ビワ *Eriobotrya japonica* Lindley の葉
産地：徳島，浙江省，湖北省，四川省，広東省，福建省

異名別名　巴葉（はよう）

選　品　若い木から採った，極めて大きな葉を陰干しにしたもので，なるべく青味を帯びた新しいものほど良品である。葉の裏面の毛を除いたものが良いとされている

成　分　精油（ネロリドール，ファルネソール），トリテルペノイド，タンニンなど

薬　理　抽出液：抗炎症，鎮吐
ネロリドール：利尿

効能主治　性味：苦，涼
帰経：肺，胃
効能：肺の炎症を除き，鎮咳する，胃腸を調え，止嘔する
主治：肺の炎症による痰咳，咳血，鼻出血，胃の炎症による嘔吐

引用文献　本草綱目：胃を和し，氣を下し，熱を清し，暑毒を解し，脚氣を療す

配合応用　枇杷葉＋辛夷：鼻炎を治す（辛夷清肺湯）
枇杷葉＋麦門冬：鼻・咽頭部・口中の津液（しんえき）*65 を補い，炎症を鎮める（辛夷清肺湯，甘露飲）
枇杷葉＋百合：肺・気管の津液*65 を補い，炎症を鎮める。また，鎮咳する（辛夷清肺湯）

配合処方　甘露飲，辛夷清肺湯
▷294 処方中 2 処方（0.7%）

備　考　効能：枇杷葉は，日本では民間療法として江戸時代より盛んに用いられていた。主なものとしては，暑気あたりに用いられた枇杷（葉）湯や，あせもや湿疹を治療する浴剤などである。また，大正時代に始められた民間療法として枇杷葉療法（枇杷灸）がある。これは，あぶったビワの葉を患部や全身に当てたり，ビワの葉を置いた上から温灸する方法で，神経痛，関節痛，がんなどに用いられている。

＊1：p. 266 参照　＊2：p. 266 参照　＊3：涼性・寒性の薬物を用いて熱を除くこと　＊4：p. 285 参照　＊5：小便が出にくい状態　＊6：p. 261 参照　＊7：p. 267 参照　＊8：煩悶感を伴うような口渇　＊9：p. 266　＊10：胸部がほてり，悶えること　＊11：胸苦しさを伴う熱感および発熱　＊12：風邪によって起こる関節痛・神経痛・麻痺など　＊13：口が硬直して開かない状態　＊14：小便が出しぶり濁るもの　＊15：p. 285 参照　＊16：目が充血し，見えにくいもの　＊17：p. 273 参照　＊18：マラリアもしくはマラリア状の悪寒発熱が交互に起こる状態　＊19：p. 266 参照　＊20：p. 281 参照　＊21：p. 281 参照　＊22：→臓器を冠する気 p. 263 参照　＊23：→臓器を冠する気 p. 263 参照　＊24：胸腹部の気の痞えによる膨満感　＊25：p. 284 参照　＊26：p. 276 参照　＊27：何らかの要因で上逆した気を元の位置に降ろすこと　＊28：p. 279 参照　＊29：上部に突き上げてくること　＊30：p. 264 参照　＊31：胎児を安定させること　＊32：小便が出しぶり濁るもの　＊33：p. 268 参照　＊34：p. 259 参照　＊35：汗が出るべき状態でないのに発汗してしまうこと　＊36：沈滞している活動エネルギー（気）を活性化してめぐらせること　＊37：p. 279 参照　＊38：p. 265 参照　＊39：→心気虚 p. 268 参照，脾気虚 p. 273 参照　＊40：病が治らず，長引くもの　＊41：p. 263 参照　＊42：→臓器を冠する気 p. 263 参照　＊43：肺機能が衰えること　＊44：肺の化膿性疾患で，膿血を含んだ痰や唾を出す　＊45：p. 281 参照　＊46：胸部および胃部　＊47：p. 264 参照　＊48：p. 282 参照　＊49：胸部の悶え感　＊50：→和胃法 p. 277 参照　＊51：→醒脾法 p. 273 参照　＊52：p. 255 参照　＊53：のどがつまる病　＊54：p. 277 参照　＊55：風・湿・寒などの病邪に侵され，筋肉・関節に痛み・だるさ・しびれ，麻痺などが起こる病　＊56：体の深部からしみ出てくるような熱で一気に高熱となるもの。肺結核などに見られる。＊57：栄養状態が悪く，よく疳積を起こすもの　＊58：体内の寒邪および寒気を除くこと　＊59：だるさを伴う痛み　＊60：じんましんやはしかなどで十分に発疹が進まず，熱とともに体内に毒素が残っている場合に用いる方法で，発汗とともに発疹を促し，それにより毒素を体外に排泄すること　＊61：熱痰があり，咳嗽が甚だしいもの　＊62：喉がふさがる病状で，多くは腫れと痛みを伴う（咽喉炎・ジフテリアなど）　＊63：p. 270 参照　＊64：→渋腸固脱 p. 278 参照　＊65：p. 265 参照　＊66：肺中が津液不足となり，粘膜が乾燥して咳嗽し出血するもの　＊67：温性の邪による病。悪寒がなく，咽喉部の津液不足の状態が現れる p. 286 参照　＊68：p. 265 参照　＊69：三陰三陽論において，寒の証候より熱の証候が勝っているもの。太陽病，陽明病，少陽病がこれに当たる p. 260 参照　＊70：熱証による煩悶感，胸部だけでなく手足を含め全体に及ぶ　＊71：胸がふさがれた感じがし，呼吸困難や胸痛のあるもの。狭心症なども含まれる　＊72：胸部に熱と水が結合しておこる病証，心下部が痛み，按ずると硬く充満しているのを特徴とする　＊73：甚だしい口渇を伴う病証，高熱による津液不足の状態や糖尿病などをいう　＊74：→潤肺法 p. 270 参照　＊75：→潤肺 p. 270 参照，津液 p. 265 参照　＊76：小児のけいれん・引きつけ　＊77：→外感病 p. 249 参照　＊78：p. 264 参照　＊79：p. 265 参照　＊80：何らかの要因で上逆した気を元の位置におろすこと　＊81：胃腸の働きが悪く，消化されずに食物が停滞している状態　＊82：咽喉部の引っかかったような違和感，咽中炙臠とも言う　＊83：胸中から心下部にいたるまでの部位で痞え，明瞭な結塊を示し，固定した痛みのあるもの　＊84：肌を引きしめて，自汗・寝汗を止める　＊85：p. 272 参照　＊86：インポテンツ　＊87：p. 270 参照　＊88：p. 255 参照　＊89：→肺陰虚 p. 270 参照，腎陰虚 p. 271 参照　＊90：p. 281 参照　＊91：→温肺 p. 270 参照　＊92：p. 281 参照　＊93：瘀血で炎症の強いもの，および温病で熱が血分に入った状態（通常，血便・吐血などの出血が伴う）　＊94：しゃっくり　＊95：小児のけいれん・ひきつけ　＊96：頸部リンパ節結核　＊97：p. 279 参照　＊98：p. 270 参照　＊99：体力が低下し，慢性化した咳嗽性疾患，肺結核なども含む　＊100：下部から気が突き上げ，胸腹部が脹って苦しいもの

1）異物同名品が多い生薬。シソ科のカキドウシ *Glechoma hederacea* L. subsp. *grandis* Hara の全草が正品であるとの説もあるが，他にマメ科の *Desmodium styracifolium* Merr. やサクラソウ科の *Lysimachia christinae* Hance. の全草も同様に利用される。『中華人民共和国药典 2020 年版』では，*L. christinae* Hance. を基原植物としている。これ以外の基原植物に由来するものもあるが，上記にあげた基原のものについては，利水・通淋作用や胆石・尿路結石などの排石作用に効果があるとされている。
2）シソ科ナギナタコウジュ *Elsholtzia ciliata*（Thumb.）Hylander の全草。中国では，江香薷 *Mosla chinensis* Maxim. cv. jiangxiangru 石香薷 *M. chinensis* maxim を用いる。発汗解暑，健胃除湿，利水の作用があり，暑湿による感冒・下痢などによく用いられる。
3）『大漢和辞典』縮寫版第二刷　諸橋轍次著　大修館書店（1968）

X 排膿薬

排膿薬とは，化膿性疾患に用い排膿を促進する薬物である。化膿が軽い場合には，膿を吸収することもある。具体的には，種々の化膿性のできもの・種々の炎症・麦粒腫・蓄膿症・痔瘻（じろう）・肺膿瘍・虫垂炎後期・歯槽膿漏・中耳炎などの病症を治療する。

桜皮（オウヒ）*Pruni Cortex*〈日局 18〉

基　原　バラ科（*Rosaceae*）ヤマザクラ *Prunus jamasakura* Siebold ex Koidzumi またはカスミザクラ *P. verecunda* Koehne の樹皮
産地：四国，九州

選　品　特に色・におい・味・その他成分による品質評価があまりされていない。皮の厚いもの，虫やカビ・退色の少ない外観のものを良品としている

成　分　フラボノイド（サクラネチン，サクラニン），ステロールなど

樹皮

薬　理　抽出物：鎮咳，去痰

効能主治　効能：排膿を促進する，解毒する，解熱する
主治：急性胃炎，生ものによる中毒，じんましん，打撲，できもの

配合応用　桜皮＋桔梗：排膿を促進する（十味敗毒湯）
桜皮＋防風：発斑を促す（十味敗毒湯）

配合処方　十味敗毒湯（樸樕の代用可），治打撲一方（樸樕の代用として）
▷294 処方中 2 処方（0.7%）

備　考　効能：中国では桜皮は使用されない。日本では，古くから民間療法として使われてきた（特に江戸時代に多く使用された）。原典で桜皮を用いた処方としては，華岡青洲（はなおかせいしゅう）が人参敗毒散（にんじんはいどくさん）の変方として十味敗毒湯（『瘍科方筌（ようかほうせん）』収載）を作った際に樸樕に代えて桜皮を用いた一方のみである（樸樕の項 p. 176 参照）。

冬瓜子（トウガシ）*Benincasae Semen*〈日局 18〉

基　原　ウリ科（*Cucurbitaceae*）トウガン *Benincasa cerifera* Savi または *B. cerifera* Savi forma *emarginata* K. Kimura et Sugiyama の種子

産地：広東省，安徽省，広西，河北省，四川省，浙江省

異名別名　白瓜子（はくがし），瓜子（かし），冬瓜仁（とうがにん）

選　品　淡黄白色で，粒は大きく充実していて，未熟種子や夾雑物のないものが良品である。暗色を呈するものは腐敗したものである

貯蔵：虫がつきやすいので，低温の場所で保存するのが望ましい

成　分　タンパク質，脂肪油，トリテルペノイドサポニンなど

薬　理　抽出物：免疫賦活

効能主治　性味：甘，涼

帰経：肝

効能：肺を潤す[*1]，痰を除く，化膿性の腫れ物を治す，利尿し水分代謝を促す

主治：熱性の咳を止め痰を除く，肺癰（はいよう）[*2]，腸癰（ちょうよう）[*3]，淋病，水腫[*4]，脚気，痔瘡（じそう），鼻面酒皶（びめんしゅさ）[*5]

引用文献　神農本草経：人をして悦沢（えつたく）にして顔色を好（よ）からしめ，氣を益し，飢えせしめず（瓜子の項）

古方薬品考：潤行（じゅんこう）し，大小腸を利す

配合応用　冬瓜子＋桃仁：炎症を鎮め，瘀血（おけつ）[*6]を除き，排膿を促す（大黄牡丹皮湯）

冬瓜子＋牡丹皮：炎症を鎮め，排膿し，膿瘍を消失する（大黄牡丹皮湯）

配合処方　大黄牡丹皮湯

▷294処方中1処方（0.3%）

*1：→潤肺法 p.270 参照　*2：肺の化膿性の疾患で，膿血を含んだ痰や唾を出す　*3：p.278 参照　*4：p.266 参照
*5：赤鼻と顔面の酒やけ　*6：p.265 参照

XI 駆虫薬

駆虫薬とは，体内に寄生する回虫・ギョウ虫などの寄生虫を排泄するために用いる薬物である。

海人草（マクリ） *Digenea*〈日局 18〉

基　原　フジマツモ科（*Rhodomelaceae*）マクリ *Digenea simplex* C. Agardh の全藻
産地：沖縄県，鹿児島県

異名別名　鷓鴣菜（しゃこさい），海人草（かいにんそう）

選　品　色の青々とした軟らかな美しい毛茸（もうじ）の附着している蔓（つる）の長いもの，新鮮なもの，砂石および貝殻など異物の混じらぬものを良品とする
貯蔵：あまり乾燥させすぎないよう留意する

成　分　アミノ酸誘導体（α-カイニン酸，α-アロカイニン酸），アミノ酸，有機酸，多糖類など

薬　理　抽出物：駆虫
カイニン酸：回虫の運動麻痺（駆虫），神経細胞興奮

効能主治　効能：回虫を駆除する
主治：回虫駆除，出生直後に新生児に与えて胎毒を下す

配合応用　海人草＋柴胡：回虫を原因とする発熱を除く（清肌安蛔湯）
海人草＋大黄：回虫を下す（鷓鴣菜湯）

配合処方　鷓鴣菜湯（三味鷓鴣菜湯），清肌安蛔湯
▷294 処方中 2 処方（0.7%）

備　考　基原：海人草は，以前よりしばしば鷓鴣菜と混同されてきたが，鷓鴣菜はコノハノリ科のアヤギヌ *Caloglossa leprieurii*（Mont.）J. Agardh という海藻である。鷓鴣菜は海人草と同様にカイニン酸を含み，駆虫薬として用いられる。
効能：＜新生児への用法＞
海人草は古来，新生児の胎毒を除くのに用いられてきた。処方については種々のものがあるが，代表的なものとして海人草と甘草の 2 味を湯に浸し，その汁を生後 3 日以内の新生児の口に含ませるというものがある。

川楝子（センレンシ） *Meliae Fructus*〈局外生規 2018〉

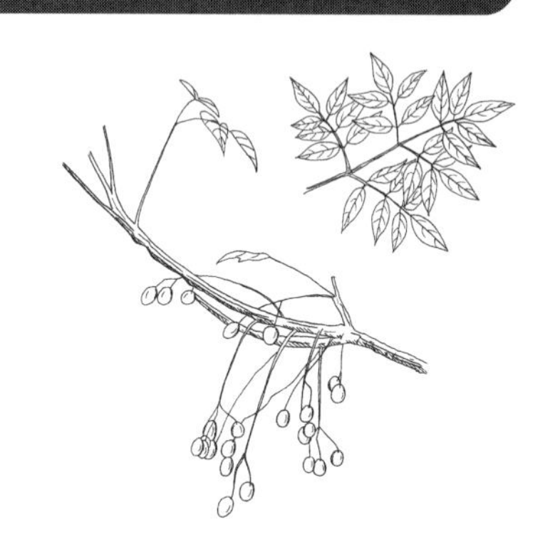

基　原　センダン科（Meliaceae）トウセンダン *Melia toosendan* Siebold et Zuccarini またはセンダン *M. azedarach* Linné var. *subtripinnata* Miquel の果実
産地：四川省

異名別名　楝實（れんじつ），楝実（れんじつ），練実（れんじつ），苦楝子（くれんし）

選　品　表面がきれいで，乾燥が良く充実し，肉は黄白色，厚くて柔らかいものを良品とする。古いものは褐色に変色する
貯蔵：虫害に留意する

成　分　スコポリン，スコポレチン，変形トリテルペン（トウセンダニンなどのリモノイド類），タンニン，有機酸（リンゴ酸）など

薬　理　トウセンダニン：回虫に対する殺虫効果

効能主治　性味：苦，寒
帰経：肝，胃，小腸
効能：湿熱*1 を除く，肝火*2 を清熱*3 する，止痛する，駆虫する
主治：熱厥（ねっけつ）心痛*4，脇痛，疝痛*5，慢性回虫症による腹痛

引用文献　神農本草経：温疾（うんしつ），傷寒大熱煩狂，三蟲（さんちゅう）を殺し，疥瘍（かいよう），小便水道を利するを主（つかさど）る（楝實の項）

配合応用　川楝子＋烏梅：駆虫作用を有す（椒梅湯）
川楝子＋山椒：駆虫作用を有す（椒梅湯）
川楝子＋檳榔子：駆虫作用を有す（椒梅湯）

配合処方　椒梅湯
▷294 処方中 1 処方（0.3%）

使用注意　1）センダンの実は，民間薬として虫下しや，ひび・あかぎれなどの外用薬として用いられてきたが，悪心や嘔吐のような中毒症状を起こす成分が含まれているため，服用量には注意が必要である。
2）同属植物である苦楝（タイワンセンダン *M. azedarach* L.）の果実を，中国の一部地域では，川楝子として使用しているが，これには毒性がある。10 粒～70 粒を誤って食したときの中毒症状は，急性中毒性肝炎，呼吸困難，四肢の麻痺，間代性けいれん，血圧上昇などである。なお，日本で流通する川楝子はトウセンダンやセンダンを基原とするものであり，苦楝が流通することはない。

檳榔子（ビンロウジ） *Arecae Semen*〈日局 18〉

基　原　ヤシ科（*Palmae*）ビンロウ *Areca catechu* Linné の種子
産地：雲南省；タイ

異名別名　檳榔，檳榔仁，白檳榔，賓門，大腹子，大腹檳榔

選　品　偏平球状の渋味のある堅硬なものを「大腹檳榔子」（ひらで様）と言い上品とする。外部が淡褐色で内部の紋理が白くて虫食いがなく，脚部の凹窩に穴のないものが良い。また種子が大きくて重く堅実で割れていないものを良品とする。未熟で，もろいものは良くない

成　分　アルカロイド（アレコリン，アレカイジン，グバシン），タンニン，脂肪油など

薬　理　条虫駆除，止瀉
アレコリン：中枢興奮，ムスカリン様作用，ニコチン様作用

効能主治　性味：苦辛，温
帰経：脾，胃，大腸
効能：寄生虫を駆除する，消化不全を治す，腹中の膨満感を除く，水腫[*6]を除く
主治：寄生虫による腹内の硬結，飲食の停滞，胃や腹の腫痛，渋り腹，マラリア，水腫，脚気，多痰，腹中の硬結

引用文献　名医別録：穀を消し，水を逐ひ，痰澼を除き，三蟲，伏尸を殺し，寸白を療す（檳榔の項）
本草綱目：瀉痢後重，心腹諸痛，大小便の氣秘，痰氣喘急を治し，諸瘧を療じ，瘴癘を禦ぐ
古方薬品考：脾を健し，滞を破り，氣を開く（檳榔の項）

配合応用　檳榔子＋陳皮（橘皮）：飲食の停滞による腹脹り・膨満感を治す。四肢の気をめぐらし，手足の倦怠感を治す（九味檳榔湯，鶏鳴散加茯苓）
檳榔子＋厚朴：胃腸の湿[*7]を除き，胸腹部の脹り・膨満感を治す（九味檳榔湯）
檳榔子＋芍薬：腹中の膨満感を除き，腹痛を治す（烏苓通気散）
檳榔子＋木瓜：湿[*7]を除き，水腫[*6]を消す（鶏鳴散加茯苓）
檳榔子＋人参：胃腸機能を促進し，腹脹り・膨満感を治す（延年半夏湯）
檳榔子＋木香：胃腸における飲食の停滞，胃腸の脹り・膨満感を除き，気をめぐらす（女神散，九味檳榔湯）

配合処方　延年半夏湯，九味檳榔湯，鶏鳴散加茯苓，椒梅湯，女神散（安栄湯），烏苓通気散
▷294 処方中 6 処方（2.0%）

備　考　基原：ビンロウの果皮は，大腹皮といい生薬として用いられる（大腹皮の項 p. 135 参照）

＊1：p. 285 参照　＊2：p. 274 参照　＊3：涼性・寒性の薬物を用いて熱を除くこと　＊4：熱が胸心部に集まり，心痛するもの　＊5：腹部の激しい痛み（鼠径ヘルニアなど）　＊6：p. 266 参照　＊7：p. 266 参照

XII 外用薬

外用薬とは，皮膚や粘膜における種々の疾患に対して，外用として用いる薬物のことである。具体的病症としては，切り傷・打撲・捻挫・皮膚炎・化膿性疾患・火傷・凍傷・陰部掻痒症・咽痛・結膜炎・麦粒腫などがある。使用剤型としては，点眼薬・点鼻薬・うがい薬・軟膏・湿布薬・坐薬・浴用料・洗浄薬などがある。

黄蝋（オウロウ）／ミツロウ *Cera Flava*〈日局18〉

基　原　ミツバチ科（*Apidae*）ヨーロッパミツバチ *Apis mellifera* Linné またはトウヨウミツバチ *A. cerana* Fabricius などのミツバチの巣から得た蝋を精製したもの

産地：中国各地

異名別名　蠟（ろう），蝋（ろう），蜜蠟（みつろう），蜜蝋（みつろう），蜂蝋（ほうろう）

選　品　黄色で純粋で，質が比較的軟らかくて油気が多く，蜂蜜のような香気を顕著に持つものを良品とする。なるべくサラシミツロウを選んだほうが良い

貯蔵：日本薬局方では密閉容器で保存するとしている

成　分　高級脂肪酸エステル，高級アルコール，高級脂肪酸，高級炭化水素など

効能主治　性味：甘淡，平

帰経：脾，胃，大腸

効能：下痢を止め，胃けいれんを治す。外用して，肌を保護して補い，皮膚の回復を速やかにする，排膿作用を持つ

主治：胃けいれん，膿血を伴う下痢，長期にわたり止まらぬ下痢，胎動による下血*1。外用して，できもの，やけど，切り傷

引用文献　神農本草経：下痢膿血（のうけつ）を主（つかさど）る。中（ちゅう）を補い，絶傷金瘡（ぜっしょうきんそう）を続（つ）ぎ，氣を益し，饑（う）えず，老に耐える（蜜蝋の項）

配合応用　黄蝋＋ゴマ油：（外用）皮膚を保護し，乾燥を潤し，皮膚の回復を促進する（紫雲膏，神仙太乙膏，中黄膏）

黄蝋＋松脂：（外用）傷口をふさぎ固め，傷口の拡大を防ぐ（左突膏）

配合処方　左突膏，紫雲膏，神仙太乙膏，中黄膏

▷294処方中4処方（1.4%）

備　考　効能：現在では，紫雲膏・中黄膏など漢方系軟膏の基剤として，軟膏の融点を上げるのに用いられている。

異名別名：日局18ではミツロウの名称で収載されるが，その色調から黄蝋（おうろう）とも言

われ，別名として黄蝋が挙げられている。黄蝋をさらに煮詰めて漂白などの加工をしたものは白蝋もしくはサラシミツロウと呼ばれ，日局 18 に収載されている。

ゴマ油 *Oleum Sesami* 〈日局 18〉

基　原 ゴマ科（*Pedaliaceae*）ゴマ *Sesamum indicum* Linné の種子から得た脂肪油

異名別名 胡麻油（ごまゆ），麻油（まゆ），烏麻油（うまゆ），脂麻油（しまゆ）

選　品 酸敗したものは避ける。あまり精製しすぎた無色に近いものは，安定性がないと言われる

貯蔵：低温の場所に保存するのが望ましい。日本薬局方では気密容器で保存するとしている

成　分 リグナン類（セサミン，セサモール）など

効能主治 性味：甘，涼

帰経：大腸

効能：腸を潤滑し乾燥便を通ず，外用して，肌の乾燥を潤し生き生きとさせる

主治：乾燥性便秘，回虫による腹痛，食積（しょくせき）*2 腹痛，できもの，潰瘍，疥癬（かいせん），ひびわれ，あかぎれ

引用文献 本草綱目：熱毒，食毒，蟲毒（ちゅうどく）を解し，諸蟲（しょちゅう），螻蟻（ろうぎ）を殺す

配合応用 ゴマ油＋当帰：（外用）体表の血流を促し，肌の乾燥を潤す（紫雲膏）

ゴマ油＋豚脂：（外用）皮膚の乾燥を防ぎ，皮膚の回復をはかる，やけど・しもやけ・ひびわれ・あかぎれ・痔疾などを治す（紫雲膏，左突膏）。（内服）津液 *3 を補い，便通を促す

ゴマ油＋黄蝋：（外用）皮膚を保護し，乾燥を潤し，皮膚の回復を促進する（紫雲膏，神仙太乙膏，中黄膏）

ゴマ油＋松脂：（外用）傷口の防腐作用をもち，回復を早める（左突膏）

配合処方 左突膏，紫雲膏，神仙太乙膏，中黄膏

▷294 処方中 4 処方（1.4%）

豚脂（トンシ） *Adeps Suillus* 〈日局 18〉

基　原 イノシシ科（*Suidae*）ブタ *Sus scrofa* Linné var. *domesticus* Gray の脂肪

異名別名 猪脂膏（ちょしこう），猪脂（ちょし），猪膏（ちょこう），猪脂肪（ちょしぼう）

選　品 長く保存したものは酸敗しやすい。なるべく新鮮なものを用いる

貯蔵：低温の場所に保存する。日本薬局方では密閉容器で保存するとしている

成　分 脂肪酸

効能主治 性味：甘，涼

効能：滋養強壮する，津液 *3 を補う。外用して皮膚の乾燥を防ぎ，皮膚の回復をはかる

主治：乾燥性便秘。外用して，ひびわれ，あかぎれ，しもやけ，やけど

引用文献　本草図経：諸悪瘡を主り，血脈を利し，風熱を解し，肺を潤す。膏薬に入る（豚卵の項の肪膏の部分）

古方薬品考：液を生じ，人をして肥澤ならしむ（猪膏の項）

配合応用　豚脂＋ゴマ油：（外用）皮膚の乾燥を防ぎ，皮膚の回復をはかる，やけど・しもやけ・ひびわれ・あかぎれ・痔疾などを治す（紫雲膏，左突膏）

（内服）津液*3 を補い，便通を促す

配合処方　左突膏，紫雲膏

▷294 処方中 2 処方（0.7%）

備　考　基原：生薬としての流通はない（工業用豚脂が使われる）。

白礬（ハクバン）／明礬（ミョウバン） *Allume*〈日局 18〉

基　原　硫酸アルミニウムカリウム水和物

※日局 18 には，硫酸アルミニウムカリウム水和物（ミョウバン）として収載されている。なお，日局 18 には，乾燥硫酸アルミニウムカリウム（焼ミョウバン），ミョウバン水も収載されている。

異名別名　礬石，涅石，枯礬

選　品　色が白く透明で，質が硬くてもろく，夾雑物のないものを良品とする

貯蔵：日本薬局方では気密容器で保存するとしている

成　分　原鉱物の明礬石（アルナイト Alunite）は塩基性硫酸アルミニウムカリウム（$Al_3K(SO_4)_2(OH)_6$），白礬（明礬）は硫酸アルミニウムカリウム水和物（$AlK(SO_4)_2 \cdot 12H_2O$）である

薬　理　抗菌，抗膣トリコモナス，収れん止血

効能主治　性味：酸渋，寒

帰経：肺，脾，胃，大腸

効能：湿を除く，去痰する，止瀉する，止血する，毒虫などの諸毒を解す，寄生虫の駆除。外用して，抗炎症作用，目・鼻・耳の炎症および各種皮膚炎に用いる

主治：痰がのどに詰まるもの，胃・十二指腸潰瘍，子宮脱出症，下痢。外用して，白帯下，局部の痒み，口内のできもの，痔，疥癬，やけど，虫刺され，鼻出血，結膜炎（1% ミョウバン液で洗う），眼瞼縁炎（ただれ目），中耳炎および耳部の湿疹

引用文献　神農本草経：寒熱洩痢，白沃，陰蝕，悪瘡，目痛を主り，骨，歯を堅くす（礬石の項）

本草綱目：痰涎飲澼を吐下し，湿を燥し，毒を解し，涎を追ひ，血を止め，痛を鎮め，悪肉を蝕し，好肉を生じ，癰疽，疔腫，悪瘡，癲癇，疸疾を治し，大小便を通ず。口歯，眼目の諸病，虎，犬，蛇，蠍その他あらゆる蟲の咬傷に用いる（礬石の項）

古方薬品考：洩を固め，湿を燥し，熱を解す（礬石の項）

古方薬議：風(ふう)を除き，痰を消し，渇を止め，毒を解し，湿を燥し，痛を定め，白沃，陰蝕，悪瘡，目痛を主(つかさど)る（礬石の項）

配合応用 白礬（明礬）＋黄柏：（外用）患部の炎症をとり，充血を除く（蒸眼一方）

配合処方 蒸眼一方

▷294 処方中 1 処方（0.3%）

使用注意 白礬は多量に服用すると，刺激性が強いため，口腔・喉頭のやけど，嘔吐，下痢，虚脱を起こす。よって，白礬の多量服用には留意する。

＊1：流産しかかり下血したもの　＊2：消化不十分によって起こる諸症状　＊3：p. 265 参照

第２部

漢方概論

第１章　漢方とは何か

1　多くの側面を持つ漢方

漢方というと一般には，漢方薬および漢方薬を用いた治療法と考えられているが，広くは，鍼灸や按摩，気功法，薬膳などもその範囲に含まれる。漢方薬による療法は薬を煎じた液体を飲むことから湯液（とうえき）療法と呼ばれている。

漢方という名の由来は，明治以後のことで，それ以前は医学といえばみな漢方であった。明治になって，わが国に西洋医学が本格的に入るようになり，それまでのわが国の医学と区別する意味で，漢方と呼ばれるようになった。この医学体系が完成されたのが，中国の漢の時代であったため，この名がつけられたのである。

次に漢方のそれぞれの治療法について簡単に説明する。

湯液療法

古くは煎じ薬を用いる治療法のすべてを指していた。しかし今では，漢方薬のエキス化されたものも含めて考えられている。漢代以降いくつかの流派が生まれたが，日本漢方では，現在3つの流派が残っている。その１つは，後漢の時代に張仲景（ちょうちゅうけい）によって著された『傷寒論』を基本とするグループで，これを**古方派**という。もう１つは，金元時代に生まれた医学を中心とするグループで，これを**後世派**と呼んでいる。発生的には古方派の方が古いが，日本に伝播した順序は逆である。最後のグループはこの両者の考えを折衷しようとした人たちで，**折衷派**，もしくは**考証派**と呼ばれている。なお，現在はこれらのほかに**中医学**が加わっている。

鍼灸療法

鍼灸療法は，中国の戦国時代にはすでに存在していた非常に古い治療法である。特に灸療法は古く『孟子』の中にも見られる。具体的には，体表にあるツボを鍼または灸で刺激することで気を動かし，その気が経絡を伝播して，内臓およびその他の器官を調和させるという方法である。その基本となる考え方を**臓腑経絡論**といい，**陰陽五行説**と深い関連を持っている。

按摩療法

鍼や灸を使うことなく，ツボや経絡を手で揉んだり押したりすることによって，気を動かし体を調和させる方法である。一見，西洋のマッサージ療法と似ているが，ツボや経絡を重視するのが特徴となる。

気功療法

気功法という言葉は，最近になって使われるようになったが，その起源は古く，導引法や五禽（ごきん）の術と呼ばれていた。呼吸法を中心にゆったりとした運動法を加え，体内の気を巡らすことを目的としている。

薬膳療法

薬膳も，気功と並んで新しい用語で，1980年中国四川省成都に開店した同仁堂薬舗が初めて用いた。しかし，この考え方も起源は古く周の時代まで遡る。基本は食事療法で，それに漢方薬を加えたものを薬膳と呼んでいる。薬膳には次の3つの段階がある。

①食養：食事療法によって病気を予防すること

②食療：食物の中の薬的な側面を生かし食物で治療すること

③薬膳：食療にさらに純然たる漢方薬を加味したものをいう

そしてこの3段階によっても病気が治らない時，湯液療法を用いるのである。したがって当然漢方薬を服用する際には，食事療法との併用が極めて大切なこととなる。

2　西洋医学との違い

西洋医学も19世紀までは，主薬にほとんど薬草を用いていたので，見た目にはあまり漢方と変わるものではなかった。ところが，19世紀後半になって科学が発達し，その影響を受けるようになると，細胞や細菌の概念が確立し，医学体系そのものに大きな変化が生じた。

西洋医学の長所の1つは細菌感染に対する予防衛生の観念を広めたことであり，もう1つは抗生剤の発見により細菌性の疾患を減少させたことである。ここに至って，西洋医学と漢方との相違が決定的になってきたのである。西洋医学と漢方はともに原因療法を標榜しているが，両者の最も大きな相違点は，西洋医学が病気の原因である細菌やウイルスに目標を絞り，それを殺すことに主眼を置くのに対して，漢方では病原菌より，生体の活力を増し，いかに健康体としての調和をとるかに力点を置くところにある。

3　民間薬との違い

民間薬もその源をたどれば，多くは漢方薬の仲間である。両者の違いは，漢方薬では1つの生薬が一定の法則のもとに他薬と組み合わされ，厳密な運用法のもとに用いられるが，民間薬では，ドクダミにしろ，ゲンノショウコにしろ，1つの生薬が単独で，しかも経験的に用いられ，他薬との組み合わせはほとんどない。したがって，民間薬を使う民間療法は，漢方でいうような証の概念によって運用されるのではなく，下痢や頭痛といった1つの症候によって大ざっぱに運用される。

第2章　漢方の考え方

1　漢方の病因

漢方の病因について最も古い体系はすでに『素問』に登場する。この体系を整理したのは中国宋代の陳無擇（ちんむたく）である。彼は病因をその種類によって，外因，内因，不内外因に分類した。これを**三因説**といい，現代の中医学や日本漢方における病因論の基本となっている。

外因とは**風**・**寒**・**熱**（**火**）*1・**暑**・**湿**・**燥**の6つの気候変化（**六淫**（りくいん））のことで，これらの気候変化に生体が対応できない時に発病すると考える。

内因とは**怒**（ど）・**喜**（き）・**思**（し）・**憂**（ゆう）・**驚**（きょう）・**悲**（ひ）・**恐**（きょう）の7つの感情変化のことで，激しい感情変化に身体が対応できない時は体内から発病すると考える。

不内外因とは外因にも内因にも分類しがたいもので，飲食の不摂生，労働過多，セックス過多，外傷，虫獣傷などを指す。

明代後半になると，これら以外に疫癘（えきれい）や温疫（うんえき）など，今でいう伝染性熱性病を示す概念が現れた。

一方，外因によって引き起こされる病にこれら疫癘などの感染症を加えたものを**外感病**（がいかんびょう）といい，内因によって引き起こされる病は**内傷病**（ないしょうびょう）という。

他の病因としては，先天の気（両親から受け継いだ遺伝的要因も含めた先天的生命力）や後天の気（生まれた後に食物や運動・養生によって身につけた生命力）の衰え，気・血・水（痰）のバランスの崩れなどが病因と考えられる場合もある。

2　証とは何か

西洋医学の病名療法や対症療法に対して，漢方治療の要点は，日本漢方においては**随証療法**であり，中医学においては**弁証論治**と呼ばれるもので，いずれもいかに証を正しく把握するかにある。

歴史的に多くの議論がなされてきた**証**の概念を一言で表現することは難しいが，およそ次のようになる。

われわれの身体は，いわばブラックボックスのようなものであり，何か病変があったからといって，いちいち解剖することはできない。しかし，何かの病変が起これば，必ずその原因（**外邪**）に対抗して平衡をとろうとする力が体内に生じる。この生命力を漢方では**正気**（せいき）という。すなわち，漢方では，病気を外邪と正気の抗争と捉え，抗争があれば必ず身体に種々の自覚症状・他覚症状となって現れると考えるのである。これらの症状（症候群）とその変化の軽重から体内の抗争の状態（本質）を推察し，抽象化して掌握することを“証をつかむ”または“弁証する”という。すなわち，証とは“抽象化された病体内の抗争の本質”であり，これをつかむことが漢方診断のキーポイントとなる。

ただし，その抽象化する方法，いい換えれば証の立て方，つかみ方は1つとは限らない。例えてみれば1つの山を登るのに，登山口やルートがいくつも存在するようなものである。ルート（方法）さえ間違えなければ，どのルートでも頂上（本質）にたどり着く。しかし，その難易度はそれぞれ違うので，登り始める前にルートをよく吟味しなければならない。具体的にいえば，1つの病気のある状態に対し，複数の湯液によって治療できるし，鍼灸や按摩，気功，食事療法など，いくつかの方法によるアプローチも可能である。ただ，どの治療方法を選ぶかによってその難易度に差があるので，治療法の選択も重要になる。

同じ湯液療法であっても，日本漢方と中医学ではその論証の方法（証のつかみ方）に明確な違いがあるので，その違いに触れておきたい。

（1） 随証療法―日本漢方における証のつかみ方―

日本漢方において“随証療法”や“証とは何か”が議論され始めたのは，日本東洋医学会の創立（1950）や『漢方の臨床』の創刊（1954）のころからである。それは，西洋医学の疾病診断に対して，漢方の診療と治療を特徴づけるものであった。

証の起源は，後漢の張仲景が著した『傷寒論』の桂枝湯の条文中にある「随証治之（証に随って之を治せ）」にある。『傷寒論』では多くの疾病に関する条文がその治療処方と対になっている。したがって，『傷寒論』を基本とする漢方では，現実の疾病が示す症候群と『傷寒論』中の条文と比較して，最も近い，もしくは同じ方向を示している条文を選び出すことが“証を捉えること”であり，同時に“処方が決定される”ことになる。当時これらの論争の中心的存在であった奥田謙蔵は『傷寒論講義』（1965）の中で証について「証とは疾病の証拠なり。即ち身体内に於ける病変を外に立証し，以て其の本体を推定し，之を薬方に質すの謂なり」と述べている。この奥田の認識が多くの古方家を代表する立場である。

現在の日本では，漢方薬として本来の煎薬よりもエキス剤が使われることの方が多く，ともすると病名や症候群による薬剤の選択が多くなっているようであるが，漢方療法は漢方薬を用いることにあるのではなく，その本質は漢方薬をどのような法則で用いるかにある。したがって，漢方を学ぶうえで証の概念を把握することは極めて重要である。以下，古方派の立場から，証を把握するうえでのプロセスを簡単に紹介する。

①三陰三陽の病位の判定
　太陽病，陽明病，少陽病，太陰病，少陰病，厥陰病の6つの病位の判定を行う
②各病位における虚実の判定
③気血水の変調，停滞のある場合はそれを考慮
④薬剤の選定

（2） 弁証論治―中医学における証のつかみ方―

弁証論治とは，証を弁じ，治療を論ずるということである。中国で本格的に弁証論治が議論されるようになったのはむしろ最近のことである。弁証論治の議論は1960年代から始まり，現在の概念がほぼ確立したのは第6版の中医学院教材が出版されるころ（1984年）である。

当時の『中医弁証学』には「証は，疾病が発展していく過程において，致病因子およびその他諸々の関係ある因子が重なって生体に作用した時に生じる総合的な臨床表現である。証は疾病のすべてあるいは一部の臨床表現をまとめたものであるから，疾病の本質の一部分を少なからず反映している。（中略）。病には疾病の発生・発展そして終結までの全過程が反映されている。証には厳格な段階性があり，異なる段階では異なる証が出現する」と記述されている。

この表現はいささか難解であるが，要するに“証は単なる症候群ではなく，病気の発生原因や発展過程も加味された概念”といえる。その具体的な把握は**八綱**，すなわち四診（望・聞・問・切）によって認識される「**陰・陽・虚・実・寒・熱・表・裏**」の８つの綱領に基づく。八綱によって証が認識されたら，次にその証に対する治法を考える。

主に『傷寒論』の方剤を処方単位で運用する日本の古方派では，証の把握がすなわち方剤の決定となるが，中医学における証の認識は，処方単位ではなく，八綱に基づく抽象概念である。したがって，治療に用いる薬剤は，固定された処方単位ではなく，状態に応じて加味加減を施し，あるいは生薬単味を複合して処方が作られるので，証が決定されてからその証に応じた薬剤を処方する作業が加わる。

また，中医学では，病因・病状により適用される弁証が異なる。例えば，急性病には**六経弁証**と**温病弁証**が，慢性病には**臓腑経絡弁証**と**気血水（痰）弁証**が，鍼灸療法には**臓腑経絡弁証**が適用される。

3　日本漢方と中医学

証の概念１つをとっても明らかなように，日本漢方と中医学とでは多くの相違点がある。近年１つの潮流となっている中医学と明治以降に復興した日本漢方とが混在している昨今のわが国にあって，両者の相違は，この相違に無頓着な多くの初学者たちを混乱に落としめているようである。その大きな原因は，中医学への関心の高まりとは裏腹に，日本漢方と中医学の成立過程を理解していないからであろう。今後の両者のわが国での健全な発展を考えた時，両者の成立の違いや考え方の相違点は，初めに認識しておくべきである。

（1）　日本漢方の成り立ち

古代にあっては，わが国の医学は，民間療法的なものを除けば，そのほとんどが中国医学の模倣であったといっても過言ではない。それが多少とも日本化して普及するようになったのは桃山時代の曲直瀬道三・玄朔父子の功績が大きい。

道三は自身の基本的立場を金元の四大家のうち**李杲**（俗称は東垣，**補土派**）と**朱震亨**（俗称は丹溪，**養陰派**）の医学に置いた。李杲は『素問』の「太陰陽明論」の土王説に強い影響を受けた人であった。道三の考えは『啓迪集』によく著されている。彼は，病因をまず外感と内傷に分け，「外感の病因は風と湿であり寒・暑・燥・火はその現れである。体内にあって疾病を受けるのは気・血・痰であり，特に気・血の２病を重視する。気・血の異常は小便・大便によって之を知り，気・血・痰の病久しければ鬱を生じ鬱より百病を生じる。七情の鬱および臓腑の気滞は内傷の病を生じせしめる。内傷は五臓六腑を重視する。治法は風によるものは発散の剤を与え，湿によるものは利水剤を与え，気・血・痰にはそれぞれ補瀉の剤を配する」としている。道三らによって打ち立てられた医学流派を**後世派**という。

玄朔の時代になると流派の分立が盛んになり，いくつかの分派ができるようになる。その代表的人物として饗庭東庵が挙げられる。東庵の考え方は『素問』を基本として金元四大家の**劉完素**（俗称は河間，**寒涼派**），**張従正**（字は子和，**攻下派**）の主張を用いた。彼らの流派を**後世方別派**という。

後世派は幕末まで続くが，陰陽五行説に基づいたその理論が複雑であるために，次第に経験に重点を置いて薬方を運用する口訣書が多く出版されるようになった。

江戸中期になると復古儒学の運動と相まって，名古屋玄医，後藤艮山，香川修徳，山脇東洋，吉益東洞等に代表される**古方派**が台頭した。この流派は金元医学の煩雑さを退け，『傷寒論』，『金匱要略』を中心とした実証主義を重視した流派であり，彼等の実証主義は後の西洋医学導入の素地を養うことになった。

上記のほか，江戸期には多紀氏を中心とする**考証学派**や華岡青洲に代表される**漢蘭折衷派**などが存在した。

このようにして培われてきた日本漢方の伝統は，明治になって1895年第8回帝国議会で「医師免許規則改正案」が否決されたことによって，著しく衰退した。

1910年，和田啓十郎が『醫界之鉄椎』を著し，漢方の重要性を強く主張したことがきっかけとなり，漢方は再び復興の道を歩み始めた。やがてその種は湯本求真によって培われ，昭和の漢方家へと受け継がれた。

まず古方派が復興した。一方の後世派の方は復興はしたものの，その過程でかなり変容した。和田啓十郎とほぼ同時期に活躍した森道伯が後世派の本流ではなく，その亜流である一貫堂医学を継承していたことによる。これらとは別に，浅田宗伯（折衷派）の流れをくむ人々も出てきた。浅田は『傷寒論』の理論で後世派の処方を用いることに主眼を置いた。このようにして，『素問』や金元医学の理論，日本の鎖国時代に中国で発展した温病学説などは，現在の日本の漢方界からは遠い存在となってしまった（近年，鍼灸の分野では『素問』の研究が盛んになってきているが）。

1977年，東洋医学会が設立されて以来，復興した各流派の間で融合が起こり，最終的に漢方理論の大勢は『傷寒論』の理論体系を中心として各処方を運用し，足りないところは口訣で補うという形となった。現在はこれに中医学の理論が加わっている。ちなみに，現在わが国で一般医薬品として認可されている漢方薬294処方のうち『傷寒論』，『金匱要略』に基づく処方は112方あり，さらにこれらの処方に由来する変方や合方も少なからず存在する。ほかは晋代以後の処方または江戸期に日本で創案されたものである。

（2） 中医学の成り立ち

現在の中医学の理論体系構築の発端は毛沢東の国内医学保護政策宣言（1953年）に始まる。1958年に中医学の試用教材が初めて採用され，さらに1964年から1980年にかけて3回の改訂が行われ，現在のテキストに至った。学校教育面では，1956年に周恩来首相によって北京中医学院，上海中医学院，成都中医学院，広州中医学院の4校の創立が認められ，それぞれ1962年に第1期の卒業生を輩出した。

このような経過を経て，現在のテキストには**八綱弁証**を中心として**六経弁証**，**気血津液（痰）弁証**，**臓腑弁証**，**経絡弁証**，**衛気営血弁証**，**三焦弁証**の7つの理論体系が理路整然と論じられている。しかし，これらの弁証は，解放後の短期間でまとめ上げられたもので，それ以前の個別に存在していた各流派の主張の最大公約数的な色彩がかなり残っており，必ずしも確立されたものではない。したがって，これらの弁証の中には存在意義を問われているものがあるなど，相互の関わりについて未解決の問題が多く残されている。例えば六経弁証では『傷寒論』中の三陰三陽を経絡説に基づいて説明しているが，一方では経絡を否定して三陰三陽病として捉えるべきだという議論や，その他にも温病学説中に三焦弁証は必要ないなどという議論が，テキスト作製の裏には存在していたのである。ただ，鍼灸と湯液の2分野を統一的に解釈できる理論が求められたために，両者のかけ橋となる基本理論として陰陽五行説が取り上げられた。

4　漢方における薬物学

中国の薬物学書で最も古いものは漢代に作られたといわれる**『神農本草経』**である。現存はしないが，その概要は『新修本草』を通して知ることができる。その特徴は365種の薬物を，**上薬**120種，**中薬**120種，**下薬**125種の三品に分類していることにある。

「上薬とは命を養うことを主(つかさど)り，以って天に応じ，毒なし。多服久服して人を傷(やぶ)らず。身を軽んじ，気を益して老いず，延年を欲するもので，上経に属し，君薬(くんやく)となる。中薬は生を養うを主り，以って人に応じ，毒無き物も有毒のものもあり，病を治し虚羸(きょるい)を補う。中経に属し，臣薬となる。下薬は病を治するを主り，以って地に応じ，毒多し，久しく服すべからず。寒熱邪気を除き，積聚(しゃくじゅ)を破り，疾を癒さんと欲するもの，下経に属し，佐薬(さやく)となる」

この上・中・下の三品分類は，主旨は“天地人三才の思想”に基づいてもっともらしいが，神仙思想の影響があったり，合理性に乏しく，臨床的にもなじまなかったので，その後次第にすたれていった。ただ，薬物の作用を概括するための**四気(しき)**（寒・熱・温・涼）と**五味(ごみ)**（酸・苦・甘・辛・鹹(かん)）だけは後世まで大きな影響を与えた。四気は後に平を加えて**五気**となり，五味は五行(ごぎょう)の関係から経絡や臓腑に配当され，宋から金元時代にかけて**帰経学説**へと発展した。時代の経過とともに本草書に記載される薬効も繁雑になり，個々の薬効をすべて覚え切れなくなったことも帰経学説を生み出す1つのきっかけになった。

帰経学説は一般的には**引経報使(いんけいほうし)**といわれ，金の張元素(ちょうげんそ)に始まる。この考えは日本にも導入され，曲直瀬道三(まなせどうさん)の高弟である長澤道寿(ながさわどうじゅ)は『増能毒(ぞうのうどく)』の中で大いに論じ，後に古方派の批判の対象になった。

一方，中国ではこの考えが現在の中薬学テキスト中にも採用されている。ただ，薬物をどの経絡に配当するかを決定するに当たり，薬効と経絡の病証との関係が主となるわけであるが，補足材料の重点を五味に置くか五色に置くかによって配当が異なってしまうことがあるので，中薬学テキストの中でも多くのずれを生じている。

日本では江戸期に**吉益東洞**が**『薬徴』**を著し，独特の薬効論を展開した。彼は本草学の立場を排し，薬物の薬効を『傷寒論』中の条文を比較することによって探求した。後に尾台榕堂(おだいようどう)は『薬徴』を補訂して『重校薬徴』を著した。東洞の子吉益南涯(よしますなんがい)は，気・血・水の変調に作用する薬物を中心に『気血水薬徴』を著した。東洞の『薬徴』はわずか53味の薬物に対する考証であったが，その成果は現代に至るまで大きな影響を与えている。

---
*1：p.283参照

第３章　漢方理論

1　現代漢方に影響を与えた歴史的理論

現代漢方の背景には，歴史的に体系化された理論がいくつか存在している。これらの理論間では共通の認識に基づくものも多いが，逆に同一の用語を用いながらまったく別の意味として使用されている場合も少なくない。したがって，個々の処方がどういった立場や理論に基づいているかについて十分理解する必要がある。

本項では現在の日本漢方に影響を与えた４つの理論について概説する。

①**『素問』**における理論：鍼灸を含めた今日の日本漢方と中医学を通してすべての基礎とされ，治療理論というより，漢方の根底に流れる事物の認識論や漢方独自の生理学といえるものである。その中心をなす理論の１つは**陰陽五行説**であり，もう１つは**臓腑経絡論**である。

②**『傷寒論』**における理論：日本漢方の中でも特に**古方派**グループの根幹をなすもので，急性病の病から死に至る過程を細かに分析し，その病位（現在の病がその過程のどこにあるか）に応じた療法を示すものである。その中心をなす理論は**三陰三陽論**で，これに**虚実論**や**気血水論**が加わる。

③**金元医学**における理論：日本漢方の**後世派**グループの基礎とされるものである。中国の金・元時代の**劉完素**（河間），**張従正**（子和），**李杲**（東垣），**朱震亨**（丹渓）らは，それまでの医学を見直してそれぞれに新しい学派（**寒涼派・攻下派・補土派・養陰派**）を興した。これらの学説は，中国の医学界の空気を一新するとともに，その理論的研究を促進し，その後種々の学術流派が形成される基礎となった。日本では桃山時代に曲直瀬道三らによって受け継がれ，後世派の基礎が作られた。

④**現代中医学**における理論：**八綱弁証・臓腑経絡弁証・気血津液（痰）弁証・六淫弁証・六経弁証・温病学説**など，いくつかの弁証法がある。個々の弁証法はそれぞれ理論体系を異にし，どの弁証が適用されるかは，病が急性病であるか慢性病であるかや，急性病でも傷寒（悪寒を伴う病）であるか温病（悪寒を伴わない熱性疾患）であるかなどによって異なる。複数の理論が組み合わされることもある。

なお，これらの理論のうちには，日本に取り入れられて独自の発展をみたものもある。

2　基礎理論

漢方の基礎理論としては陰陽論と五行説がある。

（1） 陰陽論

陰陽論の発生と発展

陰陽論はその発生の端源を『詩経（しきょう）』や『易経（えききょう）』の本文に見ることができるが，現在のような陰陽論としての展開はなく，単に日向（ひなた）・日陰（ひかげ）の意味しかない。この陰陽が陰陽論としての発展を示し始めるのは，孟子（BC372～289）とほぼ同時代に活躍した，孫臏（そんぴん）の著した『孫臏の兵法』からである。そして陰陽論としてほぼ体系ができ上がるのは，『易経』の「十翼（じゅうよく）」（BC221～202）においてであり，さらに『淮南子（えなんじ）』（BC139）において完成する。

陰陽とは

陰陽思想は古代中国思想の要であって，広範囲にわたる意味を持つが，ここでは主に医学領域に絞って考えてみたい。陰陽の基本は万物の「質」と「能」を意味するが，同時に万物の持つ正反両面の相対性を示す術語でもある。その意味は広義に用いられる場合と狭義に用いられる場合とがある。

広義の陰陽

万物はすべて陰陽2種の側面を持っている。例えば，天を陽となし，地を陰となす。昼を陽となし，夜を陰となす。太陽を陽となし，月を陰となす。火を陽となし，水を陰となす。動を陽となし，静を陰となす。男を陽となし，女を陰となす。これらは互いに相対的に存在している陰陽であるが，同一物中にも陰陽は存在する。人体についていえば背は陽であり，腹は陰である。また左半身は陽であり，右半身は陰である。上部は陽であり，下部は陰である。すなわちこれらは同一物内の陰陽である。また万物の本体は陰であり，機能は陽である。心臓を例に挙げれば，心臓そのものは陰であり，拍動は陽となる。

また陽中の陰，陰中の陽ということがある。例を挙げて説明すれば，本の表表紙は陽で，裏表紙は陰となるが，表表紙だけで見れば表表紙が陽となり，見返しの部分は陽中の陰となる。また夜明け前の薄明は陰中の陽であり，夕焼けは陽中の陰である。

このようにすべて陰陽は相対的なものである。このような観点に立てば中医学の基礎である八綱（陰陽，虚実，表裏，寒熱）もすべて，陰陽を置き換えたものに過ぎないことがわかる。実・表・熱は陽であり，虚・裏・寒は陰である。

狭義の陰陽

①人体生理としての陰陽

人体の構成成分である，骨・血液・津液・臓腑などを**陰**（**陰分**）とし，人体の生理機能（活動エネルギー）を**陽**（**陽気**）とする。陰陽にはそれぞれ虚実（不足もしくは過剰な状態）があり，病証と深く関わっている。

陰虚とは，全身および各臓器，各器官，それぞれの場所における陰分（津液や血液など）の不足したものをいう。血液が不足したものを血虚，津液が不足したものを津液不足と慣例的にいう場合もある。肝陰虚，肺陰虚などの場合では，肝における血の不足や肺における津液の不足を示している。なお，このように陰分が不足した状態は，ちょうど湿度が低い時に火事が起きやすいのと同じで，極めて発熱や炎症を起こしやすいか，また実際に起こしていることを意味する。ただ，陰には実という概念はなく，非生理的に血や津液がうっ滞している場合には瘀血，水毒（痰飲）などの語が用いられる。

陽虚とは陽気（活動エネルギー）不足の状態を意味している。軽いものを**気虚**，重いものを陽虚と言う。気虚は無気力で疲れやすく，自汗[*1]を伴い，息切れする状態であり，陽虚は気虚にさらに冷えが加わった状態である。腎陽虚，脾陽虚などという場合は腎や脾の機能が弱っていることを示している。

陽実とは，上記とは逆に機能が亢進し過ぎている場合である。陽実証の場合は熱証を呈するので，腎火盛とか肝火上炎などという場合もある。

また病変が機能亢進と同時に津液不足を呈しているような場合では陽盛陰虚という。

②病勢分野における陰陽

『傷寒論』の六病弁証がこれに当たる。病勢が亢進し熱証を呈しているものを**陽病**または陽証といい，病勢が消沈し，寒に属するものを**陰病**または陰証という。

③病巣部位の陰陽

病巣部位が体内にあるものを**陰証**といい，体表にあるものを**陽証**というが，ほかの陰陽と紛らわしいので，通常は**裏証**，**表証**の語をもって陰証，陽証の代わりとする。同様に体表に熱感があっても体の芯に強い悪寒のあるものは陰中の陽証もしくは裏寒外熱という。

ただし，これらの用語は単一の理論から導き出されたものではなく，歴史的に異なる流派の理論における慣用的な用語をまとめたものであるので，用語間で整合性の取れない場合もある。

(2) 五行説

五行説の発生と発展

五行説の基となった五材は，『書経』の「洪範篇」に見ることができるが，ここでは自然界にある素材としての木（き）・火（ひ）・土（つち）・金（金属）・水（みず）に過ぎない。次に五星または五風というものが登場し，その影響を受けて，万物を構成する5つのエレメントとしての**木**・**火**・**土**・**金**・**水**が考えられるようになる。さらに，これら5つのエレメントが相互に影響し合うという考え方が成立し，五行という名称が登場した。また，あらゆる物はこの五行に分類され，その性質や相互関係に五行の影響が及ぶとされたのである。これらを総称して**五行説**と呼び，その相互関係を示すものとして**相剋説**・**相生説**・**土王説**の3説がある。五行説展開の片鱗は，孫武（BC6世紀ごろ）の著した『孫子の兵法』に見られ，相剋説の萌芽は，『墨子』（BC403ごろ）中の鄧陵派の文献に見られる。そして五行説の相剋説と土王説の完成は，陰陽家の鄒衍（BC305～240）において見られる。相生説の登場はずっと遅れ，董仲舒（BC179～104）の『春秋繁露』，劉安（BC179～122）の『淮南子』のころからで，その完成は劉向（BC79～18）・劉歆父子による。また，五行説そのものが医学と関わりを持つようになるのは，文献的には，戦国末から秦代ごろの成立といわれている馬王堆出土の医薬文献をはじめとする。

以上のように，陰陽論と五行説は別々に生まれ発展してきたのであるが，これら2つの理論の結合は戦国時代末葉の呂不韋（BC290～235）の『呂氏春秋』において，十干の解説に陰陽論と五行説を導入したのが記録上のはじめとされる。

五行説の法則

五行には，次のような意味づけがある。

木：草木が芽を出し，万物が生じる時期であり，季節は春を象徴している。五臓では肝がこれに当てられる。

火：火が燃えているさまを示し，その性質は熱であり，万物が長じる時期であり，季節は夏を象徴している。五臓では心がこれに当てられる。

土：万物を育てる母なる大地を意味している。四季のすべてに関わりを持つ。五臓では脾がこれに当てられる。

金：金属の示す堅固・鋭さ・輝きを意味するが，金属は人が作り出したものであるので，秋の豊穣・収穫を象徴している。五臓では肺がこれに当てられる。

水：わき出て流れる水を意味し，これは地の中にあって生命の水となり，やがて万物を生み出す源となる。季節は冬を象徴し，秋の実りを蔵する時期である。五臓では腎がこれに当てられる。

さらに，これら五行間の相互関係と一定の秩序を示すものとして，相剋説・土王説・相生説の3つの説がある。厳密にいえば，相剋説・相生説の種類も，『素問』の中ではそれぞれさらにいくつかの説に分かれている。しかし，ここでは後世に影響を与えた代表的な説について述べる。

①**相剋説**：五行間で一方が他方を制約し，けん制するという説。具体的には以下のようになる。

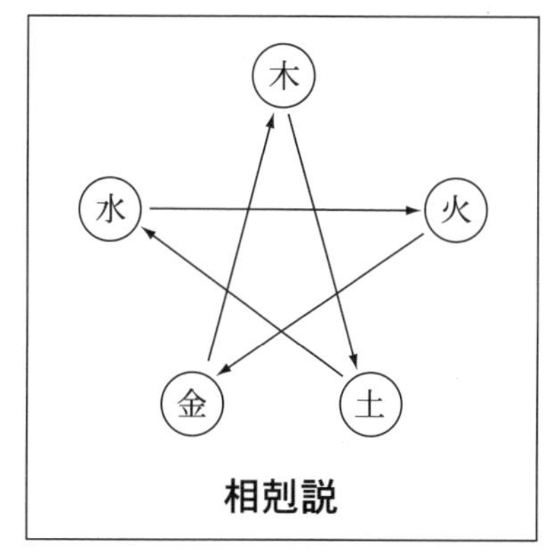

相剋説

木剋土（**木は土を剋す**）：木は土の中に根を張り土の養分を吸収して成長する。

土剋水（**土は水を剋す**）：土は水を吸い取り，また土の堤防によって水の流れを支配する。

水剋火（**水は火を剋す**）：水は火を消す。

火剋金（**火は金を剋す**）：火の作り出す高温は金属を溶かし自由にその形をコントロールする。

金剋木（**金は木を剋す**）：金属でできた斧や刀によってどんな木も切り倒される。

②**相生説**：五行間で母子関係のように各要素が親和・協調し合うという説。この場合，母から子が生まれるように，常にエネルギーは母から子へと流れる。具体的には以下のようになる。

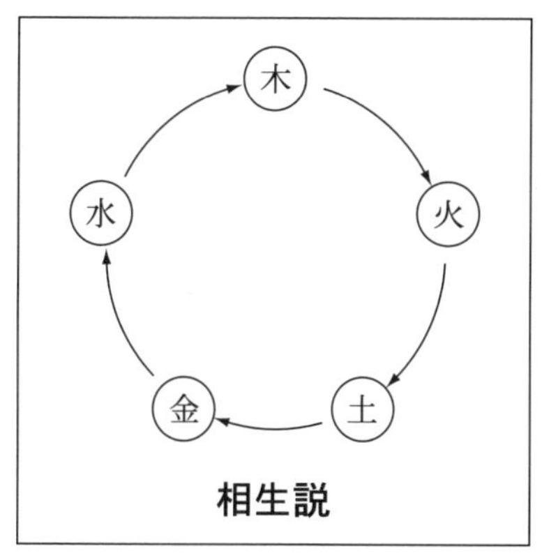

相生説

木生火（**木は火を生ず**）：木と木の摩擦によって火が生じ，木の増量によって火勢は強まる。

火生土（**火は土を生ず**）：木が火によって燃え尽きれば灰すなわち土となる。

土生金（**土は金を生ず**）：人は土の中から金属を得る。

金生水（**金は水を生ず**）：金属の鉱脈のあるところからは常に水が流れ出ている。また金属の表面は湿度により水を呼ぶ。

水生木（**水は木を生ず**）：木はすべて地中の水によって養われる。

このエネルギーを与える側が母であり，受け取る側が子となる。それゆえこの関係を，母子関係ともいう。

③**土王説**：相剋・相生の関係においては，五行間の力は互角であるとされているが，土王説においては，土の力が突出して最も重要とされ，中央に配置される。中央の土を中心にして，火と水，金と木の相剋関係が形成される。この土を季節に配当する場合には，四季の各季節の終わりの 18 日間を**土用**として配当する。

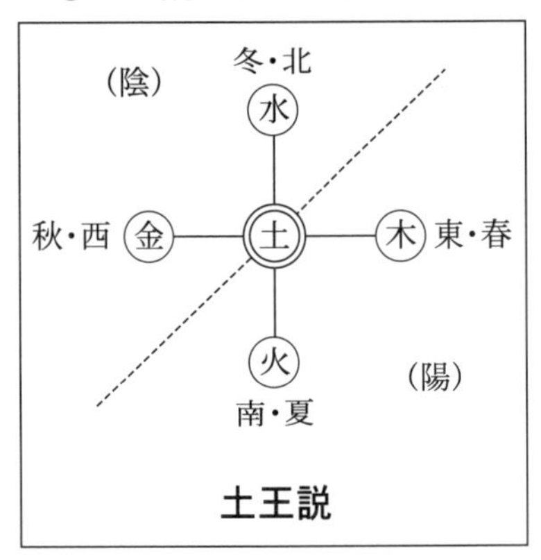

土王説

④その他：『素問』の中には，年運との関係による相生相剋関係を論じた**五運六気説**もある。時代が下って後漢（こかん）ごろになると，鍼灸の古典である『難経』中に相剋関係が反対になった状態，つまりふだん剋されている側が強くなり，剋している側を逆に剋すという理論も登場する。この関係を**相侮（そうぶ）関係**という。

五行色体表

五行説の中で相互関係と並んで重要なものは，五行の配当表である。五行を万物の基本と考えることから，多くの事物を経験則によって五行に割り振ったのである。したがって，この配当表には多くの経験的事実が詰まっているといえる。その中で医学分野に関係するものをまとめたものが，『素問』の中で一応の完成をみた「五行色体表」である。

五行色体表は，五臓の働きが活発になる季節，五臓が病んだ時の体表の色，味の好み，予兆の現れ方，五臓を補う食品などを一覧表にしたものである。ここで重要なことは，この表ではすべて五臓中心に構成されているということである。したがって，これを学ぼうとする時は各臓を中心に縦に見るようにするとよい。

素問の陰陽五行説色体表

五行	木	火	土	金	水
五臓	肝	心	脾	肺	腎
五腑	胆	小腸	胃	大腸	膀胱
五季	春	夏	土用	秋	冬
五色	青(蒼)	赤	黄	白	黒
五味	酸	苦	甘	辛	鹹（しおからい）
五味作用	収	堅	緩	散	軟
五香	臊（あぶらくさい）	焦（こげくさい）	香（かんばしい）	腥（なまぐさい）	腐（くされくさい）
五主(合)	筋	血脈	肌肉	皮毛	骨
五労	歩	視	坐	臥	立
五竅(根)	目	耳(舌)	口	鼻	二陰(耳)
五華(栄)	爪	面色	唇	体毛	髪
五声	呼（よびかける）	笑（わらう）	歌（うたう）	哭（なきさけぶ）	呻（うめく）

五行	木	火	土	金	水
五変	握（にぎりしめる）	憂	噦（しゃっくり）	欬（せき）	慄（おそれおののく）
五病	語（かたる）	噫（げっぷ）	呑（のみこむ）	欬	欠（あくび）／嚔（くしゃみ）
五液	涙	汗	涎（よだれ）	涕（はなみず）	唾（つばき）
五脈	弦	鉤	代	毛	石
五志	怒	喜	思	憂(悲)	恐
五悪	風	熱	湿	燥	寒
五音	角	徴	宮	商	羽
五神	魂	神	意	魄	志
五果	李	杏	棗	桃	栗
五菜	韮	薤（らっきょう）	葵	葱	藿（まめのは）
五穀	麦	黍（きび）	稷（たかきび）	稲	大豆
五畜	鶏	羊	牛	馬	豚

3　弁証理論

弁証理論とは，漢方の診断学に相当し，証を弁じ，治法を選定するための理論である。総論としては**八綱弁証論**が，各論としては**三陰三陽論**，**気血水**（**痰**・**津液**）**論**，**臓腑経絡論**，**六淫理論**，**温病学説**がある。

（1）総論

八綱弁証論

八綱弁証論は明代の張景岳によって最初に提出され，清代末の程国彭によって体系づけられたもので，中医学においてはすべての弁証の基本とされる。すなわち，四診から得た材料をもとにした証把握のための基本分析法で，疾病の性質・病勢・個体反応の強弱・正邪双方の力量の比較などは**陰・陽・表・裏・寒・熱・虚・実**の八類の綱をもって帰納される。この八綱分析の方法は，日本の古方派が用いている方法と大変よく似るが，日本では『傷寒論』から帰納された見方であるのに対し，中国では臓腑学説をも含めた立場で捉えているので，その意味合いはかなり異なる。

1．陰陽

八綱中の陰と陽は他の六綱を総括するものであり，他の六綱はいずれも陰陽に帰納される。すなわち表・熱・実はみな**陽証**に，裏・寒・虚はみな**陰証**に帰納される。

2．虚実

急性病における虚実は，正邪の盛衰の状態を見る綱領で，虚証と実証は身体における正気と邪気の盛衰の状況を反映している。**虚証**は，「正気不足のために十分病邪に対抗できないでいる状態」で，症状は緩やかであるが長引く。**実証**は，「病邪が盛んであり，また正気もある程度充実しているためにお互いに激しく闘っている状態」で，激しい症状となる。

慢性病の場合には，虚実は，各臓腑における機能衰退や亢進，血・津液などの不足と過剰を表している[*2]。

3．表裏

• 表証

表は，皮膚・肌肉・筋肉・経絡・関節・頭・項背・鼻・咽喉・気管浅部など体表に近い部位をいう。

表証は，外感病において病邪が表部に侵入し，表部において正気と闘っている状態をいう。この場合，病邪と正気の力が拮抗していれば抗争の状態（症状）は激しくなり，正気が病邪に圧倒されていれば症状は緩やかとなる。前者を**表実証**，後者を**表虚証**という。『傷寒論』においては，表証は太陽病に相当する。

- **裏証**

裏は，臓腑，血脈，骨髄など体内深部を指す。

裏証は，病邪が表部で処理できず体内深部に及んできた場合をいう。裏証は陽証（熱症状の強いもの）と陰証（冷症状の強いもの）に分けられる。『傷寒論』においては，陽証は陽明病に相当し，陰証は少陰病や太陰病に相当する*3。

4．寒熱

寒熱の概念については，日本漢方と中医学とでは認識がかなり違う。

日本漢方の場合：**熱証**といえば，たとえ悪寒が伴っていたとしても全体として寒よりも熱の症候の強いものをいう。すなわち三陰三陽病における**三陽病**がこれに該当する。**寒証**とは熱証の逆で，たとえ熱があっても全体として寒の症候の方が勝っている場合をいう。いわゆる**三陰病**がこれに相当する。

中医学の場合：侵襲した病邪の性質を重視して，その性質が病症に反映されるとする。したがって，**傷寒**のような寒邪の侵襲によるものを**寒証**といい，**温病**（うんびょう）に代表されるような熱邪の侵襲によるものを**熱証**という。

(2) 各論

各論では，主に急性病の治療理論として三陰三陽論および温病学説，慢性病の治療理論として気血水（痰・津液）論および臓腑経絡論，病邪の性質から治法を判定する六淫理論，以上5つの理論について概説する。なお，六淫理論は急性病・慢性病のいずれにも用いられる。

三陰三陽論

『**傷寒論**』においては，発病から死に至るまでの病の段階を**太陽病**，**陽明病**，**少陽病**，**太陰病**，**少陰病**，**厥陰病**（けっちん）の6つに分類している。この6つの段階を**三陰三陽病**という。さらにそれぞれの段階においては発熱や悪寒の状態，汗の有無，便秘の有無などの細分化された症候が示され，その1つ1つの症候群ごとに証名と薬方が規定されている。

なお，三陰三陽という概念は古く，鍼灸の聖典である『素問』においても用いられているが，『素問』では主として鍼灸分野における経絡の流注（るちゅう）の名称として用いられ，『傷寒論』における意味合いとはかなり異なる。

『傷寒論』では三陰三陽における個々の病証は，以下のように捉えられている。

1．太陽病

太陽病は外感病のはじめである。体表部である頭・項背・筋肉・関節・鼻・咽喉における病変であるので**表証**ともいう。

『傷寒論』において，太陽病は「太陽の病と為すは脈浮，頭項強痛（ずこうきょうつう）して悪寒す」と定義され，基本の脈は浮で悪寒を伴いながら頭や項（うなじ）のこわばりから始まるが，病邪の種類により3種に分けられる。

- **中風**

「太陽病，発熱，汗出で，悪風，脈緩の者，名づけて中風と為す」

これは外感病でも感冒のような軽いもので，自汗*1があるので病証としては**虚証**に属す。治法は**辛温発表剤**を用いるが，発表力が軽度の桂枝湯などを用いる。

- **傷寒**

「太陽病，或は已に発熱し，或は未だ発熱せず，必ず悪寒，体痛，嘔逆し，脈陰陽倶に緊の者，名づけて傷寒と為す」

これは外感病の重いもので，病証はまだ体内には及んでいないが，全身痛を伴っている。無汗と全身痛から**実証**に属す。治法は**強力な発汗解表剤**の麻黄湯などを用いる。

- **温病**（うんびょう）

「太陽病，発熱して渇し，悪寒せざる者，温病と為す」

これは外感病でも咽中の津液不足の状態があり，そのため口渇があり，悪寒はない。津液不足があるために強い発汗解表剤を用いることができない。そのため津液を補い，清熱する薬物を加味し，発汗も辛涼発表薬を用いて最小限にとどめる。これを**辛涼発表法**と呼ぶ。『傷寒論』中には温病の定義だけが存在し，それに対する処方や治法は存在しないので，清代の呉鞠通（ごきくつう）の創案した銀翹散（ぎんぎょうさん）や桑菊飲（そうぎくいん）を用いるのがよい[*4]。

この太陽病の段階でうまく対応できないと，次の陽明病もしくは少陽病，時によっては陰病にまで転位することがある。

2．陽明病

陽明病は「陽明の病となすは胃家実是なり」と定義される実証の病である。胃腸系を中心とした身体の裏部に熱がこもり高熱を発した状態で，特徴としては，寒気がほとんどなく，熱のため発汗していることが多い。陽明病には，胃腸系に熱が及び便秘する場合と，裏熱[*5]がはなはだしく津液不足を伴う場合の2種がある。

- **胃腸系に熱が及び便秘するもの**

便秘と高熱（潮熱（ちょうねつ）[*6]，身熱（しんねつ）[*7]）が特徴で，多くは自汗・譫語（せんご）（うわごと）を伴う。実証の度合により，承気湯類を選択して用いる。調胃承気湯→小承気湯→大承気湯の順に**瀉下**作用は強力となる。その他，茵陳蒿湯，麻子仁丸なども用いる。

- **裏熱が強く津液不足を起こすもの**

口渇と高熱を特徴とし，普通便秘は伴わない。白虎湯類を中心に用い，**清熱**する。軽い場合は猪苓湯を用いる。

以上のほか，強い瘀血証のものには抵当湯（ていとうとう）を用いたり，梔子豉湯（しししとう）や呉茱萸湯を臨時に用いることもある。この陽明病で対応できないと少陽病または陰病に転位することになる。

3．少陽病

少陽病は「少陽の病と為すは，口苦く，咽乾き，目眩（めくるめ）く也」と定義される。少陽病は胸膜や胸脇部や心下部（みぞおち），胆を主としたいわゆる**半表半裏**の部分を中心とした疾病で，微熱や往来寒熱[*8]・胸脇苦満[*9]・心下痞鞕[*10]・白苔・口苦・食欲不振・めまいなどの諸症を特徴とし，治法は柴胡剤を中心とした**和法**による。胸脇部や心下部の脹満の程度により虚実が決定されるので，それにより柴胡桂枝湯，小柴胡湯，大柴胡湯を使い分け，心下痞に対しては瀉心湯類をもって対応する。この時期を失すると陽明病または陰病に転位することになる。

4．太陰病

太陰病は「太陰の病と為すは，腹満して吐し，食下らず，自利益々甚だし。時に腹自(おのずか)ら痛む。もし之を下せば必ず胸下結鞕(きょうかけっこう)す」と定義される。体力が低下するか，寒邪が強すぎて，胃腸系が冷えて下痢をする**虚証**が多く，胃腸系を中心に**温補法**を用いる。方剤としては人参湯や桂枝加芍薬湯などが適応となる。逆に実証で便秘して痛む時には桂枝加大黄湯[*11]などを用いる。

5．少陰病

少陰病は「少陰の病と為すは，脈微細にして，但寝(いね)んと欲する也」と定義され，腎・膀胱を中心に体が冷え，疲れ，ただ寝ていたいという状態である。通常，真武湯(しんぶとう)，附子湯など炮附子を主薬とした薬剤を用い，腎・膀胱系を中心とした**温補法**により陽気回復に努める。このほか，少陰病には**直中(じきちゅう)の少陰**がある。これは日ごろから体力がないものがかぜを引いた場合，太陽病でなく，いきなり少陰病から発病するケースである。この場合，麻黄附子甘草湯や麻黄附子細辛湯などの麻黄剤を用いるが，葛根湯や麻黄湯など通常の麻黄剤だけでは陽気不足を起こすので，必ず**発表薬**に**温補薬**を加味する。〈麻黄＋附子〉が基本方剤の骨格となる。

6．厥陰病

厥陰病は「厥陰の病と為すは，消渇(しょうかち)し，気上って心を撞(つ)き，飢えて食するを欲せず。食すれば則ち蚘(かい)を吐し，之を下せば利止まず」と定義され，四肢厥逆(ししけつぎゃく)[*12]が基本病症となる。この状態は身体の陰陽の気が錯綜して，死の一歩手前である。この場合は**厥逆回陽法**[*13]を基本とし，具体的には衰えた心力と陽気回復のため生附子を主薬とした一連の四逆湯類を用いる。

なお，中医学の立場では，この三陰三陽を臓腑経絡論と結びつけて考え，**六経弁証**をもって対応している。しかし『傷寒論』における三陰三陽と，経絡を結びつける考え方は宋代以後に起こった考え方である。

気血水(きけつすい)（痰(たん)・津液(しんえき)）論

病が慢性化すると身体を構成する要素である血・水（津液）および気に変調を来す。この状態を弁証することを中医学では**気血痰弁証**という。

日本では江戸期に吉益南涯(よしますなんがい)によって**気血水説**が提唱されて以来，『傷寒論』，『金匱要略』の解釈にこの説が導入されるようになったが，その分類は極めて大局的であった。これに対して，中医学では臓腑経絡論や温病学説と結びついて，より細分化して論じている。例えば，気の病変としては気虚証・気陥証[*14]・気滞証・気逆証などに分類しているし，血の病変としては血虚証・血瘀証・出血証などに分類している。また，気血がともに病んだ場合として気滞血瘀証・気血両虚証・気虚失血証・気髄血脱証などを挙げている。津液の病変は，津液不足と水液停滞（痰飲・水腫）の二証に分類して論じている。

1．気

(1) 気とは

気は広義の意味ではすべての活動エネルギーおよびその元をいう。その働きの所属によってそれぞれ名称がついている。

①**生気**

万物が成長するための自然界の気。

②**穀気**

飲食物の栄養分のことであり，**水穀の精**（**気**）ともいう。

③**大気**

空気または宇宙の気。

④**原気**

元気ともいう。生物の活動エネルギーのもとである。先天の元気と後天の元気の2つがある。前者は先天の精気より生じ，後者は後天の精気より生じる。

⑤**精気**

人体を構成し，生命活動を維持する基本物質のことで，**先天の精**（**気**）と**後天の精**（**気**）の2つがある。先天の精（気）とは，両親から受け継いだ生命エネルギーのことで，人体を構成する基本物質である。生殖の精ともいい生殖のもととなる。後天の精（気）とは，飲食物から摂取するエネルギーのことで，生命活動を維持するための基本物質である。水穀の精（気）ともいう。

⑥**営気**

穀気より生じた気で，脈管中を通り，各臓腑器官を栄養する気。

⑦**衛気**

穀気より生じた陽気で経脈または体表を自由に往来し，病邪から体を防衛する役割を負っている。

⑧**宗気**

穀気が，肺において大気と結合してできた気のことで，胸中に蓄えられた後，全身を巡って営気となって栄養し，衛気となって身体を防衛する。

⑨**正気**

真気ともいう。先天の精気と穀気が結合してできたもので，生命力そのものをいう。

⑩**邪気**

生命体を傷つけるもの（細菌・ウイルスや激しい気候変動など）。そのうち気候変動によるものを**虚邪賊風**という。

このほか，腎気・心気・肝気・胃気など，各**臓器を冠する気**があるが，これらはみなその臓の活動エネルギーのことである。しかし中でも**胃気**だけは特別で，生命力そのものを意味し，足の胃経の衝陽穴の脈動*15で見る。

また，気は狭義の意味では精神的分野の活動すべてに関わっているので，この分野の変調はすべて気の変調と捉える。

(2) 気の作用

①人体の成長発育を促し，臓腑経絡を機能させ，血・水を巡らす，といったすべての人体の生理活動を推進する。

②全身・各組織を温める。

③体表を保護し，外邪の侵入を防ぐ。

④体液の漏出を防ぐ。出血を止め，汗や尿の排出をコントロールし，精液を漏らさないようにする。

⑤水穀の精気を気に変化させたり，気を血に変化させたりといった気血水精の四者間の化生を主（つかさど）る。また，三焦などにおける水分代謝機能を主る。

(3) 気の病変

気の病変は数多くあるが，主なものは**気虚**，**気滞**，**気逆**である。

①**気虚**

陽気が虚した状態で活動力が鈍化し，疲れやすい，動く意欲がない，息切れ，自汗[*1]などの症状を示す。陽気がさらに虚し，冷感や悪寒を感じるような状態を**陽虚**と呼ぶ。治法は**益気**（えっき）**（補気）法**を中心とする。

②**気滞**

気が体内で滞って流れない状態である。うっ滞する部位により，胸部気滞，胃気滞，肝気うっ結などと呼ぶ。治法は**行気**（ぎょうき）**（理気**（りき）**，解うつ，宣気**（せんき）**）法**を用いる。

③**気逆**

逆気，**気の上逆**，**気の上衝**ともいい，下方に納まるべき気が，病的に上衝し，精神不安を招いている状態である。治法は**降気法**（気を下（くだ）す）や**納気法**（元の場所に納めること）を用いる。

2．血

(1) 血とは

血は水穀の精気と大気によって作られ，身体各部を栄養する働きおよび運動や疲労に関係する。営気とほとんど同じ作用をするゆえに両方一緒にして**営血**と呼ぶこともある。

(2) 血の作用

五臓六腑から皮毛筋骨に至るまで，人体の各組織器官に栄養分を供給し滋潤する。これによって各組織は十分に働けるようになる。また，気とともに精神活動の基礎物質であり，意識や精神活動を明瞭にする。

(3) 血の病変

血が活性を失って，正常な働きをせず，滞留する状態を血滞と呼び，さらにこの血が非生理的な血流に変化したものを悪血といい，それが進んで，完全に害になるものを瘀血という。通常，悪血も瘀血に含めて考えることが多い。大きな病証として**血虚**，**瘀血**，**出血**がある。

①**血虚**

血の栄養作用の不足である。原因は出血や瘀血などによる血液量の不足や貧血などがある。一般的症候は顔色および皮膚の色艶が悪く，爪がもろい，眼がかすむ，めまい，動悸，全身倦怠，筋肉けいれん，脈微細などを呈す。特に，心と肝とが関連深いので，疾病がこれらの臓器機能と関係する時は，それぞれ心血虚とか肝血虚という。血虚がさらに進んで，津液不足や発熱現象が現れるようになったものを**陰虚**という。血虚の治法は，**補血**（**養血**）**法**を主体にするが，往々健脾薬（けんぴやく）を加え，脾胃強化を併せて図ることが多い。陰虚になった場合は，補血をさらに強化した**補陰**（**養陰**，**滋陰**）**法**を用いる。もし発熱現象があれば，清熱薬を加える。

②**瘀血**

血瘀ともいう。日本では瘀血といい，中医学では血瘀というが，いずれも同じである。血液や血流の障害もしくは婦人科系の代謝不全により体内に非生理的血液が残り，それが原因となって起こす病証である。一般的症候として，顔色および皮膚色に艶がなくドス黒い，紫斑や内出血によるあざができやすい。クモ状血管，静脈瘤，のぼせ，冷え，頭痛，肩こり，めまい，眼の充血，痔，生理不順，その他更年期障害に見られる諸症状を呈す。治法は**駆瘀血法**（中医学では活血化瘀法という）を用いる。

③**出血**

大きく分けて3つのカテゴリーがある。先に述べた瘀血が原因となって出血している場合と，血虚や陰虚が元にあって，それに伴い微出血が続く場合と，温病（うんびょう）で病が営分（えいぶん）から血分（けつぶん）に及び，多くの血液疾患に見られるように発熱を伴う場合である。治法は，瘀血によるものは**駆瘀血法**を用い，血虚や陰虚によるものは**補血法**や**滋陰法**を用いる。温病による場合は**滋陰清熱止血法**を用いる。

3．水（津液）

(1) 水とは

水はいろいろと変化するので，津液，痰飲，水腫，湿などケースによって種々の名称で呼ばれる。

体内の活性のある正常な水分，正常な体液を，**津液**と呼ぶ。唾液・涙・涕（はなみず）・汗・尿などもこれに含まれる。

(2) 津液の作用

津液には滋潤・滋養作用があり，皮膚・関節・臓腑など身体のあらゆる場所に循環している。

(3) 水の病変

津液が不足した状態を**津液不足**もしくは**陰虚**（身体を構成する陰分が不足するという意味）と呼ぶ。また，津液が活性を失い，体内で滞留し各部に害を及ぼすようになると，その状態により**湿**，**水滞**（**痰飲**・**水腫**）などの名称で呼ばれるようになる。

①**津液不足**

身体の一部または全体において津液が不足した状態である。原因としては，燥熱の病邪，飲食の不摂生・摂取不足，久病*16，発汗過多などが挙げられる。症状としては，鼻・咽喉の乾燥，口渇，声枯れ，毛髪・皮膚の枯燥，眼のくぼみ，心中煩躁*17，尿量の減少，便秘，舌苔乾燥などがある。また陰分不足となるためしばしば，熱感（炎症・ほてり）を伴う。治法は**補津薬**（ほしんやく）を中心とし，病んだ器官の津液を補うようにする。

②湿

体内に滞留する水分の最も稀薄なものをいい，体内で発生したものを**内湿**という。主に胃腸に作用し，泥状便でしぶり腹，残便感，ガスが腸内に滞留して腹脹および食欲不振となるなどの症状を呈する。**外湿**によるものは湿度の高い環境に起因し，体表に滞留し，四肢倦怠，軽い浮腫を伴う。湿の治法は，体表にあるものについては**辛温発表薬**に**利水薬**を加味し，胃腸内の湿邪に関しては**去湿健胃薬**を用いる。

③水滞（痰飲・水腫）

津液（体液）が活性を失って体内に貯留した水液のことである。このうち腹水や足の浮腫や関節の浮腫など貯留が明らかなものを**水腫**という。**痰飲**には広義の意味と狭義の意味とがあり，広義の意味としては，すべての水滞の病を総称する。日本古方派ではこれを**水毒**と称している。ちなみに中医学では気血痰（飲）といい，日本では気血水という。狭義の意味では，体内の部分的水滞をいい，その水滞の部位および状態により種々の名がつけられている。治法はいずれも**利水薬**を主とし，陽気不足の場合は**補気薬**を加味し，体表の水滞には**発汗解表薬**を加味することを原則とする。なお痰飲は厳密には粘稠のものを痰，稀薄なものを飲というが，実際はあまり区別されることはない。

＜肺の痰証＞…咳に伴う痰の種類により区別される。

湿痰：薄い白色の痰。出しやすい。

寒痰：寒が加わったもの。薄い痰，寒気，冷え。

熱痰：熱が加わったもの。黄色粘稠な痰。

燥痰：燥が加わったもの。粘稠で出しにくく，時に血痰。

＜心の痰証＞

痰迷心竅（たんめいしんきょう）（**痰火擾心**（たんかじょうしん））：現代の病理学では理解しにくい病証であるが，痰が脳や中枢神経を阻害している状態で，異常行動，情緒不安定，知覚・運動麻痺，うわごと，けいれん，多痰などの症状を伴う。

風痰：一種のてんかんや脳卒中の発作である。

＜『金匱要略』中の飲証＞

痰飲（狭義）：胃腸系における水分停留。

懸飲（けんいん）：肋膜炎などの時に起こる胸水。

支飲（しいん）：肺水腫。

溢飲（いついん）：全身浮腫。

＜経絡における痰証＞

痰が経絡中の流れを阻害したもので，慢性リンパ節腫大や甲状腺腫がこれに当たる。

臓腑経絡論

臓腑経絡論の端源は，馬王堆（まおうたい）出土の文献にうかがうことができるが，体系ができたのは『素問』においてである。

元来，**臓腑論**と**経絡説**は別個に発展したものであった。臓腑が病んだ場合の病症とその対応についてと，経絡が病んだ場合の病症とその対応については個々に体系化されていた。経絡は初め，臓腑との関わり合いを持たなかったが，『素問』の時代になって経絡と臓腑を結ぶ体系が完成したのである。具体的には，足の太陽経は膀胱，足の少陽経は胆，足の陽明経は胃，足の太陰経は脾，足の少陰経は腎，足の厥陰経は肝，手の太陽経は小腸，手の陽明経は大腸，手の少陽経は三焦，手の太陰経は肺，手の少陰経は心，手の厥陰経は心包という具合に結合するに至った。個々の臓腑と経絡は1つのグループとして考えられ，病の進行は**絡（らく）→経（けい）→腑（ふ）→臓（ぞう）**の順で深まると考えられたのである。ただし，『素問』における臓腑経絡論は鍼灸における治療が対象とされていた。

臓腑とは体内に納まっている内臓の総称であり，外に現れる生理・病理現象と密接な関係を持っている。さらに漢方でいう臓腑は，西洋医学でいうところの内臓器官よりも広い概念を持っている。肝臓，心臓といった臓器の機能活動ばかりでなく，生殖器や中枢神経系統の活動なども包括した総合的な機能を統合するものとして認識されている。**経絡**は身体全体に縦横に分布する気血の通路である。経絡は**経脈**（身体を縦に流れる幹線）と**絡脈**（経脈から分かれた支線で全身に網の目のように分布している）に分かれ，臓腑や四肢関節，その他あらゆる器官を連絡し，体内のすべての機能を調節している。

薬物療法の初期は，対症療法的なものから始まり臓腑病としての治療法に発展した。ただし，このころには経絡的な認識を持った薬物療法はまだ存在していない。宋代になって鍼灸において確立していた臓腑経絡論が湯液（とうえき）に影響するようになると，薬物の性質を認識するための便法として，経絡に配当して分類するということが起こった。さらに金・元時代において，張元素（ちょうげんそ）等の手によってこの臓腑経絡への配当は体系化された。その配当原理は，五味五色および本草的な薬効によって分類されたのである。これを**帰経（きけい）学説**という。ただし，1つの薬物が多経（たけい）にわたることもあるので，その関係は複雑となり，また唱導者の違いにより，いくつもの説が存在し，より複雑となった。具体例を挙げれば，「白朮は色白きがゆえに肺に入り，味甘きがゆえに脾に入る」といった具合である。現在もなお，臓腑経絡論から生まれた帰経学説は薬効論の1分野として残っている。本書第1部においても，帰経の欄を設けて紹介した。

次に五臓六腑について説明する。

1．五臓

肝・心・脾・肺・腎を総称して五臓という。臓とは一般に胸腹腔中の内部組織が充実している実質的臓器で，正気（せいき）の貯蔵・分泌・製造の機能を持ったものをいう。

1）心

心は五臓中最も重要な臓器であり，循環器系および中枢神経系（精神・意識・思惟）の活動を主（つかさど）るものである。

(1) 心の機能

①本来の心臓機能であるポンプ作用により全身に栄養を運搬するとともに，血管・血流のすべてを統括し，人体各部の新陳代謝を主る。

②神（しん）を主るといわれ，精神および思考・判断処理・意識など大脳皮質の働きをすべて統括する。

③心は汗を主るといわれ，汗の分泌の根本は心にある。また舌は心の支配下にあるので舌の活動と言語に深い関わりを持つ。

(2) 心の病因

栄養不足，栄養過多による肥満，水分の過剰摂取，度を越えた精神的ショック，連続的な精神ストレス，たび重なる睡眠不足などによって引き起こされることが多い。

(3) 心の主要な病証

古来「心に虚なく，腎に実なし」といわれてきたように，心臓は一生の間，寸刻も休まず働き続ける臓器であるため，心が病む時は重篤であり，生命の終わりに近いことを意味する。また心が病む場合も，心が直接病むのではなく，心の外面を包み保護する膜であり，かつ心とほぼ同じ働きをする**心包**という器官が病むとされている。実証には心火亢盛（しんかこうせい），胸痺などがあり，虚証には心気虚，心陽虚，心血虚，心陰虚などがある。

〈実証〉

①**心火亢盛**（**心火旺**（しんかおう），**心火上炎**，**心火亢進**）

心臓そのものの疾患ではなく，中枢神経や自律神経の興奮過多の病証で，発熱・顔面紅潮・イライラ・動悸・不眠・不安・口内炎・舌炎などを伴いやすい。

②**胸痺**（**心痺**）

心の血脈が通じないために起こる病証で，冠状動脈不全・狭心症・心筋梗塞などの場合である。原因は心の陽気不足や瘀血などである。発作時は，心部疼痛・動悸・呼吸困難・チアノーゼ・冷汗・四肢厥冷[*18]などの病状を伴う。

〈虚証〉

①**心気虚**（**心気虚弱**）

心の陽気不足によって起こる循環障害や中枢神経興奮低下による衰弱をいう。心臓神経症・神経衰弱・冠状動脈不全・心臓弁膜症・健忘症などが含まれる。

②**心陽虚**

心気虚にさらに陽気が欠乏したもので，心気虚の状態に体の冷え・寒気・顔面蒼白・チアノーゼなどの諸症が加わる。

③**心血虚**（**心血不足**）

心の血流不足による諸症状をいう。一般に精神不安や動悸を伴う。栄養不良・貧血・自律神経失調症・甲状腺機能亢進症・不眠症・心筋梗塞などに見られる。

④**心陰虚**

心血虚より少し重篤で，発熱（陰虚内熱）しやすく，のぼせ・イライラ・口乾・咽乾・ほてり・舌質紅燥などの諸症を伴う。

(4) 心病証の治法

①心寧法(しんねい)

虚証実証を問わず精神が安定しない時に用いる。心および精神を安んじる法。

②清心法(せいしん)

熱証および実証に用いる。心の熱および異常亢進を鎮める法。

③養心法(ようしん)

虚証に用いる。心気や心血を補益し機能回復を図る法。

④益心脾法(えきしんぴ)

陽気不足に用いることが多い。心だけでなく，その母子関係にある脾も同時に補う法。

2）肺

肺は呼吸器の中枢であるが，漢方ではそれ以外にも多くの機能を統括する器官である。

(1) 肺の機能

①胃に入った食物が脾の力で消化運行され，穀気(こくき)となって肺に送られる。肺では，呼吸によりその穀気が大気(たいき)と配合し，宗気(そうき)が作られる。この宗気は営気(えいき)という形で全身を巡り栄養し，衛気(えき)となって身体を防衛する*19。

②肺は全身の気の流れを統括する。肺経の寸口部*20の脈において，各臓腑経絡の気の状態を知ることができる。

③腎で生み出された水液は肺気によって誘導運行される。

④肺は鼻と皮膚を支配する。鼻は気の流通する出入り口であり，鼻の病は肺へ，肺の病は鼻へと連動しやすい。また皮膚の抵抗力はみな肺の力に起因する。すなわち肺の力が弱ければ外邪の侵襲を受けやすい。

⑤「気は血の師」といわれるがごとく，気は血を動かす動力源となっている。肺は気の統括器官であるがゆえ，心臓が主(つかさど)る血液の運行を補助する。

(2) 肺の病因

肺は外気と直接つながっているため他の臓腑に比べて，外部からの邪気の侵襲を最も受けやすい。肺の支配領域は乾燥に極めて弱いので，空気が乾燥し，鼻や咽の粘膜が乾燥するようになると一気に免疫能力が低下し，かぜやインフルエンザにかかりやすくなる。また寒さにも弱いため寒い季節には同様にかぜを引きやすい。

また，水分代謝に関わる体質が要因となって，水滞や津液不足を起こし病を発する場合もある。

(3) 肺の主要な病証

肺は外気と直接接触するゆえに外感を受けやすい。肺の実証は風寒の邪，温病(うんびょう)の熱邪，燥邪に侵襲された場合に分けられるが，そのほかにも肺癰(はいよう)などの化膿性疾患による場合がある。また肺の虚証は，肺気虚と肺陰虚に分けられる。

〈実証〉

①風寒の邪の侵襲による場合

・初期：まだ肺本体まで侵されず，出先器官ともいえる体表や鼻における病変で，無汗・鼻水・くしゃみ・頭痛・身体痛・腰痛などを伴う。

・後期：肺本体が侵された場合で，肺炎・呼吸困難・咳嗽・喘鳴・痰を伴う。

②温病の熱邪の侵襲による場合

・初期：まだ肺に及ばず咽喉を中心にした病変。咽痛・口乾・咽乾・発熱・無悪寒（あっても軽微）・頭痛などを伴う。

・後期：強い咳嗽・激しい喘鳴・咽痛・咽乾・呼吸困難・発熱赤面・濃痰・舌質赤色などを伴う。

③燥邪の侵襲による場合

この場合，温病の熱邪の甚だしい場合と共通する。口・皮膚・咽の乾燥，乾咳，少量の粘痰があり切れにくい，舌質は紅色もしくは乾燥などの症状を伴う。

④化膿がある場合

悪臭のある血痰，発熱，脇痛，舌苔黄色などの症状を伴う。

〈虚証〉

①肺気虚

肺の衛気不足により体表に外感の邪気を受けやすい状態で，かぜを引きやすい。自汗[*1]・悪風・息切れ・疲れやすい・薄い痰などの諸症状を伴う。気虚の甚だしいものを，**肺陽虚**という。

②肺陰虚

肺の津液不足の状態である。口乾・咽乾・乾咳・無痰・寝汗・舌質紅色などの諸症状を伴う。

(4) 肺病変の治法

①清肺（せいはい）法（瀉肺，清肺熱）

熱証に用いる。清熱薬を用いて肺の炎症を鎮め，解熱する。

②補肺（ほはい）法（温肺，温肺気）

気虚，陽虚に用いる。温補薬により，肺を温（あたた）め補い，寒を除き，肺の活動力を増す。

③降肺気（こうはいき）法

肺の機能が衰え失調し，肺気が上逆した場合に用いる。肺気を補い活動力を増し，肺本来が持つ降気作用を復活させる。

④宣肺（せんぱい）法（肺気開宣（はいきかいせん））

肺壅（はいよう）など，気や痰がふさがった状態に用いる。痰などのうっ滞を取り除き，気滞を解消させ肺気の巡りを良くし，肺機能を調える。

⑤潤肺（じゅんぱい）法

陰虚に用いる。肺の津液を補い，肺の乾燥による炎症や咳を治す。

⑥斂肺（れんぱい）法

肺気弱く，自汗・喘咳するものに用いる。肺気を収斂して病状を改善する。

3）腎

腎には2つの大きな機能，すなわち泌尿器系の機能と生殖器系の機能がある。腎二葉のうち**左腎**を**腎**といい泌尿器系を主（つかさど）り，**右腎**を**命門**といい生殖器系を主るとされている。

(1) 腎の機能

①「腎は先天の本」といわれ，先天の精を蔵す。また命門が生殖器を主るゆえに成長・発育・生殖の機能を包括する。

②体内のすべての水，つまり津液（体液）を主っている。

③脳・骨髄・歯・髪などは腎の支配下にあり，その成長を主っている。そのほかに耳や尿道，肛門も腎の統括下にある。

(2) 腎の病因

命門は飲酒過多・労働過多が長く続くと病みやすくなるが，それに性生活の不摂生が加わるといっそう病みやすくなる。

腎は体の冷やし過ぎ・長期の立ち仕事・重労働・恐れを伴う精神的ストレス過多・塩分の過食によっても病みやすくなる。

(3) 腎の主要な病証

腎はその労働量が多く，精気の消費量も多いため一般に「腎に実証なし」といわれ，腎実証はまれであるとされるが，実際には急性腎炎などの場合に腎実証を呈することがある。

〈実証〉

①命門火旺（めいもんかおう）

命門の働きが過剰となり，性機能の異常亢進が起こり，陰茎は勃起状態が続き，夢精，多夢，不眠，のぼせ，耳鳴り，精神不安などを起こしやすくなる。

②泌尿器系を主る腎が病み実証を呈する場合

急性腎炎などに見られる高熱を呈す。

〈虚証〉

腎陰虚と腎陽虚に分けられる。日本で俗にいう腎虚とは腎陽虚に相当する。

①腎陰虚

腎を栄養し潤滑する血液や体液が不足している状態。具体的には発熱しやすく，腎炎・舌赤・のぼせ・耳鳴り・めまい・腰膝のだるさ・不眠・遺精・寝汗・咽乾などを起こしやすい。

②腎陽虚

- **命門火衰**：腎の陽気すなわち命門の気が不足し，全体に機能が衰え，活気がなくなっている状態。陽痿（インポテンツ）・身体の冷え・頻尿・夢精・腰膝のだるさ・慢性腎炎などを起こしやすい。
- **泌尿器系が虚した場合**：身体特に下半身が冷え，頻尿・夜間排尿が多くなり，時に失禁するようになる。またむくみやすくなる。慢性腎炎に至ると倦怠感が強くなる。

(4) 腎病証の治法

腎実証の場合，泌尿器系では清熱法が用いられるが，命門火旺による場合は腎陰虚を伴わない場合も陰分の不足を考慮に入れて滋陰降火法をとる。また，腎陰虚で熱のある場合にも滋陰降火法をとる。

①**滋陰降火法**（じいんこうか）

腎陰虚，命門火旺に用いる。腎の構成成分の精や津液を補いながら清熱する治法をいう。

②**温補腎陽法**（おんぽじんよう）（**温腎，補腎，補腎陽，益腎**（えきじん））

腎陽虚に用いる。桂皮，附子などの温補薬を用いて，腎の陽気を補い元気を盛んにし，身体を温（あたた）め活力をつける治法をいう。

③**固腎渋精法**（こじんじゅうせい）（**固腎，渋精**）

熱がなく夢精や排尿過多のある場合（**腎気不固**（じんきふこ））に用いる。腎精を補いながら，漏れるのを防ぐ方法である。

④**補腎納気法**（ほじんのうき）

腎気の失調が原因となって肺機能に変調を来し，息切れ・呼吸困難・喘咳などの症状を呈するものに用いる。腎陽を補いながら肺に溢れた水を利水して除く方法である。

4）脾

脾の実態については，歴史的に認識が異なる。後漢，『難経』のころまでは**膵臓**を指し，明代以後は現代の**脾臓**を指すが，その機能の認識については変わらなかった。なお現代中医学では，膵臓は「胰（い）」と呼ばれ区別されている。

(1) 脾の機能

①脾は「後天の本」と呼ばれ，胃に受けた食物を消化させ，その気を肺に運び，大気と結合させた後，各臓器および人体各部にその気血のエネルギーを運ぶ役割を担っている。それゆえ，「脾は運化を主（つかさど）る」といわれている。
②脾は血液を統括する。血液の循環と運行を主っている。
③脾は益気作用を持つ。脾は胃の消化活動を盛んにし，体内の気を増すことができ，特に四肢の活動を支配する。
④脾は水湿を運搬し，コントロールする力を持つ。

(2) 脾の病因

脾は身体のエネルギー全般を主り，特に消化器系と関係が深いので，脾の病変は即消化器系，特に胃の機能に影響する。脾は特に湿邪（湿度の高い環境によって起こる）に弱く，湿が体内に入ればガスがたまりやすく，軟便となり，腹部膨満を呈す。湿が体表にあれば浮腫および四肢倦怠などの病証を呈す。

また，食事の不摂生，過労なども脾の病の原因となる。

(3) 脾の主要な病証

一般に実することはほとんどなく，多くは脾虚証，脾虚寒証，脾胃虚弱，脾胃気血不足，脾胃中寒など虚証を呈す。

〈実証〉

脾が熱邪を受けるか，トウガラシなど燥熱の食物を取り過ぎたことによって起こる。一般に口渇・口乾・大便堅・舌赤などの症状を伴うが，脾の実証は極めてまれである。

〈虚証〉

①脾気虚

脾の機能が衰えることにより消化活動が弱り，腹部膨満・腸鳴・下痢・しゃっくり・げっぷなどの諸症を呈す。また気血水の運搬能力も弱るので，手足の倦怠感や浮腫を引き起こしやすい。また，脾気虚によって精神症状を伴いやすくなる。なお，気虚の程度の甚だしいものを**脾陽虚**という。

②脾陰虚

中医学において，脾と胃は機能的に同一視されているので，**脾胃陰虚**ともいう。つまり，脾胃の陰液不足によって炎症を引き起こしている状態である。主な症状は，口唇および舌の乾き・口渇・味覚障害・乾燥便などである。

③湿盛困脾（しっせいこんぴ）（脾虚困脾）

湿邪が強く脾の運行作用が阻害され，手足関節が重だるく痛む状態である。軟便・腹部膨満・浮腫などを伴う。

④中気下陥（ちゅうきげかん）（気虚下陥）

脾胃の虚により中焦の陽気が不足し，内臓下垂を起こす状態をいう。

(4) 脾病証の治法

脾の治療法はほとんどが虚証に対するものである。

①補脾法（益脾（えきひ）法，健脾（けんぴ）法，補脾胃法）

脾虚証に用いる。脾を補い消化運搬力を強化し，除湿能力を高める法である。湿が強い場合には，利水剤を加味する。

②醒脾（せいひ）法

脾陽虚の甚だしいもの，虚寒証に用い，働きを活発にする。

③補陰清熱（ほいんせいねつ）法

脾陰虚に用いる。陰液を補い，清熱を図り，脾の炎症を鎮める。

5）肝

肝臓の機能を統括するとともに，中枢神経の活動にも影響を及ぼす。

(1) 肝の機能

①血液の貯蔵と全身の血液分布を主（つかさど）る。また血の解毒を主る。

②肝は血管および経絡を通じ，特に頭部，子宮などの生殖器，泌尿器と連係している。

また眼や筋肉との関係が深い。これらの臓腑および人体各部の病変は多かれ少なかれ，みな肝につながると考えてよい。

(2) 肝の病因

現在ではウイルスやアルコール，過労，過食などが原因とされるが，漢方の考え方では，内因性の場合が多く，長期にわたる怒りの抑圧，過労や栄養不足から起こると考えられている。

(3) 肝の主要な病証

肝の病証は，実証・虚証・肝の気滞に大きく分類される。

〈実証〉

実際の肝の炎症および肝機能亢進によって起こる状態で，熱証を呈する。

①肝火(かんか)**（肝陽上亢**(かんようじょうこう)**，肝陽亢盛，肝陰虚）**

肝の機能亢進によって生じる熱証や気の上衝をいう。具体的な症状としては，頭痛・めまい・のぼせ・眼の充血・口苦・怒り・舌縁赤色・舌苔黄色・脈弦などを伴う。

②肝胆鬱熱

七情(しちじょう)の怒りなどの感情の滞積によって肝や胆の気がうっ滞して熱を持つこと。気の上逆による咽喉の詰まり，胸脇苦満，腹部膨満などを伴う。

③肝胆の湿熱

肝・胆もしくはそれらの経絡上において，湿邪と熱邪が融合し，口苦・腹部膨満・嘔吐・脇痛・小便黄赤・舌質赤色・舌苔黄色などの症状を伴う。具体的には黄疸性肝炎・胆石・胆嚢炎など。

〈虚証〉

陰分（構成成分：血や津液を指すが肝の場合は主に血を指す）の不足によって起こるのぼせや炎症，気の上衝などの症状を呈す状態。

①肝陰不足（肝血不足，肝血虚，肝虚）

陰とは陰分すなわち肝の構成成分である血や津液（体液）を意味するが，肝においてはほとんどの場合，血を指す。肝陰不足の状態は発熱・炎症を起こしやすく，のぼせ・めまい・耳鳴り・眼の充血や乾燥・寝汗・咽乾・脇肋の灼熱感などを起こしやすい。これらの症状は肝火と類似するが，実証（肝火）の場合はより激しい症状となる。また肝陰不足特有の症状として，無月経・月経量不足を起こしやすい。ただし血の不足により，貧血状態を呈することもある。

②肝腎陰虚（肝腎陰虧(かんじんいんき)**）**

肝（木）と腎（水）とは水生木の相生関係で，互いに助け合う臓器・経絡であるが，この場合は両者ともに陰分不足になっている状態である，すなわち肝陰不足の症状に腎陰不足による腰痛や足のだるさ・寝汗・遺精・不眠などの症状が加わる。

〈肝の気滞〉

①肝鬱（肝気鬱，肝気鬱結，肝気鬱滞）

長期にわたる怒りの抑圧によって肝の気がうっ結し，胸脇下部から咽中に滞る。胸脇苦満*9や腹部膨満感，咽中上逆*21による咳嗽，イライラ，頭痛などの症状を呈する。

②肝気血鬱滞

肝気鬱に血滞が加わり，生理不順や不眠，貧血などの症状を伴う。

③**肝風内動**（**風気内動**）

肝風とは，外部の風邪によって引き起こされるものではなく，体内における何らかの原因によって肝機能に失調を来し，肝経を気が上衝することをいう。その結果，めまいやけいれんなどの病状を引き起こすことを肝風内動という。

(4) 肝病証の治法

①**補肝法**（**養肝法**，**益肝法**，**滋養肝血法**，**潜陽法**）

肝陰不足に用いる。肝の構成成分（陰分）である血を補い，肝の陽気の上衝を治療する方法。

②**平肝法**（**和肝法**，**疏肝法**，**平肝熄風法**）

肝風内動に用いる。肝の機能を調えることによってその病証を治す治法。

③**清熱肝火法**（**瀉火熄風法**）

実熱に用いる。清熱を図り，熱症や炎症を治療する。

④**肝気宣法**

気滞による病に用いる。うっ滞した気を巡らし，肝機能を調える。

2．六腑

胆・胃・大腸・小腸・膀胱・三焦を総称して六腑という。六腑は水穀（飲食物・水液など）の通路である。飲食物は，六腑を通過する過程で消化され，カスは伝化され大便として排出される。したがって，五臓が気血や精を満たしているのに対し六腑は水穀で充実しているが，気血を満たすことはない。

1）胆

胆は外界と直接通じることなく，また胃腸系の穀物消化にも直接関与しないので，**奇恒の腑**[*22]ともいう。

(1) 胆の機能

胆は胆汁を貯蔵し，これを分泌して消化を助ける。

(2) 胆の病因

胆は湿邪に弱く，その侵襲を受けると湿がうっ滞・熱化して黄疸を起こしやすくなる。また，精神的ストレスによって胆石を作りやすい。

(3) 胆の主要な病証

〈**実証**〉

ほとんど熱証を呈する。

胸腹部が腫れて痛み，口苦・片頭痛・黄疸・発熱などの諸症を伴う。

〈**虚証**〉

顔色および皮膚の色はくすんだ黄土色を呈し，疲れやすい状態。また決断力が低下し，驚きやすい・不安感・多夢などの諸症を伴う。

(4) 胆病証の治法

①清熱利胆法

湿熱による胆汁調節障害に用いる。炎症を鎮め，湿邪を除き，胆汁の分泌・貯蔵・排泄機能を調える治法。黄疸・倦怠感・胸脇から上腹部にかけての膨満感を治す。

②利胆法

黄疸，胆石などに用いる。胆汁の分泌・貯蔵・排泄機能を調える治法。

2）胃

胃は“水穀（すいこく）の海”とか“五穀（ごこく）の腑”と呼ばれるように消化機能を主（つかさど）っている。またほとんどの場合，脾と一対になって働き脾胃といえば消化器官すべての機能を意味することが多い。

(1) 胃の機能

①胃はすべての飲食物を受けて消化する。この消化したものを脾の力を借りて小腸に送り出す。この機能を「胃の降濁（こうだく）」という。

②胃の消化機能および胃で作り出されたエネルギー（水穀の精気）を**胃気**といい，生命の根源的エネルギーとされる。胃気尽きたときは死とされ，胃気の状態は生命力のバロメーターとなる。通常，その状態は足の甲（胃経）にある衝陽穴（しょうようけつ）の脈動によって診ることができる。

(2) 胃の病因

暴飲暴食，冷たいものや油物の過食，アルコール・タバコの摂取過多といった飲食の不摂生や精神的ストレスが主因となるが，胃はことさら精神的ストレスに弱く，食欲不振・胃痛などを起こしやすい。ストレスが長期にわたれば胃潰瘍になりやすい。

(3) 胃の主要な病証

胃の病証は，実証・虚証・胃内停水・反胃（はんい）などに分類される。

〈実証〉

胃に胃炎などの実際の炎症があり，灼熱感・口苦・口臭・胸やけ・悪心・舌苔黄色・舌質赤色などの諸症を伴う。胃の炎症（胃熱）や湿熱，胃部の膨満感などを含む。

〈虚証〉

①胃陽虚

胃の機能が低下し，消化不良・胃部の冷え・下痢・食欲不振・多唾・舌質淡白などの諸症を呈しやすい。軽いものを胃気虚という。

②胃陰虚

胃部の津液が不足した場合で，便秘・口渇・乾嘔・濃尿・舌質赤色となる。

〈その他〉

①胃内停水

胃の水分代謝機能が悪くなっている状態で，心下部（みぞおち）で振水音が聞こえる。吐き気・めまい・咳嗽などの原因となる。

②反胃（はんい）（胃反）

胃の機能が弱り，食物を食べるとすぐに腹が膨満し嘔吐してしまう。また，朝に食したものを夕方に，夕方に食したものを朝方に，それぞれ未消化のまま吐いてしまうこともいう。

(4) 胃病証の治法

①温胃（おんい）法

胃寒証*23 に用いる。温胃健胃薬を用いて冷えを除き，胃の機能を回復する。気が上逆して頭痛やめまいなどを起こしている時は，さらに降気薬を加えて用いる。これを**温胃降逆法**という。

②和胃（わい）法

胃気不和に用いる。胃の働きを調え，胃内停水を除き，病証を治療する。もしこの時に気が上逆して，めまい・頭痛を起こしているような場合，さらに降気薬を加える。この治法を**和胃降逆法**という。また，湿邪が強い場合は利水薬を加味する。

③開胃（かいい）法

胃呆食滞（いほうしょくたい）*24 などに用いる。食欲不振の場合に食欲増進させることをいう。

④脾胃清熱法

胃熱証に用いる。脾胃の清熱を図り，炎症を鎮める。胃熱が甚だしく，津液不足が見られる場合は，津液を補いながら清熱を図る。

3）小腸・大腸

生理機能は小腸と大腸とで区別されているが，病証として両者が区別されることは少なく一括して“腸”として扱われることが多い。時によっては，脾・胃・小腸・大腸をも一括して中（ちゅう）と表現することもある。これは体内の中心を消化器系が通っているからである。

(1) 腸（小腸・大腸）の機能

①**小腸**：「小腸は精濁（せいだく）の分別を主（つかさど）り，液を主る」といわれ，消化された食物を精（栄養物・水分）と濁（残渣）に分け，精を吸収し，濁を大腸に送る働きをする。

②**大腸**：「大腸は糟粕（そうはく）の伝化を主り，津（しん）を主る」といわれ，小腸から受けた濁から残余水分の一部（津）を吸収し，糟粕（糞便）として肛門から排泄する。

(2) 腸（小腸・大腸）の病因

暴飲暴食・精神的ストレス過多・外部からの冷え・水当たり・細菌などが原因となる。

(3) 腸（小腸・大腸）の主要な病証

〈実証〉

①腸湿熱

湿邪と熱邪が腸を侵襲し，下腹部痛・灼熱感・下痢・裏急後重（りきゅうこうじゅう）（しぶり腹）・膿血便・発熱・口苦などを伴う。細菌性の大腸炎などがこれに当たる。

②**腸燥便秘**

熱邪や腸内の津液不足によって起こる乾燥性便秘のことで，腹痛・腹部膨満・悪心・嘔吐・舌苔黄色などの諸症を伴う。

③**腸癰**（ちょうよう）

湿熱・気滞・瘀血が腸内に滞留して起こる。発熱腹痛があり，患部は化膿する。虫垂炎などがこれに相当する。

〈**虚証**〉

小腸や大腸の虚寒性の慢性下痢。全身疲れやすく，時に大便失禁する。なお，気虚により腸の働きが悪く逆に便秘する場合もある。これを**虚秘**（きょひ）という。

(4) 腸病証の治法

①**潤腸法**

乾燥性の便秘などに用いる。腸の津液を補い，また，腸を潤滑し，働きを良くして通便する。

②**渋腸固脱法**（じゅうちょうこだつ）

陽虚の慢性持続性下痢に用いる。腸を斂（ひきし）め，下痢を止める。

③**消食導滞法**（しょうしょくどうたい）（**消食化滞，消導**（しょうどう））

消化不良で食物がいつまでも腸内に積滞して便秘するような場合に用いる。消化を促進し，排泄に導く法。

④**清熱法**

実熱証に用いる。炎症を鎮め病状を改善する。水瀉性下痢が甚だしい場合は利水剤を加味する。

4）膀胱

ほぼ現在の膀胱と同義である。

(1) 膀胱の機能

「津液を蔵す」といい，余分な体液を尿として集め，体外に排泄する。

(2) 膀胱の病因

腎の病変は何らかの形で膀胱の病変としても現れる。また寒冷な環境も膀胱に対して強い影響力を持ち，膀胱炎などを起こしやすくする。過度な神経緊張は病気ではないが，尿意頻繁の形で現れる。

(3) 膀胱の主要な病証

膀胱の病証は実証・虚証・湿熱証に大きく分類される。

〈**実証**〉

ほとんど熱証を呈する。

膀胱の炎症により，発熱・小便不利・下腹部の膨満感と腫痛・血（膿）尿などの症状を呈する。

〈虚証〉

ほとんど寒証を呈する。

多くは冷えにより，尿意・尿量ともに多く，遺尿・浮腫を呈する。小便の色は清澄である。

〈湿熱証〉

湿邪に侵されて炎症を起こし，結石・血尿などを呈する。

(4) 膀胱病証の治法

①清熱利水法

実熱証に用いる。膀胱の炎症を除き，利水を図る方法。

②温陽利水法（おんようりすい）

虚寒証に用いる。身体を温（あたた）め，陽気を盛んにして利水を図る方法。

③温補固渋法（おんぽこじゅう）

虚寒で，尿を漏れないよう防ぐ力の衰えたものに用いる。身体を温め，気を補い，頻尿・遺尿など小便排泄過多を治す。

5）三焦

三焦とは五臓六腑を納めている体腔（胸腔＋腹腔）全体をいう。中空であるがゆえに臓腑のうち臓ではなく腑に配当される。三焦はその部位により上・中・下に分けられ以下のような区分がある。

上焦：横隔膜までを指し，併せて心・肺の機能および頭・顔面を含む。

中焦：横隔膜から臍部までを指し，脾，胃の機能を包括する。

下焦：臍部から恥骨までを指し，大腸・小腸・膀胱・生殖器および肝腎*25などの機能を包括する。

(1) 三焦の機能

焦は燃焼させることを意味する。つまり身体の種々の生命活動の源となるエネルギーのことである。三焦の実態については定かでないが，機能は次の通りである。

①気・血・水（津液）を巡らせる作用。

②水穀の消化作用。

③水分の代謝を調える作用。

(2) 三焦の病因

三焦は体内の種々の物質の輸送を主（つかさど）るために，暴飲暴食や過労により，また湿気や寒気の強い場所など不全な環境に長期に身を置くことにより失調しやすくなる。

(3) 三焦の主要な病証

三焦の病証の実態については古来より混乱が見られ，いまだに不明である。したがって本項では部位としての三焦の病証について記載する。なお，温病における三焦弁証については別項（p. 287）を参照のこと。

三焦の病証は実熱証と虚寒証に大きく分類される。

〈実証〉

ほとんど熱証を呈する。

①**上焦の実熱**：胸部煩悶，舌乾，喘満など。

②**中焦の実熱**：腹満脹痛，便秘，喘満など。

③**下焦の実熱**：大小便不通，下痢膿血など。

〈虚証〉

ほとんど寒証を呈する。

①**上焦の虚寒**：精神不安，呼吸困難，喘満など。

②**中焦の虚寒**：腹痛，腸鳴，下痢，腹脹満など。

③**下焦の虚寒**：下痢，小便無色多量，遺尿など。

(4) 三焦病証の治法

上焦・中焦・下焦の各部位における臓腑の病変の治法に準ずる。

以上，臓腑について簡単に解説したが，臓腑は相互に強い関連を持ち，その病証には，1つの臓腑だけでなく複数の臓器が関連して病を起こすものも多いことをつけ加えておく。

六淫（りくいん）理論

六淫とは，外感病を引き起こす発病因子となるもので，**風・寒・熱（火）・暑・湿・燥**がこれに当たる。六淫による疾病は季節や時期，気候と関係が深い。六淫は単独で疾病を引き起こす場合もあるが，いくつかが連動して疾病を引き起こす場合もある。

1）風（風邪（ふうじゃ））

風は陽邪であり，年間を通して出現する。いわゆるかぜは風邪（ふうじゃ）の範疇である。また「風は百病の長」といわれるように，他の病邪と一緒に身体に侵入することが多い。

(1) 風邪（ふうじゃ）の性質

①腠理（そうり）[*26]を開き，上部を侵しやすい

風邪が侵襲すると，腠理が開き，発熱・悪風・汗が出るなどの症状を起こしやすい。また，風は陽の性質を持っているので上行しやすく，頭痛・鼻づまり・咽喉の痒み・顔面の浮腫等を起こしやすい。

②遊走性があり，変化しやすい

部位的にも時間的にも症状が固定しない。また発病が急で，他の病に転化しやすい。

③他の病邪と合併しやすい

六淫の中で最も発病しやすく，寒・熱・湿・燥などは風邪と合体して人体を侵すことが多い。外感発病の先導者といえる。

④麻痺やけいれんなどの症状を起こしやすい

風に動きやすいという特徴があることから，肢体に異常運動や強直，けいれんなどを起こしやすい。

(2) 風邪の病態変化

風邪には外風と内風がある。いずれも中風というが，外風による場合は，「風にあたる」意味での中風であり，内風の場合は「なかの風邪」という意味での中風である。

〈外風〉

外風の中風の一般的意味は，悪風から始まる感冒などのことであるが，風邪は変化しやすく，また，他の六淫の邪，寒邪・湿邪（水滞を含む）・熱邪などと結合して病変を起こしやすい。いずれの場合も体表から悪風を伴って侵襲してくる。

①風寒

風邪と寒邪が結合して侵襲してくる場合である。悪風は悪寒に変わり，発熱・頭痛・鼻づまり・くしゃみ・全身倦怠・自汗または無汗などの症状を呈する。治法は**辛温発表法**によって発汗する。

②風湿

風邪と湿邪が結合して侵襲する場合である。発熱，悪寒，自汗のほかに種々の関節痛や筋肉痛，腰痛，全身倦怠などの症状を呈する。治法は**発汗解表法**か**表湿利水法**を用いる。

③風水

風邪と水滞が結合した場合である。発熱・悪風・咳嗽・浮腫・全身倦怠などの症状を呈する。治法は越婢加朮湯のような**発汗剤**に**利水薬**が加わったものが用いられる。

④風熱

風邪と熱邪が結合して侵襲してくる場合である。大半は咽喉部から始まる。悪風や悪寒はほとんどなく，発熱・熱感・口渇・舌尖紅・咽痛などの症状を呈する。治法は**辛涼発表法**を用いる。

⑤風寒湿の痺証（風寒湿痺）

風邪と寒邪と湿邪の三邪が合併して引き起こす病変で，関節痛・筋肉痛・腰痛麻痺感など伴うが，痛みの強いのが特徴である。治法は初期には**発汗解表法**を用い，風邪と寒邪を除き，後期には**表湿利水法**で体表の湿邪を除き痛みを止める。

〈内風〉

慢性疾患や熱性病の経過の中で起こる意識障害・めまい・けいれん・運動麻痺などの風の症状を内風という。脳卒中などはその典型である。治法は**平肝熄風法**[*27]を中心に用いる。熄風とは風の症候を鎮めることをいう。

2）寒（寒邪）

寒は陰邪に属し，身体を冷やすことによって発病する。寒邪に侵襲されることを中寒，傷寒という。

(1) 寒邪の性質

①陽気を損傷しやすい

陽気を損傷することで，体が温(あたた)められなくなり，抵抗力が落ち病気にかかりやすくなる。

②凝滞性を持つ

人体の気血・津液を凝滞させてスムーズに流れなくさせる。これにより多くの疼痛症状が起こる。

③収斂性を持つ

体表では，皮毛・腠理(そうり)*26 が収縮し，無汗となり，さらに悪寒・発熱等の症状を起こす。経絡・筋脈が収縮すると身体の疼痛，脈緊などの症状や，手足の屈伸不利，厥冷(けつれい)*28 を起こす。

(2) 寒邪の病態変化

寒邪には内寒と外寒がある。

〈外寒〉

外寒とは外から寒邪が皮膚に侵入し，陽気が阻害され，悪寒・発熱・無汗・頭痛・身体痛・関節痛などの諸症状を呈することである。さらに内に入れば腹痛・下痢などを起こす。

①**中寒**

陽気不足の状態で，寒に中（あたる）つまり寒さによって引き起こされる，冷え・悪寒を中心とした寒邪の病変である。治法は**温補法**を用いる。

②**傷寒**

種々の急性熱性病を総括した病変である。初め強い悪寒がし，次いで発熱・悪寒が同時に現れる。傷寒によって体表を侵された初期を表実証といい，発熱・悪寒・身体痛・腰痛・無汗などの病変を呈する。治法は**辛温発表法**を用いる。

③**寒湿**

寒邪と湿邪が結合して侵襲してくる場合である。陽気の運行と血流が滞り，悪寒・冷感・筋肉痛・関節痛・皮膚寒冷感などの病証を呈する。治法は**温補去湿法**を用いる。

〈内寒〉

内寒とは陽気不足で，体が冷え切っている状態で，悪寒・手足冷・腹痛・下痢・利尿過多などの病証を呈することである。治法は**温中散寒法***29 を用いる。

①**虚寒**

正気(せいき)不足のうえに，寒邪が結合している状態で，身体の冷え・倦怠感・食欲不振・下痢未消化便などの病変を呈する。治法は**温中散寒法**を用いる。

②**寒瀉冷痢**

寒い環境もしくは冷たい飲食により，水瀉性の下痢をする状態。治法は**温中散寒健脾(けんぴ)法**を用いる。

③**寒疝**

寒冷が原因となって生じる下腹部痛である。治法は**温中散寒法**を用いる。

3）熱・火（熱邪・火邪）

熱と火はほぼ同じ意味で用いられる。いずれも発熱している状態を示すのが基本であるが，火は以下に示すようなニュアンスを含めて用いることがある。

①熱証が特に顕著なもの。

②自律神経系の異常亢進や陰虚の体質など，体内から発生してくる熱証。

(1) 熱・火邪の性質

①炎上しやすい

熱には激しく上行する性質があるため，頭部・顔面部に熱症状が現れやすい。また心煩[*30]・不眠・狂躁[*31]などの神経症状が現れやすい。

②気と津液を損傷しやすい

熱によって陰分が損傷されると，口渇・尿赤・尿不利・便秘などの症状を起こしやすい。また元気が損耗されると倦怠感・精神疲労・脱力などを起こしやすい。

③風を生じ，出血させやすい

肝風[*32]を生じさせ，高熱・昏迷・四肢のけいれんなどの症状を起こす。また血管に炎症が起こりやすくなり，鼻血・吐血・血尿・血便・皮膚出血などの各種出血病症が生じる。

④化膿性・熱性の腫れ物を生じやすい

熱邪が深く入り，局所に集中すると血肉を侵し，化膿性の腫れ物を生じさせる。

(2) 熱・火邪の病態変化

熱・火には実と虚がある。**実熱**，**実火**とは大抵の場合，外部から邪の侵入によって発熱することをいうが，時に陽気の異常亢進による発熱をいうこともある。**虚熱**（**陰虚内熱**）・**虚火**とは，例えば咽喉乾燥による発熱のように，陰虚の体質つまり津液不足の状態が原因となって発熱する場合である。

また本証には，初めから熱証を呈す外感病と，寒邪・湿邪・暑邪・燥邪などが最初に体内に侵入し途中から熱邪に変わる場合，熱痺（関節リウマチや関節炎など）のように患部が部分的に炎症発熱する場合がある。初期からの熱病は，**外感温病**（がいかんうんびょう）（外感熱病）といい，詳しくは温病の項で述べているが，衛分（えぶん）→気分（きぶん）→営分（えいぶん）→血分（けつぶん）と4段階に進行する。

治法の基本は**清熱法**である。これは発汗による解熱ではなく，石膏などの寒・涼の性質の薬物を用いて熱を除くことであるが，陰虚（津液不足）の場合は津液を補いながら清熱する**滋（補）陰清熱法**を用いる。

また熱邪は，その熱状の特徴により，煩熱・壮熱・身熱・潮熱・瘀熱・湿熱・熱痺などさまざまな呼称がある。

4）暑（暑邪）

暑邪は広義の意味では，火と同様に熱邪に属すが，具体的には夏の盛りに起こる日射病や熱射病のことである。暑邪の病は暑さにより発汗過多となり，津液を損ないやすいので注意を要す。暑邪に対する治法は解暑という。

(1) 暑邪の性質

①熱症が強く，気・津液を損傷しやすい

夏の盛りに生じるため，高熱・面赤・大汗・煩渇[*33]などの熱症が強く，さらに腠理[*26]が開き，汗を多くかくため気と津液を大量に消耗する。口渇・身熱[*7]・多飲・息切れ・脱力感などがあり，甚だしい時は，昏倒・人事不省・四肢のけいれんなどの症状が現れる。

②湿邪を伴いやすい

夏季は温度，湿度ともに高いため，しばしば湿邪を伴って侵襲する。四肢の倦怠感・胸腹の膨満感・悪心・下痢などの症状が現れる。

(2) 暑邪の病態変化

一般に暑邪は状況によって暑熱と暑湿と陰暑に分けて考えることができる。

①暑熱

いわゆる日射病と熱射病がこれに相当する。高熱，頭痛，呼吸促迫，尿量減少，顔面紅潮，時に意識障害や引きつけなどを伴うこともある。軽いものを**傷暑**といい，重いものを**中暑**という。治法は**清熱生津法**[*34]を用いる。

②暑湿

暑邪と湿邪が一緒になったものである。湿熱の一種で，夏季に起こる消化器症状を伴う感染症である。発熱・四肢倦怠・食欲不振・嘔吐・下痢・尿量減少・舌質紅色などの諸症状を伴う。治法は**清熱化（去）湿法**を用いる。

③陰暑

暑邪と寒湿が一緒になったものである。夏季の冷たいものの過食か，冷房などの環境によって起こる。また夏季の悪寒を伴うかぜによっても起こる。悪寒・発熱・頭痛・四肢倦怠・下痢・口渇・煩悶感・自汗などの諸症状を伴う。治法は**解表散寒法**[*35]や**化（去）湿解暑法**[*36]を用いる。

5）湿（湿邪）

湿邪とは湿気が体の一部に停留して，有害となっているものをいう。多くは体表・筋肉・関節・胃腸系に停留する。湿は外湿と内湿に分けられる。

(1) 湿邪の性質

①気の運行を阻害しやすく脾胃の機能を損傷しやすい

湿邪が，臓腑経絡に滞ると，気の巡りを阻害し，胸悶感，みぞおちの痞え，すっきり排便しない，尿量減少などの症状が起きる。また消化器系に影響が出ると，胃腸に水湿が停滞することによる下痢，尿量減少，腹水，水腫などの症状が起きる。

②重濁性を持つ

「重」とは感覚的な重さを示す。湿邪は陽気を阻滞させやすく，頭や身体の重さ，四肢のだるさなどの症状が現れる。また経絡や関節に滞ると関節疼痛・沈重，皮膚感覚の鈍化などが起こる。「濁」は排泄物や分泌物が汚く異常であることを示している。面垢・目やにが多い・下痢便・粘液便・小便混濁・帯下黄白・湿疹などの症状が出る。

③粘滞性を持つ

粘りがあり，停滞するという性質があるため，排泄や分泌がスムーズに行われない。また，病が治りにくく，長引きやすく，再発しやすい。

④下降しやすく，下部を侵しやすい

下注（下に向かう）という性質があるため水腫などが下肢に出やすい。帯下・下痢・脚気・淋証*37なども湿邪の下注によって起こる場合が多い。

(2) 湿邪の病態の変化

〈外湿〉

外湿とは体外の湿気の強さによって，体表・筋肉・関節の気の流通が阻害され，四肢倦怠感，全身倦怠感，筋肉・関節部の疼痛を引き起こす。これを**表湿**という。表湿が盛んになると浮腫を形成する。湿邪に侵された部分は，多くは湿によりじっとりと湿っている。

①湿痺

湿邪が原因となって起こる関節炎・神経痛などのことをいう。治法は辛温発表薬に利水薬を加味して用いる**表湿利水法**が適応となる。

②風湿

外湿が風邪（ふうじゃ）と結合して身体に侵襲してくるもの。この場合は，風邪の徴候である頭痛・肩こり・咳嗽などを伴うことが多い。治法は**発汗解表法か表湿利水法**を用いる。

〈内湿〉

脾の力が弱く，体内特に胃腸に湿邪が停滞してしまい，食欲不振・腹部膨満感・泥状の軟便・ガスの多発・下肢の浮腫などの病症を示す。内湿の形が痰飲（水滞）に変化することもある。湿も痰飲もいずれも水の変形であるが，胃内停水などのように液体の形となって現れるものを痰飲という。治法は**去湿健胃法**を用いる。

〈他の病邪との結合〉

湿邪は他の病邪，例えば熱邪と結合して湿熱（湿温（しつうん））となり，寒邪と結合して寒湿を形成する。

①湿熱

湿邪と熱邪が結合したもので，湿温ともいい，普通 温病（うんびょう）のカテゴリーで取り扱われる。病巣部位により，**脾胃湿熱**，**大腸湿熱**，**肝胆湿熱**，**膀胱湿熱**に分けられる。一般的症候としては，持続性の発熱・食欲不振・悪心・腹部膨満感・口苦・口乾・尿量減少・皮膚の炎症・湿疹・掻痒感などの症状を伴う。治法は**清熱化（去）湿法***38を用いる。

②寒湿

寒邪と湿邪が結合したもので，冷え・食欲不振・悪心・腹部膨満感・泥状便・頭重感などの諸症状を伴う。治法は**温中化（おんちゅうか）（去）湿（しつ）法***39を用いる。

6）燥（燥邪）

燥は湿とは反対に乾燥による障害である。乾燥の原因となる条件を燥邪という。

(1) 燥邪の性質

①乾燥性があり，津液を消耗しやすい

人体の津液を消耗させやすく，口渇，口・鼻・皮膚の乾燥，毛髪がパサつくなどの症状が出やすい。

②肺を損傷しやすい

呼吸器系の粘膜は乾燥に弱く，乾燥によって免疫力が落ちて感染しやすくなる。呼吸器系が燥邪に侵されると，咳嗽し，少痰もしくは痰が粘くなり，痰を吐き出すのが困難となる。また，血痰・胸痛・喘息なども起こる。

(2) 燥邪の病態変化

燥には，外燥と内燥がある

〈外燥〉

外燥は空気の乾燥とそれに伴う病原菌やウイルスなどの感染による上気道の炎症をいう。日本の冬場に見られるように，空気が乾燥してくると，鼻や咽の粘膜も乾燥して免疫力が低下し，細菌やウイルスに感染しやすくなる。一般症状として，口・鼻・咽喉部の乾燥，乾咳，咽痛，鼻出血などを伴う。このうち悪寒のあるものを**涼燥**，熱感のあるものを**温燥**という。

外燥の治法としては，**辛涼発表法**を用いる。

〈内燥〉

内燥は，発熱性疾患や慢性病などによる津液（体液）不足の状態で一般に乾咳・少痰・咽喉乾燥感などの諸症状を呈するが，治法は**滋陰増液法**[*40]を用いる。

治法は外燥，内燥ともに津液（体液）が不足している状態であるから，そのまま発汗させたり，下したりしてはならない。もしそのような治療法を用いるとより津液不足を招き，発熱しやすくなってしまうので，この病変においては，他の治法に併せて必ず**滋陰法**（津液を補うこと）を用いる。

温病学説

日本漢方では急性熱性疾患の対処法のほとんどは『傷寒論』に由来するが，中医学では温病学説との2本立てになっている。この両者の違いは，中国で温病学説が発達した清代に，日本が鎖国をしていたため，日本にはっきりした形で伝わらなかったことによる。

温病という名称については，『素問』や『傷寒論』中にすでに登場するが，体系的に温病について論じられるようになったのは，ずっと後代の明代末葉から清代初頭にかけてであった。温病理論が発展した背景には，当時『傷寒論』の治法に当てはまらない疫病がいくつも登場するようになったことが挙げられる。それまで，急性病の治療指針はほとんど『傷寒論』によっていたが，その新しい疫病は，傷寒（寒邪によるもの）ではなく，温病（温性の邪によるもの）ではないかと唱える人たちが現れたのである。そして最初に温病の専門書を著したのが呉有性であった。彼は1642年『**温病論**』を著した。次いで清代に入り，**葉天士**が『**外感温熱篇**』を著し，さらに呉鞠通が『**温病条弁**』を著し，この2人によって一応温病学説は完成された。

温病の原因については，流行する疫病の性質と患者のその時の状態によって決定され，いずれも結果的には咽喉部における津液不足の状態となって現れる。この場合は悪寒がほとんどなく発熱のみで，口渇・咽痛を伴うのが特徴である。治療上の注意点として，発汗剤や下剤を投与する際も津液を失わないようにしなければならない。

温病の弁証法

温病進展の捉え方については２つの考え方がある。１つは葉天士の提唱した**衛気営血（えきえいけつ）弁証**であり，いま１つは呉鞠通の提唱した**三焦（さんしょう）弁証**である。そして今もこの二者が温病弁証の基本綱領となっている。

(1) 衛気営血弁証

衛気営血という用語は『素問』中にすでに登場するが，その意味するところは全く異なるといってよい。これは『傷寒論』の三陰三陽に対応したもので，**衛分（えぶん）→気分（きぶん）→営分（えいぶん）→血分（けつぶん）**と進む温病の進行過程を意味している。

①衛分

温病初期で太陽病とほとんど同じであるが，口中および咽中の津液が不足した状態になっており，舌質は**紅色**である。津液を損なわないように**辛涼発表法**を用いる。銀翹散（ぎんぎょうさん）や桑菊飲（そうぎくいん）がその代表となる。

②気分

『傷寒論』の陽明病に相当するが，衛分の場合同様津液不足の状態にある点が異なる。悪熱・口渇・舌質**深紅**などを呈する。下す場合も津液を損なわないよう配慮しなければならない。治法は**滋陰増液法**[*40]および**瀉下法**を用いる。増液承気湯（ぞうえきじょうきとう）などの適応となる。

③営分

ここからは血液病の病変に入るので，『傷寒論』とは全く異なった方向に進むことになる。邪熱が血中に入り，夜間に発熱が増悪し，うわ言をいうようになる。舌質は絳（こう）色（暗い赤色）を呈す。斑疹を呈すこともある。治法は**涼血法**[*41]を用い，清営湯（せいえいとう）や清宮湯（せいきゅうとう）により清熱を図る。

④血分

血液病の最も重篤な場合で，営分の高熱とともに鼻血・吐血・血尿・血便・皮下出血などの出血反応を呈するようになる。舌質は**深絳色**で暗紫色の斑疹を呈することもある。治法は**より強力な涼血法**を用いる。犀角地黄湯（さいかくじおうとう）などの適用となる。

(2) 三焦弁証

温病は上焦から始まり中焦そして下焦へ進むという考え方であるが，上焦は心（心包）肺，中焦は脾胃，下焦は肝腎の病証を示す。この臓腑配当については，部位としての三焦[*42]と必ずしも一致しない。現在中国でも，この弁証がかえって温病の理解を困難なものにしているとして，一部では不要論も出ている。

＊1：汗が出るべき状態でないのに発汗してしまうこと　＊2：人体生理としての陰陽 p. 255 参照　＊3：三陰三陽論 p. 260 参照　＊4：温病学説 p. 286 参照　＊5：胃腸や肺，肝，胆，腎，膀胱といった内臓や血脈，骨髄など身体の深部に生じた熱・炎症症状のこと　＊6：陽明病の熱状で，潮が満ちるように一気に高熱となるもの　＊7：身体の深部から出てくる高熱　＊8：悪寒と熱感が交互にくる状態　＊9：胸から脇にかけての圧迫感。少陽病に特徴的に現れ，柴胡剤の適応となる　＊10：みぞおちの痞え，およびかたまりを手に触れて圧痛があるもの　＊11：294 処方では桂枝加芍薬大黄湯の名称で収載　＊12：手足の末端から冷えが突き上げてくる状態　＊13：陽気をめぐらせて厥逆を治す治療法　＊14：→中気下陥 p. 273 参照　＊15：→胃の機能② p. 276 参照　＊16：病が治らず長引くもの　＊17：熱証による煩悶感，胸部だけでなく手足を含め全体に及ぶ　＊18：手足の末端から冷えが突き上げてくる状態　＊19：⑴ 気とは の項 p. 263 参照　＊20：肺の経絡上にある，手首の橈骨動脈が触れる部位　＊21：咽喉部に気が突き上げてくること　＊22：脳・髄・骨・脈・胆・女子胞（子宮）を指す。形は腑に似て，働きは臓に似るが，一般の臓腑とはその役割が異なる　＊23：胃の機能が，冷えや寒さによって阻害されて病んでいるもの　＊24：胃の消化機能が停滞し，食欲不振や消化不良，常に膨満感のあるものをいう　＊25：病理・生理の角度から部位の比較的高い肝も含まれる。肝腎はしばしば一緒に論じられる　＊26：皮下のごく浅い部分（汗腺を含む）　＊27：→肝風内動および平肝法 p. 275 参照　＊28：手足の末端から冷えが突き上げてくる状態　＊29：脾胃を温め，寒を除く治法　＊30：胸部がほてり，悶えること　＊31：精神不安定となり手足をばたつかせること　＊32：→肝風内動 p. 275 参照　＊33：煩燥感を伴うような口渇　＊34：清熱しながら津液を補う治法　＊35：辛温発表薬を用いて体表の寒邪を除く治法　＊36：去湿薬および清熱薬を用いて湿邪・暑邪を除く治法　＊37：頻尿・排尿痛・残尿感・出渋る・したたり止まらないといった排尿異常の病証　＊38：清熱しながら湿邪を除く治法　＊39：胃腸を温めて湿邪を除く治法　＊40：滋陰法がより強化されたもの　＊41：寒性・涼性の薬物を用いて血熱を鎮める治法　＊42：p. 279 参照

附

一般用漢方 294 処方「生薬効能分類表」および「処方効能分類表」凡例

単一生薬の効能と処方における効能を対照できるよう，「生薬効能分類表」と「処方効能分類表」を作成した。これらの表と本文中の「配合応用」を参照することにより，処方と構成生薬が薬能の面からどのような関連性を持つのか，立体的に読み解くことができると考える。

1.「生薬効能分類表」について

効能別に生薬を一覧できるよう，目次のもととなった「生薬効能分類表」を示した。既存の解説書では中医学的な分類が多いなか，本表では「三陰三陽論」，「気血水論」といった日本漢方の視点も考慮に入れた新しい分類を試みた。なお，生薬のもつ効能は多岐にわたるため，1つの項目だけでは分類しきれない生薬については複数項に分類した。

2.「処方効能分類表」について

一般用漢方 294 処方「処方効能分類表」には，294 処方について，それぞれの処方を効能別に分類し一覧表としてまとめた。

本分類表作成に当たっては，後漢代に著された『傷寒論』，『金匱要略』に収載される処方を基本とする「古方」と，それ以降に創作された「後世方」等では，その処方を構成する理論が異なることを考慮し，294 処方を「古方処方」と「後世方処方 他」の 2 種に分け，「処方効能分類表 その 1（古方処方）」，「処方効能分類表 その 2（後世方処方 他）」として別表に収載した。

「古方処方」と「後世方処方 他」の振り分けの基準について以下に示す。

【「古方処方」として収載した方剤】

①『傷寒論』『金匱要略』に収載されている処方。

②『傷寒論』『金匱要略』に処方そのものは収載されてはいないが，『傷寒論』『金匱要略』収載処方の加味方であるもの。

③『傷寒論』『金匱要略』に処方そのものは収載されてはいないが，『傷寒論』『金匱要略』収載処方の合方であるもの。

なお，②③に該当する処方は以下の通りである。

越婢加朮附湯，葛根湯加川芎辛夷，帰耆建中湯，桂枝越婢湯，桂枝加朮附湯，桂枝加苓朮附湯，桂枝二越婢一湯加朮附，桂枝茯苓丸料加薏苡仁，杞菊地黄丸，五虎湯，牛車腎気丸，柴陥湯，柴朴湯，柴苓湯，小柴胡湯加桔梗石膏，小青竜湯加杏仁石膏（小青竜湯合麻杏甘石湯），四苓湯，知柏地黄丸，中建中湯，当帰芍薬散加黄耆釣藤，当帰芍薬散加人参，当帰芍薬散加附子，排膿散及湯，茯苓飲合半夏厚朴湯，附子理中湯，味麦地黄丸，六味丸（六味地黄丸）

【「後世方処方 他」として収載した方剤】

「古方処方」に収載したもの以外を「後世方処方 他」とした。

処方の効能を分類するにあたっては，『新 一般用漢方処方の手引き』（じほう）の「効能効果」および「解説」を参考とした。なお，1つの処方で複数の効能をもつものについては，本表においてもそれぞれの効能分類に収載することとした。

※本表中における処方名表記について

294 処方中で呼称が 2 つ存在する処方については，煩雑さを避けるため本表中の処方名表記を以下の通りとした。

本表で採用した処方名表記	294 処方における処方名表記
応鐘散	応鐘散（芎黄散）
加味逍遙散加川芎地黄	加味逍遙散加川芎地黄（加味逍遙散合四物湯）
駆風解毒散	駆風解毒散（湯）
鷓胡菜湯	鷓胡菜湯（三味鷓鴣菜湯）
小青竜湯加杏仁石膏	小青竜湯加杏仁石膏（小青竜湯合麻杏甘石湯）
逍遙散	逍遙散（八味逍遙散）
清上蠲痛湯	清上蠲痛湯（駆風触痛湯）
女神散	女神散（安栄湯）
人参湯	人参湯（理中丸）
分消湯	分消湯（実脾飲）
補気健中湯	補気健中湯（補気建中湯）
六味丸	六味丸（六味地黄丸）

一般用漢方 294 処方「生薬分類表」

発汗解表薬		瀉下薬	清熱薬	
辛温発表薬	辛涼発表薬			
羌活	葛根	決明子＊（緩下）	黄芩＊	竹葉＊
荊芥	菊花	牽牛子	黄柏＊	知母
桂皮	香鼓	大黄＊	黄連＊	忍冬
藁本	牛蒡子	芒硝＊	金銀花	敗醤＊
細辛	升麻	麻子仁	苦参＊	白薇
生姜＊	蝉退		決明子	白彊蚕＊
辛夷	薄荷＊		玄参	芒硝＊
葱白	白彊蚕＊		柴胡	竜胆
蘇葉	蔓荊子		山帰来	連翹＊
白芷			山梔子＊	
防風			地骨皮	
麻黄			紫根＊	
			十薬＊	
			地竜	
			石膏	
			大黄＊	

気薬			血薬	
補気強壮薬	行気薬	鎮静薬	補血薬	駆瘀血薬
黄耆＊	鬱金＊	遠志	阿膠＊	鬱金＊
甘草＊	烏薬	山梔子＊	艾葉＊	延胡索
枸杞子	薤白	酸棗仁	何首烏	紅花＊
鶏肝	栝楼実＊	蒺藜子	胡麻	牛膝
膠飴	枳殻	小麦	芍薬＊	川芎＊
山茱萸	枳実＊	釣藤鈎	熟地黄	川骨
山薬	橘皮＊	天麻	当帰＊	蘇木
蛇床子＊	香附子	百合＊	伏竜肝	冬瓜子＊
大棗＊	柿蒂	牡蛎	竜眼肉	桃仁
竹節人参＊	沈香	李根皮		乳香＊
杜仲	青皮	竜骨		樸樕＊
韮	石菖根			牡丹皮
人参＊	大腹皮			益母草
蜂蜜	陳皮＊			
卵黄＊	白酒			
蓮肉	木香			

＊：複数の項目に分類されている生薬

健胃・止瀉薬	温補薬	温病補陰薬	排膿薬	外用薬	
粟	茴香	阿膠＊	黄耆＊	阿仙薬＊	当帰＊
烏梅	乾姜＊	粳米	桜皮	犬山椒	豚脂
黄芩＊	呉茱萸	地黄／乾地黄＊	甘草＊	威霊仙＊	乳香＊
黄柏＊	山椒	石斛	桔梗＊	鬱金＊	白芥子＊
黄連＊	蜀椒	竹葉＊	枳実＊	黄柏＊	白礬／明礬
乾姜＊	丁子	天門冬	芍薬＊	黄連＊	薄荷＊
甘草＊（健胃）	附子	土別甲	十薬＊	黄蝋／ミツロウ	樸樕＊
山査子	良姜	麦門冬＊	川芎＊	艾葉＊	楊梅皮＊
生姜＊		百合＊	冬瓜子＊	甘草＊	卵黄＊
神麹			敗醤＊	苦参＊	
大棗＊（健胃）			連翹＊	紅花＊	
人参＊				ゴマ油	
麦芽				山梔子＊	
伏竜肝＊				紫根＊	
扁豆＊				蛇床子＊	
楊梅皮＊				松脂＊	

水薬					駆虫薬
利水薬	去湿健胃薬	去湿止痛薬	鎮咳去痰薬		
茵陳蒿	藿香	威霊仙＊	阿仙薬＊	竹節人参＊	海人草
滑石	橘皮＊	松脂＊	訶子	竹瀝	川楝子
黒豆	厚朴＊	秦艽	栝楼根	天南星	檳榔子
細茶／茶葉	縮砂	独活・唐独活	栝楼実＊	貝母	
車前子	小豆蔻	木瓜	栝楼仁	白芥子＊	
蒼朮＊	蒼朮＊		款冬花	麦門冬＊	
沢瀉	草豆蔻		桔梗＊	半夏	
猪苓	陳皮＊		杏仁	百合＊	
燈心草	白朮＊		厚朴＊	枇杷葉	
白朮＊	白豆蔻		五味子		
茯苓	扁豆＊		紫菀		
防已			紫蘇子		
木通			鐘乳		
薏苡仁			前胡		
			桑白皮		
			竹茹		

一般用漢方 294 処方「処方効能分類表その 1（古方処方）」

発汗発表剤	瀉下剤	清熱剤（去湿熱作用をもつ方剤には＊印を付した）		健胃剤	
辛温発表剤				止瀉・止嘔剤	止痛剤
葛根湯	茵蔯蒿湯	茵蔯蒿湯＊	三物黄芩湯＊	黄芩湯	黄連湯
葛根湯加川芎辛夷	桂枝加芍薬大黄湯	茵蔯五苓散＊	梔子豉湯	葛根黄連黄芩湯	呉茱萸湯
桂枝加葛根湯	三黄散	越婢加朮湯	梔子柏皮湯	乾姜人参半夏丸	小建中湯
桂枝湯	三黄瀉心湯	越婢加朮附湯	小柴胡湯	甘草瀉心湯	大建中湯
桂枝二越婢一湯	小承気湯	黄芩湯＊	小柴胡湯加桔梗石膏	桂枝人参湯	中建中湯
桂枝人参湯	大黄甘草湯	葛根黄連黄芩湯＊	小青竜湯加杏仁石膏	厚朴生姜半夏人参甘草湯	附子粳米湯
桂麻各半湯	大黄附子湯	桂枝越婢湯	小青竜湯加石膏	呉茱萸湯	
柴胡桂枝湯	大黄牡丹皮湯	桂枝芍薬知母湯	続命湯	五苓散	
小青竜湯	大柴胡湯	桂枝二越婢一湯	大柴胡湯	柴苓湯	
麻黄湯	調胃承気湯	桂枝二越婢一湯加朮附	大柴胡湯去大黄	四逆加人参湯	
麻黄附子細辛湯	桃核承気湯	五虎湯	竹葉石膏湯	生姜瀉心湯	
	麻子仁丸	柴陥湯	知柏地黄丸	小半夏加茯苓湯	
		柴胡加竜骨牡蛎湯	猪苓湯＊	大半夏湯	
		柴胡桂枝乾姜湯	当帰貝母苦参丸料＊	人参湯	
		柴胡桂枝湯	白虎加桂枝湯	半夏瀉心湯	
		柴朴湯	白虎加人参湯	茯苓飲	
		柴苓湯	白虎湯	茯苓飲加半夏	
		三黄散	麻杏甘石湯	茯苓飲合半夏厚朴湯	
		三黄瀉心湯	木防已湯	茯苓沢瀉湯	
				附子理中湯	

気剤			血剤		水剤
補気強壮剤	行気剤	鎮静剤	補血剤	駆瘀血剤	利水剤
黄耆建中湯	黄耆桂枝五物湯	黄連阿膠湯	温経湯	桂枝茯苓丸	茵蔯五苓散
帰耆建中湯	栝楼薤白白酒湯	甘麦大棗湯	帰耆建中湯	桂枝茯苓丸料加薏苡仁	桂枝加黄耆湯
桂枝加黄耆湯	柴朴湯	桂枝加竜骨牡蛎湯	芎帰膠艾湯	大黄牡丹皮湯	五苓散
桂枝加芍薬生姜人参湯	四逆散	柴胡加竜骨牡蛎湯	続命湯	桃核承気湯	柴苓湯
杞菊地黄丸	半夏厚朴湯	三黄散	当帰建中湯		小半夏加茯苓湯
牛車腎気丸	茯苓飲合半夏厚朴湯	三黄瀉心湯	当帰散		四苓湯
小建中湯		酸棗仁湯	当帰芍薬散		真武湯
知柏地黄丸		梔子豉湯	当帰芍薬散加黄耆釣藤		沢瀉湯
当帰建中湯		当帰芍薬散加黄耆釣藤	当帰芍薬散加人参		猪苓湯
八味地黄丸		奔豚湯（金匱要略）	当帰芍薬散加附子		当帰芍薬散
味麦地黄丸		苓桂甘棗湯			当帰芍薬散加附子
六味丸		苓桂朮甘湯			茯苓四逆湯
		苓桂味甘湯			茯苓沢瀉湯
					防已黄耆湯
					防已茯苓湯
					木防已湯
					苓姜朮甘湯
					苓桂朮甘湯

健胃剤 腹満治療剤	温補剤		温病補陰剤	排膿剤
桂枝加芍薬湯	温経湯	真武湯	黄連阿膠湯	葛根湯加川芎辛夷
厚朴生姜半夏人参甘草湯	越婢加朮附湯	大黄附子湯	炙甘草湯	帰耆建中湯
小建中湯	甘草乾姜湯	大建中湯	麦門冬湯	桔梗湯
大建中湯	甘草附子湯	中建中湯	白虎加人参湯	小柴胡湯加桔梗石膏
中建中湯	芎帰膠艾湯	当帰四逆加呉茱萸生姜湯	六味丸	大黄牡丹皮湯
茯苓飲	桂姜棗草黄辛附湯	当帰四逆湯		排膿散
茯苓飲加半夏	桂枝越婢湯	当帰芍薬散		排膿散及湯
茯苓飲合半夏厚朴湯	桂枝加朮附湯	当帰芍薬散加人参		排膿湯
附子粳米湯	桂枝加苓朮附湯	当帰芍薬散加附子		薏苡附子敗醤散
	桂枝芍薬知母湯	人参湯		
	桂枝二越婢一湯加朮附	八味地黄丸		
	桂枝人参湯	白朮附子湯		
	牛車腎気丸	茯苓四逆湯		
	呉茱萸湯	附子粳米湯		
	柴胡桂枝乾姜湯	附子理中湯		
	四逆加人参湯	麻黄附子細辛湯		
	四逆湯	苓甘姜味辛夏仁湯		
	芍薬甘草附子湯	苓姜朮甘湯		

水剤			その他	
去湿健胃剤	去湿止痛剤	鎮咳去痰剤	緊張緩和止痛剤	鼻炎・副鼻腔炎治療剤
厚朴生姜半夏人参甘草湯	越婢加朮湯	桂枝加厚朴杏仁湯	甘草湯	葛根湯加川芎辛夷
茯苓飲	越婢加朮附湯	五虎湯	桂枝加芍薬生姜人参湯	小青竜湯
茯苓飲加半夏	甘草附子湯	柴陥湯	桂枝加芍薬湯	小青竜湯加石膏
茯苓飲合半夏厚朴湯	桂枝越婢湯	柴朴湯	四逆散	麻黄附子細辛湯
	桂枝加朮附湯	小青竜湯	芍薬甘草湯	口内炎治療剤
	桂枝加苓朮附湯	小青竜湯加杏仁石膏	芍薬甘草附子湯	黄連湯
	桂枝芍薬知母湯	小青竜湯加石膏	咽痛治療剤	葛根黄連黄芩湯
	桂枝二越婢一湯加朮附	竹葉石膏湯	甘草湯	甘草瀉心湯
	牛車腎気丸	麦門冬湯	桔梗湯	甘草湯
	続命湯	半夏厚朴湯	小柴胡湯加桔梗石膏	梔子豉湯
	白朮附子湯	茯苓杏仁甘草湯	排膿散	半夏瀉心湯
	防已黄耆湯	麻黄附子細辛湯	排膿散及湯	痔疾治療剤
	防已茯苓湯	麻杏甘石湯	排膿湯	大黄牡丹皮湯
	麻杏薏甘湯	味麦地黄丸	半夏散及湯	桃核承気湯
		苓甘姜味辛夏仁湯	眼病治療剤	当帰建中湯
		苓桂味甘湯	杞菊地黄丸	外用剤
			梔子柏皮湯	苦参湯

一般用漢方 294 処方「処方効能分類表その 2（後世方処方他）」

発汗発表剤		瀉下剤	清熱剤（去湿熱作用をもつ方剤には＊印を付した）		健胃剤
辛温発表剤	辛涼発表剤				止瀉・止嘔剤
烏薬順気散	響声破笛丸	応鐘散	温清飲	滋陰降火湯	胃風湯
柴葛解肌湯	駆風解毒散	乙字湯	黄連解毒湯	滋陰至宝湯	胃苓湯
柴葛湯加川芎辛夷	消風散	葛根紅花湯	乙字湯＊	紫根牡蛎湯	化食養脾湯
小続命湯	升麻葛根湯	滋血潤腸湯	加減涼膈散（浅田）	滋腎通耳湯	藿香正気散
清上蠲痛湯		鷓鴣菜湯	加減涼膈散(龔廷賢)	滋腎明目湯	枳縮二陳湯
川芎茶調散		潤腸湯	葛根紅花湯	消風散＊	啓脾湯
立効散		秦艽防風湯	加味解毒湯＊	辛夷清肺湯	堅中湯
麗沢通気湯		治頭瘡一方	加味逍遙散	清上防風湯	香砂六君子湯
麗沢通気湯加辛夷		通導散	甘露飲＊	清心蓮子飲＊	柴芍六君子湯
		八味疝気方	駆風解毒散	清熱補血湯	参苓白朮散
		防風通聖散	荊芥連翹湯	清肺湯	清暑益気湯
			五物解毒散	洗肝明目湯	銭氏白朮散
			五淋散＊	竹茹温胆湯	二陳湯
			柴葛解肌湯	釣藤散	八解散
			柴葛湯加川芎辛夷	猪苓湯合四物湯＊	伏竜肝湯
			柴梗半夏湯	防風通聖散	六君子湯
			柴胡枳桔湯	明朗飲	
			柴胡清肝湯	竜胆瀉肝湯＊	
			柴蘇飲		

気剤			血剤		水剤
補気強壮剤	行気剤	鎮静剤	補血剤	駆瘀血剤	利水剤
鶏肝丸	烏薬順気散	安中散加茯苓	加味帰脾湯	烏苓通気散	胃苓湯
四君子湯	烏苓通気散	温胆湯	加味四物湯	応鐘散	栝楼薤白湯
十全大補湯	温胆湯	黄連解毒湯	加味逍遙散加川芎地黄	葛根紅花湯	九味檳榔湯
参苓白朮散	解労散	加味温胆湯	帰脾湯	加味逍遙散	鶏鳴散加茯苓
清暑益気湯	加味温胆湯	加味帰脾湯	芎帰調血飲	芎帰調血飲第一加減	猪苓湯合四物湯
清心蓮子飲	栝楼薤白湯	加味逍遙散	芎帰調血飲第一加減	甲字湯	二陳湯
人参養栄湯	枳縮二陳湯	加味逍遙散加川芎地黄	滋腎通耳湯	牛膝散	分消湯
扶脾生脈散	九味檳榔湯	帰脾湯	滋腎明目湯	五物解毒散	防風通聖散
補中益気湯	香蘇散	七物降下湯	七物降下湯	滋血潤腸湯	補気健中湯
補陽還五湯	柴胡疎肝湯	逍遙散	四物湯	折衝飲	明朗飲
	柴蘇飲	釣藤散	十全大補湯	千金鶏鳴散	連珠飲
	柿蒂湯	定悸飲	洗肝明目湯	千金内托散	
	蘇子降気湯	女神散	大防風湯	疎経活血湯	
	丁香柿蒂湯	奔豚湯（肘後方）	当帰飲子	治打撲一方	
	女神散	抑肝散	女神散	通導散	
	分消湯	抑肝散加芍薬黄連	人参養栄湯	八味疝気方	
		抑肝散加陳皮半夏	扶脾生脈散	防風通聖散	
			連珠飲	補陽還五湯	

健胃剤		温補剤	温病補陰剤	排膿剤
止痛剤	腹満治療剤			
安中散	解急蜀椒湯	胃風湯	温清飲	荊芥連翹湯
安中散加茯苓	化食養脾湯	解急蜀椒湯	加味四物湯	荊防敗毒散
延年半夏湯	藿香正気散	五積散	甘露飲	柴胡清肝湯
解急蜀椒湯	加味平胃散	柿蒂湯	滋陰降火湯	紫根牡蛎湯
枳縮二陳湯	香砂平胃散	四物湯	滋陰至宝湯	十味敗毒湯
堅中湯	香砂養胃湯	十全大補湯	清熱補気湯	清上防風湯
半夏白朮天麻湯	香砂六君子湯	小続命湯	清熱補血湯	千金内托散
	当帰湯	当帰飲子		治頭瘡一方
	不換金正気散	当帰湯		治頭瘡一方去大黄
	分消湯	人参養栄湯		麗沢通気湯加辛夷
	平胃散	半夏白朮天麻湯		
	補気健中湯			

水剤			その他		
去湿健胃剤	去湿止痛剤	鎮咳去痰剤	緊張緩和止痛剤	鼻炎・副鼻腔炎治療剤	痔疾治療剤
化食養脾湯	烏薬順気散	杏蘇散	解労散	荊芥連翹湯	乙字湯
藿香正気散	烏苓通気散	柴梗半夏湯	柴胡疎肝湯	柴葛湯加川芎辛夷	乙字湯去大黄
加味平胃散	加味四物湯	柴胡枳桔湯	咽痛治療剤	辛夷清肺湯	加味解毒湯
香砂平胃散	鶏鳴散加茯苓	滋陰降火湯	響声破笛丸	半夏白朮天麻湯	秦艽羌活湯
香砂養胃湯	小続命湯	滋陰至宝湯	駆風解毒散	麗沢通気湯	秦艽防風湯
香砂六君子湯	清湿化痰湯	参蘇飲	荊芥連翹湯	麗沢通気湯加辛夷	千金内托散
不換金正気散	清上蠲痛湯	神秘湯	外台四物湯加味	口内炎治療剤	補中益気湯
平胃散	疎経活血湯	清肺湯	柴胡清肝湯	黄連解毒湯	駆虫剤
補気健中湯	大防風湯	喘四君子湯	眼病治療剤	加減涼膈散（浅田）	鷓鴣菜湯
	独活葛根湯	蘇子降気湯	滋腎明目湯	加減涼膈散（龔廷賢）	椒梅湯
	独活湯	補肺湯	蒸眼一方	甘露飲	清肌安蛔湯
	二朮湯		洗肝明目湯	清熱補気湯	外用剤
	薏苡仁湯		明朗飲	清熱補血湯	左突膏
			歯痛治療剤	腰腹痛治療剤	紫雲膏
			立効散	五積散	蛇床子湯
				八味疝気方	蒸眼一方
					神仙太乙膏
					中黄膏
					楊柏散

一般用漢方製剤承認基準収載 294 処方の出典分類表

本表は，当該処方が収載される出典と厚労省通知「一般用漢方製剤承認基準」との薬味異同の調査を目的としたものである。よって，これまで「原典」とされてきた典籍についても，「一般用漢方製剤承認基準」収載の当該処方と薬味が一致しない場合は，典籍を調査し，薬味が一致する出典を決定した（以下，「一般用漢方製剤承認基準」を「一般用漢方基準」，「一般用漢方製剤承認基準収載の当該処方」を「一般用漢方基準処方」と略記する）。

なお，現在，各解説書や処方集において漢方処方の「原典」の定義があいまいなままに取り扱われていることが調査過程で判明したため，本書では，処方を構成する薬味に焦点を当て，「原典」について定義することとした。

●「原典」の定義

本書においては，これまで各解説書や処方集で「原典」とされてきたものを，厳密さを考慮し，「原典」と「原方の初出出典」の2つに分類した。

（1） 原典

当該処方が**初めて収載された典籍であり，かつ薬味が現在の「一般用漢方基準処方」と一致し，用途も概ね一致している場合**に，「一般用漢方基準処方」の**「原典」と定義**する。

なお，初出の典籍において，「一般用漢方基準処方と処方名が異なるもの」あるいは「処方名の記載はないが効能と薬味の記載はあるもの」についても，「一般用漢方基準処方」と薬味が一致し，用途も概ね一致していれば「原典」として扱った。以下に例示する。

例 1)「一般用漢方基準」収載の千金内托散

『和剤局方』では化毒排膿内補十宣散の処方名で収載されており，「一般用漢方基準」収載の千金内托散とは処方名が異なる。しかし薬味については「一般用漢方基準」収載の千金内托散と一致し，用途も同じく化膿性皮膚疾患に用いているため，『和剤局方』を「原典」とした。

例 2)「一般用漢方基準」収載の黄連解毒湯

『肘後備急方』では処方名の記載はない。しかし薬味については「一般用漢方基準」収載の黄連解毒湯と一致し，用途も同じく煩悶や不眠に用いているため，『肘後備急方』を「原典」とした。

（2） 原方の初出出典

当該処方の**処方名が初めて収載された典籍であっても，「一般用漢方基準処方」と薬味が一致しないもの**については「原典」とは呼ばず，**「原方の初出出典」と定義**する。これは原方から時代変遷とともに薬味がアレンジされ，「一般用漢方基準処方」の薬味構成に至ったわけであり，「一般用漢方基準処方」の直接の原典とは呼べないためである。

●本表における「原典」「原方の初出出典」等の表記

（1） 「原典」と処方名の表記

本表では，処方名欄に，**＜＞書きや「＊」印をつけずに処方名のみ記載した場合の出典が，当該処方の「原典」**である。

なお上述（1）の例 1)，例 2) のように，「一般用漢方基準処方と処方名が明らかに異なるもの」あるいは「処方名のないもの」の場合も「原典」とみなし，同様に記載した。

ただし「一般用漢方基準処方と処方名が明らかに異なるもの」あるいは「処方名のないもの」については，別途，処方名が一致する出典も示し，「*＊黄連解毒湯*」のように斜体で処方名を記載した（例：p. 304 外台秘要の欄　*＊黄連解毒湯*）。

（2） 「原方の初出出典」と処方名の表記

処方名欄に，「堅中湯＊」のように**正体で処方名を記載し，その後ろに「＊」印を付した行の出典名が，当**

該処方の「原方の初出出典」である（例：p.304 備急千金要方の欄　堅中湯＊）。

この「原方の初出出典」として収載したものについては，別途，本表に「一般用漢方基準処方」と薬味が一致する出典を示し，「*＊堅中湯*」のように，斜体で処方名を記載した（例：p.315 勿誤薬室方函の欄　*＊堅中湯*）。

なお，香蘇散のごとく近代の処方集，解説書および論文が薬味一致出典となる場合は，出典欄ではなく備考欄に書籍名を記載した（例：p.305 和剤局方の欄　香蘇散＊）。

（3）「一般用漢方基準処方」の薬味記載に幅がある処方の扱い

胃苓湯，温胆湯，加味温胆湯，加味帰脾湯，帰耆建中湯，荊芥連翹湯，啓脾湯，十味敗毒湯，清上蠲痛湯（駆風触痛湯），千金内托散，当帰建中湯，麻子仁丸の12処方については，例えば胃苓湯の「※縮砂・芍薬・黄連のない場合も可」というように，「一般用漢方基準処方」の薬味記載に幅があるため，「原典」が1つに絞りきれない。よって複数の薬味一致出典を挙げ，そのうちもっとも登場が早い出典を「原典」とみなし，「胃苓湯」のように正体で処方名のみ記載した（例：p.306 婦人大全良方の欄　胃苓湯）。それ以降の薬味一致出典については，「*＊胃苓湯*」のように斜体で記載した（例：p.309 古今医鑑の欄　*＊胃苓湯*）。

また，解急蜀椒湯，五積散，五淋散の3処方については，同様に薬味記載に幅があるため，複数の出典を収載した。ただし，もっとも登場が早い出典が「一般用漢方基準処方」と薬味が完全には一致しないため，これを「原方の初出出典」とみなし，「五淋散＊」のように正体で記載した（例：p.305 和剤局方の欄　五淋散＊）。それ以降の薬味一致出典については，「*＊五淋散*」のように斜体で記載した（例：p.307 仁斎直指方の欄　*＊五淋散*）。

なお，これらの処方については，備考欄にその詳細を記載した。

（4）参考出典

「原方から変化する過程の出典」，「原方の原型と思われる処方の出典」などについても，参考出典として収載し，その処方名欄に，*＜安中散＞*のように，斜体で処方名を記載した（例：p.315 証治摘要の欄　*＜安中散＞*）。処方は下記の通り。

安中散，加味逍遙散，桂枝越婢湯，鶏鳴散加茯苓，外台四物湯加味，香砂平胃散，柴胡加竜骨牡蛎湯，柴胡枳桔湯，紫根牡蛎湯，小柴胡湯加桔梗石膏，千金鶏鳴散，竹茹温胆湯，治頭瘡一方，通導散，八味仙気方，味麦地黄丸，楊柏散，抑肝散加芍薬黄連，竜胆瀉肝湯

（5）出典間の比較

当該出典と他の出典の記載内容を比較しやすいよう，備考欄に参照する出典名を（参照 万病回春）のように記載した。

（6）その他

本表は，典籍ごとに収載処方をまとめたものだが，「一般用漢方製剤承認基準収載294処方一覧」（p.319）には，処方ごとに「原典」，あるいは「原方の初出出典」および「一般用漢方基準処方と薬味一致する出典」を併記したので参照されたい。

●処方の構成薬味の異同

各歴代の出典における処方と，「一般用漢方基準処方」で薬味に差異がある場合は，以下のように示した。

（注）例示は「一般用漢方基準収載」の安中散は，和剤局方収載の安中散から乾姜を去って，縮砂を加えたものであることを意味する。

出典	処方名	備考
和剤局方	安中散	「一般用漢方基準処方」＝去乾姜 加縮砂

●出典調査の際に同一生薬とみなしたもの

厚労省による「一般用漢方基準」（294処方）の策定に際して，旧基準（210処方）の成分・分量における「朮・蒼朮・白朮」や「生姜」の表記の問題について統一が図られた。一方，本表作成にあたって「一般用漢方基準」（294処方）と「出典」との薬味の異同を調査する際にも，こうした類似生薬，ならびに時代，典籍，流派による生薬の呼び名の違いなどの問題が発生しているため，精査して基準の取り決めを図った。概略は以下の通りである。

本書の生薬各論の 異名別名 に収載した通り，おのおのの歴代本草書や処方を収めた典籍において，同一の生薬であってもその呼び名は1つとは限らず，古来よりさまざまな名称で呼ばれている。

例えば，「大棗と棗子」，「牡丹と牡丹皮」のように，生薬の使用部位が生薬名に入っているか否か，「川芎と

芎藭」，「川椒と蜀椒」のように産地略名が入っているか否か，「甘草と炙甘草」，「黄芩と酒芩」のように修治法略名が入っているか否か，「山査子と糖球」，「山梔子と肥梔子」のように生薬の形状や品質を示しているか否か，などさまざまである。

またこのほかに，「生姜と乾姜」，「地黄と生地黄と乾地黄」のように時代や流派による呼び名と修治法の違いによって生薬名の混乱が見られるものや，「芍薬，白芍薬，赤芍薬」のように古来は区別なく用いていたものが時代とともに使い分けられたもの，「蒼朮と白朮」のように近縁種で区別がつきづらく，また流派等によってどちらを使うかに違いがあるため，同一処方であっても処方を収めた典籍によって「朮」，「白朮」，「蒼朮」の表記が異なり混乱が見られているもの，「防已，漢防已，木防已」のように時代の変遷によって日本と中国で別基原を使うようになったり，市場に流通しなくなったために生薬名と市場品に混乱が見られるもの，「栝楼仁と栝楼実」，「枳殻と枳実」，「当帰と当帰尾」，「茯苓と茯神」，「桂枝と桂皮と桂心」のように使用部位や大きさ，形状について厳密に言えば若干の差異はあるとはいえ効能については共通する部分が多く，これまで厳密な使い分けがなされてこなかったものなどがある。なお，こうした異名別名および基原や市場品の混乱についての詳細は，生薬の各論を参照されたい。

さて，本表の出典調査にあたっては，典籍による生薬名の異同について上述の経緯を考慮し，以下に示す薬味は同一生薬とみなした。

「生姜・姜汁・乾姜」，「地黄・生地黄・生苄・乾地黄・熟乾地黄・熟地黄」，「朮・蒼朮・白朮」，「防已・漢防已・木防已」，「芍薬・白芍薬・赤芍薬」，「陳皮・橘皮」，「別甲・土別甲」，「栝楼仁・栝楼実」，「枳実・枳殻・枳穀」，「茯苓・茯神・白茯苓」「桂皮・桂枝・肉桂・桂心・官桂・薄桂」，「当帰・当帰尾・帰尾・当帰身」，「牡丹皮・牡丹」，「大棗・棗・棗子・乾棗」，「蘇葉・紫蘇・紫蘇葉・乾蘇葉」，「薄荷・薄荷葉」，「荊芥・荊芥穂」，「木通・通草」，「竜胆・草竜胆・竜胆草」，「縮砂・縮砂仁・砂仁」，「灯心・灯心草」，「桃仁・桃核」，「蓮肉・蓮子肉」，「川芎・芎藭・芎」，「蜀椒・川椒・花椒・山椒」，「牛膝・川牛膝」，「甘草・炙甘草」，「黄芩・酒芩」，「神麹・神麯・炒曲」，「半夏・半夏麹」，「麦芽・大麦面・麦蘖」，「附子・加工ブシ」，「葛根・生葛」，「山梔子・梔子・肥梔子」，「山査子・糖球」，「川骨・萍蓬草」，「栝楼根・天花粉」，「豚脂・マンティカ」，「蝉退・蝉脱」，「天南星・南星」，「釣藤鈎・鉤藤」，「桑白皮・桑根白皮」，「厚朴・濃朴」，「ゴマ油・香油」，「桔梗・苦梗」，「李根皮・李根白皮・甘李根白皮」，「蒺藜子・白蒺藜」，「卵黄・雞子黄」，「蜜蝋・黄蝋」，「蜂蜜・白蜜」

備考欄に記載した書籍，論文等を以下にまとめる。

・矢数格：森道伯先生伝　並一貫堂医学大綱，伝記記念図書刊行会，1933
・矢数道明：漢方医学処方解説，日本漢方医学会，1936
・大塚敬節　他：漢方診療の実際，南山堂，1941
・大塚敬節　他：改訂版漢方診療の実際，南山堂，1954
・龍野一雄　編著：新撰類聚方，漢方医学大系刊行会，1959
・安西安周：漢法の臨床と処方，南江堂，1959
・大塚敬節：症候による漢方治療の実際，南山堂，1963
・高橋真太郎　他：明解漢方処方，浪速社，1966
・大塚敬節　他：漢方診療医典，南山堂，1969
・寺師睦宗：成人病の漢方療法，創元社，1971
・藤平健：実用漢方療法―現代医学の盲点をつく―，保健同人社，1972
・細野史郎　編著：漢方治療の方証吟味，創元社，1978
・日本漢方協会　編：改訂三版 実用漢方処方集，じほう，2006
・矢数道明：抑肝散加陳皮半夏の運用に関する私見（一）．漢方と漢薬，1（1）：27-32，1934
・矢数道明：抑肝散加陳皮半夏の運用に関する私見（二）．漢方と漢薬，1（2）：16-22，1934
・木村長久　他：第3回漢方を語る座談会　脚気に就いて．漢方と漢薬，4（7）17-27，1937
・大塚敬節　他：座談会　葛根湯を語る．漢方の臨床，11（6）：24-33，1964
・細野史郎：沾光治験録（一）．漢方の臨床，12（3）：11-17，1965
・大塚敬節：大黄剤を禁忌とする常習便秘に中建中湯を用いた経験．日本東洋医学雑誌，17（4）：139-140，1967
・細野史郎：越婢加朮湯と桂枝越婢湯の話」漢方の臨床，25（11・12）：193-199，1978
・中田敬吾　他：抑肝散加味方の研究．日本東洋医学雑誌，31（4）：229-237，1981
・古内一郎　他：通年性鼻アレルギーに対する麗沢通気湯加辛夷の二重盲検法による臨床的研究．アレル

ギーの臨床，9（2）：54-62，1982
・岩浪登：「Q&A」・現代東洋医学，12（1）：115-118，1991
・鈴木朋子：大塚恭男所長と当帰芍薬散．漢方の臨床，42（1）：83-89，1995
・小曽戸洋：処方名のいわれ―91．漢方医学，25（1）：40，2001
・寺澤捷年　他：麗沢通気湯加辛夷が奏効した常習性頭痛，気管支喘息，気管支アミロイドーシスの三治験．日本東洋医学雑誌，59（2）：303-307，2008

＜中国＞以下236処方			
時代	出典	処方名	備考
後漢	傷寒論（しょうかんろん） (200～210頃) 張仲景（ちょうちゅうけい） のみに収載 ／33処方	黄芩湯	「一般用漢方基準処方」と薬味が一致
		黄連阿膠湯	「一般用漢方基準処方」と薬味が一致
		黄連湯	「一般用漢方基準処方」と薬味が一致
		葛根黄連黄芩湯	葛根黄芩黄連湯の名称で収載。「一般用漢方基準処方」と薬味が一致
		桂枝加葛根湯	『宋版傷寒論』の本文中には麻黄が配合されているが，註記には「方中の麻黄は本意にあらざるなり。（中略）恐らくこれ桂枝中にただ葛根を加うるのみ」とあり，麻黄配合は誤記と述べている。版本により麻黄がないものもある。なお「一般用漢方基準処方」では麻黄は配合されていない
		桂枝加厚朴杏仁湯	桂枝加厚朴杏子湯の名称で収載。「一般用漢方基準処方」と薬味が一致
		桂枝加芍薬生姜人参湯	桂枝加芍薬生姜各一両人参三両新加湯方の名称で収載。「一般用漢方基準処方」と薬味が一致
		桂枝加芍薬大黄湯	桂枝加大黄湯の名称で収載。「一般用漢方基準処方」と薬味が一致
		桂枝加芍薬湯	「一般用漢方基準処方」と薬味が一致
		桂枝二越婢一湯	「一般用漢方基準処方」と薬味が一致
		桂枝人参湯	「一般用漢方基準処方」と薬味が一致
		桂麻各半湯	桂枝麻黄各半湯の名称で収載。「一般用漢方基準処方」と薬味が一致
		厚朴生姜半夏人参甘草湯	厚朴生姜半夏甘草人参湯の名称で収載。「一般用漢方基準処方」と薬味が一致
		柴胡加竜骨牡蛎湯＊	「一般用漢方基準処方」＝去鉛丹 加甘草 ※大黄・黄芩・甘草のない場合も可。『宋版傷寒論』には黄芩の配合があるが，『注解傷寒論』には黄芩の配合はない（参照 類聚方広義）
		四逆加人参湯	「一般用漢方基準処方」と薬味が一致
		四逆散	「一般用漢方基準処方」と薬味が一致
		梔子柏皮湯	「一般用漢方基準処方」と薬味が一致
		芍薬甘草湯	「一般用漢方基準処方」と薬味が一致
		芍薬甘草附子湯	「一般用漢方基準処方」と薬味が一致
		生姜瀉心湯	「一般用漢方基準処方」と薬味が一致
		真武湯	「一般用漢方基準処方」と薬味が一致
		大柴胡湯去大黄	大柴胡湯の処方中に大黄は配合されていない。これは「一般用漢方基準処方」と薬味が一致。なお註記には「一方は大黄2両加う」とある
		竹葉石膏湯	「一般用漢方基準処方」と薬味が一致
		調胃承気湯	「一般用漢方基準処方」と薬味が一致
		桃核承気湯	「一般用漢方基準処方」と薬味が一致
		当帰四逆加呉茱萸生姜湯	「一般用漢方基準処方」と薬味が一致
		当帰四逆湯	「一般用漢方基準処方」と薬味が一致
		半夏散及湯	「一般用漢方基準処方」と薬味が一致
		白虎湯	「一般用漢方基準処方」と薬味が一致
		茯苓四逆湯	「一般用漢方基準処方」と薬味が一致
		麻黄湯	「一般用漢方基準処方」と薬味が一致
		麻黄附子細辛湯	麻黄細辛附子湯の名称で収載。「一般用漢方基準処方」と薬味が一致

時代	出典	処方名	備考
後漢		麻杏甘石湯	麻黄杏仁甘草石膏湯，麻黄杏子甘草石膏湯の名称で収載。「一般用漢方基準処方」と薬味が一致
	傷寒論（しょうかんろん）・金匱要略（きんきようりゃく）(200～210頃) 張仲景（ちょうちゅうけい） の両方に収載／28処方	茵蔯蒿湯	「一般用漢方基準処方」と薬味が一致
		葛根湯	「一般用漢方基準処方」と薬味が一致
		甘草乾姜湯	「一般用漢方基準処方」と薬味が一致
		甘草瀉心湯	『傷寒論』には人参の記載はないが，註記に脱落の疑いありと記載される。『金匱要略』には人参の記載あり。「一般用漢方基準処方」でも人参は配合される
		甘草湯	『傷寒論』では甘草湯，『金匱要略』では《千金》甘草湯名称で収載。「一般用漢方基準処方」と薬味が一致
		甘草附子湯	「一般用漢方基準処方」と薬味が一致
		桔梗湯	「一般用漢方基準処方」と薬味が一致
		桂枝湯	『傷寒論』では桂枝湯，『金匱要略』では桂枝湯および陽旦湯の名称で収載。「一般用漢方基準処方」と薬味が一致
		呉茱萸湯	『傷寒論』では呉茱萸湯，『金匱要略』では茱萸湯の名称で収載。「一般用漢方基準処方」と薬味が一致
		五苓散	「一般用漢方基準処方」と薬味が一致
		柴胡桂枝乾姜湯	『傷寒論』では柴胡桂枝乾姜湯，『金匱要略』では柴胡桂姜湯の名称で収載。「一般用漢方基準処方」と薬味が一致
		柴胡桂枝湯	『傷寒論』では柴胡桂枝湯，『金匱要略』では《外台》柴胡桂枝湯の名称で収載。「一般用漢方基準処方」と薬味が一致
		四逆湯	「一般用漢方基準処方」と薬味が一致
		梔子豉湯	「一般用漢方基準処方」と薬味が一致
		炙甘草湯	『傷寒論』では炙甘草湯および復脈湯，『金匱要略』では《千金翼》炙甘草湯および《外台》炙甘草湯の名称で収載。「一般用漢方基準処方」と薬味が一致
		小建中湯	「一般用漢方基準処方」と薬味が一致
		小柴胡湯	「一般用漢方基準処方」と薬味が一致
		小承気湯	『傷寒論』では小承気湯，『金匱要略』では小承気湯および《千金翼》小承気湯の名称で収載。「一般用漢方基準処方」と薬味が一致
		小青竜湯	「一般用漢方基準処方」と薬味が一致
		大柴胡湯	『傷寒論』では大黄の配合はないが，註記に「一方は大黄2両加う」としている。また『金匱要略』では大黄が配合される。これは「一般用漢方基準処方」と薬味が一致
		猪苓湯	「一般用漢方基準処方」と薬味が一致
		人参湯（理中丸）	『傷寒論』では人参湯，『金匱要略』では理中丸の名称で収載。「一般用漢方基準処方」と薬味が一致
		半夏瀉心湯	「一般用漢方基準処方」と薬味が一致
		白朮附子湯	『傷寒論』では去桂加白朮湯，『金匱要略』では白朮附子湯および去桂加白朮湯の名称で収載。「一般用漢方基準処方」と薬味が一致。なお『金匱要略』にはこのほかに薬味が一致する《近效方》朮附湯が収載される
		白虎加人参湯	『傷寒論』では白虎加人参湯，『金匱要略』では白虎加人参湯および白虎人参湯の名称で収載。「一般用漢方基準処方」と薬味が一致
		麻子仁丸	「一般用漢方基準処方」＝加甘草 ※甘草を加えても可。なお，甘草も配合された薬味一致出典は，『成人病の漢方療法』(1971) が古い
		苓桂甘棗湯	『傷寒論』，『金匱要略』とも茯苓桂枝甘草大棗湯の名称で収載。「一般用漢方基準処方」と薬味が一致
		苓桂朮甘湯	『傷寒論』では茯苓桂枝白朮甘草湯，『金匱要略』では苓桂朮甘湯の名称で収載。「一般用漢方基準処方」と薬味が一致
	金匱要略（きんきようりゃく） (200～210頃) 張仲景（ちょうちゅうけい） のみに収載／51処方	茵蔯五苓散	「茵蔯蒿末 五苓散を和す」とある。これは「一般用漢方基準処方」と薬味が一致
		温経湯	「一般用漢方基準処方」と薬味が一致
		越婢加朮湯	越婢加朮湯，および《千金方》越婢加朮湯の名称で収載。「一般用漢方基準処方」と薬味が一致

時代	出典	処方名	備考
後漢	金匱要略（きんきようりゃく）(200〜210頃) 張仲景（ちょうちゅうけい） のみに収載／51処方	黄耆桂枝五物湯	「一般用漢方基準処方」と薬味が一致
		黄耆建中湯	本文中には薬味の記載はないが，註記に「小建中湯に黄耆1両半を加う」とある。これは「一般用漢方基準処方」と薬味が一致。なお「一般用漢方基準処方」では膠飴はなくても可
		栝楼薤白白酒湯	「一般用漢方基準処方」と薬味が一致
		乾姜人参半夏丸	「一般用漢方基準処方」と薬味が一致。ただし『金匱要略』では丸薬の製剤過程で「生姜汁を以って糊となす」と記載される
		甘麦大棗湯	甘草小麦大棗湯，および甘麦大棗湯の名称で収載。「一般用漢方基準処方」と薬味が一致
		芎帰膠艾湯	芎帰膠艾湯，および膠艾湯の名称で収載。「一般用漢方基準処方」と薬味が一致
		苦参湯	「下部が蝕まれれば則ち咽乾く，苦参湯これを洗う」と記載されるのみで薬味の記載はなし。なお，別の版本（徐彬本）には，「苦参1升，水1斗をもって，7升を煎じ取り，滓を去り薫洗す」と記載される。これは「一般用漢方基準処方」と薬味が一致
		桂姜棗草黄辛附湯	桂枝去芍薬加麻黄細辛附子湯，桂枝去芍加麻辛附子湯の名称で収載。「一般用漢方基準処方」と薬味が一致
		桂枝加黄耆湯	「一般用漢方基準処方」と薬味が一致
		桂枝加竜骨牡蛎湯	桂枝加竜骨牡蛎湯および桂枝竜骨牡蛎湯の名称で収載。「一般用漢方基準処方」と薬味が一致
		桂枝芍薬知母湯	「一般用漢方基準処方」と薬味が一致
		桂枝茯苓丸	「一般用漢方基準処方」と薬味が一致
		三黄散	瀉心湯の名称で収載。「一般用漢方基準処方」と薬味が一致。三黄散とは，三黄瀉心湯を散剤として用いる場合の名称である
		三黄瀉心湯	瀉心湯の名称で収載。「一般用漢方基準処方」と薬味が一致
		酸棗仁湯	酸棗湯の名称で収載。「一般用漢方基準処方」と薬味が一致
		三物黄芩湯	《千金》三物黄芩湯の名称で収載。「一般用漢方基準処方」と薬味が一致
		小青竜湯加石膏	小青竜加石膏湯の名称で収載。「一般用漢方基準処方」と薬味が一致
		小半夏加茯苓湯	小半夏加茯苓湯，半夏茯苓湯，小半夏茯苓湯の名称で収載。「一般用漢方基準処方」と薬味が一致
		続命湯	《古今録験》続命湯の名称で収載。「一般用漢方基準処方」と薬味が一致
		大黄甘草湯	「一般用漢方基準処方」と薬味が一致
		大黄附子湯	「一般用漢方基準処方」と薬味が一致
		大黄牡丹皮湯	大黄牡丹湯の名称で収載。「一般用漢方基準処方」と薬味が一致
		大建中湯	「一般用漢方基準処方」と薬味が一致
		大半夏湯	「一般用漢方基準処方」と薬味が一致
		沢瀉湯	「一般用漢方基準処方」と薬味が一致
		当帰建中湯	《千金》内補当帰建中湯の名称で収載。「一般用漢方基準処方」＝加膠飴 ※膠飴はなくても可（参照 類聚方広義）
		当帰散	「一般用漢方基準処方」と薬味が一致
		当帰芍薬散	「一般用漢方基準処方」と薬味が一致
		当帰貝母苦参丸料	当帰貝母苦参丸，および帰母苦参丸の名称で収載。「一般用漢方基準処方」と薬味が一致
		排膿散	「一般用漢方基準処方」と薬味が一致。なお，『金匱要略』の「瘡癰腸癰浸淫病」に収載され，化膿性疾患に用いると考えられるが，証の記載はない
		排膿湯	「一般用漢方基準処方」と薬味が一致。なお，『金匱要略』の「瘡癰腸癰浸淫病」に収載され，化膿性疾患に用いると考えられるが，証の記載はない
		麦門冬湯	「一般用漢方基準処方」と薬味が一致

時代	出典	処方名	備考
後漢	金匱要略（きんきようりゃく） (200〜210 頃) 張仲景（ちょうちゅうけい） のみに収載 ／51 処方	八味地黄丸	八味腎気丸，《崔氏》八味丸，腎気丸の名称で収載。「一般用漢方基準処方」と薬味が一致
		半夏厚朴湯	「一般用漢方基準処方」と薬味が一致
		白虎加桂枝湯	「一般用漢方基準処方」と薬味が一致
		茯苓飲	《外台》茯苓飲の名称で収載。「一般用漢方基準処方」と薬味が一致
		茯苓杏仁甘草湯	「一般用漢方基準処方」と薬味が一致
		茯苓沢瀉湯	「一般用漢方基準処方」と薬味が一致
		附子粳米湯	「一般用漢方基準処方」と薬味が一致
		防已黄耆湯	防已黄耆湯，および《外台》防已黄耆湯の名称で収載。「一般用漢方基準処方」と薬味が一致
		防已茯苓湯	「一般用漢方基準処方」と薬味が一致
		奔豚湯（金匱要略）	奔豚湯の名称で収載。「一般用漢方基準処方」と薬味が一致。なお「一般用漢方基準処方」では李根白皮を桑白皮に代えても可。桑白皮の代用も可とした出典は『新撰類聚方』(1959) が古い
		麻杏薏甘湯	麻黄杏仁薏苡甘草湯の名称で収載。「一般用漢方基準処方」と薬味が一致
		木防已湯	「一般用漢方基準処方」と薬味が一致。なお「一般用漢方基準処方」では人参を竹節人参に代えても可。『漢法の臨床と処方』(1959) において本方に竹節人参を用いている
		薏苡附子敗醤散	「一般用漢方基準処方」と薬味が一致
		苓甘姜味辛夏仁湯	苓甘五味加姜辛半夏杏仁湯の名称で収載。「一般用漢方基準処方」と薬味が一致
		苓姜朮甘湯	甘草乾姜茯苓白朮湯，および甘姜苓朮湯の名称で収載。「一般用漢方基準処方」と薬味が一致
		苓桂味甘湯	桂苓五味甘草湯，茯苓桂枝五味子甘草湯の名称で収載。「一般用漢方基準処方」と薬味が一致
晋	肘後備急方（ちゅうごびきゅうほう） (300) 葛洪（かっこう） ／2 処方	黄連解毒湯	『肘後備急方』には処方名の記載はないが，「一般用漢方基準処方」と薬味が一致（参照 外台秘要）
		奔豚湯（肘後方）	奔豚病を治す処方として収載されるが，奔豚湯の処方名の収載はない。「一般用漢方基準処方」と薬味が一致（参照 勿誤薬室方函）
唐	備急千金要方（びきゅうせんきんようほう） (652) 孫思邈（そんしばく） ／6 処方	温胆湯	「一般用漢方基準処方」＝ 加黄連・酸棗仁・大棗・茯苓 ※黄連・酸棗仁・大棗のない場合も可。版本によって大棗・茯苓の配合あり。なお，黄連・酸棗仁・大棗のすべてが配合される文献はない（参照 三因極一病証方論，勿誤薬室方函）
		越婢加朮附湯	越婢湯の名称で収載。「一般用漢方基準処方」と薬味が一致（参照 類聚方広義）
		堅中湯＊	「一般用漢方基準処方」＝ 加茯苓 去糖（参照 勿誤薬室方函）
		小続命湯	「一般用漢方基準処方」と薬味が一致
		＜千金鶏鳴散＞	「従高堕下崩中方」として収載。薬味は大黄・当帰の 2 味。「一般用漢方基準処方」＝ 加桃仁。打撲に伴う症状に用いている（参照 外台秘要，三因極一病証方論，古今医統大全）
		当帰湯	「一般用漢方基準処方」と薬味が一致
		補肺湯	「一般用漢方基準処方」と薬味が一致
	外台秘要（げだいひよう） (752) 王燾（おうとう） ／4 処方	延年半夏湯＊	『延年秘録』からの引用として半夏湯の名称で収載。「一般用漢方基準処方」＝ 去前胡 加柴胡（参照 勿誤薬室方函）
		＊黄連解毒湯	黄連解毒湯の名称で収載。処方名の初出となる。「一般用漢方基準処方」と薬味が一致（参照 肘後備急方）
		解急蜀椒湯＊	小品解急蜀椒湯の名称で収載。「一般用漢方基準処方」＝ 加人参・膠飴 ※膠飴はなくても可（参照 勿誤薬室方函）
		＜鶏鳴散加茯苓＞	鶏鳴散加茯苓の原方にあたる処方が，巻 19 脚気腫満方二十九首のうち「唐侍中療苦脚気攻心」として収載。「一般用漢方基準処方」＝ 加桔梗・茯苓（参照 朱子集験方，勿誤薬室方函口訣，本朝経験方）

時代	出典	処方名	備考
唐	げだいひよう 外台秘要 (752) おうとう 王燾 ／4処方	*＜外台四物湯加味＞*	四物湯の名称で収載。『和剤局方』の四物湯と区別するため，一般に「外台四物湯」と呼ばれる。これに人参・貝母・杏仁の3味を加えた処方が外台四物湯加味である。「一般用漢方基準処方」＝加人参・貝母・杏仁（参照 本朝経験方）
		神秘湯＊	「一般用漢方基準処方」＝加厚朴・甘草（参照 勿誤薬室方函）
		＜千金鶏鳴散＞	「又療従高墮下瘀血，及女人崩中方」及び「深師療従高墮下傷内，血在腹聚不出，療下血方」の2処方が収載。前者は薬味が大黄・当帰（「一般用漢方基準処方」＝加桃仁），後者は薬味が大黄・桃仁（「一般用漢方基準処方」＝加当帰）。両者とも打撲に伴う症状に用いている（参照 備急千金要方，三因極一病証方論，古今医統大全）
		独活葛根湯＊	「一般用漢方基準処方」＝去羌活 加独活・大棗（参照 勿誤薬室方函）
北宋	わざいきょくほう 和剤局方 (1107〜1110頃) ちんしぶん 陳師文等 ／26処方	安中散＊	「一般用漢方基準処方」＝去乾姜 加縮砂（参照 証治摘要，勿誤薬室方函）
		胃風湯	「一般用漢方基準処方」と薬味が一致
		烏薬順気散	「一般用漢方基準処方」と薬味が一致。なお「一般用漢方基準処方」では生姜・大棗を抜いても可。『和剤局方』では，散剤としては，生姜・大棗の配合はなく，煎剤としては，生姜・大棗を加えて煎じている
		藿香正気散	「一般用漢方基準処方」と薬味が一致
		甘露飲	「一般用漢方基準処方」と薬味が一致
		香蘇散＊	「一般用漢方基準処方」＝加生姜。なお，薬味一致出典としては，『漢方医学処方解説』（1936）が古い
		五積散＊	「一般用漢方基準処方」＝加香附子・大棗 ※生姜・香附子のない場合も可。なお，生姜・香附子の両方が配合される文献はない（参照 古今方彙）
		五淋散＊	「一般用漢方基準処方」＝加黄芩・地黄・沢瀉・木通・滑石・車前子 ※地黄・沢瀉・木通・滑石・車前子のない場合も可（参照 仁斎直指方，万病回春）
		四君子湯＊	「一般用漢方基準処方」＝加大棗・生姜（参照 内科摘要）
		四物湯	「一般用漢方基準処方」と薬味が一致
		十全大補湯	「一般用漢方基準処方」と薬味が一致
		升麻葛根湯＊	「一般用漢方基準処方」＝加生姜（参照 万病回春）
		逍遙散（八味逍遙散）	逍遙散の名称で収載。「一般用漢方基準処方」と薬味が一致（参照 医学入門）
		神仙太乙膏＊	「一般用漢方基準処方」＝去黄丹 加黄蝋。この黄丹とは鉛丹のことであり，『和剤局方』では硬膏として製剤するために黄丹を用いた。なお黄丹の代わりに黄蝋（ミツロウ）を用い軟膏製剤としたのは長沢元夫である。岩浪登「Q＆A」（現代東洋医学，12巻，1号，p.115, 1991）に「一般用漢方基準処方」と薬味が一致する神仙太乙膏が記載される
		参蘇飲	「一般用漢方基準処方」と薬味が一致。なお『和剤局方』では「易簡方は木香を用いず」と記載あり。「一般用漢方基準処方」でも木香はなくても可
		参苓白朮散	「一般用漢方基準処方」と薬味が一致
		清心蓮子飲	「一般用漢方基準処方」と薬味が一致
		川芎茶調散	「一般用漢方基準処方」と薬味が一致
		千金内托散	化毒排膿内補十宣散（別名：托裏十補散）の名称で収載。「一般用漢方基準処方」と薬味が一致。なお，「一般用漢方基準処方」には金銀花を加えても可とあるが，『和剤局方』には金銀花の配合はない（参照 万病回春）
		蘇子降気湯	「一般用漢方基準処方」と薬味が一致。なお「一般用漢方基準処方」は紫蘇子を蘇葉に代えても可。『和剤局方』では紫蘇子・蘇葉の両方が配合される。ちなみに『備急千金要方』に紫蘇子湯の名称で薬味が一致する処方が収載されるが，これは脚気に用いる処方であり用途が異なる

時代	出典	処方名	備考
北宋	和剤局方 (1107～1110頃) 陳師文等 ／26処方	*＊大防風湯*	「一般用漢方基準処方」と薬味が一致。ただし，小曽戸洋は（漢方医学，Vol. 25, No. 1, p. 40, 2001）において，本方は初版の『和剤局方』には収載がなく，南宋最後の第5版（1241-1252）で初めて収載されたと指摘している。また，『勿誤薬室方函』においては，本方の出典を『是斎百一選方』としている（参照 是斎百一選方）
		二陳湯＊	「一般用漢方基準処方」＝去烏梅（参照 万病回春）
		人参養栄湯＊	「一般用漢方基準処方」＝去大棗・生姜（参照 勿誤薬室方函）
		八解散＊	「一般用漢方基準処方」＝去葱白（参照 衆方規矩）
		不換金正気散	「一般用漢方基準処方」と薬味が一致
		附子理中湯	附子理中圓の名称で収載。「一般用漢方基準処方」と薬味が一致
		平胃散	「一般用漢方基準処方」と薬味が一致
	小児薬証直訣 (1119) 銭乙 ／2処方	銭氏白朮散	白朮散の名称で収載。「一般用漢方基準処方」と薬味が一致
		六味丸（六味地黄丸）	地黄圓の名称で収載。「一般用漢方基準処方」と薬味が一致（参照 丹渓心法）
金	普済本事方 (1132頃) 許叔微 ／1処方	釣藤散	「一般用漢方基準処方」と薬味が一致
	黄帝素問宣明論方 (1172) 劉完素 ／1処方	防風通聖散	「一般用漢方基準処方」と薬味が一致するが，『黄帝素問宣明論方』には腹部内臓脂肪に関する記載はない。本方証として内臓脂肪型の腹証を提唱したのは，一貫堂医学の森道伯に始まる
	三因極一病証方論 (1174) 陳言	*＊温胆湯*	「一般用漢方基準処方」＝加黄連・酸棗仁 ※黄連・酸棗仁・大棗のない場合も可。なお，黄連・酸棗仁・大棗のすべてが配合される文献はない（参照 備急千金要方，勿誤薬室方函）
		＜千金鶏鳴散＞	鶏鳴散の名称で収載。薬味は大黄・杏仁の2味。「一般用漢方基準処方」＝去杏仁 加桃仁・当帰。打撲に伴う症状に用いている。現在日本では，『朱子集験方』収載の鶏鳴散と区別するため，千金鶏鳴散と呼んでいる（参照 備急千金要方，外台秘要，古今医統大全）
	楊氏家蔵方 (1178) 楊倓 ／2処方	応鐘散（芎黄散）	芎黄圓の名称で収載。「一般用漢方基準処方」と薬味が一致（参照 古医方兼用丸散方，春林軒丸散方）
		解労散	「一般用漢方基準処方」と薬味が一致
元	是斎百一選方 (1196) 王璆 ／1処方	大防風湯＊	「一般用漢方基準処方」＝加川芎・附子。なお，『勿誤薬室方函』も本方の出典を『是斎百一選方』としている（参照 和剤局方）
	婦人大全良方 (1237) 陳自明 ／2処方	胃苓湯	胃苓散の名称で収載。「一般用漢方基準処方」＝加縮砂・黄連・芍薬 ※縮砂・黄連・芍薬のない場合も可。なお，縮砂・黄連・芍薬のすべてが配合される文献はない（参照 古今医鑑）
		牛膝散＊	「一般用漢方基準処方」＝去川芎。なお，薬味一致出典としては，『改訂版漢方診療の実際』(1954) が古い
	内外傷弁惑論 (1247) 李杲 ／1処方	補中益気湯＊	「一般用漢方基準処方」＝加大棗・生姜（参照 小児痘疹方論）

時代	出典	処方名	備考
元	脾胃論 (1249) 李杲 ／1処方	半夏白朮天麻湯＊	「一般用漢方基準処方」＝加生姜 ※神麹のない場合も可。蒼朮を加えても可。なお『脾胃論』では神麹・蒼朮が配合される（参照 勿誤薬室方函）
	厳氏済生方 (1253) 厳用和 ／4処方	帰脾湯＊	「一般用漢方基準処方」＝加当帰・遠志（参照 内科摘要）
		牛車腎気丸	加味腎気圓の名称で収載。「一般用漢方基準処方」と薬味が一致（参照 勿誤薬室方函）
		柿蒂湯	「一般用漢方基準処方」と薬味が一致
		当帰飲子＊	「一般用漢方基準処方」＝去生姜（参照 女科撮要）
	仁斎直指方 (1264) 楊士瀛 ／1処方	杏蘇散＊	杏蘇飲の処方名で収載。「一般用漢方基準処方」＝去生姜。なお，薬味一致出典としては，『改訂版漢方診療の実際』(1954)が古い
		＊五淋散	「一般用漢方基準処方」＝加地黄・沢瀉・木通・滑石・車前子 ※地黄・沢瀉・木通・滑石・車前子のない場合も可（参照 和剤局方，万病回春）
	朱子集験方 (1266) 朱佐	*＜鶏鳴散加茯苓＞*	鶏鳴散の収載はあるが，鶏鳴散加茯苓の記載はない。「一般用漢方基準処方」＝加茯苓（参照 外台秘要，勿誤薬室方函口訣，本朝経験方）
	蘭室秘蔵 (1276) 李杲 ／6処方	秦艽羌活湯	「一般用漢方基準処方」と薬味が一致
		秦艽防風湯	「一般用漢方基準処方」と薬味が一致
		独活湯	「一般用漢方基準処方」と薬味が一致。なお『仁斎直指方』にも独活湯が収載されるが，これは1264年の『仁斎直指方』の原刊本には収載されずに，1550年刊の版本に附方として追加収載されたものである。よって収載時期は『蘭室秘蔵』の方が古い
		立効散	「一般用漢方基準処方」と薬味が一致
		竜胆瀉肝湯＊	「一般用漢方基準処方」＝去柴胡 加黄芩・山梔子・甘草（参照 女科撮要，医方集解）
		麗沢通気湯	処方名の記載なし。「一般用漢方基準処方」と薬味が一致。なお「一般用漢方基準処方」では葱白はなくても可（参照 万病回春）
	世医得効方 (1343) 危亦林 ／1処方	柴苓湯＊	「一般用漢方基準処方」＝去麦門冬・地骨皮（参照 勿誤薬室方函）
明	傷寒全生集 (1445？) 陶節庵 ※著者不明という説もあり。現存版本は1640年刊が古い ／1処方	柴胡枳桔湯	「一般用漢方基準処方」と薬味が一致。なお，仮に陶節庵著でなく刊行年が不明の場合，『傷寒蘊要』が本方の初出となる可能性がある。『勿誤薬室方函』では本方の出典を『傷寒蘊要』としている（参照 傷寒蘊要）
	丹渓心法 (1481) 朱震亨（朱丹渓） ※朱丹渓の弟子により明代にまとめられた。 ／2処方	加味平胃散＊	「一般用漢方基準処方」＝加大棗・山査子 ※山査子はなくても可。なお，山査子も配合された薬味一致出典としては，『漢方医学処方解説』(1936)が古い
		四苓湯	四苓散の名称で収載。「一般用漢方基準処方」と薬味が一致
		＊六味丸（六味地黄丸）	六味地黄丸の名称で収載。処方名の初出となる。「一般用漢方基準処方」と薬味が一致（参照 小児薬証直訣）
	傷寒蘊要 (1504) 銭仁齋（呉綬）	*＜柴胡枳桔湯＞*	「一般用漢方基準処方」と薬味が一致。なお『勿誤薬室方函』では本方の出典を『傷寒蘊要』としている（参照 傷寒全生集）

時代	出典	処方名	備考
明	医学正伝 (1515) 虞摶 ／1処方	加味四物湯	「一般用漢方基準処方」と薬味が一致
	内科摘要 (1529) 薛己 ／5処方	加味帰脾湯	「一般用漢方基準処方」＝加牡丹皮　※牡丹皮はなくても可（参照　口歯類要）
		加味逍遙散＊	「一般用漢方基準処方」＝加生姜・薄荷（参照　明医雑著，万病回春）
		加味逍遙散加川芎地黄（加味逍遙散合四物湯）＊	加味逍遙散加熟地川芎の収載あり。「一般用漢方基準処方」＝加生姜・薄荷（参照　療治経験筆記）
		＊帰脾湯	「一般用漢方基準処方」と薬味が一致（参照　厳氏済生方）
		香砂六君子湯	「一般用漢方基準処方」と薬味が一致
		＊四君子湯	「一般用漢方基準処方」と薬味が一致（参照　和剤局方）
		六君子湯	「一般用漢方基準処方」と薬味が一致。『万病回春』を本方の原典とする文献が多いが，それより時代が古い『内科摘要』に収載される
	口歯類要 (1529) 薛己 ／2処方	＊加味帰脾湯	「一般用漢方基準処方」と薬味が一致。なお「一般用漢方基準処方」では牡丹皮はなくても可（参照　内科摘要）
		清熱補気湯	「一般用漢方基準処方」と薬味が一致
		清熱補血湯	「一般用漢方基準処方」と薬味が一致
	医学統旨 (1534) 葉文齢 ／2処方	柴胡疎肝湯	「一般用漢方基準処方」と薬味が一致
		滋血潤腸湯	「一般用漢方基準処方」と薬味が一致
	丹渓心法附余 (1536) 方広 ／1処方	温清飲	解毒四物湯の名称で収載。「一般用漢方基準処方」と薬味が一致（参照　万病回春）
	女科撮要 (1548) 薛己	＊当帰飲子	当帰飲の名称で収載。「一般用漢方基準処方」と薬味が一致（参照　厳氏済生方）
		＊竜胆瀉肝湯	「一般用漢方基準処方」と薬味が一致（参照　蘭室秘蔵，医方集解）
	保嬰金鏡録・保嬰撮要 (1550・1556) 薛己，薛鎧 ／1処方	抑肝散	「一般用漢方基準処方」と薬味が一致。本方の原典を薛己著『保嬰金鏡録』(1550) とする説と薛鎧著・薛己編集『保嬰撮要』(1556) とする説がある
	小児痘疹方論 (1550) 薛己 註	＊補中益気湯	「一般用漢方基準処方」と薬味が一致（参照　内外傷弁惑論）
	明医雑著 (1551) 薛己 註	＜加味逍遙散＞	「一般用漢方基準処方」＝加薄荷（参照　内科摘要，万病回春）
	明医指掌 (1556) 皇甫中 ／1処方	薏苡仁湯＊	「一般用漢方基準処方」＝去生姜（参照　勿誤薬室方函）
	古今医統大全 (1556) 徐春甫 ／1処方	千金鶏鳴散	「一般用漢方基準処方」と薬味が一致。鶏鳴散の名称で収載される。現在日本では，『朱子集験方』収載の鶏鳴散と区別するため，千金鶏鳴散と呼んでいる（参照　備急千金要方，外台秘要，三因極一病証方論）

時代	出典	処方名	備考
明	医学入門（いがくにゅうもん）(1575) 李梴（りえん）／3 処方	柴陥湯	「一般用漢方基準処方」と薬味が一致
		柴梗半夏湯＊	「一般用漢方基準処方」＝加大棗・生姜（参照 勿誤薬室方函）
		＊逍遙散（八味逍遙散）	八味逍遙散という処方名の出典は『医学入門』である。「一般用漢方基準処方」＝去牡丹皮・山梔子 加生姜・薄荷（参照 和剤局方）
		扶脾生脈散	「一般用漢方基準処方」と薬味が一致
	古今医鑑（ここんいかん）(1576) 龔信（きょうしん）／2 処方	＊胃苓湯	「一般用漢方基準処方」＝加縮砂・黄連 ※縮砂・黄連・芍薬のない場合も可。ただし，『古今医鑑』には，胃苓湯の加味方として，「熱あるは黄連を加う」と記載される。『万病回春』を出典とする文献もあるが，同じ薬味で同様の条文がそれより時代が古い『古今医鑑』に収載される。なお，縮砂・黄連・芍薬をすべて含む文献はない（参照 婦人大全良方）
		芎帰調血飲	芎帰調血飲の名称で収載。「一般用漢方基準処方」と薬味が一致。なお，『万病回春』の芎帰補血湯（版本により芎帰調血飲）を原典とする文献もあるが，それより時代が古い『古今医鑑』に収載される。『古今医鑑』と『万病回春』の薬味，条文は同一である
		知柏地黄丸	六味地黄丸の項に「陰虚火動は黄柏，知母，酒に炒りて各二両を加う」との記載あり。これは「一般用漢方基準処方」と薬味が一致（参照 医宗金鑑）
	赤水玄珠（せきすいげんじゅ）(1584) 孫一奎（そんいっけい）／1 処方	化食養脾湯＊	「一般用漢方基準処方」＝加大棗（参照 内科秘録）
	医学六要（いがくろくよう）(1585) 張三錫（ちょうさんしゃく）／1 処方	清暑益気湯＊	「一般用漢方基準処方」＝去大棗・生姜。『内外傷弁惑論』収載の清暑益気湯と区別するため，近製清暑益気湯とも呼ぶ（参照 勿誤薬室方函）
	万病回春（まんびょうかいしゅん）(1587) 龔廷賢（きょうていけん）／29 処方	烏苓通気散	「一般用漢方基準処方」と薬味が一致
		＊温清飲	温清散の名称で収載。「一般用漢方基準処方」と薬味が一致（参照 丹渓心法附余）
		加減涼膈散（龔廷賢）	涼膈散加減の名称で収載。「一般用漢方基準処方」と薬味が一致
		加味温胆湯	「一般用漢方基準処方」＝去五味子 加玄参・黄連 ※玄参を五味子に変えても可。黄連のない場合も可（参照 衆方規矩）
		＊加味逍遙散	逍遙散の項（生姜・薄荷も配合された 8 味の処方）に，「牡丹皮，山梔子を加え，加味逍遙散と名づく」との記載あり。これは「一般用漢方基準処方」の薬味と一致（参照 内科摘要，明医雑著）
		枳縮二陳湯＊	枳実二陳湯の名称で収載。「一般用漢方基準処方」＝加茯苓。なお，薬味一致出典としては，『漢方医学処方解説』(1936) が古い
		芎帰調血飲第一加減＊	芎帰調血飲（版本により芎帰補血湯）の加減方の 1 つとして収載。「一般用漢方基準処方」＝去童便 加芍薬・地黄（参照 一貫堂経験方）
		響声破笛丸＊	「一般用漢方基準処方」＝去百薬 加阿仙薬 ※大黄のない場合も可。なお，百薬とは五倍子から製した百薬煎のことで，江戸時代に阿仙薬の模造品として流通したため，今日では阿仙薬を配合するようになった（参照 勿誤薬室方函）
		駆風解毒散（湯）＊	駆風解毒散の名称で収載。「一般用漢方基準処方」＝加桔梗・石膏（参照 蕉窓方意解）
		荊芥連翹湯	荊芥連翹湯の処方名で，2 つの薬味が異なる処方が収載される。①「一般用漢方基準処方」＝加枳殻・黄連・黄柏 ※地黄・黄連・黄柏・薄荷葉のない場合も可。②「一般用漢方基準処方」＝加地黄・黄連・黄柏・薄荷葉 ※地黄・黄連・黄柏・薄荷葉のない場合も可（参照 一貫堂経験方）

時代	出典	処方名	備考
明	万病回春（まんびょうかいしゅん）（1587）龔廷賢（きょうていけん）／29 処方	啓脾湯	啓脾丸の名称で収載。「一般用漢方基準処方」＝加大棗・生姜 ※大棗・生姜はなくても可（参照 当壮庵家方口解）
		荊防敗毒散	「一般用漢方基準処方」＝去茯苓。なお薬味一致出典としては，『漢方診療の実際』（1941）が古い
		香砂平胃散＊	「一般用漢方基準処方」＝去枳実・木香 加厚朴・大棗 ※藿香はなくても可（参照 方読弁解）
		香砂養胃湯	「一般用漢方基準処方」と薬味が一致
		五虎湯＊	「一般用漢方基準処方」＝去細茶・葱白・生姜（参照 勿誤薬室方函）
		＊五淋散	「一般用漢方基準処方」＝加地黄・沢瀉・木通・滑石・車前子 ※地黄・沢瀉・木通・滑石・車前子はなくても可。また，五淋散の別方として地黄・沢瀉・木通・滑石・車前子が配合された処方も収載。これは「一般用漢方基準処方」の薬味と一致（参照 和剤局方，仁斎直指方）
		滋陰降火湯	「一般用漢方基準処方」と薬味が一致。なお「一般用漢方基準処方」では大棗・生姜はなくても可
		滋陰至宝湯＊	「一般用漢方基準処方」＝去生姜。なお，薬味一致出典としては，『改訂版漢方診療の実際』（1954）が古い
		滋腎通耳湯	「一般用漢方基準処方」と薬味が一致
		滋腎明目湯	「一般用漢方基準処方」と薬味が一致。なお「一般用漢方基準処方」では燈心草はなくても可
		潤腸湯	「一般用漢方基準処方」と薬味が一致
		椒梅湯＊	「一般用漢方基準処方」＝去生姜（参照 勿誤薬室方函）
		＊升麻葛根湯	「一般用漢方基準処方」と薬味が一致（参照 和剤局方）
		清上防風湯	「一般用漢方基準処方」と薬味が一致
		清肺湯＊	「一般用漢方基準処方」＝去竹茹。なお，薬味一致出典としては，『漢方診療の実際』（1941）が古い
		洗肝明目湯	洗肝明目散の名称で収載。「一般用漢方基準処方」と薬味が一致
		＊千金内托散	千金内托散の名称で収載。「金銀花を加うるもまた可なり」とある。「一般用漢方基準処方」＝去薄荷 加桂皮 ※金銀花を加えても可。なお，版本により，薄荷ではなく薄桂と記載される。薄桂とは桂皮の別名であり，これは「一般用漢方基準処方」と薬味が一致（参照 和剤局方）
		喘四君子湯	巻二の喘急の項に，四君子湯の名称で収載。「一般用漢方基準処方」と薬味が一致。なお「一般用漢方基準処方」では大棗・生姜はなくても可
		疎経活血湯	「一般用漢方基準処方」と薬味が一致
		竹茹温胆湯＊	「一般用漢方基準処方」＝加麦門冬 去大棗（参照 寿世保元，勿誤薬室方函）
		丁香柿蒂湯＊	「一般用漢方基準処方」＝去生姜。なお，薬味一致出典としては，『漢方診療の実際』（1941）が古い
		通導散	「一般用漢方基準処方」と薬味が一致。なお「一般用漢方基準処方」では枳実を枳殻に代えても可。『万病回春』では枳殻を用いている（参照 一貫堂経験方）
		二朮湯	「一般用漢方基準処方」と薬味が一致
		＊二陳湯	「一般用漢方基準処方」と薬味が一致（参照 和剤局方）
		分消湯（実脾飲＊）	『万病回春』の分消湯は，「一般用漢方基準処方」と薬味が一致。実脾飲は，「一般用漢方基準処方」＝加生姜。なお，実脾飲の薬味一致出典としては，『漢方医学処方解説』（1936）が古い
		＊麗沢通気湯	麗沢通気散の名称で収載。「一般用漢方基準処方」と薬味が一致。なお「一般用漢方基準処方」では葱白はなくても可（参照 蘭室秘蔵）
	済世全書（さいせいぜんしょ）（1600 頃か？）龔廷賢（きょうていけん）／1 処方	補気健中湯（補気建中湯）	「一般用漢方基準処方」と薬味が一致。本方の原典を『寿世保元』や『厳氏済生方』とする文献もあるが誤りである

時代	出典	処方名	備考
明	寿世保元（じゅせいほげん） (1615) 龔 廷賢（きょうていけん） ／3処方	加味解毒湯	「一般用漢方基準処方」と薬味が一致。『寿世保元』では「大便実するは大黄を加う」とあり，大黄は加味方として収載される。「一般用漢方基準処方」では「大黄のない場合も可」としている
		清湿化痰湯＊	「一般用漢方基準処方」＝去竹瀝・木香（参照 勿誤薬室方函）
		清上蠲痛湯（駆風触痛湯）	清上蠲痛湯の名称で収載。「一般用漢方基準処方」＝加藁本 ※藁本・菊花・生姜はなくても可。また『寿世保元』には，本方の加味方として，頭頂痛に藁本・大黄を加うとの記載あり。「一般用漢方基準処方」では，処方名を清上蠲痛湯（駆風触痛湯）とし，駆風触痛湯を清上蠲痛湯の別名として扱っているが，『寿世保元』の清上蠲痛湯と『衆方規矩』の駆風触痛湯で薬味が若干異なっており，別処方である（参照 衆方規矩）。なお，『経験漢方処方分量集』(1966)に藁本の配合があって，菊花・生姜の配合がないものが駆風触痛湯の処方名で収載され，そこに「清上蠲痛湯に同じ」と記載されている。処方名の混同はここに始まると考えられる。ちなみに『経験漢方処方分量集』には，別途，出典を『寿世保元』とする清上蠲痛湯（薬味に藁本の配合なく，菊花・生姜がある）も収載される
		＜竹茹温胆湯＞	「一般用漢方基準処方集」＝去大棗（参照 万病回春，勿誤薬室方函）
		＜味麦地黄丸＞	八仙長寿丸の項に，その加減方として「老人，下元冷え胞轉して小便するを得ず，膨急，切痛すること四五日，困篤して死せんと欲するは沢瀉を用いて益智を去る」「諸の淋瀝，數（しばしば）起きて通じざるは茯苓を倍とし，沢瀉を用いて益智を去る」とある。これは「一般用漢方基準処方」の薬味と一致するが，『寿世保元』を原典とするか否かは意見が分かれる（参照 医宗金鑑，医級）
	外科正宗（げかせいそう） (1617) 陳実功（ちんじっこう） ／3処方	蛇床子湯	「一般用漢方基準処方」と薬味が一致
		消風散	「一般用漢方基準処方」と薬味が一致
		辛夷清肺湯＊	「一般用漢方基準処方」＝去甘草（参照 勿誤薬室方函）
清	医方集解（いほうしゅうげ） (1682) 汪昂（おうこう）	＜竜胆瀉肝湯＞	『和剤局方』より引用として10味からなる竜胆瀉肝湯を収載しているが，『和剤局方』には竜胆瀉肝湯の収載はない。「一般用漢方基準処方」＝去柴胡（参照 蘭室秘蔵，女科撮要）
	医宗金鑑（いそうきんかん） (1742) 呉謙等（ごけん） ／1処方	＊知柏地黄丸	知柏地黄丸の名称で収載。処方名の初出となる。「一般用漢方基準処方」と薬味が一致（参照 古今医鑑）
		味麦地黄丸	麦味地黄湯の名称で収載。「若し陰虚に因りて火炎上し肺金爍（と）かして嗽するは六味地黄加麦冬五味子名づけて麦味地黄湯に宜し」と記載される。これは「一般用漢方基準処方」の薬味と一致（参照 寿世保元，医級）
	医級（いきゅう） (1777) 董西園（とうさいえん） ／1処方	杞菊地黄丸	杞菊地黄湯の名称で収載。処方内容は六味丸加杞子白菊と記載される。これは「一般用漢方基準処方」と薬味が一致
		＜味麦地黄丸＞	八仙長寿丸の名称で収載。「即ち六味丸加麦冬五味子これなり」と記載される。これは「一般用漢方基準処方」の薬味と一致。なお，『医級』を出典とする文献もあるが，それより時代が古い『医宗金鑑』に収載される（参照 寿世保元，医宗金鑑）
	医林改錯（いりんかいさく） (1830) 王清任（おうせいにん） ／1処方	補陽還五湯	「一般用漢方基準処方」と薬味が一致

<日本>以下 58 処方			
時代	出典	処方名	備考
江戸	衆方規矩 (1636) 曲直瀬道三	*加味温胆湯	「一般用漢方基準処方」= 加黄連 ※黄連のない場合も可。なお,『衆方規矩』には加味温胆湯の症例として,気鬱から痰飲を生じて不眠となったものに黄連を加味して用いている。これは「一般用漢方基準処方」と薬味が一致(参照 万病回春)
		*清上蠲痛湯(駆風触痛湯)	駆風触痛湯の名称で収載。「一般用漢方基準処方」= 加菊花・生姜 ※藁本・菊花・生姜はなくても可(参照 寿世保元)。なお,清上蠲痛湯と駆風触痛湯の処方名の混同については,『寿世保元』を参照されたい
		*八解散	「一般用漢方基準処方」と薬味が一致(参照 和剤局方)
	一本堂医事説約 (1730 頃か?) 香川修庵 (1683-1755) /1 処方	治打撲一方	治打撲一方の処方名ではなく,打撲の項の一方として,「一般用漢方基準処方」と薬味が一致する処方が収載される。なお,「日久しき者は附を加う」と記載あり。「一般用漢方基準処方」では樸樕を桜皮に代えても可(参照 勿誤薬室方函)
	古今方彙 (1747) 甲賀通元	*五積散	「一般用漢方基準処方」= 加香附子 ※生姜・香附子のない場合も可(参照 和剤局方)。なお,『臨床応用漢方処方解説』(1966)には,香附子が配合された五積散が収載される。しかし白朮・蒼朮の両方が配合され,生姜の配合はない。また,生姜・香附子の両方が配合される文献はない
	当壮庵家方口解 (1750 頃か?) 北尾春圃 (1659-1741)	*啓脾湯	「一般用漢方基準処方」と薬味が一致。なお「一般用漢方基準処方」では大棗・生姜はなくても可(参照 万病回春)
	集験良方考按 福井楓亭 (1725-1792) /1 処方	八味疝気方*	「一般用漢方基準処方」= 去甘草 加牡丹皮(参照 方読弁解,勿誤薬室方函)
	方読弁解 福井楓亭 (1725-1792)	<香砂平胃散>	「一般用漢方基準処方」= 加大棗・藿香 ※藿香はなくても可(参照 万病回春)。なお,藿香も配合された薬味一致出典としては,『漢方診療の実際』(1941)が古い
		<治頭瘡一方>	頭瘡験方の名称で収載。「膿多き者は蒼朮を加う」とあり,これは「一般用漢方基準処方」= 去黄芩 加紅花。なお『勿誤薬室方函』では治頭瘡一方の項で,この頭瘡験方のことを福井家方とし,治頭瘡一方とは区別している。頭瘡験方は治頭瘡一方の原型処方と考えられる(参照 本朝経験方)
		<八味疝気方>	疝気八味方の名称で収載。「一般用漢方基準処方」= 去香附子 加木通(参照 集験良方考按,勿誤薬室方函)
	浅井南溟先生腹診伝 浅井南溟 (1734-1781) /1 処方	抑肝散加陳皮半夏	『浅井南溟先生腹診伝』に,「北山人は常に抑肝散加陳皮中半夏大にて効験をとること数百人(後略)」との記載あり。これは「一般用漢方基準処方」と薬味が一致。矢数道明は『臨床応用漢方処方解説』(1966)においてこの北山人を北山友松子と推定しているが,定かではない。なお,本方が一般に知られて広範に用いられるようになったのは,矢数道明の論文「抑肝散加陳皮半夏の運用に関する私見」(漢方と漢薬,1 巻 1,2 号,1934)による
	産論 (1766) 賀川玄悦 /1 処方	折衝飲*	「一般用漢方基準処方」= 去甘草(参照 勿誤薬室方函)
	和田泰庵方函 和田東郭 (1744-1803) /1 処方	明朗飲*	家方明朗飲の名称で収載。「一般用漢方基準処方」= 去大黄 加桂皮・白朮(参照 勿誤薬室方函)

時代	出典	処方名	備考
江戸	徽癘新書 (1786) 片倉鶴陵 ／1処方	紫根牡蛎湯	「一般用漢方基準処方」と薬味が一致（参照 勿誤薬室方函，勿誤薬室方函口訣）
	療治経験筆記 (1794) 津田玄仙	＊加味逍遙散加川芎地黄（加味逍遙散合四物湯）	「加味逍遙に四物湯を合方して用ること是至て秘事なり」との記載あり。これは「一般用漢方基準処方」の薬味と一致（参照 内科摘要）
	蔓難録 (1802) 柘植彰常 ／1処方	清肌安蛔湯＊	「一般用漢方基準処方」＝去葛根（参照 勿誤薬室方函）
	叢桂亭医事小言 (1805) 原南陽 ／3処方	乙字湯＊	「一般用漢方基準処方」＝去大棗・生姜 加当帰（参照 勿誤薬室方函）
		甲字湯	「一般用漢方基準処方」と薬味が一致
		伏竜肝湯	妊娠悪阻に小半夏加茯苓湯を服して効なきものに伏竜肝の上澄みを用いる。また山脇家の用法として，伏竜肝の上澄みにて小半夏加茯苓湯を煎じれば効ありとある。これは「一般用漢方基準処方」の薬味と一致するが伏竜肝湯としての記載はない。なお勿誤薬室方函の伏竜肝湯は薬味が異なる
	方機 (1811) 吉益東洞 ／2処方	桂枝加朮附湯	「一般用漢方基準処方」と薬味が一致
		桂枝加苓朮附湯	「一般用漢方基準処方」と薬味が一致
	蕉窓方意解 (1813) 和田東郭	＊駆風解毒散（湯）	駆風解毒湯の名称で収載。万病回春の駆風解毒湯に桔梗石膏を加味して煎じたものを，冷やして飲ませると著効があると述べている。これは「一般用漢方基準処方」と薬味が一致（参照 万病回春）
		＜抑肝散加芍薬黄連＞	抑肝散加芍薬の名称で収載され，黄連の配合はない。「一般用漢方基準処方」＝加黄連（参照 橘窓書影，本朝経験方）
	古医方兼用丸散方 (1819) 吉益東洞 ／1処方	＊応鐘散（芎黄散）	芎黄散の名称で収載。「一般用漢方基準処方」と薬味が一致（参照 楊氏家蔵方，春林軒丸散方）
		鷓鴣菜湯（三味鷓鴣菜湯）＊	鷓鴣菜湯の名称で収載。「一般用漢方基準処方」と薬味が一致（参照 勿誤薬室方函）
	観聚方要補 (1819) 多紀元簡 ／1処方	定悸飲＊	「一般用漢方基準処方」＝去生姜。なお『観聚方要補』では「右姜，水煎」と記載され，煎じる際に生姜を入れている（参照 勿誤薬室方函）
	春林軒丸散方 華岡青洲 (1760-1835)	＊応鐘散（芎黄散）	応鐘散の名称で収載。「一般用漢方基準処方」と薬味が一致（参照 楊氏家蔵方，古医方兼用丸散方）
	春林軒丸散録 華岡青洲 (1760-1835) ／1処方	楊柏散＊	「一般用漢方基準処方」＝去無名異・小麦 加犬山椒。無名異とは酸化鉄を含む赤土のこと（参照 青嚢秘録，勿誤薬室方函）
	春林軒膏方 華岡青洲 (1760-1835) ／3処方	左突膏＊	『春林軒膏方』では豚脂ではなく鹿脂を用いている。なお，薬味一致出典としては，『漢方診療の実際』(1941) が古い
		紫雲膏	『春林軒膏方』で薬味にマンティカと記載されるが，豚脂のことである。「一般用漢方基準処方」と薬味が一致
		中黄膏	「一般用漢方基準処方」と薬味が一致

時代	出典	処方名	備考
江戸	瘍科方筌(ようかほうせん) 華岡青洲(はなおかせいしゅう) (1760-1835) ／2処方	帰耆建中湯	耆帰建中湯の名称で収載。「一般用漢方基準処方」＝加膠飴 ※膠飴はなくても可。なお,『普済本事方』にも黄耆建中加当帰湯の名称で同一薬味の処方が収載されるが,傷寒に伴う発熱,頭痛,煩渇に用いており,現在の用途とは異なる(参照 類聚方広義)
		十味敗毒湯	『瘍科方筌』では桜皮が配合される。「一般用漢方基準処方」＝加連翹 ※連翹はなくても可(参照 勿誤薬室方函)
	瘍科瑣言(ようかさげん) 華岡青洲(はなおかせいしゅう) (1760-1835)	*＜小柴胡湯加桔梗石膏＞*	小柴胡湯加石膏が収載される。乳鵞(扁桃腺炎),瘰癧(頸部リンパ節炎),痄腮(流行性耳下腺炎)等に小柴胡湯加石膏を用いると述べており,これは小柴胡湯加桔梗石膏の原型と考えられる。「一般用漢方基準処方」＝加桔梗(参照 先哲医話,勿誤薬室方函口訣,皇漢医学)
	青嚢秘録(せいのうひろく) 華岡青洲(はなおかせいしゅう) (1760-1835)	*＜楊柏散＞*	「一般用漢方基準処方」＝加犬山椒(参照 春林軒丸散録,勿誤薬室方函)
	方輿輗(ほうよげい) (1829) 有持桂里(ありもちけいり) ／3処方	葛根紅花湯	「一般用漢方基準処方」と薬味が一致
		五物解毒散	五物解毒湯の名称で収載。処方内容は魚腥湯加荊芥とされるが,これは「一般用漢方基準処方」の薬味と一致
		蒸眼一方	洗眼方の名称で収載。「一般用漢方基準処方」と薬味が一致
	瘍科秘録(ようかひろく) (1837) 本間棗軒(ほんまそうけん) ／1処方	猪苓湯合四物湯	淋の項,血淋で多く血の出るものに用いる処方として,猪苓四物合方(四物猪苓合方)が記載される。処方内容は省略されているが,猪苓湯と四物湯の合方と考えられ,これは「一般用漢方基準処方」と薬味が一致
	類聚方広義(るいじゅほうこうぎ) (1856) 尾台榕堂(おだいようどう) ／3処方	*＊越婢加朮附湯*	越婢加朮附湯の名称で収載。「一般用漢方基準処方」と薬味が一致(参照 備急千金要方)
		＊帰耆建中湯	耆帰建中湯の名称で収載。黄耆建中湯の頭註に「この方に当帰を加えて耆帰建中湯と名付け(後略)」とある。これは「一般用漢方基準処方」と薬味が一致。なお「一般用漢方基準処方」では膠飴はなくても可(参照 瘍科方筌)
		＜柴胡加竜骨牡蛎湯＞	柴胡加竜骨牡蛎湯の本文中には,黄芩・甘草の配合なく,鉛丹が配合されるが,その頭註には「この方は甘草,黄芩を脱するに似る」とある。これは「一般用漢方基準処方」＝去鉛丹(参照 傷寒論)。なお『症候による漢方治療の実際』(1963)に黄芩の配合された本方が収載され「原方には鉛丹があるが,一般にはこれを去る。また甘草を入れることがある」と述べられている。これは「一般用漢方基準処方」と薬味が一致。なお「一般用漢方基準処方」では大黄・黄芩・甘草のない場合も可
		＊当帰建中湯	当帰建中湯の名称で収載。「若し大虚には飴糖六両を加え(後略)」と記載される。飴糖とは膠飴のこと。これは「一般用漢方基準処方」と薬味が一致。なお「一般用漢方基準処方」では膠飴はなくても可(参照 金匱要略)
		当帰芍薬散加附子	当帰芍薬散の項の頭註に,加味方として「妊娠,産後にして,下利腹痛し,小便不利,腰脚麻痺して力なく,或は眼目赤腫する者,若しくは下利止まず,悪寒する者は,附子を加へ,(後略)」とある。これは「一般用漢方基準処方」の薬味と一致
		排膿散及湯	排膿散の項の頭注に「東洞先生は排膿湯と排膿散を合して排膿散及湯と名づけ,諸瘡瘍を治し,癰鐘,再造,伯州,七寶を各症に隨ひて兼用す」とある。これは「一般用漢方基準処方」と薬味が一致
		茯苓飲加半夏	茯苓飲の項の頭注に,「老人にして常に痰飲に苦しみ,心下痞満し,飲食せず,下利し易き者を治す。小児にして乳食化せず,吐下止まず,并に百日咳にて,心下痞満し咳逆甚だしき者を治す。倶に半夏を加えて殊効あり」とある。これは「一般用漢方基準処方」と薬味が一致

時代	出典	処方名	備考
江戸	内科秘録（ないかひろく）(1864) 本間棗軒（ほんまそうけん）／2処方	*化食養脾湯	本方の出典として『証治大還』をあて，「脾疼を治す。六君子湯加砂仁神麹麦芽山査」と記載される。これは「一般用漢方基準処方」と薬味が一致。しかし，『証治大還』(1697年陳治著）の化食養脾湯には，大棗・生姜の配合はない（参照 赤水玄珠）
		小青竜湯加杏仁石膏（小青竜湯合麻杏甘石湯）	小青竜麻杏甘石合方の名称で収載。これは「一般用漢方基準処方」と薬味が一致
		連珠飲	本間家方として収載。処方内容を苓桂朮甘湯合四物湯と記載している。これは「一般用漢方基準処方」と薬味が一致
	証治摘要（しょうちてきよう）(1865) 中川成章（なかがわなりあき）	＜安中散＞	「一般用漢方基準処方」＝去乾姜（参照 和剤局方，勿誤薬室方函）
明治	勿誤薬室方函（ふつごやくしつほうかん）(1876) 浅田宗伯（あさだそうはく）／5処方	*安中散	「一般用漢方基準処方」と薬味が一致（参照 証治摘要，和剤局方）
		*温胆湯	「一般用漢方基準処方」＝加大棗 ※黄連・酸棗仁・大棗のない場合も可。なお，黄連・酸棗仁・大棗のすべてが配合される文献はない（参照 備急千金要方，三因極一病証方論）
		*延年半夏湯	「一般用漢方基準処方」と薬味が一致（参照 外台秘要）
		*乙字湯	「一般用漢方基準処方」と薬味が一致。「本大棗あり，今代うるに当帰を以ってす，更に効あり」とある。（参照 叢桂亭医事小言）
		*解急蜀椒湯	薬味の記載はないが，「大建中湯，附子粳米湯の合方，もと人参なし，今大建中湯に従う」とあり，人参を配合するよう述べている。また，大建中湯には膠飴が配合されるので，膠飴の配合についても示唆される。これは「一般用漢方基準処方」と薬味が一致。なお「一般用漢方基準処方」では膠飴はなくても可（参照 外台秘要）
		加減涼膈散（浅田）	出典を『万病回春』として加減涼膈散の名称で収載。「一般用漢方基準処方」と薬味が一致
		*響声破笛丸	「一般用漢方基準処方」と薬味が一致。なお「一般用漢方基準処方」では大黄はなくても可（参照 万病回春）
		九味檳榔湯	「一般用漢方基準処方」と薬味が一致。『勿誤薬室方函』に加減方として「或は大黄を去り，呉茱萸・茯苓を加う」と記載される。これも「一般用漢方基準処方」の加減方薬味と一致
		鶏肝丸	「一般用漢方基準処方」と薬味が一致
		*堅中湯	「一般用漢方基準処方」と薬味が一致（参照 備急千金要方）
		*五虎湯	「麻杏甘石湯方中に桑白を加う。もと細茶あり，今必ずしも用いず」とある。これは「一般用漢方基準処方」と薬味が一致（参照 万病回春）
		*牛車腎気丸	牛車腎気丸料の名称で収載。「腎気丸方中に牛膝・車前子を加う」とある。これは「一般用漢方基準処方」と薬味が一致（参照 厳氏済生方）
		柴葛解肌湯	「一般用漢方基準処方」と薬味が一致。『勿誤薬室方函』には，本方は父・濟庵の創案で，『傷寒六書』の柴葛解肌湯よりも効があると述べられている。なお，『傷寒蘊要』，『傷寒六書・殺車槌法』，『医方集解』，『寿世保元』にも同名処方が収載されるが，処方内容が異なる
		*柴梗半夏湯	「一般用漢方基準処方」と薬味が一致（参照 医学入門）
		*柴芩湯	「一般用漢方基準処方」と薬味が一致（参照 世医得効方）
		＜紫根牡蛎湯＞	出典を『黴癘新書』として条文を載せている。「一般用漢方基準処方」と薬味が一致（参照 黴癘新書，勿誤薬室方函口訣）
		*鷓鴣菜湯（三味鷓鴣菜湯）	出典を『撮要方函』として三味鷓鴣菜湯の名称で収載。「一般用漢方基準処方」と薬味が一致。この『撮要方函』がどの典籍を指しているのか不明。なお『雑病翼方』（浅田宗伯）では典拠を本朝経験としている（参照 古医方兼用丸散方）

時代	出典	処方名	備考
明治	ふつごやくしつほうかん 勿誤薬室方函 (1876) あさだそうはく 浅田宗伯 ／5 処方	＊十味敗毒湯	「樸樕を以て桜皮に代う」とし，桜皮の代用として樸樕を用いると述べている。「一般用漢方基準処方」＝加連翹 ※連翹はなくても可。なお，浅田宗伯は本方に連翹を加え多く用いていた（参照 瘍科方筌）
		＊椒梅湯	「一般用漢方基準処方」と薬味が一致（参照 万病回春）
		＊辛夷清肺湯	「一般用漢方基準処方」と薬味が一致（参照 外科正宗）
		＊神秘湯	神秘湯の項に，「或は厚朴・甘草を加ふ」として神秘湯の別方が収載される。これは「一般用漢方基準処方」の薬味と一致（参照 外台秘要）
		＊清肌安蛔湯	薬味は小柴胡湯去大棗加鷓鴣菜・麦門として収載。これは「一般用漢方基準処方」の薬味と一致（参照 蔓難録）
		＊清湿化痰湯	「一般用漢方基準処方」と薬味が一致（参照 寿世保元）
		＊清暑益気湯	「一般用漢方基準処方」と薬味が一致（参照 医学六要）
		＊折衝飲	「一般用漢方基準処方」と薬味が一致（参照 産論）
		＊竹茹温胆湯	「一般用漢方基準処方」と薬味が一致(参照 万病回春,寿世保元)
		＊治打撲一方	治打撲一方の名称で収載。処方名の初出となる。「一般用漢方基準処方」と薬味が一致。なお「一般用漢方基準処方」では樸樕を桜皮に代えても可（参照 一本堂医事説約）
		＊定悸飲	「苓桂朮甘湯方中に呉茱萸・牡蛎・李根皮を加う」とある。これは「一般用漢方基準処方」と薬味が一致（参照 観聚方要補）
		＊独活葛根湯	「一般用漢方基準処方」と薬味が一致（参照 外台秘要）
		女神散（安栄湯）＊	女神散の名称で，浅田家方として収載。「一般用漢方基準処方」と薬味が一致。なお「一般用漢方基準処方」では大黄はなくても可（参照 勿誤薬室方函口訣）
		＊人参養栄湯	「一般用漢方基準処方」と薬味が一致（参照 和剤局方）
		＊八味疝気方	「一般用漢方基準処方」と薬味が一致（参照 集験良方考按，方読弁解）
		＊半夏白朮天麻湯	「一般用漢方基準処方」と薬味が一致。なお『勿誤薬室方函』では神麹・蒼朮が配合される。「一般用漢方基準処方」では神麹はなくても可。蒼朮を加えても可（参照 脾胃論）
		＊奔豚湯（肘後方）	出典を『肘後方』として奔豚湯の名称で収載。「一般用漢方基準処方」と薬味が一致（参照 肘後備急方）
		＊明朗飲	「一般用漢方基準処方」と薬味が一致（参照 和田泰庵方函）
		＊楊柏散	浅田家方として収載。「一般用漢方基準処方」と薬味が一致。華岡青洲創案の楊柏散との相違について述べている（参照 春林軒丸散録，青嚢秘録）
		＊薏苡仁湯	「一般用漢方基準処方」と薬味が一致（参照 明医指掌）
	ふつごやくしつほうかんくけつ 勿誤薬室方函口訣 (1878) あさだそうはく 浅田宗伯 ／1 処方	＜鶏鳴散加茯苓＞	唐侍中一方（外台）の項に，「朱氏集験には桔梗を加へて鶏鳴散と名づけ，脚気の套薬とす」と記載される。「一般用漢方基準処方」＝加茯苓（参照 外台秘要，朱子集験方，本朝経験方）
		＜紫根牡蛎湯＞	「此方は水戸西山公の蔵方にして，（中略）悉きことは西山公の秘録に見えたり」と記載している。なお，西山公とは水戸光圀，秘録とは『奇方西山集』といわれている（参照 黴癘新書，勿誤薬室方函）
		小柴胡湯加桔梗石膏	牛蒡芩連湯の項に「時毒頭瘟の類，（中略）発汗後，腫痛解せざる者は小柴胡湯加桔梗石膏に宜し」とあり，流行性で頭や顎などが発赤するものや，頭や顔の丹毒に小柴胡湯加桔梗石膏を用いると述べている。「一般用漢方基準処方」と薬味が一致（参照 瘍科瑣言，先哲医話，皇漢医学）
		＊女神散（安栄湯）	女神散の項に，「此方はもと安榮湯と名づけて，軍中七気を治する方なり。余の家，婦人血症に用ひて特験あるを以つて今の名とす」と記載される（参照 勿誤薬室方函）
	せんてついわ 先哲医話 (1880) あさだそうはく 浅田宗伯	＜小柴胡湯加桔梗石膏＞	和田東郭の項に「風寒を感じ，咽喉腫塞，薬汁通じ難きは，駆風解毒湯加桔梗石膏を作す。冷服は極効す。（拙軒曰く，この証，小柴胡加桔梗石膏もまた奇中す。青洲翁曾てこれを用う。）」とあり，のどの腫れに用いること，華岡青洲が小柴胡湯加桔梗石膏を用いていたことが述べられている。「一般用漢方基準処方」と薬味が一致（参照 瘍科瑣言，勿誤薬室方函口訣，皇漢医学）

時代	出典	処方名	備考
明治	橘窓書影（きっそうしょえい） (1886) 浅田宗伯（あさだそうはく）	*＜抑肝散加芍薬黄連＞*	抑肝散加芍薬黄連羚羊角として収載。「一般用漢方基準処方」＝去羚羊角（参照　蕉窓方意解，本朝経験方）
	方彙続貂（ほういぞくちょう） (1888) 村瀬豆洲（むらせとうしゅう） ／1処方	安中散加茯苓＊	安中散の項に，構成薬味に続けて「茯苓を加えること最も妙と為す」と記載される。これは，「一般用漢方基準処方」＝去乾姜　加縮砂（参照　本朝経験方）
大正	和漢薬治療要解（わかんやくちりょうようかい） (1917) 鵜飼禮堂（うかいれいどう）	*＜桂枝越婢湯＞*	桂枝越婢湯加烏頭蒼朮の名称で収載。「一般用漢方基準処方」＝去烏頭　加附子・生姜（参照　本朝経験方）
	一貫堂経験方（いっかんどうけいけんほう） ※一貫堂医学の創始者，森道伯が経験的に用いた処方のことを一貫堂経験方と呼ぶ。書籍名ではない 森道伯（もりどうはく） (1867-1931) ／1処方	*＊芎帰調血飲第一加減*	『森道伯先生伝：並一貫堂医学大綱』（矢数格著，1933）によれば，「一般用漢方基準処方」と薬味が一致（参照　万病回春）
		＊荊芥連翹湯	『森道伯先生伝：並一貫堂医学大綱』によれば，「一般用漢方基準処方」と薬味が一致。なお「一般用漢方基準処方」では地黄・黄連・黄柏・薄荷葉のない場合も可（参照　万病回春）
		柴胡清肝湯	『森道伯先生伝：並一貫堂医学大綱』によれば，柴胡清肝散の名称で収載。「一般用漢方基準処方」と薬味が一致
		＜通導散＞	「一般用漢方基準処方」では枳実を枳殻に代えても可とあるが，『森道伯先生伝：並一貫堂医学大綱』では，枳実と枳殻の両方が配合されている（参照　万病回春）
昭和	皇漢医学（こうかんいがく） (1927) 湯本求真（ゆもときゅうしん） ／1処方	柴朴湯	橘皮竹筎湯の項に「百日咳には小柴胡湯或は小柴胡加石膏湯に半夏厚朴湯を合用すべきもの多数にして本方を要すること比較的稀なり」と小柴胡湯合半夏厚朴湯についての記載あり。これは「一般用漢方基準処方」と薬味が一致。なお細野史郎は，『漢方治療の方証吟味』（1978）において小柴胡湯合半夏厚朴湯を柴朴湯と名づけ用いていると述べている
		＜小柴胡湯加桔梗石膏＞	小柴胡加桔梗石膏湯の名称で収載。「小柴胡加石膏湯，小柴胡加桔梗湯の二証相合する者を治す」と記載される。耳下腺炎，頸部リンパ腺炎，粘稠痰，化膿性疾患，咽喉痛などが適応となる。「一般用漢方基準処方」と薬味が一致（参照　瘍科瑣言，先哲医話，勿誤薬室方函口訣）
その他	本朝経験方（ほんちょうけいけんほう） ※日本で経験的に使われるようになった処方のことを本朝経験方と呼ぶ。書籍名ではない。なお本項では，近・現代の処方集・解説書・論文等のうち当該処方に関する記述が早いものについて備考欄に記載した ／20処方	*＊安中散加茯苓*	『臨床応用漢方処方解説』（1966）の安中散の項に加味方として「多く茯苓を加える」と記載される。これは「一般用漢方基準処方」と薬味が一致。また，安中散加茯苓の名称もあわせて記載される（参照　方彙続貂）
		乙字湯去大黄	『臨床応用漢方処方解説』（1966）の乙字湯の項に，「便秘の者は大黄を増し，自然便のある者はこれを減じ，又は除いても良い」との記載あり。これは「一般用漢方基準処方」と薬味が一致
		葛根湯加川芎辛夷	山田光胤が，「座談会　葛根湯を語る」（漢方の臨床，11巻，6号，p.334, 1964）において，葛根湯加辛夷川芎の使用例について発言している。これは「一般用漢方基準処方」と薬味が一致
		栝楼薤白湯	細野史郎は，「沽光治験録（一）」（漢方の臨床，12巻，3号，p.14, 1965）において，瓜呂薤白湯（瓜呂薤白白酒湯去加方）は家方であると述べている
		桂枝越婢湯	細野史郎が，「越婢加朮湯と桂枝越婢湯の話」（漢方の臨床，25巻，11号・12号，p.193, 1978）において，桂枝越婢湯加烏頭蒼朮の烏頭を附子に代え，生姜を加えて処方名を桂枝越婢湯と名付け用いていると述べている。これは「一般用漢方基準処方」の薬味と一致（参照　和漢薬治療要解）
		桂枝二越婢一湯加朮附	薬味一致出典としては，『実用漢方療法』（1972）が古い
		桂枝茯苓丸料加薏苡仁	『金匱要略』の桂枝茯苓丸に薏苡仁を加味した処方である。薬味一致出典としては，『症候による漢方治療の実際』（1963）が古い

時代	出典	処方名	備考
その他	本朝経験方（ほんちょうけいけんほう） ※日本で経験的に使われるようになった処方のことを本朝経験方と呼ぶ。書籍名ではない。なお本項では，近・現代の処方集・解説書・論文等のうち当該処方に関する記述が早いものについて備考欄に記載した ／20処方	鶏鳴散加茯苓	『朱子集験方』の鶏鳴散に茯苓を加えた処方である。木村長久が，「第3回漢方を語る座談会：脚気に就いて」（漢方と漢薬，4巻，7号，p. 19, 1937）において，鶏鳴散加茯苓の使用について発言している。「一般用漢方基準処方」と薬味が一致（参照 外台秘要，朱子集験方，勿誤薬室方函口訣）
		外台四物湯加味	『漢方治療の方証吟味』（細野史郎著，1978）に四物湯加三味（外台秘要）の名称で収載。「一般用漢方基準処方」と薬味が一致（参照 外台秘要）
		柴葛湯加川芎辛夷	『改訂三版実用漢方処方集』（2006）の新規追加訂正（2011）に，柴葛湯加川芎辛夷（小柴胡湯合葛根湯加川芎辛夷）は，聖光園細野診療所の処方である旨が記載される
		柴芍六君子湯	『勿誤薬室方函』によれば，本方は本朝経験方である。「一般用漢方基準処方」＝加生姜・大棗。なお，薬味一致出典としては，『改訂版漢方診療の実際』（1954）が古い
		柴蘇飲	『勿誤薬室方函』によれば，本方を本朝経験方として収載し，小柴胡湯と香蘇散の合方であると述べている。これは「一般用漢方基準処方」と薬味が一致
		七物降下湯	本方は四物湯に釣藤鈎・黄耆・黄柏を加えたもので大塚敬節によって創製された。薬味一致出典としては，『症候による漢方治療の実際』（1963）が古い
		治頭瘡一方	『勿誤薬室方函』には出典の記載がないため浅田家方と断定できない。「一般用漢方基準処方」と薬味が一致。また『勿誤薬室方函』には「福井家方には，黄芩あって紅花・蒼朮なし」と記載されており，本方の原型は『方読弁解』（福井楓亭著）の頭瘡験方といえる（参照 方読弁解）
		治頭瘡一方去大黄	『漢方診療医典』（1969）の治頭瘡一方の項に，「便通のあるものは大黄を去る」との記載あり。これは「一般用漢方基準処方」と薬味が一致。薬味一致出典としては，『漢方診療医典』（1969）が古い
		中建中湯	別名「小建中湯合大建中湯」。大塚敬節は，自身が創製した中建中湯について，主に開腹手術後などで大黄等の下剤が合わない虚証の常習便秘の患者に用い，膠飴は必ずしも除く必要はないが，なくても効果があるので小建中湯合大建中湯去膠飴として用いる旨を述べている（日本東洋医学雑誌，17巻，4号，p. 139, 1967）。一方，矢数道明は『臨床応用漢方処方解説』（1966）で「私は小建中湯と大建中湯を合方し中建中湯と称し，その中間型の虚寒症の急腹痛に用いている」と述べている。「一般用漢方基準処方」と薬味が一致。なお「一般用漢方基準処方」では膠飴を加えても可としている
		当帰芍薬散加黄耆釣藤	鈴木朋子「大塚恭男所長と当帰芍薬散」（漢方の臨床，42巻，1号，p. 83, 1995）によれば，大塚恭男が当帰芍薬散の加味方として本方をよく用いたという。「一般用漢方基準処方」と薬味が一致
		当帰芍薬散加人参	薬味一致出典としては，『改訂三版実用漢方処方集』（2006）が古い
		茯苓飲合半夏厚朴湯	薬味一致出典としては，『漢方診療の実際』（1941）が古い
		抑肝散加芍薬黄連	「抑肝散加味方の研究」（日本東洋医学雑誌，31巻，4号，p. 230, 1981）において，中田敬悟，細野史郎，他が「抑肝散加芍薬黄連羚羊角は，羚羊角が入手困難なことと，羚羊角を去ってもそれなりの効果を認めることから，新妻門下では抑肝散加芍薬黄連を用いるにいたっている」と述べている（参照 橘窓書影，蕉窓方意解）
		麗沢通気湯加辛夷	本方に関する研究は，古内一郎，他「通年性鼻アレルギーに対する麗沢通気湯加辛夷の二重盲検法による臨床的研究」（アレルギーの臨床，9巻，2号，p. 54, 1982）が早い。なお「一般用漢方基準処方」では葱白はなくても可。寺澤捷年，他「麗沢通気湯加辛夷が奏効した常習性頭痛，気管支喘息，気管支アミロイドーシスの三治験」（日本東洋医学雑誌，59巻，2号，p. 303-307，2008）においても葱白は用いていない

一般用漢方製剤承認基準収載 294 処方一覧

＜凡例＞

以下に一般用漢方製剤承認基準収載 294 処方の「処方名」「成分・分量」「出典」を示す。(以下，「一般用漢方製剤承認基準収載 294 処方一覧」のことを「294 処方一覧」と略記する)

【生薬名の表記について】

厚労省通知「一般用漢方製剤承認基準」に基づき，従来のいわゆる 210 処方に新たに処方が追加され，計 294 処方が一般用漢方処方として収載されたわけであるが，そこに収載される処方中の生薬名は，必ずしも「日本薬局方（第 18 改正)」および「日本薬局方外生薬規格 2018」と一致していない。また，「一般用漢方製剤承認基準」の中においても，「別甲と土別甲」や「李根皮と李根白皮」のように，処方によって生薬名の表記に異同があるものがある。これらを考慮し，本書では，「294 処方一覧」の生薬名表記に関しては，厚労省通知「一般用漢方製剤承認基準」に従うが，各論の生薬解説においては，原則として生薬名表記を「日本薬局方（第 18 改正)」および「日本薬局方外生薬規格 2018」に従うこととした。また，「日本薬局方（第 18 改正)」および「日本薬局方外生薬規格 2018」に収載のないもの，もしくは漢字表記が複数あるものについては，現状流通の生薬名および古典等を鑑みて生薬名を決定した。

これらの生薬名表記の異同について，以下に挙げ，混乱を避ける便法とした。

294 処方一覧における生薬名表記	各論の生薬解説における生薬名表記
欝金	鬱金
加工ブシ	附子
欵冬花	款冬花
紫苑	紫菀
秦艽	秦艽
草豆蔲	草豆蔻
薄荷，薄荷葉	薄荷
別甲，土別甲	土別甲
李根皮，李根白皮	李根皮

【出典名の表記方について】

①当該処方に関する記述が初めて行われた「原典」または「原方の初出出典」を記した。なお，本書における「原典」「原方の初出出典」の定義については，「原典」の定義 (p. 298) を参照されたい。

②この「294 処方一覧」において，「原典」にあたる典籍はそのまま記した。また，「原方の初出出典」については，「和剤局方（勿誤薬室方函)」というように，「原方の初出出典名」の後ろに「一般用漢方製剤承認基準収載の処方と薬味が一致する出典名」をカッコ書きで併記した。

③「一貫堂経験方」について。「一貫堂経験方」とは，その名称の書籍があるのではなく，後世派の一派である一貫堂医学の創始者，森道伯が経験的に使用した処方という意味である。その出典調査にあたっては，一貫堂医学の大綱をまとめた『森道伯先生伝：並一貫堂医学大綱』（矢数格著，伝記記念図書刊行会，1933）収載の処方薬味および使用法を参照した。なお，この「294 処方一覧」においては，他の出典と区別するため「*一貫堂経験方*：『森道伯先生伝：並一貫堂医学大綱』」と記した。

④「本朝経験方」について。「本朝経験方」とは，その名称の書籍があるのではなく，日本で経験的に使われるようになった処方という意味である。なお，この「294 処方一覧」においては，他の出典と区別するため「*本朝経験方*：『漢方診療医典』」というように，「*本朝経験方*：」の表記に続けて，近・現代の処方集・解説書・論文等のうち当該処方に関する記述が早いものについて記載した。

また，処方の創製者について文献から判断できる場合は，「*本朝経験方【大塚敬節】*：」というように，その創製者の名前を附記した。以下に挙げる。

本朝経験方【細野史郎】…栝楼薤白湯，桂枝越婢湯。

本朝経験方【大塚敬節】…七物降下湯。

本朝経験方【大塚敬節／矢数道明】…中建中湯。注）大塚敬節と矢数道明の両氏がそれぞれ創製方であると述べている。

本朝経験方【大塚恭男】…当帰芍薬散加黄耆釣藤。

⑤この「294 処方一覧」に挙げた各出典の著者名や出版年等については，「一般用漢方製剤承認基準収載 294 処方の出典分類表」の p. 301 以降を参照されたい。

1 **安中散**（あんちゅうさん）／『和剤局方』（『勿誤薬室方函』）
桂皮 3〜5 延胡索 3〜4 牡蛎 3〜4 茴香 1.5〜2 縮砂 1〜2 甘草 1〜2 良姜 0.5〜1

2 **安中散加茯苓**（あんちゅうさんかぶくりょう）／『方彙続貂』（『臨床応用漢方処方解説』）
桂皮 3〜5 延胡索 3〜4 牡蛎 3〜4 茴香 1.5〜2 縮砂 1〜2 甘草 1〜2 良姜 0.5〜1 茯苓 5

3 **胃風湯**（いふうとう）／『和剤局方』
当帰 2.5〜3 芍薬 3 川芎 2.5〜3 人参 3 白朮 3 茯苓 3〜4 桂皮 2〜3 粟 2〜4

4 **胃苓湯**（いれいとう）／『婦人大全良方』（『古今医鑑』）
蒼朮 2.5〜3 厚朴 2.5〜3 陳皮 2.5〜3 猪苓 2.5〜3 沢瀉 2.5〜3 芍薬 2.5〜3 白朮 2.5〜3 茯苓 2.5〜3 桂皮 2〜2.5 大棗 1〜3 生姜 1〜2 甘草 1〜2 縮砂 2 黄連 2（芍薬・縮砂・黄連のない場合も可）

5 **茵蔯蒿湯**（いんちんこうとう）／『傷寒論』，『金匱要略』
茵蔯蒿 4〜14 山梔子 1.4〜5 大黄 1〜3

6 **茵蔯五苓散**（いんちんごれいさん）／『金匱要略』
沢瀉 4.5〜6 茯苓 3〜4.5 猪苓 3〜4.5 蒼朮 3〜4.5（白朮も可）桂皮 2〜3 茵蔯蒿 3〜4

7 **烏薬順気散**（うやくじゅんきさん）／『和剤局方』
麻黄 2.5〜3 陳皮 2.5〜5 烏薬 2.5〜5 川芎 2〜3 白殭蚕 1.5〜2.5 枳殻 1.5〜3 白芷 1.5〜3 甘草 1〜1.5 桔梗 2〜3 乾姜 1〜2.5 生姜 1 大棗 1〜3（生姜 大棗を抜いても可）

8 **烏苓通気散**（うれいつうきさん）／『万病回春』
烏薬 2〜3.5 当帰 2〜3.5 芍薬 2〜3.5 香附子 2〜3.5 山査子 2〜3.5 陳皮 2〜3.5 茯苓 1〜3 白朮 1〜3 檳榔子 1〜2 延胡索 1〜2.5 沢瀉 1〜2 木香 0.6〜1 甘草 0.6〜1 生姜 1（ヒネショウガを用いる場合 2）

9 **温経湯**（うんけいとう）／『金匱要略』
半夏 3〜5 麦門冬 3〜10 当帰 2〜3 川芎 2 芍薬 2 人参 2 桂皮 2 阿膠 2 牡丹皮 2 甘草 2 生姜 1 呉茱萸 1〜3

10 **温清飲**（うんせいいん）／『丹渓心法附余』
当帰 3〜4 地黄 3〜4 芍薬 3〜4 川芎 3〜4 黄連 1〜2 黄芩 1.5〜3 山梔子 1.5〜2 黄柏 1〜1.5

11 **温胆湯**（うんたんとう）／『備急千金要方』（『三因極一病証方論』，『勿誤薬室方函』）
半夏 4〜6 茯苓 4〜6 生姜 1〜2（ヒネショウ

ガを使用する場合 3） 陳皮 2～3 竹茹 2～3 枳実 1～2 甘草 1～2 黄連 1 酸棗仁 1～3 大棗 2（黄連以降のない場合も可）

12 越婢加朮湯（えっぴかじゅつとう）／『金匱要略』
麻黄 4～6 石膏 8～10 生姜 1（ヒネショウガを使用する場合 3） 大棗 3～5 甘草 1.5～2 白朮 3～4（蒼朮も可）

13 越婢加朮附湯（えっぴかじゅつぶとう）／『備急千金要方』
麻黄 4～6 石膏 8～10 白朮 3～4（蒼朮も可）加工ブシ 0.3～1 生姜 1（ヒネショウガを使用する場合 3） 甘草 1.5～2 大棗 3～4

14 延年半夏湯（えんねんはんげとう）／『外台秘要』（『勿誤薬室方函』）
半夏 3～5 柴胡 2～5 別甲 2～5 桔梗 2～4 檳榔子 2～4 人参 0.8～2 生姜 1～2 枳実 0.5～2 呉茱萸 0.5～2

15 黄耆桂枝五物湯（おうぎけいしごもつとう）／『金匱要略』
黄耆 3 芍薬 3 桂皮 3 生姜 1.5～2（ヒネショウガを使用する場合 5～6） 大棗 3～4

16 黄耆建中湯（おうぎけんちゅうとう）／『金匱要略』
桂皮 3～4 生姜 1～2（ヒネショウガを使用する場合 3～4） 大棗 3～4 芍薬 6 甘草 2～3 黄耆 1.5～4 膠飴 20（膠飴はなくても可）

17 黄芩湯（おうごんとう）／『傷寒論』
黄芩 4～9 芍薬 2～8 甘草 2～6 大棗 4～9

18 応鐘散（おうしょうさん）（芎黄散（きゅうおうさん））／『楊氏家蔵方』
大黄 1 川芎 2

19 黄連阿膠湯（おうれんあきょうとう）／『傷寒論』
黄連 3～4 芍薬 2～2.5 黄芩 1～2 阿膠 3 卵黄 1 個

20 黄連解毒湯（おうれんげどくとう）／『肘後備急方』
黄連 1.5～2 黄芩 3 黄柏 1.5～3 山梔子 2～3

21 黄連湯（おうれんとう）／『傷寒論』
黄連 3 甘草 3 乾姜 3 人参 2～3 桂皮 3 大棗 3 半夏 5～8

22 乙字湯（おつじとう）／『叢桂亭医事小言』（『勿誤薬室方函』）
当帰 4～6 柴胡 4～6 黄芩 3～4 甘草 1.5～3 升麻 1～2 大黄 0.5～3

23 乙字湯去大黄（おつじとうきょだいおう）／*本朝経験方*：『臨床応用漢方処方解説』
当帰 4～6 柴胡 4～6 黄芩 3～4 甘草 1.5～3 升麻 1～2

24 解急蜀椒湯（かいきゅうしょくしょうとう）／『外台秘要』（『勿誤薬室方函』）
蜀椒 1～2 加工ブシ 0.3～1 粳米 7～8 乾姜 1.5～4 半夏 4～8 大棗 3 甘草 1～2 人参 2～3 膠飴 20（膠飴はなくても可）

25 解労散（かいろうさん）／『楊氏家蔵方』
芍薬 4～6 柴胡 4～6 土別甲 2～4 枳実 2～4 甘草 1.5～3 茯苓 2～3 生姜 1（ヒネショウガを使用する場合 2～3） 大棗 2～3

26 加減涼膈散（かげんりょうかくさん）（浅田（あさだ））／『勿誤薬室方函』
連翹 3 黄芩 3 山梔子 3 桔梗 3 薄荷 2 甘草 1 大黄 1 石膏 10

27 加減涼膈散（かげんりょうかくさん）（龔廷賢（きょうていけん））／『万病回春』
連翹 2～3 黄芩 2～3 山梔子 1.5～3 桔梗 2～3 黄連 1～2 薄荷 1～2 当帰 2～4 地黄 2～4 枳実 1～3 芍薬 2～4 甘草 1～1.5

28 化食養脾湯（かしょくようひとう）／『赤水玄珠』（『内科秘錄』）
人参 4 白朮 4 茯苓 4 半夏 4 陳皮 2 大棗 2 神麹 2 麦芽 2 山査子 2 縮砂 1.5 生姜 1 甘草 1

29 藿香正気散（かっこうしょうきさん）／『和剤局方』
白朮 3 茯苓 3～4 陳皮 2～3 白芷 1～4 藿香 1～4 大棗 1～3 甘草 1～1.5 半夏 3 厚朴 2～3 桔梗 1.5～3 蘇葉 1～4 大腹皮 1～4 生姜 1

30 葛根黄連黄芩湯（かっこんおうれんおうごんとう）／『傷寒論』
葛根 5～6 黄連 3 黄芩 3 甘草 2

31 葛根紅花湯（かっこんこうかとう）／『方輿輗』
葛根 3 芍薬 3 地黄 3 黄連 1.5 山梔子 1.5 紅花 1.5 大黄 1 甘草 1

32 葛根湯（かっこんとう）／『傷寒論』，『金匱要略』
葛根 4～8 麻黄 3～4 大棗 3～4 桂皮 2～3 芍薬 2～3 甘草 2 生姜 1～1.5

33 葛根湯加川芎辛夷（かっこんとうかせんきゅうしんい）／*本朝経験方*：「漢方の臨床」11（6），p 334，1964
葛根 4～8 麻黄 3～4 大棗 3～4 桂皮 2～3 芍薬 2～3 甘草 2 生姜 1～1.5 川芎 2～3 辛夷 2～3

34 加味温胆湯（かみうんたんとう）／『万病回春』（『衆方規矩』）
半夏 3.5～6 茯苓 3～6 生姜 1～2 陳皮 2～3 竹茹 2～3 枳実 1～3 甘草 1～2 酸棗仁 1～5 遠志 2～3 玄参 2（五味子 3 に変えても可）人参 2～3 地黄 2～3 大棗 2 黄連 1～2（黄連のない場合も可）（遠志・玄参・人参・地黄・大棗のない場合もある）

35 加味帰脾湯（かみきひとう）／『内科摘要』，『口歯類要』※1
人参 3 白朮 3（蒼朮も可） 茯苓 3 酸棗仁 3 竜眼肉 3 黄耆 2～3 当帰 2 遠志 1～2 柴胡 2.5～3 山梔子 2～2.5 甘草 1 木香 1 大棗 1～2 生姜 1～1.5 牡丹皮 2（牡丹皮はなくても可）

36 加味解毒湯（かみげどくとう）／『寿世保元』

黄連2 黄芩2 黄柏2 山梔子2 柴胡2 茵蔯蒿2 竜胆2 木通2 滑石3 升麻1.5 甘草1.5 燈心草1.5 大黄1.5（大黄のない場合も可）

37 **加味四物湯**（かみしもつとう）／『医学正伝』
当帰2.5～3 芍薬2～3 川芎2～3 地黄3～8 蒼朮3（白朮2.5も可） 麦門冬2.5～5 人参1.5～2.5 牛膝1～2.5 黄柏1.5～2.5 五味子1～1.5 黄連1.5 知母1～1.5 杜仲1.5～2

38 **加味逍遙散**（かみしょうようさん）／『内科摘要』（『万病回春』）
当帰3 芍薬3 白朮3（蒼朮も可） 茯苓3 柴胡3 牡丹皮2 山梔子2 甘草1.5～2 生姜1 薄荷葉1

39 **加味逍遙散加川芎地黄**（かみしょうようさんかせんきゅうじおう）（**加味逍遙散合四物湯**（かみしょうようさんごうしもつとう））／『内科摘要』（『療治経験筆記』）
当帰3～4 芍薬3～4 白朮3（蒼朮も可） 茯苓3 柴胡3 川芎3～4 地黄3～4 甘草1.5～2 牡丹皮2 山梔子2 生姜1～2 薄荷葉1

40 **加味平胃散**（かみへいいさん）／『丹渓心法』（『漢方医学処方解説』）
蒼朮4～6（白朮も可） 陳皮3～4.5 生姜0.5～1（ヒネショウガを使用する場合2～3） 神麹2～3 厚朴3～4.5 甘草1～2 大棗2～3 麦芽2～3 山査子2～3（山査子はなくても可）

41 **栝楼薤白湯**（かろうがいはくとう）／*本朝経験方*【*細野史郎*】:「漢方の臨床」，12（3），p14，1965
栝楼仁2 薤白10 十薬6 甘草2 桂皮4 防已4

42 **栝楼薤白白酒湯**（かろうがいはくはくしゅとう）／『金匱要略』
栝楼実2～5（栝楼仁も可） 薤白4～9.6 白酒140～700（日本酒も可）

43 **乾姜人参半夏丸**（かんきょうにんじんはんげがん）／『金匱要略』
乾姜3 人参3 半夏6

44 **甘草乾姜湯**（かんぞうかんきょうとう）／『傷寒論』，『金匱要略』
甘草4～8 乾姜2～4

45 **甘草瀉心湯**（かんぞうしゃしんとう）／『傷寒論』，『金匱要略』
半夏5 黄芩2.5 乾姜2.5 人参2.5 甘草2.5～3.5 大棗2.5 黄連1

46 **甘草湯**（かんぞうとう）／『傷寒論』，『金匱要略』
甘草2～8

47 **甘草附子湯**（かんぞうぶしとう）／『傷寒論』，『金匱要略』
甘草2～3 加工ブシ0.5～2 白朮2～6 桂皮3～4

48 **甘麦大棗湯**（かんばくたいそうとう）／『金匱要略』
甘草3～5 大棗2.5～6 小麦14～20

49 **甘露飲**（かんろいん）／『和剤局方』
熟地黄2～3 乾地黄2～2.5 麦門冬2～3 枳実1～2.5 甘草2～2.5 茵蔯蒿2～2.5 枇杷葉2～2.5 石斛2～2.5 黄芩2～3 天門冬2～3

50 **帰耆建中湯**（きぎけんちゅうとう）／『瘍科方筌』（『類聚方広義』）
当帰3～4 桂皮3～4 生姜1～1.5（ヒネショウガを使用する場合2～4） 大棗3～4 芍薬5～6 甘草2～3 黄耆2～4 膠飴20（膠飴はなくても可）

51 **桔梗湯**（ききょうとう）／『傷寒論』，『金匱要略』
桔梗1～4 甘草2～8

52 **枳縮二陳湯**（きしゅくにちんとう）／『万病回春』（『漢方医学処方解説』）
枳実1～3 縮砂1～3 半夏2～3 陳皮2～3 香附子2～3 木香1～2 草豆蔲1～2 乾姜1～2 厚朴1.5～2.5 茴香1～2.5 延胡索1.5～2.5 甘草1 生姜1～1.5（ヒネショウガを使用する場合3） 茯苓2～3

53 **帰脾湯**（きひとう）／『厳氏済生方』（『内科摘要』）
人参2～4 白朮2～4（蒼朮も可） 茯苓2～4 酸棗仁2～4 竜眼肉2～4 黄耆2～4 当帰2 遠志1～2 甘草1 木香1 大棗1～2 生姜1～1.5

54 **芎帰膠艾湯**（きゅうききょうがいとう）／『金匱要略』
川芎3 甘草3 艾葉3 当帰4～4.5 芍薬4～4.5 地黄5～6 阿膠3

55 **芎帰調血飲**（きゅうきちょうけついん）／『古今医鑑』
当帰2～2.5 地黄2～2.5 川芎2～2.5 白朮2～2.5（蒼朮も可） 茯苓2～2.5 陳皮2～2.5 烏薬2～2.5 大棗1～1.5 香附子2～2.5 甘草1 牡丹皮2～2.5 益母草1～1.5 乾姜1～1.5 生姜0.5～1.5（生姜はなくても可）

56 **芎帰調血飲第一加減**（きゅうきちょうけついんだいいちかげん）／『万病回春』（*一貫堂経験方*：『森道伯先生伝：並一貫堂医学大綱』）
当帰2 川芎2 地黄2 白朮2（蒼朮も可） 茯苓2 陳皮2 烏薬2 香附子2 牡丹皮2 益母草1.5 大棗1.5 甘草1 乾姜1～1.5 生姜0.5～1.5（生姜はなくても可） 芍薬1.5 桃仁1.5 紅花1.5 枳実1.5 桂皮1.5 牛膝1.5 木香1.5 延胡索1.5

57 **響声破笛丸**（きょうせいはてきがん）／『万病回春』（『勿誤薬室方函』）
連翹2.5 桔梗2.5 甘草2.5 縮砂1 川芎1 訶子1 阿仙薬2 薄荷葉4 大黄1（大黄のない場合も可）

58 **杏蘇散**（きょうそさん）／『仁斎直指方』（『改訂版漢方診療の実際』）
蘇葉3 五味子2 大腹皮2 烏梅2 杏仁2 陳皮1～1.5 桔梗1～1.5 麻黄1～1.5 桑白皮1～1.5 阿膠1～1.5 甘草1～1.5 紫苑1

59 **苦参湯**（くじんとう）／『金匱要略』

苦参 6～10

60　**駆風解毒散（湯）**／『万病回春』（『蕉窓方意解』）
防風 3～5 牛蒡子 3 連翹 5 荊芥 1.5 羌活 1.5 甘草 1.5 桔梗 3 石膏 5～10

61　**九味檳榔湯**／『勿誤薬室方函』
檳榔子 4 厚朴 3 桂皮 3 橘皮 3 蘇葉 1～2 甘草 1 木香 1 生姜 1（ヒネショウガを使用する場合 3） 大黄 0.5～1（大黄を去り 呉茱萸 1 茯苓 3 を加えても可）

62　**荊芥連翹湯**／『万病回春』（*一貫堂経験方*：『森道伯先生伝：並一貫堂医学大綱』）
当帰 1.5 芍薬 1.5 川芎 1.5 地黄 1.5 黄連 1.5 黄芩 1.5 黄柏 1.5 山梔子 1.5 連翹 1.5 荊芥 1.5 防風 1.5 薄荷葉 1.5 枳殻（実） 1.5 甘草 1～1.5 白芷 1.5～2.5 桔梗 1.5～2.5 柴胡 1.5～2.5（地黄，黄連，黄柏，薄荷葉のない場合も可）

63　**鶏肝丸**／『勿誤薬室方函』
鶏肝 1 具　山薬末（鶏肝の乾燥した量の 2～3 倍量を目安とする）

64　**桂姜棗草黄辛附湯**／『金匱要略』
桂皮 3 生姜 1（ヒネショウガを使用する場合 3） 甘草 2 大棗 3～3.5 麻黄 2 細辛 2 加工ブシ 0.3～1

65　**桂枝越婢湯**／*本朝経験方*【*細野史郎*】：「漢方の臨床」，25（11・12），p 193，1978
桂皮 4 芍薬 4 甘草 2 麻黄 5 生姜 1（ヒネショウガを使用する場合 2.5） 大棗 3 石膏 8 蒼朮 4 加工ブシ 1

66　**桂枝加黄耆湯**／『金匱要略』
桂皮 3～4 芍薬 3～4 大棗 3～4 生姜 1～1.5（ヒネショウガを使用する場合 3～4） 甘草 2 黄耆 2～3

67　**桂枝加葛根湯**／『傷寒論』
桂皮 2.4～4 芍薬 2.4～4 大棗 2.4～4 生姜 1～1.5（ヒネショウガを使用する場合 2.4～4） 甘草 1.6～2 葛根 3.2～6

68　**桂枝加厚朴杏仁湯**／『傷寒論』
桂皮 2.4～4 芍薬 2.4～4 大棗 2.4～4 生姜 1～1.5（ヒネショウガを使用する場合 3～4） 甘草 1.6～2 厚朴 1～4 杏仁 1.6～4

69　**桂枝加芍薬生姜人参湯**／『傷寒論』
桂皮 2.4～4 大棗 2.4～4 芍薬 3.2～6 生姜 1～2（ヒネショウガを使用する場合 4～5.5） 甘草 1.6～2 人参 2.4～4.5

70　**桂枝加芍薬大黄湯**／『傷寒論』
桂皮 3～4 芍薬 4～6 大棗 3～4 生姜 1～1.5（ヒネショウガを使用する場合 3～4） 甘草 2 大黄 1～2

71　**桂枝加芍薬湯**／『傷寒論』
桂皮 3～4 芍薬 6 大棗 3～4 生姜 1～1.5（ヒネショウガを使用する場合 3～4） 甘草 2

72　**桂枝加朮附湯**／『方機』
桂皮 3～4 芍薬 3～4 大棗 3～4 生姜 1～1.5（ヒネショウガを使用する場合 3～4） 甘草 2 蒼朮 3～4（白朮も可） 加工ブシ 0.5～1

73　**桂枝加竜骨牡蛎湯**／『金匱要略』
桂皮 3～4 芍薬 3～4 大棗 3～4 生姜 1～1.5（ヒネショウガを使用する場合 3～4） 甘草 2 竜骨 3 牡蛎 3

74　**桂枝加苓朮附湯**／『方機』
桂皮 3～4 芍薬 3～4 大棗 3～4 生姜 1～1.5（ヒネショウガを使用する場合 3～4） 甘草 2 蒼朮 3～4（白朮も可） 加工ブシ 0.5～1 茯苓 4

75　**桂枝芍薬知母湯**／『金匱要略』
桂皮 3～4 芍薬 3～4 甘草 1.5～2 麻黄 2～3 生姜 1～2（ヒネショウガを使用する場合 3～5） 白朮 4～5（蒼朮も可） 知母 2～4 防風 3～4 加工ブシ 0.3～1

76　**桂枝湯**／『傷寒論』，『金匱要略』
桂皮 3～4 芍薬 3～4 大棗 3～4 生姜 1～1.5（ヒネショウガを使用する場合 3～4） 甘草 2

77　**桂枝二越婢一湯**／『傷寒論』
桂皮 2.5～3.5 芍薬 2.5～3.5 麻黄 2.5～3.5 甘草 2.5～3.5 大棗 3～4 石膏 3～8 生姜 1（ヒネショウガを使用する場合 2.8～3.5）

78　**桂枝二越婢一湯加朮附**／*本朝経験方*：『実用漢方療法』
桂皮 2.5 芍薬 2.5 甘草 2.5 麻黄 2.5 生姜 1（ヒネショウガを使用する場合 3.5） 大棗 3 石膏 3 白朮 3（蒼朮も可） 加工ブシ 0.5～1

79　**桂枝人参湯**／『傷寒論』
桂皮 4 甘草 3～4 人参 3 乾姜 2～3 白朮 3（蒼朮も可）

80　**桂枝茯苓丸**／『金匱要略』
桂皮 3～4 茯苓 4 牡丹皮 3～4 桃仁 4 芍薬 4

81　**桂枝茯苓丸料加薏苡仁**／*本朝経験方*：『症候による漢方治療の実際』
桂皮 3～4 茯苓 4 牡丹皮 3～4 桃仁 4 芍薬 4 薏苡仁 10～20

82 啓脾湯(けいひとう)／『万病回春』(『当壮庵家方口解』)
人参 3 白朮 3〜4（蒼朮も可） 茯苓 3〜4 蓮肉 3 山薬 3 山査子 2 陳皮 2 沢瀉 2 甘草 1 大棗 1 生姜 1（ヒネショウガを使用する場合 3）（大棗，生姜はなくても可）

83 荊防敗毒散(けいぼうはいどくさん)／『万病回春』(『漢方診療の実際』)
荊芥 1.5〜2 防風 1.5〜2 羌活 1.5〜2 独活 1.5〜2 柴胡 1.5〜2 薄荷葉 1.5〜2 連翹 1.5〜2 桔梗 1.5〜2 枳殻（又は枳実）1.5〜2 川芎 1.5〜2 前胡 1.5〜2 金銀花 1.5〜2 甘草 1〜1.5 生姜 1

84 桂麻各半湯(けいまかくはんとう)／『傷寒論』
桂皮 3.5 芍薬 2 生姜 0.5〜1（ヒネショウガを使用する場合 2） 甘草 2 麻黄 2 大棗 2 杏仁 2.5

85 鶏鳴散加茯苓(けいめいさんかぶくりょう)／*本朝経験方*:「漢方と漢薬」4 (7)，p 19，1937
檳榔子 3〜4 木瓜 3 橘皮 2〜3 桔梗 2〜3 茯苓 4〜6 呉茱萸 1〜1.5 蘇葉 1〜2 生姜 1〜1.5（ヒネショウガを使用する場合 3）

86 外台四物湯加味(げだいしもつとうかみ)／*本朝経験方*:『漢方治療の方証吟味』
桔梗 3 紫苑 1.5 甘草 2 麦門冬 9 人参 1.5 貝母 2.5 杏仁 4.5

87 堅中湯(けんちゅうとう)／『備急千金要方』(『勿誤薬室方函』)
半夏 5 茯苓 5 桂皮 4 大棗 3 芍薬 3 乾姜 3（生姜 1 でも可） 甘草 1〜1.5

88 甲字湯(こうじとう)／『叢桂亭医事小言』
桂皮 3〜4 茯苓 3〜4 牡丹皮 3〜4 桃仁 3〜4 芍薬 3〜4 甘草 1.5 生姜 1〜1.5（ヒネショウガを使用する場合 3）

89 香砂平胃散(こうしゃへいいさん)／『万病回春』(『漢方診療の実際』)
蒼朮 4〜6（白朮も可） 厚朴 3〜4.5 陳皮 3〜4.5 甘草 1〜1.5 縮砂 1.5〜2 香附子 2〜4 生姜 0.5〜1（ヒネショウガを使用する場合 2〜3） 大棗 2〜3 藿香 1（藿香はなくても可）

90 香砂養胃湯(こうしゃよういとう)／『万病回春』
白朮 2.5〜3 茯苓 2.5〜3 蒼朮 2 厚朴 2〜2.5 陳皮 2〜2.5 香附子 2〜3 白豆蔻 2（小豆蔻代用可） 人参 1.5〜2 木香 1.5 縮砂 1.5〜2.5 甘草 1.5〜2.5 大棗 1.5〜2.5 生姜 0.7〜1

91 香砂六君子湯(こうしゃりっくんしとう)／『内科摘要』
人参 3〜4 白朮 3〜4（蒼朮も可） 茯苓 3〜4 半夏 3〜6 陳皮 2〜3 香附子 2〜3 大棗 1.5〜2 生姜 0.5〜1（ヒネショウガを使用する場合 1〜2） 甘草 1〜1.5 縮砂 1〜2 藿香 1〜2

92 香蘇散(こうそさん)／『和剤局方』(『漢方医学処方解説』)
香附子 3.5〜4.5 蘇葉 1〜3 陳皮 2〜3 甘草 1〜1.5 生姜 1〜2

93 厚朴生姜半夏人参甘草湯(こうぼくしょうきょうはんげにんじんかんぞうとう)／『傷寒論』
厚朴 3 ヒネショウガ 3（生姜を使用する場合 1） 半夏 4 人参 1.5 甘草 2.5

94 杞菊地黄丸(こぎくじおうがん)／『医級』
地黄 5〜8，8 山茱萸 3〜4，4 山薬 4，4 沢瀉 3，3 茯苓 3，3 牡丹皮 2〜3，3 枸杞子 4〜5，5 菊花 3，3（左側の数字は湯・右側は散）

95 五虎湯(ごことう)／『万病回春』(『勿誤薬室方函』)
麻黄 4 杏仁 4 甘草 2 石膏 10 桑白皮 1〜3

96 牛膝散(ごしつさん)／『婦人大全良方』(『改訂版漢方診療の実際』)
牛膝 3 桂皮 3 芍薬 3 桃仁 3 当帰 3 牡丹皮 3 延胡索 3 木香 1

97 五積散(ごしゃくさん)／『和剤局方』(『古今方彙』，『臨床応用漢方処方解説』)
茯苓 2〜3 蒼朮 2〜3（白朮も可） 陳皮 2〜3 半夏 2〜3 当帰 1.2〜3 芍薬 1〜3 川芎 1〜3 厚朴 1〜3 白芷 1〜3 枳殻（実）1〜3 桔梗 1〜3 乾姜 1〜1.5 桂皮 1〜1.5 麻黄 1〜2.5 大棗 1〜2 甘草 1〜1.2 生姜 0.3〜0.6（ヒネショウガを使用する場合 1〜2） 香附子 1.2（生姜香附子のない場合も可）

98 牛車腎気丸(ごしゃじんきがん)／『厳氏済生方』
地黄 5〜8 山茱萸 2〜4 山薬 3〜4 沢瀉 3 茯苓 3〜4 牡丹皮 3 桂皮 1〜2 加工ブシ 0.5〜1 牛膝 2〜3 車前子 2〜3

99 呉茱萸湯(ごしゅゆとう)／『傷寒論』，『金匱要略』
呉茱萸 3〜4 大棗 2〜4 人参 2〜3 生姜 1〜2（ヒネショウガを使用する場合 4〜6）

100 五物解毒散(ごもつげどくさん)／『方輿輗』
川芎 5 金銀花 2 十薬 2 大黄 1 荊芥 1.5

101 五淋散(ごりんさん)／『和剤局方』(『仁斎直指方』，『万病回春』)
茯苓 5〜6 当帰 3 黄芩 3 甘草 3 芍薬 1〜2 山梔子 1〜2 地黄 3 沢瀉 3 木通 3 滑石 3 車前子 3（地黄以下のない場合も可）

102 五苓散(ごれいさん)／『傷寒論』，『金匱要略』
沢瀉 4〜6 猪苓 3〜4.5 茯苓 3〜4.5 蒼朮 3〜4.5（白朮も可）桂皮 2〜3

103 柴葛解肌湯(さいかつげきとう)／『勿誤薬室方函』
柴胡 3〜5 葛根 2.5〜4 麻黄 2〜3 桂皮 2〜3 黄芩 2〜3 芍薬 2〜3 半夏 2〜4 生姜 1（ヒネ

ショウガを使用する場合 1〜2）甘草 1〜2 石膏 4〜8

104 **柴葛湯加川芎辛夷**（さいかつとうかせんきゅうしんい）／*本朝経験方*：『改訂三版実用漢方処方集』
柴胡 6 半夏 3.5 黄芩 3 桂皮 5 芍薬 3 葛根 6 麻黄 2 竹節人参 2 甘草 1 大棗 1.2 生姜 2.5 川芎 3 辛夷 2

105 **柴陥湯**（さいかんとう）／『医学入門』
柴胡 5〜8 半夏 5〜8 黄芩 3 大棗 3 人参 2〜3 甘草 1.5〜3 生姜 1〜1.5（ヒネショウガを使用する場合 3〜4）栝楼仁 3 黄連 1〜1.5

106 **柴梗半夏湯**（さいきょうはんげとう）／『医学入門』（『勿誤薬室方函』）
柴胡 4 半夏 4 桔梗 2〜3 杏仁 2〜3 栝楼仁 2〜3 黄芩 2.5 大棗 2.5 枳実 1.5〜2 青皮 1.5〜2 甘草 1〜1.5 生姜 1.5（ヒネショウガを使用する場合 2.5）

107 **柴胡加竜骨牡蛎湯**（さいこかりゅうこつぼれいとう）／『傷寒論』（『症候による漢方治療の実際』）
柴胡 5 半夏 4 茯苓 3 桂皮 3 大棗 2.5 人参 2.5 竜骨 2.5 牡蛎 2.5 生姜 0.5〜1 大黄 1 黄芩 2.5 甘草 2 以内（大黄 黄芩 甘草のない場合も可）

108 **柴胡枳桔湯**（さいこききつとう）／『傷寒全生集』
柴胡 4〜5 半夏 4〜5 生姜 1（ヒネショウガを使用する場合 3）黄芩 3 栝楼仁 3 桔梗 3 甘草 1〜2 枳実 1.5〜2

109 **柴胡桂枝乾姜湯**（さいこけいしかんきょうとう）／『傷寒論』，『金匱要略』
柴胡 6〜8 桂皮 3 栝楼根 3〜4 黄芩 3 牡蛎 3 乾姜 2 甘草 2

110 **柴胡桂枝湯**（さいこけいしとう）／『傷寒論』，『金匱要略』
柴胡 4〜5 半夏 4 桂皮 1.5〜2.5 芍薬 1.5〜2.5 黄芩 1.5〜2 人参 1.5〜2 大棗 1.5〜2 甘草 1〜1.5 生姜 1（ヒネショウガを使用する場合 2）

111 **柴胡清肝湯（散）**（さいこせいかんとう）／*一貫堂経験方*：『森道伯先生伝：並一貫堂医学大綱』
柴胡 2 当帰 1.5〜2.5 芍薬 1.5〜2.5 川芎 1.5〜2.5 地黄 1.5〜2.5 黄連 1.5 黄芩 1.5 黄柏 1.5 山梔子 1.5 連翹 1.5〜2.5 桔梗 1.5〜2.5 牛蒡子 1.5〜2.5 栝楼根 1.5〜2.5 薄荷葉 1.5〜2.5 甘草 1.5〜2.5

● **柴胡清肝湯（湯）**（さいこせいかんとう）／*一貫堂経験方*：『森道伯先生伝：並一貫堂医学大綱』
柴胡 2 当帰 1.5 芍薬 1.5 川芎 1.5 地黄 1.5 黄連 1.5 黄芩 1.5 黄柏 1.5 山梔子 1.5 連翹 1.5 桔梗 1.5 牛蒡子 1.5 栝楼根 1.5 薄荷葉 1.5 甘草 1.5

112 **柴胡疎肝湯**（さいこそかんとう）／『医学統旨』
柴胡 4〜6 芍薬 3〜4 枳実 2〜3 甘草 2〜3 香附子 3〜4 川芎 3 青皮 2

113 **柴芍六君子湯**（さいしゃくりっくんしとう）／*本朝経験方*：『勿誤薬室方函』（『改訂版漢方診療の実際』）
人参 3〜4 白朮 3〜4（蒼朮も可）茯苓 3〜4 半夏 4 陳皮 2〜3 大棗 2 甘草 1〜2 生姜 0.5〜1（ヒネショウガを使用する場合 1〜2）柴胡 3〜4 芍薬 3〜4

114 **柴蘇飲**（さいそいん）／*本朝経験方*：『勿誤薬室方函』
柴胡 5 半夏 5 黄芩 3 人参 3 大棗 3 香附子 4 蘇葉 1.5〜3 甘草 1.5 陳皮 2 生姜 1

115 **柴朴湯**（さいぼくとう）／『皇漢医学』
柴胡 7 半夏 5〜8 生姜 1〜2（ヒネショウガを使用する場合 3〜4）黄芩 3 大棗 3 人参 3 甘草 2 茯苓 4〜5 厚朴 3 蘇葉 2〜3

116 **柴苓湯**（さいれいとう）／『世医得効方』（『勿誤薬室方函』）
柴胡 4〜7 半夏 4〜5 生姜 1（ヒネショウガを使用する場合 3〜4）黄芩 2.5〜3 大棗 2.5〜3 人参 2.5〜3 甘草 2〜2.5 沢瀉 4〜6 猪苓 2.5〜4.5 茯苓 2.5〜4.5 白朮 2.5〜4.5（蒼朮も可）桂皮 2〜3

117 **左突膏**（さとつこう）／『春林軒膏方』（『漢方診療の実際』）
松脂 800 黄蝋 220 豚脂 58 ゴマ油 1,000

118 **三黄散**（さんおうさん）／『金匱要略』
大黄 1〜2 黄芩 1 黄連 1

119 **三黄瀉心湯**（さんおうしゃしんとう）／『金匱要略』
大黄 1〜5 黄芩 1〜4 黄連 1〜4

120 **酸棗仁湯**（さんそうにんとう）／『金匱要略』
酸棗仁 10〜18 知母 2〜3 川芎 2〜3 茯苓 2〜5 甘草 1

121 **三物黄芩湯**（さんもつおうごんとう）／『金匱要略』
黄芩 1.5〜3 苦参 3 地黄 6

122 **滋陰降火湯**（じいんこうかとう）／『万病回春』
当帰 2.5 芍薬 2.5 地黄 2.5 天門冬 2.5 麦門冬 2.5 陳皮 2.5 白朮あるいは蒼朮 3 知母 1〜1.5 黄柏 1〜1.5 甘草 1〜1.5 大棗 1 生姜 1（大棗 生姜はなくても可）

123 **滋陰至宝湯**（じいんしほうとう）／『万病回春』（『改訂版漢方診療の実際』）
当帰 2〜3 芍薬 2〜3 白朮あるいは蒼朮 2〜3 茯苓 2〜3 陳皮 2〜3 柴胡 1〜3 知母 2〜3 香附子 2〜3 地骨皮 2〜3 麦門冬 2〜3 貝母 1〜2 薄荷葉 1 甘草 1

124 **紫雲膏**（しうんこう）／『春林軒膏方』
紫根 100〜120 当帰 60〜100 豚脂 20〜30 黄

蝋 300〜400 ゴマ油 1,000

125 **四逆加人参湯**（しぎゃくかにんじんとう）／『傷寒論』
甘草 2〜4.8 乾姜 1.5〜3.6 加工ブシ 0.5〜2.4 人参 1〜3

126 **四逆散**（しぎゃくさん）／『傷寒論』
柴胡 2〜5 芍薬 2〜4 枳実 2 甘草 1〜2

127 **四逆湯**（しぎゃくとう）／『傷寒論』，『金匱要略』
甘草 2〜4.8 乾姜 1.5〜3.6 加工ブシ 0.3〜2.4

128 **四君子湯**（しくんしとう）／『和剤局方』（『内科摘要』）
人参 3〜4 白朮 3〜4（蒼朮も可） 茯苓 4 甘草 1〜2 生姜 0.5〜1 大棗 1〜2

129 **滋血潤腸湯**（じけつじゅんちょうとう）／『医学統旨』
当帰 4 地黄 4 桃仁 4 芍薬 3 枳実 2〜3 韮 2〜3 大黄 1〜3 紅花 1

130 **紫根牡蛎湯**（しこんぼれいとう）／『黴癘新書』
当帰 4〜5 芍薬 3 川芎 3 大黄 0.5〜2 升麻 1〜2 牡蛎 3〜4 黄耆 2 紫根 3〜4 甘草 1〜2 忍冬 1.5〜2

131 **梔子豉湯**（しししとう）／『傷寒論』，『金匱要略』
山梔子 1.4〜3.2 香豉 2〜9.5

132 **梔子柏皮湯**（ししはくひとう）／『傷寒論』
山梔子 1.5〜4.8 甘草 1〜2 黄柏 2〜4

133 **滋腎通耳湯**（じじんつうじとう）／『万病回春』
当帰 2.5〜3 川芎 2.5〜3 芍薬 2.5〜3 知母 2.5〜3 地黄 2.5〜3 黄柏 2.5〜3 白芷 2.5〜3 黄芩 2.5〜3 柴胡 2.5〜3 香附子 2.5〜3

134 **滋腎明目湯**（じじんめいもくとう）／『万病回春』
当帰 3〜4 川芎 3〜4 熟地黄 3〜4 地黄 3〜4 芍薬 3〜4 桔梗 1.5〜2 人参 1.5〜2 山梔子 1.5〜2 黄連 1.5〜2 白芷 1.5〜2 蔓荊子 1.5〜2 菊花 1.5〜2 甘草 1.5〜2 細茶 1.5 燈心草 1〜1.5（燈心草のない場合も可）

135 **七物降下湯**（しちもつこうかとう）／*本朝経験方*【*大塚敬節*】：『症候による漢方治療の実際』
当帰 3〜5 芍薬 3〜5 川芎 3〜5 地黄 3〜5 釣藤鈎 3〜4 黄耆 2〜3 黄柏 2

136 **柿蒂湯**（していとう）／『厳氏済生方』
丁子 1〜1.5 柿蒂 5 ヒネショウガ 4（生姜を使用する場合 1）

137 **四物湯**（しもつとう）／『和剤局方』
当帰 3〜5 芍薬 3〜5 川芎 3〜5 地黄 3〜5

138 **炙甘草湯**（しゃかんぞうとう）／『傷寒論』，『金匱要略』
炙甘草 3〜4 生姜 0.8〜1（ヒネショウガを使用する場合 3） 桂皮 3 麻子仁 3〜4 大棗 3〜7.5 人参 2〜3 地黄 4〜6 麦門冬 5〜6 阿膠 2〜3

139 **芍薬甘草湯**（しゃくやくかんぞうとう）／『傷寒論』
芍薬 3〜8 甘草 3〜8

140 **芍薬甘草附子湯**（しゃくやくかんぞうぶしとう）／『傷寒論』
芍薬 3〜10 甘草 3〜8 加工ブシ 0.3〜1.6

141 **鷓鴣菜湯**（しゃこさいとう）（**三味鷓鴣菜湯**（さんみしゃこさいとう））／『古医方兼用丸散方』
海人草 3〜5 大黄 1〜1.5 甘草 1〜2

142 **蛇床子湯**（じゃしょうしとう）／『外科正宗』
蛇床子 10 当帰 10 威霊仙 10 苦参 10

143 **十全大補湯**（じゅうぜんたいほとう）／『和剤局方』
人参 2.5〜3 黄耆 2.5〜3 白朮 3〜4（蒼朮も可） 茯苓 3〜4 当帰 3〜4 芍薬 3 地黄 3〜4 川芎 3 桂皮 3 甘草 1〜2

144 **十味敗毒湯**（じゅうみはいどくとう）／『瘍科方筌』（『勿誤薬室方函』）
柴胡 2.5〜3.5 桜皮（樸樕）2.5〜3.5 桔梗 2.5〜3.5 川芎 2.5〜3.5 茯苓 2.5〜4 独活 1.5〜3 防風 1.5〜3.5 甘草 1〜2 生姜 1〜1.5（ヒネショウガを使用する場合 3） 荊芥 1〜2 連翹 2〜3（連翹のない場合も可）

145 **潤腸湯**（じゅんちょうとう）／『万病回春』
当帰 3〜4 麻子仁 2 桃仁 2 杏仁 2 枳実 0.5〜2 黄芩 2 厚朴 2 大黄 1〜3 甘草 1〜1.5 熟地黄 3〜4 乾地黄 3〜4（または地黄 6）

146 **蒸眼一方**（じょうがんいっぽう）／『方輿輗』
白礬（明礬）2 甘草 2 黄連 2 黄柏 2 紅花 2

147 **生姜瀉心湯**（しょうきょうしゃしんとう）／『傷寒論』
半夏 5〜8 人参 2.5〜4 黄芩 2.5〜4 甘草 2.5〜4 大棗 2.5〜4 黄連 1 乾姜 1〜2 生姜 1〜2（ヒネショウガを使用する場合 2〜4）

148 **小建中湯**（しょうけんちゅうとう）／『傷寒論』，『金匱要略』
桂皮 3〜4 生姜 1〜1.5（ヒネショウガを使用する場合 3〜4） 大棗 3〜4 芍薬 6 甘草 2〜3 膠飴 20（マルツエキス・滋養糖可，水飴の場合 40）

149 **小柴胡湯**（しょうさいことう）／『傷寒論』，『金匱要略』
柴胡 5〜8 半夏 3.5〜8 生姜 1〜2（ヒネショウガを使用する場合 3〜4） 黄芩 2.5〜3 大棗 2.5〜3 人参 2.5〜3 甘草 1〜3

150 **小柴胡湯加桔梗石膏**（しょうさいことうかききょうせっこう）／『勿誤薬室方函口訣』
柴胡 7 半夏 5 生姜 1〜1.5（ヒネショウガを使用する場合 4） 黄芩 3 大棗 3 人参 3 甘草 2 桔梗 3 石膏 10

151 **小承気湯**（しょうじょうきとう）／『傷寒論』,『金匱要略』
大黄 2～4 枳実 2～4 厚朴 2～3

152 **小青竜湯**（しょうせいりゅうとう）／『傷寒論』,『金匱要略』
麻黄 2～3.5 芍薬 2～3.5 乾姜 2～3.5 甘草 2～3.5 桂皮 2～3.5 細辛 2～3.5 五味子 1～3 半夏 3～8

153 **小青竜湯加杏仁石膏（小青竜湯合麻杏甘石湯）**（しょうせいりゅうとうかきょうにんせっこう（しょうせいりゅうとうごうまきょうかんせきとう））／『内科秘録』
麻黄 2～4 芍薬 2～3 乾姜 2～3 甘草 2～3 桂皮 2～3 細辛 2～3 五味子 1.5～3 半夏 3～6 杏仁 4 石膏 5～10

154 **小青竜湯加石膏**（しょうせいりゅうとうかせっこう）／『金匱要略』
麻黄 3 芍薬 3 乾姜 2～3 甘草 2～3 桂皮 3 細辛 2～3 五味子 2～3 半夏 6～8 石膏 2～5

155 **小続命湯**（しょうぞくめいとう）／『備急千金要方』
麻黄 2～4 防已 2～3 人参 1～3 黄芩 2～3 桂皮 2～4 甘草 1～4 芍薬 2～3 川芎 2～3 杏仁 3～3.5 加工ブシ 0.3～1 防風 2～4 生姜 1～3（ヒネショウガを使用する場合 4～10）

156 **椒梅湯**（しょうばいとう）／『万病回春』(『勿誤薬室方函』)
烏梅 2 山椒 2 檳榔子 2 枳実 2 木香 2 縮砂 2 香附子 2 桂皮 2 川楝子 2 厚朴 2 甘草 2 乾姜 2

157 **小半夏加茯苓湯**（しょうはんげかぶくりょうとう）／『金匱要略』
半夏 5～8 ヒネショウガ 5～8（生姜を用いる場合 1.5～3） 茯苓 3～8

158 **消風散**（しょうふうさん）／『外科正宗』
当帰 3 知母 1～2 地黄 3 胡麻 1～1.5 石膏 3～5 蟬退 1～1.5 防風 2 苦参 1～1.5 蒼朮 2～3（白朮も可） 荊芥 1～2 木通 2～5 甘草 1～1.5 牛蒡子 2

159 **升麻葛根湯**（しょうまかっこんとう）／『和剤局方』(『万病回春』)
葛根 5～6 升麻 1～3 生姜 0.5～1（ヒネショウガを使用する場合 2～3） 芍薬 3 甘草 1.5～3

160 **逍遙散（八味逍遙散）**（しょうようさん（はちみしょうようさん））／『和剤局方』
当帰 3～4.5 芍薬 3～4.5 柴胡 3～4.5 白朮 3～4.5（蒼朮も可） 茯苓 3～4.5 甘草 1.5～3 生姜 0.5～1 薄荷葉 1～2.1

161 **四苓湯**（しれいとう）／『丹渓心法』
沢瀉 4 茯苓 4 蒼朮 4（白朮も可） 猪苓 4

162 **辛夷清肺湯**（しんいせいはいとう）／『外科正宗』(『勿誤薬室方函』)
辛夷 2～3 知母 3 百合 3 黄芩 3 山梔子 1.5～3 麦門冬 5～6 石膏 5～6 升麻 1～1.5 枇杷葉 1～3

163 **秦艽羌活湯**（じんぎょうきょうかつとう）／『蘭室秘蔵』
秦艽 3 羌活 5 黄耆 3 防風 2 升麻 1.5 甘草 1.5 麻黄 1.5 柴胡 1.5 藁本 0.5 細辛 0.5 紅花 0.5

164 **秦艽防風湯**（じんぎょうぼうふうとう）／『蘭室秘蔵』
秦艽 2 沢瀉 2 陳皮 2 柴胡 2 防風 2 当帰 3 蒼朮 3 甘草 1 黄柏 1 升麻 1 大黄 1 桃仁 3 紅花 1

165 **神仙太乙膏**（しんせんたいいつこう）／『和剤局方』(「現代東洋医学」, 12(1), p 115, 1991)
当帰 1 桂皮 1 大黄 1 芍薬 1 地黄 1 玄参 1 白芷 1 ゴマ油 30～48 黄蝋 12～48

166 **参蘇飲**（じんそいん）／『和剤局方』
蘇葉 1～3 枳実 1～3 桔梗 2～3 陳皮 2～3 葛根 2～6 前胡 2～6 半夏 3 茯苓 3 人参 1.5～2 大棗 1.5～2 生姜 0.5～1（ヒネショウガを使用する場合 1.5～3 生姜の替わりに乾姜も可） 甘草 1～2 木香 1～1.5（木香はなくても可）

167 **神秘湯**（しんぴとう）／『外台秘要』(『勿誤薬室方函』)
麻黄 3～5 杏仁 4 厚朴 3 陳皮 2～3 甘草 2 柴胡 2～4 蘇葉 1.5～3

168 **真武湯**（しんぶとう）／『傷寒論』
茯苓 3～5 芍薬 3～3.6 白朮 2～3（蒼朮も可） 生姜 1（ヒネショウガを使用する場合 2～3.6） 加工ブシ 0.3～1.5

169 **参苓白朮散**（じんりょうびゃくじゅつさん）／『和剤局方』
人参 1.5～3 山薬 1.2～4 白朮 1.5～4 茯苓 1.5～4 薏苡仁 0.8～8 扁豆 1～4 蓮肉 0.8～4 桔梗 0.8～2.5 縮砂 0.8～2 甘草 0.8～2

170 **清肌安蛔湯**（せいきあんかいとう）／『蔓難録』(『勿誤薬室方函』)
柴胡 6～7 半夏 5～6 生姜 1～1.5（ヒネショウガを使用する場合 3～4） 人参 3 黄芩 3 甘草 2 海人草 3 麦門冬 3

171 **清湿化痰湯**（せいしつけたんとう）／『寿世保元』(『勿誤薬室方函』)
天南星 3 黄芩 3 生姜 1（ヒネショウガを使用する場合 3） 半夏 3～4 茯苓 3～4 蒼朮 3～4（白朮も可） 陳皮 2～3 羌活 1.5～3 白芷 1.5～3 白芥子 1.5～3 甘草 1～1.5

172 **清上蠲痛湯（駆風触痛湯）**（せいじょうけんつうとう（くふうしょくつうとう））／『寿世保元』,『衆方規矩』※2
麦門冬 2.5～6 黄芩 3～5 羌活 2.5～3 独活 2.5～3 防風 2.5～3 蒼朮 2.5～3（白朮も可） 当帰 2.5～3 川芎 2.5～3 白芷 2.5～3 蔓荊子 1.5～2 細辛 1 甘草 1 藁本 1.5 菊花 1.5～2 生姜 0.5～1（ヒネショウガを使用する場合 1.5～2.5）（藁本，菊花，生姜はなくても可）

173 **清上防風湯**（せいじょうぼうふうとう）／『万病回春』
荊芥 1～1.5 黄連 1～1.5 薄荷葉 1～1.5 枳実

1～1.5 甘草 1～1.5 山梔子 1.5～3 川芎 2～3 黄芩 2～3 連翹 2.5～3 白芷 2.5～3 桔梗 2.5～3 防風 2.5～3

174 **清暑益気湯**／『医学六要』（『勿誤薬室方函』）
人参 3～3.5 白朮 3～3.5（蒼朮も可） 麦門冬 3～3.5 当帰 3 黄耆 3 陳皮 2～3 五味子 1～2 黄柏 1～2 甘草 1～2

175 **清心蓮子飲**／『和剤局方』
蓮肉 4～5 麦門冬 3～4 茯苓 4 人参 3～5 車前子 3 黄芩 3 黄耆 2～4 地骨皮 2～3 甘草 1.5～2

176 **清熱補気湯**／『口歯類要』
人参 3 白朮 3～4 茯苓 3～4 当帰 3 芍薬 3 升麻 0.5～1 五味子 1 玄参 1～2 麦門冬 3 甘草 1

177 **清熱補血湯**／『口歯類要』
当帰 3 川芎 3 芍薬 3 地黄 3 玄参 1.5 知母 1.5 五味子 1.5 黄柏 1.5 麦門冬 1.5～3 柴胡 1.5 牡丹皮 1.5

178 **清肺湯**／『万病回春』（『漢方診療の実際』）
黄芩 2～2.5 桔梗 2～2.5 桑白皮 2～2.5 杏仁 2～2.5 山梔子 2～2.5 天門冬 2～2.5 貝母 2～2.5 陳皮 2～2.5 大棗 2～2.5 竹茹 2～2.5 茯苓 3 当帰 3 麦門冬 3 五味子 0.5～1 生姜 1 甘草 1

179 **折衝飲**／『産論』（『勿誤薬室方函』）
牡丹皮 3 川芎 3 芍薬 3 桂皮 3 桃仁 4～5 当帰 4～5 延胡索 2～2.5 牛膝 2～2.5 紅花 1～1.5

180 **洗肝明目湯**／『万病回春』
当帰 1.5 川芎 1.5 芍薬 1.5 地黄 1.5 黄芩 1.5 山梔子 1.5 連翹 1.5 防風 1.5 決明子 1.5 黄連 1～1.5 荊芥 1～1.5 薄荷 1～1.5 羌活 1～1.5 蔓荊子 1～1.5 菊花 1～1.5 桔梗 1～1.5 蒺藜子 1～1.5 甘草 1～1.5 石膏 1.5～3

181 **川芎茶調散**／『和剤局方』
白芷 2 羌活 2 荊芥 2 防風 2 薄荷葉 2 甘草 1.5 細茶 1.5 川芎 3 香附子 3～4

182 **千金鶏鳴散**／『古今医統大全』
大黄 1～2 当帰 4～5 桃仁 4～5

183 **千金内托散**／『和剤局方』（『万病回春』）
黄耆 2 当帰 3～4 人参 2～3 川芎 2 防風 2 桔梗 2 白芷 1～2 厚朴 2 甘草 1～2 桂皮 2～4（金銀花 2 を加えても可）

184 **喘四君子湯**／『万病回春』
人参 2～3 白朮 2～4 茯苓 2～4 陳皮 2 厚朴 2 縮砂 1～2 紫蘇子 2 沈香 1～1.5 桑白皮 1.5～2 当帰 2～4 木香 1～1.5 甘草 1～3 生姜 1 大棗 2（生姜 大棗なくても可）

185 **銭氏白朮散**／『小児薬証直決』
白朮 4 茯苓 4 葛根 4 人参 3 藿香 1 木香 1 甘草 1

186 **続命湯**／『金匱要略』
麻黄 3 桂皮 3 当帰 3 人参 3 石膏 3～6 乾姜 2～3 甘草 2～3 川芎 1.5～3 杏仁 2.5～4

187 **疎経活血湯**／『万病回春』
当帰 2～3.5 地黄 2～3 川芎 2～2.5 蒼朮 2～3（白朮も可） 茯苓 1～2 桃仁 2～3 芍薬 2.5～4.5 牛膝 1.5～3 威霊仙 1.5～3 防已 1.5～2.5 羌活 1.5～2.5 防風 1.5～2.5 竜胆 1.5～2.5 生姜 0.5 陳皮 1.5～3 白芷 1～2.5 甘草 1

188 **蘇子降気湯**／『和剤局方』
紫蘇子 3～5（蘇葉可） 半夏 3～5 陳皮 2～3 前胡 2～3 桂皮 2～3 当帰 2.5～3 厚朴 2～3 大棗 1～2 生姜 0.5～1 または乾姜 0.5～1 甘草 1～2

189 **大黄甘草湯**／『金匱要略』
大黄 4～10 甘草 1～5

190 **大黄附子湯**／『金匱要略』
大黄 1～3 加工ブシ 0.2～1.5 細辛 2～3

191 **大黄牡丹皮湯**／『金匱要略』
大黄 1～5 牡丹皮 1～4 桃仁 2～4 芒硝 3.6～4 冬瓜子 2～6

192 **大建中湯**／『金匱要略』
山椒 1～2 人参 2～3 乾姜 3～5 膠飴 20～64

193 **大柴胡湯**／『傷寒論』，『金匱要略』
柴胡 6～8 半夏 2.5～8 生姜 1～2（ヒネショウガを使用する場合 4～5） 黄芩 3 芍薬 3 大棗 3～4 枳実 2～3 大黄 1～2

194 **大柴胡湯去大黄**／『傷寒論』
柴胡 6～8 半夏 3～8 生姜 1～2（ヒネショウガを使用する場合 4～5） 黄芩 3～6 芍薬 3 大棗 3 枳実 2～3

195 **大半夏湯**／『金匱要略』
半夏 7 人参 3 ハチミツ 20

196 **大防風湯**／『是斎百一選方』（『和剤局方』）
地黄 2.5～3.5 芍薬 2.5～3.5 甘草 1.2～1.5 防風 2.5～3.5 白朮 2.5～4.5（蒼朮も可） 加工ブシ 0.5～2 杜仲 2.5～3.5 羌活 1.2～1.5 川芎 2～3 当帰 2.5～3.5 牛膝 1.2～1.5 生姜 0.5～1（乾姜 1 も可，ヒネショウガを使用する場合 1.2～

1.5） 黄耆2.5～3.5 人参1.2～1.5 大棗1.2～2

197 **沢瀉湯**（たくしゃとう）／『金匱要略』
沢瀉5～6 白朮2～3

198 **竹茹温胆湯**（ちくじょうんたんとう）／『万病回春』（『勿誤薬室方函』）
柴胡3～6 竹茹3 茯苓3 麦門冬3～4 陳皮2～3 枳実1～3 黄連1～4.5 甘草1 半夏3～5 香附子2～2.5 生姜1 桔梗2～3 人参1～2

199 **竹葉石膏湯**（ちくようせっこうとう）／『傷寒論』
竹葉1.2～2 石膏4.8～16 半夏1.6～8 麦門冬3.4～12 人参0.8～3 甘草0.6～2 粳米2～8.5

200 **治打撲一方**（ぢだぼくいっぽう）／『一本堂医事説約』
川芎3 樸樕（または桜皮）3 川骨3 桂皮3 甘草1.5 丁子1～1.5 大黄1～1.5

201 **治頭瘡一方**（ぢづそういっぽう）／*本朝経験方*：『勿誤薬室方函』
連翹3～4 蒼朮3～4 川芎3 防風2～3 忍冬2～3 荊芥1～4 甘草0.5～1.5 紅花0.5～2 大黄0.5～2

202 **治頭瘡一方去大黄**（ぢづそういっぽうきょだいおう）／*本朝経験方*：『漢方診療医典』
連翹3 蒼朮3 川芎3 防風2 忍冬2 荊芥1 甘草1 紅花1

203 **知柏地黄丸**（ちばくじおうがん）／『古今医鑑』
地黄8 山茱萸4 山薬4 沢瀉3 茯苓3 牡丹皮3 知母3 黄柏3

204 **中黄膏**（ちゅうおうこう）／『春林軒膏方』
ゴマ油1,000 mL 黄蝋380 鬱金40 黄柏20

205 **中建中湯**（ちゅうけんちゅうとう）／*本朝経験方【大塚敬節／矢数道明】*：「日本東洋医学雑誌」，17（4），p 139，1967，『臨床応用漢方処方解説』
桂皮4 芍薬6 甘草2 大棗4 山椒2 乾姜1 人参3（膠飴20を加えることもある）

206 **調胃承気湯**（ちょういじょうきとう）／『傷寒論』
大黄2～6.4 芒硝1～6.5 甘草1～3.2

207 **丁香柿蒂湯**（ちょうこうしていとう）／『万病回春』（『漢方診療の実際』）
柿蒂3 桂皮3 半夏3 陳皮3 丁子1 良姜1 木香1 沈香1 茴香1 藿香1 厚朴1 縮砂1 甘草1 乳香1

208 **釣藤散**（ちょうとうさん）／『普済本事方』
釣藤鈎3 橘皮3（陳皮も可） 半夏3 麦門冬3 茯苓3 人参2～3 防風2～3 菊花2～3 甘草1 生姜1 石膏5～7

209 **猪苓湯**（ちょれいとう）／『傷寒論』，『金匱要略』
猪苓3～5 茯苓3～5 滑石3～5 沢瀉3～5 阿膠3～5

210 **猪苓湯合四物湯**（ちょれいとうごうしもつとう）／『瘍科秘録』
当帰3 芍薬3 川芎3 地黄3 猪苓3 茯苓3 滑石3 沢瀉3 阿膠3

211 **通導散**（つうどうさん）／『万病回春』
当帰3 大黄3 芒硝3～4 枳実（枳殻でも可）2～3 厚朴2 陳皮2 木通2 紅花2～3 蘇木2 甘草2～3

212 **定悸飲**（ていきいん）／『観聚方要補』（『勿誤薬室方函』）
李根皮2 甘草1.5～2 茯苓4～6 牡蛎3 桂皮3 白朮2～3（蒼朮も可） 呉茱萸1.5～2

213 **桃核承気湯**（とうかくじょうきとう）／『傷寒論』
桃仁5 桂皮4 大黄3 芒硝2 甘草1.5

214 **当帰飲子**（とうきいんし）／『厳氏済生方』（『女科撮要』）
当帰5 芍薬3 川芎3 蒺藜子3 防風3 地黄4 荊芥1.5 黄耆1.5 何首烏2 甘草1

215 **当帰建中湯**（とうきけんちゅうとう）／『金匱要略』（『類聚方広義』）
当帰4 桂皮3～4 生姜1～1.5（ヒネショウガを使用する場合4） 大棗3～4 芍薬5～7.5 甘草2～2.5 膠飴20（膠飴はなくても可）

216 **当帰散**（とうきさん）／『金匱要略』
当帰2～3 芍薬2～3 川芎2～3 黄芩2～3 白朮1～1.5（蒼朮も可）

217 **当帰四逆加呉茱萸生姜湯**（とうきしぎゃくかごしゅゆしょうきょうとう）／『傷寒論』
当帰3～4 桂皮3～4 芍薬3～4 木通1.5～3 細辛2～3 甘草1.5～2 大棗4～6.5 呉茱萸1～6 生姜0.5～2（ヒネショウガを使用する場合4～8）

218 **当帰四逆湯**（とうきしぎゃくとう）／『傷寒論』
当帰1.8～4 桂皮1.8～4 芍薬1.8～4 木通2～3 大棗1.8～6.5 細辛1.8～3 甘草1.2～2.5

219 **当帰芍薬散**（とうきしゃくやくさん）／『金匱要略』
当帰3～3.9 川芎3 芍薬4～16 茯苓4～5 白朮4～5（蒼朮も可） 沢瀉4～12

220 **当帰芍薬散加黄耆釣藤**（とうきしゃくやくさんかおうぎちょうとう）／*本朝経験方【大塚恭男】*：「漢方の臨床」，42（1），p 83，1995
当帰3 沢瀉4 川芎3 芍薬4 茯苓4 蒼朮4（白朮も可） 黄耆3 釣藤鈎4

221 **当帰芍薬散加人参**（とうきしゃくやくさんかにんじん）／*本朝経験方*：『改訂三版実用漢方処方集』
当帰3.5 沢瀉3.5 川芎3 芍薬4 茯苓3.5 白朮3（蒼朮も可） 人参1～2

222 **当帰芍薬散加附子**（とうきしゃくやくさんかぶし）／『類聚方広義』
当帰3 沢瀉4 川芎3 加工ブシ0.4 芍薬4 茯苓4 白朮4（蒼朮も可）

223 当帰湯(とうきとう)／『備急千金要方』
当帰 5 半夏 5 芍薬 3 厚朴 3 桂皮 3 人参 3 乾姜 1.5 黄耆 1.5 山椒 1.5 甘草 1

224 当帰貝母苦参丸料(とうきばいもくじんがんりょう)／『金匱要略』
当帰 3 貝母 3 苦参 3

225 独活葛根湯(どっかつかっこんとう)／『外台秘要』(『勿誤薬室方函』)
葛根 5 桂皮 3 芍薬 3 麻黄 2 独活 2 生姜 0.5～1（ヒネショウガを使用する場合 1～2）地黄 4 大棗 1～2 甘草 1～2

226 独活湯(どっかつとう)／『蘭室秘蔵』
独活 2 羌活 2 防風 2 桂皮 2 大黄 2 沢瀉 2 当帰 3 桃仁 3 連翹 3 防已 5 黄柏 5 甘草 1.5

227 二朮湯(にじゅつとう)／『万病回春』
白朮 1.5～2.5 茯苓 1.5～2.5 陳皮 1.5～2.5 天南星 1.5～2.5 香附子 1.5～2.5 黄芩 1.5～2.5 威霊仙 1.5～2.5 羌活 1.5～2.5 半夏 2～4 蒼朮 1.5～3 甘草 1～1.5 生姜 0.6～1

228 二陳湯(にちんとう)／『和剤局方』(『万病回春』)
半夏 5～7 茯苓 3.5～5 陳皮 3.5～4 生姜 1～1.5（ヒネショウガを使用する場合 2～3） 甘草 1～2

229 女神散(にょしんさん)（安栄湯(あんえいとう)）／『勿誤薬室方函』
当帰 3～4 川芎 3 白朮 3（蒼朮も可） 香附子 3～4 桂皮 2～3 黄芩 2～4 人参 1.5～2 檳榔子 2～4 黄連 1～2 木香 1～2 丁子 0.5～1 甘草 1～1.5 大黄 0.5～1（大黄はなくても可）

230 人参湯(にんじんとう)（理中丸(りちゅうがん)）／『傷寒論』，『金匱要略』
人参 3 甘草 3 白朮 3（蒼朮も可） 乾姜 2～3

231 人参養栄湯(にんじんようえいとう)／『和剤局方』(『勿誤薬室方函』)
人参 3 当帰 4 芍薬 2～4 地黄 4 白朮 4（蒼朮も可） 茯苓 4 桂皮 2～2.5 黄耆 1.5～2.5 陳皮（橘皮も可）2～2.5 遠志 1～2 五味子 1～1.5 甘草 1～1.5

232 排膿散(はいのうさん)／『金匱要略』
枳実 3～10 芍薬 3～6 桔梗 1.5～2 卵黄 1 個（卵黄はない場合も可）

233 排膿散及湯(はいのうさんきゅうとう)／『類聚方広義』
桔梗 3～4 甘草 3 大棗 3～6 芍薬 3 生姜 0.5～1（ヒネショウガを使用する場合 2～3） 枳実 2～3

234 排膿湯(はいのうとう)／『金匱要略』
甘草 1.5～3 桔梗 1.5～5 生姜 0.5～1（ヒネショウガを使用する場合 1～3） 大棗 2.5～6

235 麦門冬湯(ばくもんどうとう)／『金匱要略』
麦門冬 8～10 半夏 5 粳米 5～10 大棗 2～3 人参 2 甘草 2

236 八解散(はちげさん)／『和剤局方』(『衆方規矩』)
半夏 3 茯苓 3 陳皮 3 大棗 2 甘草 2 厚朴 6 人参 3 藿香 3 白朮 3 生姜 1（ヒネショウガを使用する場合 2）

237 八味地黄丸(はちみじおうがん)／『金匱要略』
地黄 5，6～8 山茱萸 3，3～4 山薬 3，3～4 沢瀉 3，3 茯苓 3，3 牡丹皮 3，3 桂皮 1，1 加工ブシ 0.5～1，0.5～1
（左側の数字は湯，右側は散）

238 八味疝気方(はちみせんきほう)／『集験良方考按』(『勿誤薬室方函』)
桂皮 3～4 木通 3～4 延胡索 3～4 桃仁 3～6 烏薬 3 牽牛子 1～3 大黄 1 牡丹皮 3～4

239 半夏厚朴湯(はんげこうぼくとう)／『金匱要略』
半夏 6～8 茯苓 5 厚朴 3 蘇葉 2～3 生姜 1～2（ヒネショウガを使用する場合 2～4）

240 半夏散及湯(はんげさんきゅうとう)／『傷寒論』
半夏 3～6 桂皮 3～4 甘草 2～3

241 半夏瀉心湯(はんげしゃしんとう)／『傷寒論』，『金匱要略』
半夏 4～6 黄芩 2.5～3 乾姜 2～3 人参 2.5～3 甘草 2.5～3 大棗 2.5～3 黄連 1

242 半夏白朮天麻湯(はんげびゃくじゅつてんまとう)／『脾胃論』(『勿誤薬室方函』)
半夏 3 白朮 1.5～3 陳皮 3 茯苓 3 麦芽 1.5～2 天麻 2 生姜 0.5～2（ヒネショウガを使用する場合 2～4） 黄耆 1.5～2 人参 1.5～2 沢瀉 1.5～2 黄柏 1 乾姜 0.5～1 神麹 1.5～2（神麹のない場合も可）（蒼朮 2～3 を加えても可）

243 白朮附子湯(びゃくじゅつぶしとう)／『傷寒論』，『金匱要略』
白朮 2～4 加工ブシ 0.3～1 甘草 1～2 生姜 0.5～1（ヒネショウガを用いる場合 1.5～3） 大棗 2～4

244 白虎加桂枝湯(びゃっこかけいしとう)／『金匱要略』
知母 5～6 粳米 8～10 石膏 15～16 甘草 2 桂皮 3～4

245 白虎加人参湯(びゃっこかにんじんとう)／『傷寒論』，『金匱要略』
知母 5～6 石膏 15～16 甘草 2 粳米 8～20 人参 1.5～3

246 白虎湯(びゃっことう)／『傷寒論』
知母 5～6 粳米 8～10 石膏 15～16 甘草 2

247 不換金正気散(ふかんきんしょうきさん)／『和剤局方』
蒼朮 4（白朮も可） 厚朴 3 陳皮 3 大棗 1～3 生姜 0.5～1（ヒネショウガを使用する場合 2～3） 半夏 6 甘草 1.5 藿香 1～1.5

248 伏竜肝湯(ぶくりゅうかんとう)／『叢桂亭医事小言』

伏竜肝 4〜10 ヒネショウガ 5〜8（生姜を使用する場合 1.5〜3） 半夏 6〜8 茯苓 3〜5

249 **茯苓飲**（ぶくりょういん）／『金匱要略』
茯苓 2.4〜5 白朮 2.4〜4（蒼朮も可） 人参 2.4〜3 生姜 1〜1.5（ヒネショウガを使用する場合 3〜4） 陳皮 2.5〜3 枳実 1〜2

250 **茯苓飲加半夏**（ぶくりょういんかはんげ）／『類聚方広義』
茯苓 5 白朮 4（蒼朮も可） 人参 3 生姜 1〜1.5（ヒネショウガを使用する場合 3〜4） 陳皮 3 枳実 1.5 半夏 4

251 **茯苓飲合半夏厚朴湯**（ぶくりょういんごうはんげこうぼくとう）／*本朝経験方*：『漢方診療の実際』
茯苓 4〜6 白朮 3〜4（蒼朮も可） 人参 3 生姜 1〜1.5（ヒネショウガを使用する場合 4〜5） 陳皮 3 枳実 1.5〜2 半夏 6〜10 厚朴 3 蘇葉 2

252 **茯苓杏仁甘草湯**（ぶくりょうきょうにんかんぞうとう）／『金匱要略』
茯苓 3〜6 杏仁 2〜4 甘草 1〜2

253 **茯苓四逆湯**（ぶくりょうしぎゃくとう）／『傷寒論』
茯苓 4〜4.8 甘草 2〜3 乾姜 1.5〜3 人参 1〜3 加工ブシ 0.3〜1.5

254 **茯苓沢瀉湯**（ぶくりょうたくしゃとう）／『金匱要略』
茯苓 4〜8 沢瀉 2.4〜4 白朮 1.8〜3（蒼朮も可） 桂皮 1.2〜2 生姜 1〜1.5（ヒネショウガを使用する場合 2.4〜4） 甘草 1〜1.5

255 **附子粳米湯**（ぶしこうべいとう）／『金匱要略』
加工ブシ 0.3〜1.5 半夏 5〜8 大棗 2.5〜3 甘草 1〜2.5 粳米 6〜8

256 **附子理中湯**（ぶしりちゅうとう）／『和剤局方』
人参 3 加工ブシ 0.5〜1 乾姜 2〜3 甘草 2〜3 白朮 3（蒼朮も可）

257 **扶脾生脈散**（ふひしょうみゃくさん）／『医学入門』
人参 2 当帰 4 芍薬 3〜4 紫苑 2 黄耆 2 麦門冬 6 五味子 1.5 甘草 1.5

258 **分消湯**（ぶんしょうとう）**（実脾飲**（じっぴいん）**）**／『万病回春』（『漢方医学処方解説』）
白朮 2.5〜3 蒼朮 2.5〜3 茯苓 2.5〜3 陳皮 2〜3 厚朴 2〜3 香附子 2〜2.5 猪苓 2〜2.5 沢瀉 2〜2.5 大腹皮 1〜2.5 縮砂 1〜2 木香 1 生姜 1 燈心草 1〜2 枳実（枳殻）1〜3（但し枳殻を用いる場合は実脾飲とする）

259 **平胃散**（へいいさん）／『和剤局方』
蒼朮 4〜6（白朮も可） 厚朴 3〜4.5 陳皮 3〜4.5 大棗 2〜3 甘草 1〜1.5 生姜 0.5〜1

260 **防已黄耆湯**（ぼういおうぎとう）／『金匱要略』
防已 4〜5 黄耆 5 白朮 3（蒼朮も可） 生姜 1〜1.5（ヒネショウガを使用する場合 3） 大棗 3〜4 甘草 1.5〜2

261 **防已茯苓湯**（ぼういぶくりょうとう）／『金匱要略』
防已 2.4〜3 黄耆 2.4〜3 桂皮 2.4〜3 茯苓 4〜6 甘草 1.5〜2

262 **防風通聖散**（ぼうふうつうしょうさん）／『黄帝素問宣明論方』
当帰 1.2〜1.5 芍薬 1.2〜1.5 川芎 1.2〜1.5 山梔子 1.2〜1.5 連翹 1.2〜1.5 薄荷葉 1.2〜1.5 生姜 0.3〜0.5（ヒネショウガを使用する場合 1.2〜1.5） 荊芥 1.2〜1.5 防風 1.2〜1.5 麻黄 1.2〜1.5 大黄 1.5 芒硝 1.5 白朮 2 桔梗 2 黄芩 2 甘草 2 石膏 2 滑石 3（白朮のない場合も可）

263 **補気健中湯**（ほきけんちゅうとう）**（補気建中湯**（ほきけんちゅうとう）**）**／『済世全書』
白朮 3〜5 蒼朮 2.5〜3.5 茯苓 3〜5 陳皮 2.5〜3.5 人参 1.5〜4 黄芩 2〜3 厚朴 2 沢瀉 2〜4 麦門冬 2〜8

264 **補中益気湯**（ほちゅうえっきとう）／『内外傷弁惑論』（『小児痘疹方論』）
人参 3〜4 白朮 3〜4（蒼朮も可） 黄耆 3〜4.5 当帰 3 陳皮 2〜3 大棗 1.5〜3 柴胡 1〜2 甘草 1〜2 生姜 0.5 升麻 0.5〜2

265 **補肺湯**（ほはいとう）／『備急千金要方』
麦門冬 4 五味子 3 桂皮 3 大棗 3 粳米 3 桑白皮 3 款冬花 2 生姜 0.5〜1（ヒネショウガを使用する場合 2〜3）

266 **補陽還五湯**（ほようかんごとう）／『医林改錯』
黄耆 5 当帰 3 芍薬 3 地竜 2 川芎 2 桃仁 2 紅花 2

267 **奔豚湯**（ほんとんとう）**（金匱要略**（きんきようりゃく）**）**／『金匱要略』
甘草 2 川芎 2 当帰 2 半夏 4 黄芩 2 葛根 5 芍薬 2 生姜 1〜1.5（ヒネショウガを使用する場合 4） 李根白皮 5〜8（桑白皮でも可）

268 **奔豚湯**（ほんとんとう）**（肘後方**（ちゅうごほう）**）**／『肘後備急方』
甘草 2 人参 2 桂皮 4 呉茱萸 2 生姜 1 半夏 4

269 **麻黄湯**（まおうとう）／『傷寒論』
麻黄 3〜5 桂皮 2〜4 杏仁 4〜5 甘草 1〜1.5

270 **麻黄附子細辛湯**（まおうぶしさいしんとう）／『傷寒論』
麻黄 2〜4 細辛 2〜3 加工ブシ 0.3〜1

271 **麻杏甘石湯**（まきょうかんせきとう）／『傷寒論』
麻黄 4 杏仁 4 甘草 2 石膏 10

272 **麻杏薏甘湯**（まきょうよくかんとう）／『金匱要略』
麻黄 4 杏仁 3 薏苡仁 10 甘草 2

273 **麻子仁丸**（ましにんがん）／『傷寒論』，『金匱要略』（『成人病の漢方療法』）

麻子仁 4〜5 芍薬 2 枳実 2 厚朴 2〜2.5 大黄 3.5〜4 杏仁 2〜2.5（甘草 1.5 を加えても可）

274 味麦地黄丸（みばくじおうがん）／『医宗金鑑』
地黄 8 山茱萸 4 山薬 4 沢瀉 3 茯苓 3 牡丹皮 3 麦門冬 6 五味子 2

275 明朗飲（めいろういん）／『和田泰庵方函』（『勿誤薬室方函』）
茯苓 4〜6 細辛 1.5〜2 桂皮 3〜4 黄連 1.5〜2 白朮 2〜4 甘草 2 車前子 2〜3

276 木防已湯（もくぼういとう）／『金匱要略』
防已 2.4〜6 石膏 6〜12 桂皮 1.6〜6 人参 2〜4（竹節人参 4 でも可）

277 楊柏散（ようはくさん）／『春林軒丸散録』（『勿誤薬室方函』）
楊梅皮 2 黄柏 2 犬山椒 1

278 薏苡仁湯（よくいにんとう）／『明医指掌』（『勿誤薬室方函』）
麻黄 4 当帰 4 蒼朮 4（白朮も可） 薏苡仁 8〜10 桂皮 3 芍薬 3 甘草 2

279 薏苡附子敗醤散（よくいぶしはいしょうさん）／『金匱要略』
薏苡仁 1〜16 加工ブシ 0.2〜2 敗醤 0.5〜8

280 抑肝散（よくかんさん）／『保嬰金鏡録』，『保嬰撮要』
当帰 3 釣藤鈎 3 川芎 3 白朮 4（蒼朮も可） 茯苓 4 柴胡 2〜5 甘草 1.5

281 抑肝散加芍薬黄連（よくかんさんかしゃくやくおうれん）／*本朝経験方*：「日本東洋医学会誌」，31（4），p 230，1981
当帰 5.5 釣藤鈎 1.5 川芎 2.7 白朮 5.3（蒼朮も可） 茯苓 6.5 柴胡 2 甘草 0.6 芍薬 4 黄連 0.3

282 抑肝散加陳皮半夏（よくかんさんかちんぴはんげ）／『浅井南溟先生腹診伝』
当帰 3 釣藤鈎 3 川芎 3 白朮 4（蒼朮も可） 茯苓 4 柴胡 2〜5 甘草 1.5 陳皮 3 半夏 5

283 六君子湯（りっくんしとう）／『内科摘要』
人参 2〜4 白朮 3〜4（蒼朮も可） 茯苓 3〜4 半夏 3〜4 陳皮 2〜4 大棗 2 甘草 1〜1.5 生姜 0.5〜1（ヒネショウガを使用する場合 1〜2）

284 立効散（りっこうさん）／『蘭室秘蔵』
細辛 1.5〜2 升麻 1.5〜2 防風 2〜3 甘草 1.5〜2 竜胆 1〜1.5

285 竜胆瀉肝湯（りゅうたんしゃかんとう）／『蘭室秘蔵』（『女科撮要』）
当帰 5 地黄 5 木通 5 黄芩 3 沢瀉 3 車前子 3 竜胆 1〜1.5 山梔子 1〜1.5 甘草 1〜1.5

286 苓甘姜味辛夏仁湯（りょうかんきょうみしんげにんとう）／『金匱要略』
茯苓 1.6〜4 甘草 1.2〜3 半夏 2.4〜5 乾姜 1.2〜3（生姜 2 でも可） 杏仁 2.4〜4 五味子 1.5〜3 細辛 1.2〜3

287 苓姜朮甘湯（りょうきょうじゅつかんとう）／『金匱要略』
茯苓 4〜6 乾姜 3〜4 白朮 2〜3（蒼朮も可） 甘草 2

288 苓桂甘棗湯（りょうけいかんそうとう）／『傷寒論』，『金匱要略』
茯苓 4〜8 桂皮 4 大棗 4 甘草 2〜3

289 苓桂朮甘湯（りょうけいじゅつかんとう）／『傷寒論』，『金匱要略』
茯苓 4〜6 白朮 2〜4（蒼朮も可） 桂皮 3〜4 甘草 2〜3

290 苓桂味甘湯（りょうけいみかんとう）／『金匱要略』
茯苓 4〜6 甘草 2〜3 桂皮 4 五味子 2.5〜3

291 麗沢通気湯（れいたくつうきとう）／『蘭室秘蔵』
黄耆 4 山椒 1 蒼朮 3 麻黄 1 羌活 3 白芷 4 独活 3 生姜 1 防風 3 大棗 1 升麻 1 葛根 3 甘草 1 葱白 3（葱白はなくても可）

292 麗沢通気湯加辛夷（れいたくつうきとうかしんい）／*本朝経験方*：「アレルギーの臨床」，9（2），p 54，1982
黄耆 4 山椒 1 蒼朮 3 麻黄 1 羌活 3 白芷 4 独活 3 生姜 1 防風 3 大棗 1 升麻 1 葛根 3 甘草 1 葱白 3（葱白はなくても可） 辛夷 3

293 連珠飲（れんじゅいん）／『内科秘録』
当帰 3〜4 白朮 2〜4（蒼朮も可） 川芎 3〜4 甘草 2〜3 芍薬 3〜4 地黄 3〜4 茯苓 4〜6 桂皮 3〜4

294 六味丸（ろくみがん）（六味地黄丸（ろくみじおうがん））／『小児薬証直訣』
地黄 5〜6，4〜8 山茱萸 3，3〜4 山薬 3，3〜4 沢瀉 3，3 茯苓 3，3 牡丹皮 3，3
（左側の数字は湯，右側は散）

※1：加味帰脾湯については同じ年に著された『内科摘要』，『口歯類要』において，牡丹皮の有無以外は同一薬味であるため，両者を原典として併記した。

※2：清上蠲痛湯（駆風触痛湯）については別名扱いで駆風触痛湯が記載されるが，おのおのの処方薬味が若干異なっているため，清上蠲痛湯の原典である『寿世保元』と駆風触痛湯の原典である『衆方規矩』を併記することとした。詳細については「一般用漢方製剤承認基準収載 294 処方の出典分類表」の清上蠲痛湯の備考欄（p. 311）を参照されたい。

参考文献

- 「第十八改正日本薬局方」じほう（2021）
- 「日本薬局方外生薬規格2018の一部改正について」2019年9月3日 薬生審査発0903第1号 厚生労働省医薬・生活衛生局審査管理課長
- 「改訂5版 漢方業務指針」じほう（2018）
- 「一般用漢方処方の手引き」厚生省薬務局監修 じほう（1976）
- 「改訂 一般用漢方処方の手引き」財団法人日本公定書協会監修 日本漢方生薬製剤協会編集 じほう（2009）
- 「新 一般用漢方処方の手引き」合田幸広・袴塚高志監修 日本漢方生薬製剤協会編 じほう（2013）
- 「中華人民共和国葯典2005年版」国家葯典委員会編 化学工业出版社（2005）
- 「中華人民共和国葯典2015年版」中国医薬科技出版社（2015）
- 「中華人民共和国葯典2020年版」中国医薬科技出版社（2020）
- 「薬局製剤業務指針 第5版」日本薬剤師会編 薬事日報社（2009）
- 「新訂 和漢薬」赤松金芳著 医歯薬出版（1980）
- 「薬用植物（生薬）需給の現状と将来展望」財団法人日本特殊農産物協会（1999）
- 「薬用作物（生薬）関係資料 平成12年3月」財団法人日本特殊農産物協会（2000）
- 「特産農産物に関する生産情報調査結果」日本特産農産物協会（2014.12調査）
- 「原料生薬使用量等調査報告書―平成23年～24年度―」日本漢方生薬製剤協会（2015.7）
- 「健康食品の安全性・有効性情報」国立健康・栄養研究所（https://hfnet.nih.go.jp/contents/indiv.html）
- 「第十六改正日本薬局方解説書」日本薬局方解説書編集委員会編 廣川書店（2011）
- 「中薬大辞典」小学館（1985）
- 「中葯大辞典」江蘇新醫学院編 上海科学技術出版社（1979）
- 「中葯大辞典 上・下・附編 第二版」南京中医葯大学編著 上海科学技術出版社（2012）
- 「中医方剤大辞典」人民衛生出版社（1996～1997）
- 「原色牧野和漢薬草大図鑑」三橋博監修 北龍館（1998）
- 「牧野新日本植物図鑑」北龍館（1988）
- 「和漢薬の世界」木村雄四郎著 創元社（1975）
- 「栃本天海堂便り（流通生薬）」栃本天海堂
- 「中葯炮制経験集成」中医研究院中葯研究所 北京葯品生物制品研究所編 人民衛生出版社（1974）
- 「和漢薬の良否鑑別法及び調製法」復刻版 一色直太郎著 谷口書店（1987）
- 「和漢薬の選品と薬効」木村雄四郎著 谷口書店（1993）
- 「常用中葯材伝統鑑別」盧贛鵬 劉立茹主編 人民軍医出版社（2005）
- 「中葯材産銷」王恵溝編著 四川出版集団 四川科学技術出版社（2004）
- Index：Tochimoto「栃本天海堂創立60周年記念誌」株式会社栃本天海堂（2010）より（http://metabolomics.jp/wiki/Index:Tochimoto）
- 《生薬の玉手箱》「ウチダの和漢薬情報」株式会社ウチダ和漢薬（1991～2016）（http://www.uchidawakanyaku.co.jp/tamatebako/tamatebako_top.html）
- 「新常用和漢薬集」東京都生薬協会編 南江堂（1973）
- 「附子の研究 第二篇」三和生薬企画制作発行（1981）
- 「附子の研究 文献篇」三和生薬企画制作 出版科学総合研究所（1979）
- 「21世紀の生薬・漢方製剤」日本防黴学会篇 繊維社（1999）
- 「文部省 学術用語集 薬学編」文部省・日本薬学会編 丸善（2000）

- 「生薬学 改訂第5版」指田豊 山崎和男編 南江堂（1998）
- 「生薬学」北川勲 三川潮 庄司順三 滝戸道夫 反田正司 西岡五夫著 廣川書店（1998）
- 「生薬学 改稿7版」北川勲他著 廣川書店（2009）
- 「知っておきたい生薬100―含漢方処方―第2版」日本薬学会編 東京化学同人（2012）
- 「パートナー生薬学 第5版」指田豊他著 南江堂（2010）
- 「改訂版 汎用生薬便覧」日本大衆薬工業協会 生薬製品委員会 生薬文献調査部会（2004）
- 「パートナー生薬学 改訂第2版」竹谷孝一 鳥居塚和生編 南江堂（2012）
- 「漢方の新しい理解と展望―医歯薬学生と医療に携わる人のために―」菅谷英一 菅谷愛子著 学建書院（2001）
- 「薬用植物総合情報データベース」(http://mpdb.nibio.go.jp) 独立行政法人医薬基盤研究所薬用植物資源研究センター
- 「天然薬物生薬学」奥田拓男他編 廣川書店（1998）
- 「和漢薬物学」高木敬次郎他編 南山堂（1982）
- 「漢方薬理学」高木敬次郎監修 木村正康編集 南山堂（1997）
- 「漢方のくすりの辞典」鈴木洋編 医歯薬出版（1996）
- 「和漢薬百科図鑑1，2」全改訂新版 難波恒雄著 保育社（1：1993，2：1994）
- 「中薬学講義」成都中医学院主編 醫藥衛生出版社（1970）
- 「中葯臨床応用」中山医学院≪中葯臨床応用≫編写組編 広東人民出版社（1975）
- 「中医方葯学」広東中医学院編 広東人民出版社（1973）
- 「中医方剤学講義」南京中医学院主編 医薬衛生出版社（1973）
- 「中葯学」顔正華主編 人民衛生出版社（1997）
- 「本草綱目」李時珍撰 商務印書館（1967）
- 「経史証類大観本草」廣川書店（1970）
- 「新註校訂国譯本草綱目」春陽堂書店（1977）
- 「神農本草経」台湾中華書局（中華民国76年）
- 「大和本草」見原篤信著 永田調丘衛出版 国立国会図書館デジタルコレクション（1709）
- 「古方薬品考」内藤蕉園著 燎原（1974）
- 「和訓類聚方広義 重校薬徴」吉益東洞原著 尾台榕堂校註 西山英雄訓訳 創元社（1978）
- 「和訓古方薬議」浅田宗伯著 木村長久校訓 日本漢方醫學會出版部（1975）
- 「古方薬議5巻」浅田惟常著 白井文庫 国立国会図書館デジタルコレクション（書写年不明）
- 「本草品彙精要」人民衛生出版（1964）
- 「中国医学の歴史」傅維康著 川井正久編訳 東洋学術出版社（1997）
- 「本草概説」岡西為人著 創元社（1977）
- 「漢薬運用の実際」伊藤清夫総監修 長沢元夫 根本光人監修 健友館（1988）
- 「漢方配合応用」梁嶔五 周桂芳編 医学堂研究会訳 洪耀騰 根本光人監修 じほう（1988）
- 「続・漢方配合応用」梁嶔五 周桂芳編 医学堂研究会訳 洪耀騰 根本光人監修 じほう（1987）
- 「漢方一貫堂医学」矢数格著 医道の日本社（1964）
- 「方証学 後世要方釈義」矢数有道著 自然社（1977）
- 「得配本草」嚴西亭 施澹寧 洪緝菴 同纂 上海衛生出版社
- 「中医学の基礎」日中共同編集 平間直樹 兵頭明 路京華 劉公望監修 東洋学術出版社（1997）
- 「中国漢方医語辞典」成都中医学院 中医研究院 広東中医学院編著 中医学基本用語邦訳委員会訳編 中国漢方（1987）
- 「漢方用語大辞典」創医学術部主編 燎原（1984）
- 「漢方―春夏秋冬」根本幸夫著 薬局新聞社（1995）
- 「陰陽五行説」根本幸夫 根井養智著 根本光人監修 じほう（1991）
- 「中医八綱解説」楊日超編著 根本幸夫訳 自然社（1979）

- 「近世科学思想 下」広瀬秀雄 中山茂 大塚敬節 校注 岩波書店（1971）
- 「温病の研究」楊日超著 根本幸夫訳 出版科学総合研究所（1978）
- 「素問 王冰註」台湾中華書局（中華民国 59 年）
- 「霊枢経」台湾中華書局（中華民国 58 年）
- 「中医臨床のための舌診と脈診」神戸中医学研究会編著 医歯薬出版株式会社（1989）
- 「傷寒・金匱薬物事典」伊田喜光総監修 根本幸夫 鳥居塚和生監修 万来舎（2006）
- 「漢方重要処方 60」横浜薬科大学漢方和漢薬調査研究センター編 万来舎（2014）
- 「日本漢方典籍辞典」小曽戸洋著 大修館書店（1999）
- 「生薬処方電子事典Ⅱ」木下武司 山岡法子著 OFFICE21（2012）
- 「歴代漢方医書大成電子版」松岡榮志監修 新樹社書林（2008）
- 「傷寒雑病論」日本漢方協会学術部編 東洋学術出版（1990）
- 「備急千金要方」孫思邈著 国立中醫薬研究所（中華民国 54 年）
- 「備急千金要方 日本語版」千金要方刊行会（1986）
- 「千金翼方」孫思邈著 国立中醫薬研究所（中華民国 54 年）
- 「金匱要略論註 外四種」四庫医学叢書 上海古籍出版社（1991）
  （「肘後備急方」は上記書籍のもの）
- 「外台秘要」王燾著 国立中醫薬研究所（中華民国 54 年）
- 「外台秘要 精華本」王燾原撰 科学出版社（1998）
- 「太平恵民和剤局方」中国中医薬出版社（1996）
- 「訓註 和剤局方」陳師文編纂 吉富兵衛訓註 緑書房（1992）
- 「小児薬証直訣」銭乙著 遼寧科学技術出版社（1997）
- 「全生指迷方 他 5 種」四庫医学叢書 上海古籍出版社（1991）
  （「證類普済本事方」は上記書籍収載のもの）
- 「劉完素医学全集」宋乃光主編 中国中医薬出版社（2006）
  （「黄帝素問宣明論方」は上記書籍収載のもの）
- 「太醫局諸科程文格 他 5 種」四庫医学叢書 上海古籍出版社（1991）
  （「三因極一病証方論」「済生方」は上記書籍収載のもの）
- 「醫説・鍼灸資生経・婦人大全良方」四庫医学叢書 上海古籍出版社（1991）
- 「東垣十種醫書」李東垣他著 五洲出版社（中華民国 58 年）
  （「湯液本草」「内外傷弁惑論」「脾胃論」は上記書籍収載のもの）
- 「厳氏済生方」厳著 甲賀通元訓点 早稲田大学図書館古典籍総合データベース（天名元年）
- 「新刊仁斎直指附遺方論」楊士瀛編撰 朱崇正附遺 早稲田大学図書館古典籍総合データベース（出版年不明）
- 「蘭室秘蔵」李杲著 古亭書屋（中華民国 59 年）
- 「世医得効方」元・危亦林編 京都大学附属図書館所蔵（出版年不明）
- 「丹渓心法」朱震亨著 遼寧科学技術出版社（1997）
- 「傷寒蘊要」錢仁齋編 九州大学附属図書館所蔵本（弘治 17 年）
- 「医学正伝」虞摶編集 早稲田大学図書館古典籍総合データベース（寛永 11 年）
- 「薛氏医案 一・二」薛己撰 四庫医学叢書 上海古籍出版社（1991）
  （「口歯類要」「内科摘要」「女科撮要」「保嬰撮要」「明医雑著」は上記書籍収載のもの）
- 「医学統旨」葉文齢編集 朱応軫校 早稲田大学図書館古典籍総合データベース（書写年不明）
- 「丹渓心法附餘」朱震亨著 徐大椿等編 五洲出版社（中華民国 58 年）
- 「保嬰金鏡録」薛己註 早稲田大学図書館古典籍総合データベース（出版年不明）
- 「陳氏小児痘疹方論」陳文中撰 薛己註 早稲田大学図書館古典籍総合データベース（出版年不明）
- 「医学入門」李梴編 台湾国風出版社（中華民国 57 年）
- 「新刊古今医鑑」龔信撰 国立国会図書館デジタルコレクション（元和年間）

- 「赤水玄珠 精華本」孫一奎著 科学出版社（1998）
- 「増補 万病回春」龔廷賢編著 実用書局出版
- 「和訓 万病回春」龔廷賢編著 吉富兵衛訓註 山内薬局（1986）
- 「新刊醫林状元 済世全書（上・下）」龔廷賢撰 新文豊出版公司（中華民国71年）
- 「寿世保元」龔廷賢撰 遼寧科学技術出版社（1997）
- 「外科正宗」陳実功著 遼寧科学技術出版社（1997）
- 「臨床百味 医方集解」汪昂著 寺師睦宋訓 医聖社（1985）
- 「御纂医宗金鑑」呉謙他奉勅纂修 早稲田大学図書館古典籍総合データベース（1742）
- 「医級」清・董魏如纂述 文苑堂蔵版（1777）
- 「医林改錯」清・王清任撰 人民衛生出版社（2011）
- 「温疫論」呉有性 出版科学総合研究所（1980）
- 「温病条弁」呉鞠通 出版科学総合研究所（1980）
- 「医療衆方規矩」曲直瀬道三著 歴代漢方医書大成電子版（明和6年）
- 「校正衆方規矩」下津春抱子著 埴岡博訓 緑書房（1944）
- 「医事説約」香川秀菴撰 暘谷 閲 早稲田大学図書館古典籍総合データベース（文化5年）
- 「和訓 古今方彙」甲賀通元編 吉富兵衛訓註 緑書房（1984）
- 「当壮庵家方口解」北尾春圃著 歴代漢方医書大成電子版（出版年不明）
- 「集験良方考按」福井楓亭口授 京都大学附属図書館所蔵（出版年不明）
- 「近世漢方医学書集成54 福井楓亭・方読弁解」名著出版（1981）
- 「日本漢方腹診叢書 折衷系・其他6」松本一男監修 オリエント出版社（1986）
  （「浅井南溟先生腹診伝」は上記書籍収載のもの）
- 「校正子玄子産論」賀川玄悦著 歴代漢方医書大成電子版（嘉永6年）
- 「和田泰庵方函」和田東郭著 歴代漢方医書大成電子版（出版年不明）
- 「黴癘新書」片倉元周著 早稲田大学図書館古典籍総合データベース（天明7年）
- 「療治経験筆記・復刻版」津田玄仙著 春陽堂書店（1974）
- 「蔓難録」柘彰常著 早稲田大学図書館古典籍総合データベース（文化2年）
- 「近世漢方医学書集成18～20 原南陽」名著出版（1980）
  （「叢桂亭医事小言」は上記書籍収載のもの）
- 「方機」吉益東洞口授 乾省筆記 歴代漢方医書大成電子版（天保7年）
- 「古医方兼用丸散方」吉益東洞著 田口信庵輯 十軒店書林（文政2年）
- 「観聚方要補」丹波元簡輯 早稲田大学図書館古典籍総合データベース（安政4年）
- 「近世漢方医学書集成29，30 華岡青洲」名著出版（1980）
  （「春林軒丸散方」「春林軒膏方」「瘍科方筌」は上記書籍収載のもの）
- 「春林軒丸散録」華岡青洲撰 早稲田大学図書館古典籍総合データベース（文政3年）
- 「瘍科瑣言 巻之上，下」華岡青洲述 早稲田大学図書館古典籍総合データベース（天保12年）
- 「青嚢秘録」花陵青州著 早稲田大学図書館古典籍総合データベース（書写年不明）
- 「近世漢方医学書集成85～87 有持桂里」名著出版（1983）
  （「校正方輿輗」は上記書籍収載のもの）
- 「稿本 方輿輗」有持桂里口述 燎原書房（1973）
- 「瘍科秘録」本間玄調著 早稲田大学図書館古典籍総合データベース（弘化4年）
- 「類聚方広義」尾台榕堂著 大安（1962）
- 「内科秘録」本間救著 早稲田大学図書館古典籍総合データベース（慶応3年）
- 「証治摘要」中川成章輯 早稲田大学図書館古典籍総合データベース（元治2年）
- 「勿誤薬室方函」浅田宗伯著 安井玄叔 三浦宗春編 歴代漢方医書大成電子版（1877）
- 「勿誤薬室方函口訣」浅田宗伯口授 浅田惟斆筆記 神林寛校訂 歴代漢方医書大成電子版（1878）
- 「勿誤薬室『方函』『口訣』釈義」長谷川弥人著 創元社（1985）

- 「先哲医話 巻上，下」浅田惟常著 松山挺校 早稲田大学図書館古典籍総合データベース（1880）
- 「橘窓書影」浅田宗伯著 燎原書店（1976）
- 「方彙続貂」村瀬豆洲著 歴代漢方医書大成電子版（1889）
- 「和漢薬治療要解」鵜飼禮堂著 大正医報社（1917）
- 「森道伯先生伝 並一貫堂医学大綱」矢数格著 伝記記念図書刊行会（1933）
- 「皇漢医学」湯本求真著 大安（1964）
- 「蕉窓方意解」和田東郭著 漢方珍書頒布会（1937）
- 「湖南药物志 第二辑」湖南省中医药研究所編 湖南人民出版社（1972）
- 「中国高等植物図鑑」中国科学院植物研究所編 科学出版社（1972）
- 「北方常用中草药手冊」北京部队后勤部衛生部他合編 人民衛生出版社（1971）
- 「山西中草药」山西省革命委員会衛生局編 山西人民出版社（1972）
- 「甘粛中草药手冊 第二冊」甘粛省革命委員会衛生局 甘粛人民出版社（1972）
- 「常用中草药栽培手帳」商務印書館（1972）
- 「青蔵高原药物図鋻」青海省生物研究所 同人县隆务診療所編 青海人民出版社（1972）
- 「浙江民間常用草药（第二集）」浙江省革命委員会生産指揮組衛生局主編 浙江人民出版社（1970）
- 「云南中草药」云南省衛生局編 云南人民出版社（1973）
- 「河北中草药」河北省革命委員会衛生局，商业局編 河北人民出版社（1977）
- 「獣医常用中草药」浙江省温岭県革命委員会生産指揮組江西省徳兴县农业局革委会 上海人民出版社（1973）
- 「湖南农村常用中草药手冊」湖南中医学院 湖南省中医药研究所 湖南人民出版社（1970）
- 「中药志」中国医学科学院 药物研究所編 人民衛生出版社（1961）
- 「中药志」（第1冊）中国医学科学院药物研究所 人民衛生出版社（1979）
- 「中華本草」（上冊 下冊）国家中医薬管理局中華本草編委会 上海科学技術出版社（1998）
- 「増訂草木図説」飯沼慾斎 著 三浦源助発行（1907）
- 「実用中薬手冊」商務印書館（1971）
- 「浙江金貨地区常用中草药単方験方選編」金貨地区革命委員会政工組革命亦公室 杭洲大学生物系革命委員会編 浙江人民出版社（1971）
- 「河北中药手冊」河北省革命委員会 商业局医药供応站他編 科学出版社（1970）
- 「常用中草药図譜」中国医学科学院药物研究所革命委員会 浙江中医学院革命委員会編 人民衛生出版社（1970）
- 「西蔵常用草药」西蔵自治区革命委員会衛生局他編 西蔵人民出版社（1971）
- 「広西中草药 第二冊」広西壮族自治区革命委員会衛生管理服务站編 広西人民出版社（1970）
- 「世界有用植物辞典」平凡社（1991）
- 「最新植物用語辞典」廣川書店（1980）
- 「図説熱帯植物集成」廣川書店（1969）
- 「薬用植物学 改訂5版」野呂征男 水野瑞夫 木村孟淳編 南江堂（1999）
- 「本草の植物 北村四郎選集Ⅱ」北村四郎著 保育社（1985）
- 「正倉院薬物を中心とする古代石薬の研究」益富久之助著 日本地学研究会館（1973）

○学術誌

薬学雑誌，生薬学雑誌（Natural Medicine），和漢医薬学雑誌（Journal of Traditional Medicine），日本東洋医学雑誌，日本薬理学雑誌，中医臨床

○商業誌

「現代東洋医学」医学出版センター，「漢方医薬」，「漢方研究」小太郎製薬，「漢方医学」ツムラ

植物イラスト参考資料

「湖南薬物志　第二輯」　「中国高等植物図鑑」　「北方常用中草薬手冊」　「山西中草薬」　「甘粛中草薬手冊　第二冊」　「常用中草薬栽培手帳」　「青蔵高原薬物図鑑」　「浙江民間常用草薬(第二集)」　「云南中草薬」　「河北中草薬」　「獣医常用中草薬」　「湖南农村常用中草薬手冊」「中薬志」　「増訂草木図説」　「実用中薬手冊」　「浙江金貨地区常用中草薬単方験方選編」「河北中薬手冊」　「常用中草薬図譜」　「西蔵常用草薬」　「広西中草薬　第二冊」　「原色牧野和漢薬草大図鑑」　「牧野新日本植物図鑑」　「中薬大辞典」　「世界有用植物辞典」　「最新植物用語辞典」　「図説熱帯植物集成」　「薬用植物学 改訂5版」

生薬名　索引

太字は生薬解説の各項目および掲載ページを示す
下線は，配合応用の掲載ページを示す

か

薤（がい） 126
艾（がい） 156
藾香子（かいきょうし） 77
カイコガ 32
芥子（がいし） 232
孩児茶（がいじちゃ） 211
海人草（かいにんそう） 238
薤白（がいはく） **125**,214,216
艾葉（がいよう） 92,**155**,163,172
雅黄（がおう） 36
カオリナイト 182
鵝管石（がかんせき） 225
カキ 148
カギカズラ 147
カキノキ 131
加工ブシ（かこうぶし） 86
加工附子（末）〔かこうぶし（まつ）〕 87
訶子（かし） **212**
瓜子（かし） 237
何首烏（かしゅう） 146,**156**
花椒（かしょう） 83
カシロタケ 63
カシワ 177
加水ハロサイト（かすいはろさいと） 182,183
カスミザクラ 236
化石シカ（かせきしか） 151
假蘇（かそ） 5
葛花（かっか） 25
藿香（かっこう） 18,19,136,194,**202**,204,221,233
葛根（かっこん） 7,13,16,17,22,**24**,29,43,169,209,226
滑石（かっせき） 39,56,61,155,**182**,190,192
カミヤツデ 200
カラシナ 232
カラスウリ 213
カラスザンショウ 81
カラスビシャク 232
唐大黄（からだいおう） 36
カラタチ 130
唐当帰（からとうき） 164
唐ビャクジュツ（からびゃくじゅつ） 193
カラビャクジュツ 194
唐防風（からぼうふう） 21
カラムス根（からむすこん） 134
訶梨勒（かりろく） 212
カリン 210
カルダモン 206
栝楼根（かろこん） 53,**212**,214,215
栝楼子（かろし） 215
栝樓子（かろし） 216
栝楼実（かろじつ） 126,**214**,216
栝樓実（かろじつ） 216
括蔞實（かろじつ） 216
栝楼仁（かろにん） 126,129,**215**,233
栝楼皮（かろひ） 215
カワラヨモギ 181,182
カンアオイ 11
漢菊花（かんきっか） 26
乾姜（かんきょう） 13,14,17,18,**78**,82,86,91,105,106,110,114,119,194,205,233
乾地黄（かんじおう） 43,**91**,162
含水ケイ酸アルミニウム（がんすいけいさんあるみにうむ） 183
含水ケイ酸マグネシウム（がんすいけいさんまぐねしうむ） 183
甘草（かんぞう） 7,13,22,37,47,72,78,79,86,**103**,104,110,114,119,146,149,150,151,159,168,176,183,184,196,212,213,218,219,231,233
乾燥硫酸アルミニウムカリウム（かんそうりゅうさんあるみにうむかりうむ） 243
乾燥硫酸ナトリウム（かんそうりゅうさんなとりうむ） 38
甘竹（かんちく） 63
漢中防已（かんちゅうぼうい） 198
款冬花（かんとうか） **216**
広東人参（かんとんにんじん） 120
漢防已（かんぼうい） 198
関木通（かんもくつう） 200

き

キカラスウリ 212,214,215
桔梗（ききょう） 18,19,28,31,69,102,105,123,129,144,177,211,212,213,**217**,220,224,226,227,228,230,236
キキョウ 217
キク 25,26
菊花（きくか） **25**,33,56,109,147,185,186
枳殻（きこく） **126**
枳実（きじつ） 37,53,97,**128**,133,159,204,216,218,221
貴州竜胆（きしゅうりゅうたん） 68
キダチウマノスズクサ 200
橘（きつ） 139
橘紅（きっこう） 139
橘白（きっぱく） 139
橘皮（きっぴ） 13,133,137,**138**,240
キッピ 138
橘柚（きつゆう） 133,135,136,139
橘絡（きつらく） 139
キハダ 44
キバナオウギ 101
生干桔梗（きぼしききょう） 217
生干人参（きぼしにんじん） 117,120
キャッサバ 110

キャラウェイ　78
蚯蚓（きゅういん）　59
九眼独活（きゅうがんどくかつ）　209
芎藭（きゅうきゅう）　171
韮子（きゅうし）　117
旧ゾウ（きゅうぞう）　151
久丸（きゅうまる）　127
姜黄（きょうおう）　167
杏核仁（きょうかくにん）　219
羌活（きょうかつ）　**3**,19,20,206,208,209
翹根（ぎょうこん）　69
杏仁（きょうにん）　15,18,22,40,105,175,196,218,**219**,221,224,227,230
金銀花（きんぎんか）　**47**,69
金銭草（きんせんそう）　182
篁竹（きんちく）　63
錦紋大黄（きんもんだいおう）　36,38

く

藕實莖（ぐうじつけい）　124
クコ　56,108
枸杞（くこ）　57
枸杞子（くこし）　26,57,**108**
クサスギカズラ　95
苦参（くじん）　43,**48**,113
クズ　24
苦竹（くちく）　63
クチナシ　55
グッタペルカ　116
苦搽（くと）　185
クヌギ　176
クララ　48
苦楝（くれん）　239
黒豆（くろまめ）　**184**
グンバイナズナ　66

け

鶏（けい）　109,123
荊芥（けいがい）　**5**,21,28,30,31,209
ケイガイ　5
鶏肝（けいかん）　**109**
桂枝（けいし）　6,81,102,175,191
桂皮（けいひ）　**6**,13,21,22,24,78,84,86,106,121,125,149,150,151,159,161,163,168,178,184,187,194,196,198,223,225
ケイリンサイシン　10,11
血枸杞（けっくこ）　109
月桃（げっとう）　203
蘗米（げつべい）　75
決明子（けつめいし）　**49**
毛人参（けにんじん）　118
牽牛子（けんごし）　**35**
芡実（けんじつ）　124
玄参（げんじん）　**50**,92,98,163,223,228
元参（げんじん）　51
建沢瀉（けんたくしゃ）　189
玄米（げんまい）　90
堅竜胆（けんりゅうたん）　68

こ

膠飴（こうい）　79,**110**
紅花（こうか）　25,**169**,170,172,175,179
広藿香（こうかっこう）　203
硬滑石（こうかっせき）　183
紅耆（こうぎ）　103
杭菊花（こうきっか）　26
香豉（こうし）　17,**27**,56
コウジ　138
硬紫根（こうしこん）　58
香薷（こうじゅ）　75,202
広地竜（こうじりゅう）　60
紅参（こうじん）　117,120
光皮木瓜／光皮モッカ（こうひもっか）　210
杭白芷（こうびゃくし）　20
香附子（こうぶし）　18,53,106,125,**130**,163,168,187,204
粳米（こうべい）　86,**90**,98
広防已（こうぼうい）　198
厚朴（こうぼく）　18,129,135,136,143,187,202,204,205,**220**,224,233,240
コウホネ　173
藁本（こうほん）　**9**,209
高良薑（こうりょうきょう）　88
コガネバナ　42
槲皮（こくひ）　177
牛膝（ごしつ）　92,159,168,169,**170**,175,207
呉茱萸（ごしゅゆ）　13,**80**,210
ゴシュユ　80
滬地竜（こじりゅう）　60
個セイヒ（こせいひ）　133
コナラ　176
コブシ　15
ゴボウ　27
牛蒡子（ごぼうし）　5,**27**,31,51,69,213,218
胡麻（ごま）　**157**
ゴマ　157,242
コマゼミ　30
ゴマ油（ごまゆ）　207,241,**242**,243
五味子（ごみし）　11,72,98,102,111,119,144,217,**222**,224,225,233
コムギ　146
コヤブラン　98
小割（こわり）　127

さ

柴胡（さいこ）　29,31,43,48,**51**,69,97,129,131,133,148,149,159,213,238
茈胡（さいこ）　52

細辛（さいしん）　10, 21, 22, 26, 29, 79, 86, 134, 185, 209, 223
細茶（さいちゃ）　**184**
サキシマボタンヅル　206
ササクサ　63
サジオモダカ　189
莎草香附子（さそうこうぶし）　130
サツマイモ　110
サドオケラ　188
サネブトナツメ　144
ザボン　138
晒桔梗（さらしききょう）　217
サラシナショウマ　28, 29
サラシミツロウ　241
サルトリイバラ　54
山帰来（さんきらい）　**54**
山樝（さんさ）　73
山査子（さんざし）　**72**, 74, 75
サンザシ　72
山梔子（さんしし）　26, 27, 43, 45, 47, **55**, 61, 145, 178, 182, 183
三七（さんしち）　120
三七人参（さんしちにんじん）　119, 120
山茱萸（さんしゅゆ）　92, **110**, 161, 190, 223
サンシュユ　110
山椒（さんしょう）　72, 79, **81**, 239
サンショウ　81
酸棗（さんそう）　145
酸棗仁（さんそうにん）　56, 64, 119, **144**, 166, 196
山薬（さんやく）　75, 92, 109, **112**, 124, 162, 196

し

豉（し）　27
地黄（じおう）　7, 40, 43, 49, 51, 64, 68, **91**, 96, 98, 99, 111, 112, 119, 146, 155, 156, 158, 159, 163, 170, 178, 213
紫菀（しおん）　**223**
シオン　223
四花青皮／四花セイヒ（しかせいひ）　133
紫花ゼンコ（しかぜんこ）　225
耳環石斛（じかんせっこく）　94
地骨皮（じこっぴ）　**56**, 186
紫根（しこん）　**57**, 149, 164, 172
巵子（しし）　55
梔子（しし）　55
シシウド　208, 209
シソ　17, 224
紫草（しそう）　58
紫蘇子（しそし）　221, **224**, 226, 227, 233
児茶（じちゃ）　211
蒺梨子（しつりし）　**145**, 157
柿蒂（してい）　84, **131**
シナスッポン　96
自然生（じねんじょ）　112
シマカンギク　25, 26
シマハスノハカズラ　198
縞蚯蚓（しまみみず）　60
ジャガイモ　110
炙甘草（しゃかんぞう）　**103**, 104, 105
芍薬（しゃくやく）　7, 37, 53, 92, 106, 129, 149, 155, **158**, 164, 168, 170, 172, 178, 240
シャクヤク　158
鷓鴣菜（しゃこさい）　238
蛇床子（じゃしょうし）　49, **113**
車前子（しゃぜんし）　26, 47, 57, **185**, 190, 196, 199
車前草（しゃぜんそう）　186
蛇胆（じゃたん）　231
ジャノヒゲ　97
蕺（しゅう）　59
茺蔚子（じゅういし）　179
皺皮木瓜／皺皮モッカ（しゅうひもっか）　210
十薬（じゅうやく）　48, **58**
熟地黄（じゅくじおう）　93, 94, **161**
縮砂（しゅくしゃ）　74, 89, 129, 131, 132, 202, **203**, 205, 221
縮砂蔤（しゅくしゃみつ）　203
ジュズダマ　201
朮（じゅつ）　189, 193
小茴香（しょうういきょう）　78
ショウガ　12, 15, 78
生姜（しょうきょう）　7, **12**, 25, 75, 81, 106, 114, 119, 131, 135, 136, 165, 202, 228, 229, 233, 234
生姜汁（しょうきょうじゅう）　14
生苄（しょうこ）　92
小根蒜（しょうこんさん）　126
小蒜（しょうさん）　126
硝酸カリウム（しょうさんかりうむ）　40
松脂（しょうし）　**207**, 241, 242
生地黄（しょうじおう）　91, 92, 93, 94
生地黄汁（しょうじおうじゅう）　92
小豆蔻（しょうずく）　205
消石（しょうせき）　39, 40
生大豆（しょうだいず）　184
鍾乳（しょうにゅう）　**225**
鍾乳石（しょうにゅうせき）　225
小麦（しょうばく）　106, 115, **146**
ショウブ　134
昌蒲（しょうぶ）　134
菖蒲根（しょうぶこん）　134
橡木皮（しょうぼくひ）　177
生牡蛎（しょうぼれい）　149
升麻（しょうま）　16, 25, **28**, 53, 68, 102, 164
小連翹（しょうれんぎょう）　69
蜀椒（しょくしょう）　82, **83**, 86
薯蕷（しょよ）　112

署蕷（しょよ）　112
白河附子（しらかわぶし）　87
地竜（じりゅう）　**59**
シロガラシ　231
辛夷（しんい）　**15**,25,29,99,172,234
晋耆（しんぎ）　103
神麹（しんきく）　**73**,75
秦艽（じんぎょう）　4,**207**
新疆紫草（しんきょうしそう）　58
津枸杞（しんくこ）　109
ジンコウ　132
沈香（じんこう）　**132**,164
秦艽（じんこう）　208
信州大黄（しんしゅうだいおう）　38
真防風（しんぼうふう）　21

す

スイカズラ　47,64
蘇芳（すおう）　174
豆蔻（ずく）　204
スクールキャップ　44
スジアカクマゼミ　30
スターアニス　78
スッポン　96
蘇方木（すほうぼく）　174
スモモ　150

せ

青花椒（せいかしょう）　82
青橘（せいきつ）　133
西枸杞（せいくこ）　109
青蒿（せいこう）　27
青蒿汁（せいこうじゅう）　73
青椒（せいしょう）　82
西丹皮（せいたんぴ）　177
青皮（せいひ）　**133**
青風藤（せいふうとう）　198
青木香（せいもっこう）　143
西洋参（せいようじん）　120
西洋人参（せいようにんじん）　120
赤芍薬（せきしゃくやく）　160,161
セキショウ　134
石菖根（せきしょうこん）　**134**
赤小豆（せきしょうず）　73
石鍾乳（せきしょうにゅう）　225
赤箭（せきせん）　148
石蜜（せきみつ）　122
石膏（せっこう）　23,30,37,56,**60**,62,64,91,119,148,183,198,199
石斛（せっこく）　**94**
浙貝母（せつばいも）　230,231
全栝楼（ぜんかろ）　215
川芎（せんきゅう）　4,16,21,23,26,33,58,59,60,68,116,131,148,156,157,159,164,169,170,**171**,173,177,185,191
センキュウ　171
前胡（ぜんこ）　**225**
川牛膝（せんごしつ）　171
川骨（せんこつ）　**173**,177
鮮地黄（せんじおう）　91,93
川椒（せんしょう）　83
蟬蛻（せんぜい）　30
鮮石斛（せんせっこく）　95
蟬退（せんたい）　**30**
センダン　239
センニンソウ　207
川貝母（せんばいも）　98,230,231
川楝子（せんれんし）　**239**

そ

蘇（そ）　18,224
桑根（そうこん）　227
桑根白皮（そうこんはくひ）　227
蒼耳汁（そうじじゅう）　73
葱實（そうじつ）　16
蒼朮（そうじゅつ）　6,7,10,23,68,86,131,**186**,194,201,207,221,229,231
草豆蔻（そうずく）　**204**
葱白（そうはく）　**16**,25,27
桑白皮（そうはくひ）　135,150,220,225,**226**
桑葉（そうよう）　26,27
蘇木（そぼく）　**173**
蘇葉（そよう）　**17**,72,131,202,218,220,221,224

た

ダイウイキョウ　78
大茴香（だいういきょう）　78
大黄（だいおう）　35,**36**,39,43,47,59,61,86,106,129,160,174,175,177,178,182,238
大秦艽（だいじんぎょう）　208
ダイズ　26,184
大豆（だいず）　184
大棗（たいそう）　13,106,**114**,119,146
ダイダイ　126,128
大腹皮（だいふくひ）　**135**,192
ダイフクビンロウ　135
大腹檳榔子（だいふくびんろうじ）　240
大炮棗（だいほうそう）　114
大麻（たいま）　41
タイマイ　97
タイワンクズ　25
タイワンセンダン　239
沢瀉（たくしゃ）　111,135,148,182,183,**189**,190,194,196,199
竹（たけ）　228
多序岩黄耆（たじょいわおうぎ）　103
タチバナ　138,139

タムシバ　15
タルク　183
淡竹（たんちく）　63,227
淡竹葉（たんちくよう）　62,63
煅牡蛎（たんぼれい）　149

ち

竹茹（ちくじょ）　51,218,**227**,233
竹参（ちくじん）　120
竹節参（ちくせつじん）　120
竹節人参（ちくせつにんじん）　119,**120**,122
竹葉（ちくよう）　61,**62**,98
竹瀝（ちくれき）　**228**
知母（ちも）　45,57,61,**63**,92,99,119,145
チャノキ　184
茶葉（ちゃよう）　**184**
丁香（ちょうこう）　84
丁子（ちょうじ）　**83**,131
チョウジ　83
チョウジ油（ちょうじゆ）　84
チョウセンゴミシ　222
釣藤（ちょうとう）　147
釣藤鈎（ちょうとうこう）　26,53,61,**147**
猪膏（ちょこう）　243
直根人参（ちょっこんにんじん）　121
猪苓（ちょれい）　135,183,190,**191**,192
チョレイマイタケ　191
陳粟米（ちんぞくべい）　71
陳皮（ちんぴ）　13,73,75,125,133,**135**,139,143,191,196,202,205,221,225,228,233,240

つ

通草（つうそう）　199,200
ツルドクダミ　156

て

滴乳石（てきにゅうせき）　225
鉄脚威霊仙（てっきゃくいれいせん）　207
甜杏仁（てんきょうにん）　219
田三七（でんさんしち）　120
田七（でんしち）　120
テンダイウヤク　124
天南星（てんなんしょう）　**229**
テンナンショウ類　229
天然芒硝（てんねんぼうしょう）　39
天麻（てんま）　**148**,233
天門冬（てんもんどう）　**95**,98,162

桃核仁（とうかくにん）　175
冬瓜子（とうがし）　175,178,**236**
トウガン　236
当帰（とうき）　7,11,19,29,41,43,49,51,58,67,81,92,102,106,131,146,156,157,160,**162**,166,169,172,174,179,191,194,208,224,230,242
トウキ　162
燈心草（とうしんそう）　**192**
トウセンダン　239
唐独活（とうどくかつ）　4,5,11,21,25,**208**
桃仁（とうにん）　7,37,39,41,117,169,170,**174**,178,201,220,237
トウモロコシ　110
トウヨウミツバチ　122,241
トウリンドウ　67
土瓜根（どかこん）　213
独活（どくかつ）　4,5,11,21,25,**208**
獨活（どくかつ）　4
ドクダミ　58
土細辛（どさいしん）　10,11
土地竜（どじりゅう）　60
土大黄（どだいおう）　36
トチバニンジン　120,122
杜仲（とちゅう）　**115**
トチュウ　115
土貝母（どばいも）　231
土茯苓（どぶくりょう）　54
土別甲（どべっこう）　53,**96**
トリカブト　87
トルコ大黄（とるこだいおう）　36
豚脂（とんし）　**242**

な

ナイモウオウギ　101
ナガイモ　112,113
ナガバクコ　109
ナツミカン　126,128
ナツメ　114
生附子（なまぶし）　85,86
軟滑石（なんかっせき）　182,183
軟紫根（なんしこん）　58
南木香（なんもっこう）　143

に

ニイニイゼミ　30
肉遠志（にくおんじ）　143
肉桂（にっけい）　7,8,78,84,161
ニホンニッケイ　8
乳香（にゅうこう）　**176**
ニュウコウジュ　176
韮（にら）　**117**
ニラ　117
ニワトリ　109,123
人参（にんじん）　13,64,73,74,75,79,82,86,92,98,102,106,112,**117**,122,124,136,143,166,172,191,194,196,201,223,240
忍冬（にんどう）　**64**,69

ね

寧夏枸杞（ねいかくこ）　109
ネギ　16
ネムロコウホネ　173

の

野菊花（のぎくか）　26
ノダケ　225
ノビル　126

は

梅實（ばいじつ）　72
敗醬（はいしょう）　**65**,201
敗醬根（はいしょうこん）　65
敗醬草（はいしょうそう）　65
貝母（ばいも）　98,218,220,**229**
貝母鶏（ばいもけい）　231
馬牙硝（ばがしょう）　38,39
ハカタユリ　99
麦芽（ばくが）　73,**74**
白芥子（はくがいし）　**231**
白麹（はくぎく）　73
白酒（はくしゅ）　**141**,142
白参（はくじん）　117,120
白陶土（はくとうど）　182
白礬（はくばん）　**243**
蘗皮（ばくひ）　45
白扁豆（はくへんず）　75
蘗木（ばくぼく）　45
白蜜（はくみつ）　122
ハクモクレン　15
麦門冬（ばくもんどう）　51,62,64,91,95,96,**97**,106,119,155,162,217,223,227,230,233,234
白蝋（はくろう）　242
ハス　123
ハチク　62,63,227,228
ハチジョウナ　66
蜂蜜（はちみつ）　**122**
パチョリ油（ぱちょりゆ）　203
薄荷（はっか）　5,28,**31**,53,69,218
ハッカ　30
八角（はっかく）　78
八角茴香（はっかくういきょう）　78
白花ゼンコ（はっかぜんこ）　225
菝葜（ばっかつ）　54
白頸蚯蚓（はっけいきゅういん）　59
ハッサク　130
ハトムギ　200,201
ハナスゲ　63
ハナトリカブト　84
ハナミョウガ　203
バビショウ　207
ハブソウ　50
ハブ茶　50
ハマゴウ　33
ハマスゲ　130
ハマビシ　145
ハマボウフウ　21
ハルウコン　167
半夏（はんげ）　13,15,79,98,106,136,148,196,202,216,221,223,225,228,229,**232**
礬石（ばんせき）　243

ひ

ヒゲ人参（ひげにんじん）　120
常陸牛膝（ひたちごしつ）　171
ヒナタイノコズチ　170,171
ヒメウイキョウ　78
姫茴香（ひめういきょう）　78
百合（びゃくごう）　64,92,**99**,217,234
白芷（びゃくし）　4,**19**,82,202,218
白芍薬（びゃくしゃくやく）　160,161
白朮（びゃくじゅつ）　7,23,71,74,75,86,113,115,119,129,164,179,182,187,190,191,**193**,201,202,207
白豆蔻（びゃくずく）　204,**205**,222
ビャクズク　205
白薇（びゃくび）　**66**
白彊蚕（びゃっきょうさん）　**32**,125
白殭蠶（びゃっきょうさん）　32
萍蓬草（ひょうほうそう）　173
萍蓬草根（ひょうほうそうこん）　173
ビワ　234
枇杷葉（びわよう）　98,231,**234**
ビンロウ　135,239
檳榔（びんろう）　240
檳榔子（びんろうじ）　143,210,222,**239**

ふ

フキタンポポ　216
伏竜肝（ぶくりゅうかん）　**165**
茯苓（ぶくりょう）　8,71,75,86,106,113,119,124,137,144,145,150,151,182,186,187,190,**195**,201,220,233
附子（ぶし）　8,11,23,37,79,**84**,86,91,106,119,170,187,191,194,196,233
フジマメ　75
ブタ　242
福建沢瀉（ふっけんたくしゃ）　189
フナバラソウ　66,67
フユザンショウ　83
粉防已（ふんぼうい）　198

へ

鼈甲（べっこう）　97
ベニバナ　169

扁豆（へんずﾞ）　**75**

ほ

防已（ぼうい）　8,21,61,103,**197**,207
防己（ぼうき）　198,199
炮姜（ほうきょう）　14,78
望春花（ぼうしゅんか）　16
芒硝（ぼうしょう）　**38**,175,178,183,199
防風（ぼうふう）　4,5,8,**20**,23,134,172,198,208,209,236
炮附子（ほうぶし）　86,87
ホオノキ　220
北沙参（ほくしゃじん）　21
朴硝（ぼくしょう）　39,40
樸樕（ぼくそく）　**176**,218,236
ボケ　210
牡桂（ぼけい）　6
ホソバオケラ　186
ホソヒグラシ　30
ボタン　177
牡丹（ぼたん）　177
牡丹皮（ぼたんぴ）　7,37,39,56,93,160,175,**177**,201,237
ホッカイトウキ　162
牡蛎（ぼれい）　8,53,58,103,106,**148**,151
ホンアンズ　219

ま

マイヅルテンナンショウ　229
麻黄（まおう）　8,11,18,**21**,25,32,61,86,106,187,191,194,201,220
海人草（まくり）　**238**
マクリ　238
マグワ　226
麻子（まし）　40
麻子仁（ましにん）　**40**,164,175,220
マスタード　232
マダケ　62,63,227,228
マツホド　195
麻仁（まにん）　40
マルバウマノスズクサ　143
蔓荊子（まんけいし）　**33**
蔓荊實（まんけいじつ）　33

み

三河乾姜（みかわかんきょう）　14,78
ミシマサイコ　51
ミズナラ　176
水半夏（みずはんげ）　234
ミツバアケビ　199
ミツバハマゴウ　33
ミツロウ　**241**
蜜蝋（みつろう）　241
明礬（みょうばん）　**243**
ミロバラン　212
ミンミンゼミ　30

無水芒硝（むすいぼうしょう）　38
ムラサキ　57

め

茗（めい）　185
榠樝（めいさ）　210
メハジキ　179
綿茵蔯（めんいんちん）　182

モグサ　156
木通（もくつう）　186,190,**199**
木防已（もくぼうい）　198
木瓜（もっか）　81,**210**,240
木香（もっこう）　125,132,137,**142**,222,240
モモ　174

薬鶏（やっけい）　231
益母草（やくもそう）　**179**
野蒜（やさん）　126
野蔘汁（やじんじゅう）　73
ヤブニンジン　10
ヤマザクラ　236
ヤマノイモ　112,113
ヤマモモ　76
ヤラッパ脂（やらっぱし）　36

ゆ

ユショウ　207
湯通し人参（ゆどおしにんじん）　117,120

洋参（ようじん）　120
楊梅（ようばい）　76
楊梅皮（ようばいひ）　**76**
ヨーロッパミツバチ　122,241
薏苡（よくい）　201
薏苡仁（よくいにん）　23,54,66,187,194,**200**
ヨモギ　155
ヨロイグサ　19

ら

ラッキョウ　125,126
卵黄（らんおう）　**123**,218
卵黄末（らんおうまつ）　123

り

李核人（りかくにん）　150
李根皮（りこんぴ）　106,**150**

李皮（りひ）　150
リュウガン　165
龍眼（りゅうがん）　166
竜眼肉（りゅうがんにく）　144,145,**165**
竜骨（りゅうこつ）　8,149,**150**,196
硫酸アルミニウムカリウム水和物（りゅうさんあるみにうむかりうむすいわぶつ）　243
硫酸ナトリウム水和物（りゅうさんなとりうむすいわぶつ）　39
硫酸マグネシウム水和物（りゅうさんまぐねしうむすいわぶつ）　39
竜胆（りゅうたん）　43,**67**,172,199
良姜（りょうきょう）　78,**88**,169,204

れ

櫟樹皮（れきじゅひ）　177
連翹（れんぎょう）　28,31,45,48,53,65,**68**,211,212,218
レンギョウ　68
楝實（れんじつ）　239
連軺（れんしょう）　69
蓮肉（れんにく）　**123**

ろ

六神麹（ろくしんきく）　74
蔞實（ろじつ）　216
ロバ　154

わ

煨姜（わいきょう）　14
和黄耆（わおうぎ）　103
和羌活（わきょうかつ）　4,210
和藁本（わこうほん）　10
和大黄（わだいおう）　36
和独活（わどくかつ）　209
和ビャクジュツ（わびゃくじゅつ）　193
ワビャクジュツ　193

処方名　索引

※は，一般用漢方 294 処方以外の処方を示す
太字は，配合応用の項の掲載ページを示す

あ

赤玉※（あかだま）　76
安栄湯（あんえいとう）　→女神散（にょしんさん）
安中散（あんちゅうさん）　**7**,**77**,**78**,**89**,**105**,**106**,**149**,**168**,**169**,**204**,305,315
安中散加茯苓（あんちゅうさんかぶくりょう）　317

い

胃風湯（いふうとう）　**71**,305
胃苓湯（いれいとう）　**204**,**221**,306,309
茵蔯蒿湯（いんちんこうとう）　**37**,**56**,**182**,302
茵蔯五苓散（いんちんごれいさん）　**182**,302

う

烏梅丸※（うばいがん）　**72**
烏薬順気散（うやくじゅんきさん）　**13**,**23**,**32**,**125**,**136**,305
烏苓通気散（うれいつうきさん）　**13**,**73**,**125**,**131**,**136**,**159**,**163**,**240**,309
温経湯（うんけいとう）　**81**,**98**,**155**,**160**,**164**,**172**,**178**,302
温清飲（うんせいいん）　**43**,**56**,**92**,**162**,**163**,**164**,**172**,308,309
温胆湯（うんたんとう）　**228**,**233**,304,306

え

越婢加朮湯（えっぴかじゅつとう）　**23**,**61**,**187**,191,**194**,304,314
越婢加朮附湯（えっぴかじゅつぶとう）　304,314
延年半夏湯（えんねんはんげとう）　**97**,**240**,304,315

お

黄耆桂枝五物湯（おうぎけいしごもつとう）　**7**,**13**,**102**,**159**,303
黄耆建中湯（おうぎけんちゅうとう）　**7**,**102**,**110**,303
黄芩湯（おうごんとう）　301
応鐘散（おうしょうさん）　306,313
黄土湯※（おうどとう）　**165**
黄連阿膠湯（おうれんあきょうとう）　**43**,**47**,**123**,**155**,301
黄連解毒湯（おうれんげどくとう）　**43**,**45**,**47**,**56**,304
黄連湯（おうれんとう）　108,301
乙字湯（おつじとう）　**29**,**37**,**43**,**53**,**106**,**164**,313,315
乙字湯去大黄（おつじとうきょだいおう）　317
御百草※（おひゃくそう）　**45**

か

解急蜀椒湯（かいきゅうしょくしょうとう）　**79**,**82**,**86**,**91**,**105**,**110**,**119**,**233**,304,315
解労散（かいろうさん）　**53**,**97**,**106**,**129**,**159**,306
加減涼膈散（浅田）（かげんりょうかくさんあさだ）　**31**,**37**,**43**,**47**,**51**,**56**,**69**,**105**,**218**,315
加減涼膈散（龔廷賢）（かげんりょうかくさんきょうていけん）　**43**,**47**,**92**,**105**,**164**,**218**,309
化食養脾湯（かしょくようひとう）　**73**,**74**,**75**,309,315
藿香正気散（かっこうしょうきさん）　**18**,**19**,**23**,**135**,**136**,**194**,**202**,**221**,305
葛根黄連黄芩湯（かっこんおうれんおうごんとう）　**24**,**43**,**47**,301
葛根紅花湯（かっこんこうかとう）　**25**,**169**,314
葛根湯（かっこんとう）　**7**,**8**,**13**,**16**,**22**,**24**,**25**,**29**,302
葛根湯加川芎辛夷（かっこんとうかせんきゅうしんい）　**16**,**25**,**172**,317
加味温胆湯（かみうんたんとう）　**51**,**144**,**145**,**196**,**228**,**233**,309,312
加味帰脾湯（かみきひとう）　**56**,**103**,**119**,**143**,**144**,**145**,**166**,**196**,308
加味解毒湯（かみげどくとう）　**37**,**45**,**47**,**182**,**192**,311
加味四物湯（かみしもつとう）　**92**,**116**,**170**,308
加味逍遙散（かみしょうようさん）　**31**,**53**,**56**,**159**,**178**,308,309
加味逍遙散加川芎地黄（かみしょうようさんかせんきゅうじおう）　308,313
加味逍遙散合四物湯（かみしょうようさんごうしもつとう）　→加味逍遙散加川芎地黄（かみしょうようさんかせんきゅうじおう）
加味平胃散（かみへいいさん）　**73**,**74**,**75**,307
栝楼薤白湯（かろうがいはくとう）　**7**,**8**,**106**,**126**,**198**,**216**,317
栝楼薤白白酒湯（かろうがいはくはくしゅとう）　**126**,**214**,215,**216**,303

んげにんじんかんぞうとう）　221,233,301
杞菊地黄丸（こぎくじおうがん）　26,109,311
五虎湯（ごことう）　17,220,227,310,315
牛膝散（ごしつさん）　159,168,170,306
五積散（ごしゃくさん）　20,305,312
牛車腎気丸（ごしゃじんきがん）　92,170,186,196,307.315
呉茱萸湯（ごしゅゆとう）　13,81,302
五物解毒散（ごもつげどくさん）　48,59,314
五淋散（ごりんさん）　56,108,183,186,190,199,305,307,310
五苓散（ごれいさん）　187,190,191,192,194,196,302

さ

柴葛解肌湯（さいかつげきとう）　23,43,53,61,315
柴葛湯加川芎辛夷（さいかつとうかせんきゅうしんい）　16,172,318
柴陥湯（さいかんとう）　43,53,216,233,309
柴梗半夏湯（さいきょうはんげとう）　43,53,129,133,216,218,220,233,309,315
柴胡加竜骨牡蛎湯（さいこかりゅうこつぼれいとう）　149,151,196,301,314
柴胡枳桔湯（さいこききつとう）　43,53,105,129,216,218,233,307
柴胡桂枝乾姜湯（さいこけいしかんきょうとう）　53,79,105,149,213,302
柴胡桂枝湯（さいこけいしとう）　302
柴胡清肝湯（さいこせいかんとう）　28,31,53,69,106,213,218,317
柴胡疎肝湯（さいこそかんとう）　53,106,129,131,133,159,172,308
柴芍六君子湯（さいしゃくりっくんしとう）　318
柴蘇飲（さいそいん）　18,106,131,318
柴朴湯（さいぼくとう）　317
柴苓湯（さいれいとう）　307,315
左突膏（さとつこう）　207,241,242,243,313
三黄散（さんおうさん）　37,303
三黄瀉心湯（さんおうしゃしんとう）　37,43,47,303
酸棗仁湯（さんそうにんとう）　64,106,145,196,303
三味鷓鴣菜湯（さんみしゃこさいとう）　→鷓鴣菜湯（しゃこさいとう）
三物黄芩湯（さんもつおうごんとう）　43,49,92,303

し

滋陰降火湯（じいんこうかとう）　64,96,98,310
滋陰至宝湯（じいんしほうとう）　57,98,230,310
紫雲膏（しうんこう）　58,164,241,242,243,313
四逆加人参湯（しぎゃくかにんじんとう）　79,86,119,301
四逆散（しぎゃくさん）　129,159,301
四逆湯（しぎゃくとう）　79,86,105,302
四君子湯（しくんしとう）　119,191,194,196,305,308
滋血潤腸湯（じけつじゅんちょうとう）　117,308
紫根牡蛎湯（しこんぼれいとう）　58,65,103,149,164,172,313,315,316
梔子豉湯（しししとう）　27,56,302
梔子柏皮湯（ししはくひとう）　45,56,301
滋腎通耳湯（じじんつうじとう）　20,45,53,64,92,131,310
滋腎明目湯（じじんめいもくとう）　26,33,47,56,185,310
七物降下湯（しちもつこうかとう）　147,318
実脾飲（じっぴいん）　→分消湯（ぶんしょうとう）
柿蔕湯（していとう）　84,131,307
四物湯（しもつとう）　92,159,160,162,163,164,172,305
炙甘草湯（しゃかんぞうとう）　40,92,155,302
芍薬甘草湯（しゃくやくかんぞうとう）　106,108,159,301
芍薬甘草附子湯（しゃくやくかんぞうぶしとう）　86,106,301
鷓鴣菜湯（しゃこさいとう）　238,313,315
蛇床子湯（じゃしょうしとう）　17,49,113,311
十全大補湯（じゅうぜんたいほとう）　7,92,102,119,161,163,172,305
十味敗毒湯（じゅうみはいどくとう）　5,21,177,209,218,236,314,316
潤腸湯（じゅんちょうとう）　40,41,164,175,220,310
蒸眼一方（じょうがんいっぽう）　45,47,244,314
生姜瀉心湯（しょうきょうしゃしんとう）　13,119,301
小建中湯（しょうけんちゅうとう）　7,110,159,302
小柴胡湯（しょうさいことう）　13,43,53,106,115,119,233,302
小柴胡湯加桔梗石膏（しょうさいことうかききょうせっこう）　314,316,317
小承気湯（しょうじょうきとう）　37,129,221,302
小青竜湯（しょうせいりゅうとう）　11,22,79,108,223,233,302
小青竜湯加杏仁石膏（しょうせいりゅうとうかきょうにんせっこう）　315
小青竜湯加石膏（しょうせいりゅうとうかせっこう）　303
小青竜湯合麻杏甘石湯（しょうせいりゅうとうご

うまきょうかんせきとう）　→小青竜湯加杏仁石膏（しょうせいりゅうとうかきょうにんせっこう）
小続命湯（しょうぞくめいとう）　7,8,13,21,22,23,86,106,159,172,198,220,304
椒梅湯（しょうばいとう）　72,82,239,310,316
小半夏加茯苓湯（しょうはんげかぶくりょうとう）　13,190,196,233,303
消風散（しょうふうさん）　5,28,30,49,64,92,158,199,311
升麻葛根湯（しょうまかっこんとう）　17,25,29,305,310
逍遙散（しょうようさん）　305,309
薯蕷丸※（しょよがん）　112,113
四苓湯（しれいとう）　191,307
辛夷清肺湯（しんいせいはいとう）　16,29,43,56,64,98,99,234,311,316
秦艽羌活湯（じんぎょうきょうかつとう）　4,208,307
秦艽防風湯（じんぎょうぼうふうとう）　208,307
神仙太乙膏（しんせんたいいつこう）　51,92,164,241,242,305
参蘇飲（じんそいん）　18,137,143,218,226,305
神秘湯（しんぴとう）　18,220,305,316
真武湯（しんぶとう）　86,190,196,301
参苓白朮散（じんりょうびゃくじゅつさん）　75,112,113,119,124,194,196,201,305

せ

清肌安蛔湯（せいきあんかいとう）　238,313,316
清湿化痰湯（せいしつけたんとう）　228,229,231,311,316
清上蠲痛湯（せいじょうけんつうとう）　4,10,11,20,21,26,33,209,311,312
清上防風湯（せいじょうぼうふうとう）　19,31,43,47,56,69,218,310
清暑益気湯（せいしょえっきとう）　98,102,119,136,223,309,316
清心蓮子飲（せいしんれんしいん）　57,124,186,196,305
清熱補気湯（せいねつほきとう）　51,98,119,163,194,223,308
清熱補血湯（せいねつほけつとう）　45,51,64,92,93,98,178,223,308
清肺湯（せいはいとう）　43,56,96,98,218,220,223,227,228,230,310
折衝飲（せっしょういん）　7,159,168,169,170,172,175,178,312,316
洗肝明目湯（せんかんめいもくとう）　5,21,26,33,50,56,61,146,310
川芎茶調散（せんきゅうちゃちょうさん）　17,131,172,185,305
千金鶏鳴散（せんきんけいめいさん）　304,305,306,308
千金内托散（せんきんないたくさん）　102,103,105,119,163,172,218,305,310
喘四君子湯（ぜんしくんしとう）　132,136,143,164,221,222,225,227,310
銭氏白朮散（ぜんしびゃくじゅつさん）　194,202,306

そ

桑菊飲※（そうぎくいん）　26
葱豉湯※（そうしとう）　17,27
続命湯（ぞくめいとう）　8,22,79,105,119,164,172,220,303
疎経活血湯（そけいかっけつとう）　4,19,20,68,170,172,175,207,310
蘇子降気湯（そしこうきとう）　221,224,225,226,233,305

た

大黄甘草湯（だいおうかんぞうとう）　37,106,303
大黄附子湯（だいおうぶしとう）　11,37,86,303
大黄牡丹皮湯（だいおうぼたんぴとう）　37,39,175,178,237,303
大建中湯（だいけんちゅうとう）　79,82,110,119,303
大柴胡湯（だいさいことう）　13,37,53,129,159,233,302
大柴胡湯去大黄（だいさいことうきょだいおう）　301
大半夏湯（だいはんげとう）　122,303
大防風湯（だいぼうふうとう）　4,20,103,116,119,170,306
沢瀉湯（たくしゃとう）　190,194,303
陀羅尼助丸※（だらにすけがん）　45

ち

竹茹温胆湯（ちくじょうんたんとう）　53,98,119,131,218,228,310,311,316
竹葉石膏湯（ちくようせっこうとう）　61,62,91,98,119,233,301
治打撲一方（ぢだぼくいっぽう）　84,173,177,312,316
治頭瘡一方（ぢづそういっぽう）　5,21,65,69,169,172,312,318
治頭瘡一方去大黄（ぢづそういっぽうきょだいおう）　318
知柏地黄丸（ちばくじおうがん）　45,64,309,311
中黄膏（ちゅうおうこう）　167,241,242,313
中建中湯（ちゅうけんちゅうとう）　79,82,

110,119,318
調胃承気湯（ちょういじょうきとう）　37,38,39,106,301
丁香柿蔕湯（ちょうこうしていとう）　78,84,89,132,176,204,310
釣藤散（ちょうとうさん）　13,26,61,136,137,147,148,233,306
猪苓湯（ちょれいとう）　155,183,187,190,191,192,194,196,302
猪苓湯合四物湯（ちょれいとうごうしもつとう）　314

つ

通導散（つうどうさん）　37,129,169,174,199,221,310,317

て

定悸飲（ていきいん）　7,8,81,106,149,150,196,313,316

と

桃核承気湯（とうかくじょうきとう）　37,38,39,175,301
桃花湯※（とうかとう）　91
当帰飲子（とうきいんし）　92,146,157,160,164,172,307,308
当帰建中湯（とうきけんちゅうとう）　7,163,303,314
当帰散（とうきさん）　43,163,164,172,194,303
当帰四逆加呉茱萸生姜湯（とうきしぎゃくかごしゅゆしょうきょうとう）　11,81,301
当帰四逆湯（とうきしぎゃくとう）　11,301
当帰芍薬散（とうきしゃくやくさん）　159,160,164,172,187,190,192,194,196,303
当帰芍薬散加黄耆釣藤（とうきしゃくやくさんかおうぎちょうとう）　148,318
当帰芍薬散加人参（とうきしゃくやくさんかにんじん）　119,194,318
当帰芍薬散加附子（とうきしゃくやくさんかぶし）　314
当帰湯（とうきとう）　79,82,304
当帰貝母苦参丸料（とうきばいもくじんがんりょう）　49,230,303
独活葛根湯（どっかつかっこんとう）　25,209,305,316
独活寄生湯※（どっかつきせいとう）　209
独活湯（どっかつとう）　4,21,67,134,209,307

に

二朮湯（にじゅつとう）　4,187,194,207,229,310
二陳湯（にちんとう）　13,136,137,196,233,306,310
女神散（にょしんさん）　84,143,240,316
人参湯（にんじんとう）　79,106,108,119,191,194,302
人参敗毒散※（にんじんはいどくさん）　236
人参養栄湯（にんじんようえいとう）　119,136,144,223,306,310

は

排膿散（はいのうさん）　123,129,159,218,303
排膿散及湯（はいのうさんきゅうとう）　105,108,129,218,314
排膿湯（はいのうとう）　105,218,303
白通湯※（はくつうとう）　17
麦味地黄丸※（ばくみじおうがん）　98
麦門冬湯（ばくもんどうとう）　91,98,119,233,303
八解散（はちげさん）　17,202,221,233,306,312
八味地黄丸（はちみじおうがん）　8,86,92,93,111,112,113,123,162,178,187,190,192,194,196,304
八味逍遙散（はちみしょうようさん）　→逍遙散（しょうようさん）
八味疝気方（はちみせんきほう）　7,35,125,168,175,178,312,316
半夏厚朴湯（はんげこうぼくとう）　18,221,233,304
半夏散及湯（はんげさんきゅうとう）　106,233,301
半夏瀉心湯（はんげしゃしんとう）　43,47,79,105,106,115,119,233,302
半夏白朮天麻湯（はんげびゃくじゅつてんまとう）　74,75,148,190,194,233,307,316

ひ

百合地黄湯※（びゃくごうじおうとう）　92,99
百合知母湯※（びゃくごうちもとう）　64,99
白朮附子湯（びゃくじゅつぶしとう）　86,194,302
白虎加桂枝湯（びゃっこかけいしとう）　304
白虎加人参湯（びゃっこかにんじんとう）　64,119,302
白虎湯（びゃっことう）　61,64,91,301

ふ

不換金正気散（ふかんきんしょうきさん）　136,202,221,233,306
伏竜肝湯（ぶくりゅうかんとう）　165,313
茯苓飲（ぶくりょういん）　13,129,136,137,190,191,196,304
茯苓飲加半夏（ぶくりょういんかはんげ）　314
茯苓飲合半夏厚朴湯（ぶくりょういんごうはんげこうぼくとう）　318
茯苓杏仁甘草湯（ぶくりょうきょうにんかんぞうとう）　105,106,190,196,220,304

茯苓四逆湯（ぶくりょうしぎゃくとう）　196, 301
茯苓沢瀉湯（ぶくりょうたくしゃとう）　304
附子粳米湯（ぶしこうべいとう）　86, 91, 233, 304
附子瀉心湯※（ぶししゃしんとう）　37, 86
附子理中湯（ぶしりちゅうとう）　86, 119, 306
扶脾生脈散（ふひしょうみゃくさん）　98, 103, 119, 160, 164, 223, 224, 309
分消湯（ぶんしょうとう）　129, 131, 135, 136, 137, 143, 187, 191, 192, 204, 221, 310

平胃散（へいいさん）　136, 187, 191, 221, 306

防已黄耆湯（ぼういおうぎとう）　103, 198, 304
防已茯苓湯（ぼういぶくりょうとう）　198, 304
防風通聖散（ぼうふうつうしょうさん）　37, 39, 61, 183, 306
補気健中湯（ほきけんちゅうとう）　310
補気建中湯（ほきけんちゅうとう）　→補気健中湯（ほきけんちゅうとう）
補中益気湯（ほちゅうえっきとう）　29, 53, 102, 115, 119, 136, 163, 164, 191, 306, 308
補肺湯（ほはいとう）　91, 98, 217, 223, 225, 227, 304
補陽環五湯（ほようかんごとう）　60, 170, 175, 311
奔豚湯（金匱要略）（ほんとんとうきんきようりゃく）　13, 25, 106, 150, 172, 233, 304
奔豚湯（肘後方）（ほんとんとうちゅうごほう）　7, 13, 81, 106, 119, 304, 316

ま

麻黄加朮湯※（まおうかじゅつとう）　191
麻黄湯（まおうとう）　8, 22, 105, 106, 219, 220, 301
麻黄附子細辛湯（まおうぶしさいしんとう）　11, 22, 23, 86, 301
麻黄連軺赤小豆湯※（まおうれんしょうせきしょうずとう）　69
麻杏甘石湯（まきょうかんせきとう）　22, 23, 61, 105, 106, 219, 220, 302
麻杏薏甘湯（まきょうよくかんとう）　22, 23, 106, 201, 304
麻子仁丸（ましにんがん）　37, 40, 92, 129, 160, 164, 220, 221, 302

蜜煎導※（みつせんどう）　123
味麦地黄丸（みばくじおうがん）　111, 223, 311

明朗飲（めいろういん）　8, 47, 186, 196, 312, 316

木防已湯（もくぼういとう）　8, 61, 121, 198, 304

よ

養陰清肺湯※（よういんせいはいとう）　51, 92
楊柏散（ようはくさん）　76, 313, 314, 316
薏苡仁湯（よくいにんとう）　23, 187, 194, 201, 308, 316
薏苡附子敗醤散（よくいぶしはいしょうさん）　66, 201, 304
抑肝散（よくかんさん）　8, 53, 148, 160, 164, 172, 196, 308
抑肝散加芍薬黄連（よくかんさんかしゃくやくおうれん）　313, 317, 318
抑肝散加陳皮半夏（よくかんさんかちんぴはんげ）　312

理中丸（湯）（りちゅうがん）　→人参湯（にんじんとう）
六君子湯（りっくんしとう）　13, 106, 115, 119, 136, 137, 191, 196, 233, 308
立効散（りっこうさん）　21, 29, 68, 307
竜胆瀉肝湯（りゅうたんしゃかんとう）　43, 54, 56, 68, 186, 190, 199, 307, 308, 311
苓甘姜味辛夏仁湯（りょうかんきょうみしんげにんとう）　11, 79, 105, 106, 190, 196, 219, 220, 223, 233, 304
苓姜朮甘湯（りょうきょうじゅつかんとう）　79, 105, 194, 304
苓桂甘棗湯（りょうけいかんそうとう）　106, 114, 302
苓桂朮甘湯（りょうけいじゅつかんとう）　7, 8, 106, 190, 196, 302
苓桂味甘湯（りょうけいみかんとう）　8, 196, 223, 304

れ

麗沢通気湯（れいたくつうきとう）　4, 13, 17, 19, 20, 21, 23, 25, 29, 82, 102, 209, 307, 310
麗沢通気湯加辛夷（れいたくつうきとうかしんい）　318
連珠飲（れんじゅいん）　7, 8, 106, 196, 315

ろ

六味丸（ろくみがん）　92, 111, 112, 113, 162, 190, 196, 306, 307
六味地黄丸（ろくみじおうがん）　→六味丸（ろくみがん）

あとがき

本書は，2001 年に『漢方 210 処方 生薬解説』として初めて上梓し，2016 年には「一般用漢方製剤承認基準」の大幅改定に伴い『漢方 294 処方 生薬解説』として新たに上梓した書籍の改訂版である。今回は，「第十八改正日本薬局方」，「日本薬局方外生薬規格 2018」に準拠して，5 年ぶりの改訂となった。

今回の局方や局外生規の改訂については，本書に関連する部分では，流通生薬の実態に合わせ，基原植物の順序が入れ替えられたものや基原植物が追加されたものが，いくつか見られた。また，生薬の産地も実態に合わせ一部修正を行った。なお産地では，日本政府の経済措置に伴い，北朝鮮産の生薬の輸入が全面的に禁止されるという事態も起きている。

本書の要である，生薬の効能・効果については，「一般用漢方 294 処方」における生薬の運用を念頭において，特に「生薬の組み合わせによる効果」＝「配合応用」に力を入れた。

生薬の基原や産地，流通については，国立医薬品食品衛生研究所ならびに生薬メーカー，漢方エキス製剤メーカー各社のご協力を得て，過去から現在にいたる生薬の流通実態をできるだけ明らかにするようにした。時代的変遷や現代の流通事情により一部の生薬では古典的な生薬と現行の流通生薬にやや齟齬の見られるものもあるが，細かな聞き取り調査を重ねて，その経緯が失われないよう配慮した。

また，同一処方において同類生薬の代替が認められているものについては明記したが，特に同効でありながら，日本と中国で基原の異なる生薬（山椒と蜀椒，独活と唐独活など）の場合に，漢方の考え方では同じように用いることのできる生薬が「一般用漢方 294 処方」という制度上では，代替が不可となるという矛盾も感じられた。これらの点に関しては，コラムなどを設けて言及している。

生薬の多くは天然物であるため，近年では，資源の枯渇が懸念され，日本の生薬流通の状況は年々厳しさを増している。国産生薬の衰退も年を追うごとに明らかである。時代とともに生産や流通が衰退し，その利用方法も忘れられるであろう生薬も少なくはない。本書は，そうした先人が培ってきた生薬運用の在り方を記録するよう努めたつもりである。

294 処方の原典および関連出典は，古代から現代までの日本と中国の典籍 83 書，ならびに本朝経験方（日本で経験的に使われるようになった処方）を収載した書籍や処方集等を含め 100 をゆうに超える。最終的に 294 処方すべての原典を同定するにあたっては，さらに多くの典籍と比較検討を重ねた。しかし所蔵のない典籍も多く，絶版や貴重本などで簡単に入手・閲覧できないものも存在したため，非常に多くの時間と労力を要した。ここで紙面を借りて貴重本の資料提供を快諾していただいた九州大学附属図書館に御礼申し上げる次第である。結果については，巻末の「一般用漢方製剤承認基準収載 294 処方の出典分類表」をご覧いただければ幸いである。

漢方を運用する際には，添付文書に記載される効能効果や簡便な使い分けのポイントを覚えるというような表面的な理解だけでは，なかなか自由に使いこなすことはできない。処方を構成する個々の生薬の役割を学び，古典における処方の使われ方を理解することが漢方の理解を深めるには重要と考える。

本書の編集・執筆にあたっては，国立医薬品食品衛生研究所生薬部長 袴塚高志氏に，生薬の制度に携わる方の視点から貴重なご助言とご協力をいただいた。選品はじめ産地・流通などについては，株式会社栃本天海堂ならびに株式会社ウチダ和漢薬の全面的なご協力を賜わり，現場ならではの貴重なご意見をいただいた。特に株式会社栃本天海堂 宮嶋雅也氏，西谷真理氏，株式会社ウチダ和漢薬川崎武志氏には，多忙な業務の間を縫っての依頼にもかかわらず快くご協力いただいた。また，小太郎漢方製薬株式会社 近藤誠三氏，一般社団法人日本漢方連盟，その他漢方関係各社より多くのご協力を賜った。皆様のお力添えなくしては，本書の成立はなく心より御礼申し上げる。なお，本書の出版にご尽力いただいたじほう出版局の安達さやか氏にこの場を借りて感謝を申し上げたい。

ひとつひとつの生薬について，多くの方々に理解を深めていただき，その有効利用を図ってゆきたいというのは，『漢方 210 処方 生薬解説』編集の当初より参画いただいた故伊田喜光先生の志であった。資料の乏しい生薬もある。不十分な記述とならざるを得なかった項目もあると考える。こうした点を含めて漢方・生薬に関わる読者諸兄にご指摘・ご指導を仰ぎながら，加筆訂正を行い，本書をより充実したものに仕上げてゆきたいと考えている。本書が，漢方を学ぼうとする多くの方々，生薬の運用に携わる方々の一助とならんことを祈る。

令和 3 年 12 月

横浜薬科大学漢方和漢薬調査研究センター

大石 雅子

西島 啓晃

漢方294処方 生薬解説　第2版
その基礎から運用まで

定価　本体4,500円（税別）

2016年 9 月30日　初版発行
2021年12月20日　第 2 版発行

監　修　根本 幸夫
発行人　武田 信
発行所　株式会社 じ ほ う

101-8421　東京都千代田区神田猿楽町1-5-15（猿楽町SSビル）
電話　編集　03-3233-6361　販売　03-3233-6333
振替　00190-0-900481
＜大阪支局＞
541-0044　大阪市中央区伏見町2-1-1（三井住友銀行高麗橋ビル）
電話　06-6231-7061

組版・印刷　三美印刷（株）
Printed in Japan

ISBN 978-4-8407-5400-2